दया प्रकाश सिन्हा

नाट्य-समग्र

ऐतिहासिक एवं पौराणिक नाटक

खण्ड तीन

स्वीकृति हेतु पता :
बी-255, सेक्टर-26
नोएडा-201301
ई-मेल : dpsinha50@hotmail.com तथा
pkbharti2004@yahoo.com

दया प्रकाश सिन्हा

नाट्य-समग्र

खण्ड तीन

ऐतिहासिक एवं पौराणिक नाटक

वाणी प्रकाशन

वाणी प्रकाशन
4695, 21-ए, दरियागंज, नयी दिल्ली 110 002

शाखा
अशोक राजपथ, पटना 800 004

फ़ोन : +91 11 23273167 फ़ैक्स : +91 11 23275710

www.vaniprakashan.in
vaniprakashan@gmail.com
sales@vaniprakashan.in

AITIHASIK EVAM PAURANIK NATAK-3
by Daya Prakash Sinha

ISBN : 978-93-87889-16-3
Collection of Play

प्रथम संस्करण

मूल्य : ₹899

हर्ष प्रिंटर्स, दिल्ली-110 093 में मुद्रित

वाणी प्रकाशन का लोगो मक़बूल फ़िदा हुसेन की कूची से

मेरे नाटक

मैंने बहुत नहीं लिखा है। मेरे तेरह पूर्णकालिक नाटक, एक एकांकी संग्रह, और एक बाल नाटिका प्रकाशित हुए हैं। कुल मिलाकर केवल पन्द्रह। बस, इतने ही? मेरे एक मित्र हैं, जिनके प्रकाशनों की संख्या तीन-चार सौ है। वह भारत सरकार द्वारा सम्मानित भी हैं। अगर प्रकाशनों की संख्या ही रचनात्मकता का मापदण्ड होती, तो मेरी गिनती कहीं होती ही नहीं। सौभाग्य से ऐसा नहीं है। मेरे नाटकों की संख्या कितनी ही कम क्यों न हो, वे देश-विदेश में लगातार मंचित हो रहे हैं। मेरे नाटकों को रंगकर्मियों ने तो स्वीकार किया ही है; सन्तोष इस बात का भी है कि वे विश्वविद्यालय के अध्येताओं द्वारा भी स्वीकार किये गये हैं।

पिछली शताब्दी के पाँचवें दशक में जब मैंने नाटक लिखना प्रारम्भ किया था, तो मेरे सामने कोई 'मॉडल' (आदर्श) नाटककार नहीं था, जो मेरे नाट्यलेखन को प्रेरित करता। उस समय न तो हिन्दी रंगमंच था, और न ही कोई स्थापित नाटककार। बोलते सिनेमा (टॉकी) के आविष्कार के साथ, 1930 के आसपास पारसी थियेटर ने दम तोड़ दिया था। उस कमी की भरपाई करने, हिन्दी रंगमंच भी आगे नहीं आ सका था। हिन्दी भाषी प्रदेशों में रंग-परिदृश्य में सन्नाटे के ऐतिहासिक कारण थे। हिन्दी भाषी क्षेत्रों पर लगभग छह-सात सौ वर्षों तक मुस्लिम आधिपत्य रहा है। इस्लाम में संगीत, नृत्य, नाटक इत्यादि वर्जित हैं। इसलिए मुस्लिम शासनकाल में इन कलाओं का ह्रास्व हुआ। नगरों की सीमा और हुकूमत से बहुत दूर, एकाकी, दूरस्थ मन्दिरों में अष्टयाम की आरती और भजन-गायकी के माध्यम से 'शास्त्रीय संगीत' थोड़ा-बहुत बच गया। और नृत्य, मुस्लिम शासकों के मनोरंजन के लिए वेश्याओं के कोठों पर पहुँच गया, जिसका पुनरुद्धार, अंग्रेज़ों के आने के बाद उन्नीसवीं-बीसवीं शताब्दी में हुआ। किन्तु नाटक नहीं बच सका। नाटक सामूहिक कला है, अतएव मुस्लिम शासकों के मज़हबी-निषेध से बच नहीं सका। उनके शासनकाल में, हिन्दीभाषी प्रदेशों में भास, कालिदास, भवभूति, शूद्रक, विशाखदत्त आदि नाटककारों की परम्परा का अवसान हो गया। और नाटक समाज से बहिष्कृत हो गया। इसका प्रभाव अब तक है।

मुस्लिम आधिपत्य की समाप्ति के पश्चात्, अंग्रेज़ी शासनकाल में, भारत में अंग्रेज़ी रंगमंच और शेक्सपियर के नाटकों से प्रभावित पारसी थियेटर (1850-1930) अस्तित्व में आया। उन्नीसवीं शताब्दी के अन्तिम चरण में, अंग्रेज़ी फ़ौज के जवानों और अफ़सरों के मनोरंजन के लिए, फ़ौजी छावनियों में, इंग्लैण्ड से नाटक मण्डलियाँ आया करती थीं। इन छावनियों को अनाज आदि की आपूर्ति करने वाले पारसी ठेकेदारों ने भी इन नाटकों को देखा। फिर इनमें से कुछ पारसी ठेकेदारों ने भारतीय दर्शकों के लिए अपनी-अपनी थियेटर कम्पनियाँ बनाई। इन कम्पनियों के मालिक प्रायः पारसी थे, इसलिए इनको पारसी थियेटर कम्पनी कहा जाने लगा, और इनके द्वारा प्रस्तुत नाटकों को पारसी थियेटर। पारसी थियेटर में प्रायः शेक्सपियर के नाटकों पर आधारित नाटक अथवा अरबी और फ़ारसी की जनश्रुतियों, मिथकों और इतिहास के नायकों के जीवन पर आधारित नाटक प्रस्तुत किये जाते थे। नाटकों में चमक-दमक, शानो-शौक़त, तलवारबाज़ी आदि पर विशेष आग्रह होता था। ये नाटक सामान्य जन के जीवन, उनके दुख-सुख और आकांक्षाओं को रूपायित नहीं करते थे; किन्तु अपनी चमक-दमक, और भड़कीली पोशाक आदि के माध्यम से दर्शकों को आकर्षित करते थे। इनकी भाषा फ़ारसी-मिश्रित उर्दू होती थी। ऐसी उर्दू जो सामान्य अवधी, ब्रज भाषा, भोजपुरी आदि जानने वाले जन-समुदाय की समझ से परे थी। पारसी थियेटर में उर्दू भाषा के दबदबे के सम्बन्ध में पारसी थियेटर के यशस्वी नाटककार नारायण प्रसाद 'बेताब' अपनी आत्म-जीवनी में लिखते हैं कि उनकी थियेटर कम्पनी के पारसी मालिक ने किसी दबाव में आकर रामायण पर आधारित एक नाटक का निर्माण तो किया, किन्तु नाटक की भाषा अन्य पारसी नाटकों के समान ही फ़ारसी मिश्रित उर्दू ही रखी। इसमें सीताजी अपने पति रामचन्द्र जी से कहती हैं–*"आप मिल गये तो गोया मुझे खुदा मिल गया।"* ऐसा था वर्चस्व उर्दू का, पारसी थियेटर में। ब्रज क्षेत्र में प्रचलित 'भगत' और हरियाणा में प्रचलित 'स्वाँग' आदि लोकनाटकों को पारसी थियेटर ने प्रभावित किया, जिससे 'नौटंकी' (संगीत नाटिका) का जन्म हुआ। कुछ नाट्य-समीक्षक पारसी थियेटर, और नौटंकी को संस्कृत नाटकों की परम्परा में मानते हैं। किन्तु यह सत्य नहीं है। पारसी थियेटर एवं नौटंकी, दोनों ही विधाएँ, भारतीय धरती और भारतीयता से जुड़ी नहीं थीं।

जब पारसी थियेटर में उर्दू आधारित नाटक रचे जा रहे थे, तब उसकी प्रतिक्रिया में हिन्दी में भी नाटक रचे गये। हिन्दी नाटककारों में *भारतेन्दु हरिश्चन्द्र, जयशंकर प्रसाद, लक्ष्मी नारायण मिश्र, हरिकृष्ण प्रेमी, सेठ गोविन्द दास* आदि के नाम विशेष रूप से उल्लेखनीय हैं। किन्तु हिन्दी नाटककारों के

पास रंगमंच से निकटता की सुविधा नहीं थी, जो उर्दू के नाटककारों के पास थी। आग़ा हश्र कश्मीरी आदि नाटककारों का प्रत्यक्ष सम्बन्ध रंगमंच से था, और उनके नाटक पूरे देश में पारसी थियेटर द्वारा मंचस्थ होते थे। इसके विपरीत, जयशंकर प्रसाद आदि के हिन्दी नाटक, मंचन के अभाव में, केवल पाठ्य-नाटक बन कर रह गये थे।

अभी कुछ दिनों पहले अचानक किसी पत्रिका में जयशंकर प्रसाद द्वारा लिखित एकांकी 'प्रायश्चित्त' पढ़ने का अवसर मिला। यह नाटक कन्नौज के राजा जयचन्द के बारे में है, जिसने अजमेर के राजा पृथ्वीराज से ईर्ष्यावश मोहम्मद गौरी को उस पर आक्रमण करने के लिए निमन्त्रित किया था। पृथ्वीराज को पराजित करने के पश्चात्, मोहम्मद गौरी ने जयचन्द को भी पराजित किया। पराजित जयचन्द ने अन्ततः गंगा में डूबकर प्रायश्चित्त किया। यह एकांकी नाटक सात-आठ पृष्ठों का है। इसमें छह दृश्य हैं : पहला–रणभूमि (नदी के किनारे); दूसरा–रणभूमि (श्मशान भूमि के निकट); तीसरा–राजभवन (कन्नौज); चौथा–दिल्ली दरबार (मोहम्मद गौरी); पाँचवाँ–कन्नौज का दुर्ग तथा छठा–गंगा का तट। सात-आठ पृष्ठों के नाटक में छह दृश्यबन्ध!! कोई भी दृश्य दो मिनट से अधिक का नहीं है। दो मिनट में रंगमंच पर दृश्यबन्ध का परिवर्तन सम्भव नहीं है। स्पष्ट ही जयशंकर प्रसाद ने यह एकांकी मंचस्थ होने के लिए नहीं लिखा होगा। केवल पढ़े जाने के लिए लिखा होगा।

जयशंकर प्रसाद तथा उनके समकालीन हिन्दी नाटककार रंगमंच से सम्बद्ध नहीं थे। वे रंगनाट्य की तकनीकी आवश्यकताओं से अनभिज्ञ थे। अतएव प्रायः उनके सभी नाटक पाठ्य-नाटक ही बनकर रह गये। वह मंचीय नाटक कैसे लिखते? उनके समय में पारसी थियेटर का बोलबाला था, जिसके लिए साहित्यिक हिन्दी नाटकों का कोई उपयोग नहीं था। अतएव हिन्दी रंगमंच के अभाव में, साहित्यिक मूल्यों से सम्पन्न पाठ्य-नाटक लिखना ही, हिन्दी साहित्यकारों की मजबूरी थी।

बोलते सिनेमा (टॉकी) के आने के बाद, पारसी थियेटर की लोकप्रियता समाप्त हो गयी। 1930 के आसपास पारसी थियेटर कम्पनियाँ बन्द हो गयीं। पारसी थियेटर के अवसान के बाद, देश की स्वतन्त्रता तक, हिन्दी भाषी क्षेत्र के नाट्य-परिदृश्य में सपाट-सन्नाटा था।

स्वातन्त्र्योत्तर काल में, पारसी थियेटर के अवसान से उत्पन्न सन्नाटे को तोड़ा–पृथ्वी थियेटर ने। पृथ्वी थियेटर पहला ऐसा 'प्रोफ़ेशनल' नाट्यदल था, जिसने हिन्दी भाषी रंगदर्शकों को आधुनिक नाटक से परिचित कराया। 1952 में स्थापित पृथ्वी थियेटर ने ऐसे नाटक प्रस्तुत किये, जिनके कथानकों से हिन्दी

भाषी दर्शक अपने को जोड़ सकते थे। पृथ्वी थियेटर द्वारा प्रस्तुत नाटक ग़द्दार, पठान, आहुति, किसान आदि में हिन्दी भाषी जन की अपनी तत्कालीन समस्याएँ और आकांक्षाएँ दर्पण के समान प्रतिबिम्बित होती थीं। ये नाटक, पारसी नाटकों के समान विदेशी आख्यानों को चमक-दमक का मुलम्मा चढ़ाकर दर्शकों को चौंधियाते नहीं थे। पृथ्वी थियेटर के नाटकों में पारसी थियेटर के समान उर्दू का आग्रह नहीं था। पृथ्वी थियेटर के नाटकों की भाषा नाटक के चरित्रों के अनुसार हिन्दी या उर्दू, शहरी या ग्रामीण भाषा थी। नाटक में बनावटी चमक-दमक और भड़कीली वेश-भूषा के स्थान पर, जहाँ तक सम्भव हो, यथार्थवादी प्रस्तुति थी। पृथ्वी थियेटर ने सोलह वर्षों में प्रायः सम्पूर्ण भारत की परिक्रमा की, और उसके नाटकों ने प्रायः पूरे भारत में नवायु रंगकर्मियों और शौक़िया (ऐमटर) रंगमंच को प्रेरित किया।

आज़ादी के पश्चात्, नवोन्मेष के काल में, पृथ्वी थियेटर से प्रेरित, शौक़िया रंगमंच एक आन्दोलन के रूप में बड़े शहरों से धीरे-धीरे बढ़कर छोटे नगरों और क़स्बों तक फैल गया। आज (2018) में, आज़ादी के सत्तर वर्ष बाद भी शौक़िया रंगमंच ही हिन्दी भाषी समाज के नाट्य-परिदृश्य को परिभाषित करता है।

देशव्यापी शौक़िया रंगान्दोलन के विस्तार ने हिन्दी नाट्यलेखन को प्रेरित नहीं किया। हिन्दी भाषी प्रदेशों का शौक़िया थियेटर, प्रारम्भिक काल में पश्चिमी थियेटर से प्रभावित था। अंग्रेज़ी भाषा के माध्यम से पूरे विश्व का थियेटर शौक़िया रंगमंच के लिए उपलब्ध था। इब्सन, चेखव, मैक्सिम गोर्की, आयोनेस्की, बैकेट, सार्त्र, कामू, आदि के नाटकों के अनुवाद या छायानुवाद ने शौक़िया रंगमंच की आवश्यकता को प्रारम्भिक वर्षों में पूरा किया। बाद के वर्षों में हिन्दी शौक़िया रंगमंच ने बंगाली और मराठी के नाटकों की खोज की, जहाँ नाटक और रंगमंच की परम्परा सुदृढ़ है। इस कारण शौक़िया हिन्दी रंगमंच में मौलिक हिन्दी नाटकों के लिए माँग कभी नहीं रही। आपूर्ति माँग पर होती है; जब माँग ही न हो, तो आपूर्ति कैसे होती। शौक़िया हिन्दी रंगमंच को आवश्यकता नहीं थी, इसलिए आज़ादी के बाद बहुत कम अच्छे मौलिक नाटकों की हिन्दी में रचना हुई।

शौक़िया हिन्दी रंगमंच में रंगकर्मी किसी भी नाटक की दो-चार प्रस्तुतियों के पश्चात् ही अगला नाटक ढूँढ़ने लगते हैं। वह पश्चिमी देशों के विकसित थियेटर के समान, नये नाटकों की दो-चार हज़ार प्रस्तुतियों का सपना भी नहीं देख सकते। इसने भी श्रेष्ठ हिन्दी रचनाकारों को नाटक-रचना के लिए प्रेरित नहीं किया।

शौक़िया रंगकर्म का विस्तार तो हुआ है किन्तु उसमें गहनता का अभाव है।

शौक़िया रंगकर्मियों में उत्साह है, समर्पण है किन्तु उनमें नाटक का साहित्य के रूप में अध्ययन का अभाव है। इसी प्रकार विश्वविद्यालयों के नाट्य-अध्यापकों में नाटक के सैद्धान्तिक पक्ष का ज्ञान तो भरपूर होता है, किन्तु वे उसके व्यावहारिक पक्ष से प्रायः अनभिज्ञ होते हैं। अध्येताओं और रंगकर्मियों के बीच की यह खाई ही हिन्दी रंगमंच के विकास में सबसे बड़ी बाधा है। हिन्दी भाषी रंगकर्मी नाटक पढ़ते नहीं। वे कलकत्ता/मुम्बई में बंगाली/मराठी नाटकों को देखकर उनकी नक़ल हिन्दी में प्रस्तुत करके सन्तुष्ट हो जाते हैं। और साहित्यकार अपने प्रभामण्डल की रेखा लाँघकर, नाटक देखने जाना आवश्यक नहीं समझते। साहित्यकार और रंगकर्मी के बीच दूरी ही मुख्य कारण है, जिसके कारण हिन्दी में अच्छे नाटक नहीं लिखे गये हैं।

स्वतन्त्रता प्राप्ति के पश्चात् मेरे जैसे किशोरों और नवयुवकों में एक नया-नया उत्साह था। हम लोग ऐसा कुछ करना चाहते थे, जो गुलाम देश में नहीं हुआ था। इस परिप्रेक्ष्य में देशव्यापी शौक़िया (ऐमटर) नाट्य आन्दोलन जो जन्म ले रहा था, मेरा नाटककार उसी की देन है।

अपने नाटकों पर लिखना बहुत जोख़िम का कार्य है। आत्म-परीक्षण कितनी भी सावधानी से किया जाये, फिर भी उसमें आत्म-श्लाघा की सम्भावना सदैव सम्भव है। आत्म-प्रशंसा का आरोप भी लग सकता है, अतएव मैं अपने नाटकों का मूल्यांकन नहीं करूँगा। केवल उन परिस्थितियों, प्रभावों और रचनात्मक दबावों का उल्लेख करूँगा जिनके कारण मेरे नाटक लिखे गये हैं। साथ ही अपनी बात भी कहूँगा, जिनको मैंने अपने नाटक के माध्यम से कहना चाहा है।

मेरा रंगमंच और नाट्यलेखन से जुड़ाव लगभग 60 वर्ष पुराना है। अभिनय का आकर्षण मुझे रंगमंच तक खींच कर ले गया था, किन्तु परिस्थितिवश अभिनय अधिक नहीं चल सका। किन्तु निर्देशन और नाट्य-लेखन, इतने वर्षो तक, बराबर, रुक-रुक कर चलता रहा।

मेरे नाटकों में वह कुछ है, जो मैंने देखा, सुना और समझा है। इसका यह अर्थ नहीं कि मैंने एक पत्रकार की भाँति अपने अनुभवों को, जैसा है, वैसा ही, एक रिपोर्टर की भाँति अपने नाटकों में रूपान्तरित कर दिया है। मेरे नाटक मेरे अनुभव और मेरे व्यक्तित्व के रंग से रंजित हैं। मेरे नाटकों में वह कुछ है जिसे मैंने घटित होते हुए देखा है। वह लोग हैं, जिनसे मैं मिला हूँ; वह चरित्र हैं, जिन्होंने अपनी छाप मेरे मन पर छोड़ी है; वह सब है जिनकी विशेषताओं ने मुझे आकर्षित किया है, या जिनकी कुटिलताओं ने मुझे आहत किया है, और जिनका विष मैंने हवा में बिखरते देखा है। उन सबको मैंने मोतियों की माला के समान

अपने नाटक में पिरोया है। साथ ही, जो मैंने भोगा है, भुगता है, झेला है, वह सब भी मेरे नाटकों में हैं। मेरे अन्तर का नाटककार सतत क्रियाशील रहा है। उसने केवल वह नहीं देखा जो ऊपर से दिखाई पड़ता है। उसने ऊपरी आवरण से आच्छादित यथार्थ को पकड़ने की कोशिश की है, और उसी को नाटक में ढाला है। इस पैमाने पर जब मैं अपने नाटकों को परखता हूँ, तो मुझे लगता है अपने हर नाटक में मैं हूँ।

श्रेष्ठ नाटक सार्वकालिक और सार्वभौमिक होते हैं। सार्वकालिक से अर्थ है काल-निरक्षेप। ऐसे नाटक, जो बीतते समय के साथ पुराने न लगें। पुराने होने के बाद भी हर काल में ऐसा लगे, जैसे वे आज के ही नाटक हैं।

सार्वभौमिक नाटक का अर्थ है, ऐसा नाटक, जो देश-विदेश की भौगोलिक सीमाओं से निरपेक्ष हो। जो किसी एक देश का हो, किन्तु हर देश को ऐसा लगे कि वह उसके ही देश का है।

समय मेरे नाटकों का मूल्यांकन करेगा। समय बताएगा कि मेरे नाटक सार्वकालिक और सार्वभौमिक हैं या नहीं।

नाटककार के रूप में मैं अपने आपको भाग्यशाली मानता हूँ, क्योंकि मुझे शेक्सपियर, आग़ा हश्र कश्मीरी और नारायण प्रसाद बेताब के समान सक्रिय रंगमंच से जुड़े रहने का अवसर प्राप्त था। नाटक लिखने के बाद, उसे प्रकाशन के लिए देने के पूर्व, मैं उसे स्वयं मंचित करके उसकी मंचीयता की परीक्षा करता हूँ। उसे और भी धारदार एवं प्रभावी बनाने के लिए मंचसिद्ध करता हूँ।

मैं अपने सभी नाटकों का प्रायः प्रथम निर्देशक रहा हूँ। अपने जिन नाटकों का मैं प्रथम निर्देशक नहीं रहा हूँ, उनके प्रथम निर्देशक मेरे मित्र के.बी. चन्द्रा रहे हैं। मैं उनके निर्देशन के दौरान, नाट्य-निर्मिति में निरन्तर उनके साथ-साथ रहा हूँ। इस प्रकार प्रकाशन के पूर्व, मैं अपने सद्यलिखित नाटक को मंचस्थ करके यह सुनिश्चित करता हूँ, कि मेरे नाटक हर तरह से मंच पर सफल सिद्ध हों। मैं नहीं चाहता कि पूर्वगामी हिन्दी नाटककारों के समान मुझ पर भी यह आक्षेप आये कि मेरे नाटक मात्र पाठ्य-नाटक हैं, और मंच पर असफल एवं अमंचनीय हैं। इसीलिए मैं प्रकाशन के पूर्व, नाटक की मंचीयता की परीक्षा करके, नाटक को मंचसिद्ध करता हूँ।

किसी निर्देशक को मेरे नाटकों को मंचित करने के लिए काट-छाँट नहीं करनी पड़ती। उदाहरण के लिए जब मैंने *'सम्राट अशोक'* नाटक लिखा था, तो उसके एक दृश्य में नायिका को 'वैद्या' के रूप में दिखाया था। ठीक, उसके बाद के अगले दृश्य में, वह 'महारानी' के रूप में थी। इसके अनुसार जब मैं नाटक का

रिहर्सल कर रहा था तब मैंने अनुभव किया कि नायिका को 'वैद्या' से 'महारानी' की भूमिका में आने के लिए कपड़े बदलने होंगे। इसके लिए दो दृश्यों के बीच कपड़े बदलने के लिए समय चाहिए। अतएव, मैंने इन दृश्यों के बीच एक नया दृश्य लिखा, जिससे नायिका को दो दृश्यों के बीच इतना अन्तराल मिल जाये कि वह 'वैद्या' के रूप से निकलकर 'महारानी' के चरित्र में आ सके।

मैं समझता हूँ कि नाटक की प्रस्तुति-शैली (form) का नाटक की कथावस्तु (content) से अलग कोई अस्तित्व नहीं है। नाटककार को यह देखना होता है कि उसके नाटक की कथावस्तु किस प्रस्तुति-शैली में सर्वाधिक सफलता से प्रेक्षकों तक संचारित हो सकती है। केवल प्रयोग के लिए प्रस्तुति-शैली में प्रयोग अर्थहीन है। इसीलिए जब पश्चिम में असंगत (एबसर्ड) नाटकों की बयार चली, तो मैं उसमें बह नहीं गया। जब नाटकों में लोक गीत-संगीत के समावेश का चलन बढ़ा, तो मैं उस क़तार में नहीं लग गया। किन्तु जब नाटक के कथानक को और अधिक प्रभावी प्रस्तुति की आवश्यकता हुई, तो मैंने अपने नाटक 'इतिहास-चक्र' तथा 'कथा एक कंस की' में, नाटक में वांछित "समय, कार्य-व्यापार तथा स्थान के एकत्व" (Unity of time, action and place) को विखंडित कर दिया। पूरा का पूरा नाटक 'कथा एक कंस की' पूर्वदीप्ति में है, जिसमें पूर्व में हुई घटना बाद में आती है, और बाद में हुई घटना पहले। मैंने अपने नाटकों में प्रयोग, केवल प्रयोग के लिए नहीं किये हैं। कथानक की प्रभावशीलता बढ़ाने के लिए किये हैं।

मेरे बड़े भाई (जिन्हें मैं ज्ञान दादा कहता हूँ) ने मुझसे कहा था कि *"तुम केवल नाटक लिखो। एक्टिंग और डायरेक्शन के चक्कर में नहीं पड़ो। एक्टर और डायरेक्टर तो दो-चार घण्टे चमकते हैं, लेकिन नाटककार बरसों ज़िन्दा रहता है। तुम नाटक लिखने पर ज़्यादा ध्यान दो।"* किन्तु रंगमंच का ग्लैमर तो एक्टिंग और डायरेक्शन में ही है। इसलिए मैंने उनकी बात पर ध्यान नहीं दिया। लेकिन आज जानता हूँ, उन्होंने कितना ठीक कहा था।

अभी कुछ दिनों पहले ही आई.आई.टी. दिल्ली के छात्रों ने मेरा नाटक *'मन के भँवर'* मंचस्थ किया। यह नाटक मैंने 1960 में लिखा था और जनवरी, 1961 में इलाहाबाद में मंचस्थ किया था। यह जानकर मुझे अप्रत्याशित आश्चर्य और सुखद अनुभूति हुई कि नाटक लिखे जाने के लगभग सत्तावन वर्ष बाद भी जीवित है। मैंने नाटक *'कथा एक कंस की'* वर्ष 1974 के आस-पास लिखा था। इसकी प्रथम प्रस्तुति जून, 1975 में हुई थी। पिछले दिनों (वर्ष 2016-17) में केवल दिल्ली के चार निर्देशकों ने चार अलग-अलग संस्थाओं द्वारा *'कथा एक*

कंस की' मंचस्थ किया। लिखे जाने के तैंतालीस वर्ष बाद भी 'कथा एक कंस की' जीवित है। यह तथ्य मुझे अपने लेखन के प्रति आश्वस्त करता है। पिछली शताब्दी के आठवें दशक में नाटक *'कथा एक कंस की'* दिल्ली विश्वविद्यालय में स्नातक पाठ्यक्रम में निर्धारित किया गया था। इसके पश्चात् मेरे नाटक अनेक विश्वविद्यालयों के पाठ्यक्रम में सम्मिलित किये गये। कश्मीर, केरल, गुजरात, पश्चिम बंगाल, मध्य प्रदेश, उत्तर प्रदेश, दिल्ली, राजस्थान आदि के अनेक विश्वविद्यालयों में पीएच.डी. के लिए मेरे नाटकों पर शोध किये गये/किये जा रहे हैं। ज्ञान दादा ने ठीक कहा था। अभिनेता नहीं, निर्देशक भी नहीं, केवल नाटककार दीर्घायु होता है। तभी तो शेक्सपियर आज साढ़े चार सौ साल बाद भी जीवित है, और कालिदास पन्द्रह सौ साल बाद भी। मैं आशा करता हूँ कि मेरे नाटक मेरे जाने के बाद भी कुछ वर्ष जीवित रहेंगे।

पिछले महीने दिल्ली की नाट्य-संस्था 'सुमुखा' ने, मेरे छह नाटकों पर केन्द्रित एक नाट्य-समारोह–'प्रतिभा नाट्य-उत्सव' राष्ट्रीय नाट्य विद्यालय, दिल्ली के प्रांगण में स्थित अभिमंच में आयोजित किया। यह पहला अवसर था, जब अलग-अलग नगरों से आये, छह नाट्य-दलों ने, अलग-अलग निर्देशकों द्वारा निर्देशित, मेरे छह नाटकों को एक मंच पर, मंचित किया। इस नाट्य-उत्सव में मुम्बई के आवारा थियेटर ग्रुप ने 'अपने अपने दाँव', लखनऊ की संस्था मंचकृति ने 'सादर आपका', संस्कार भारती, गोरखपुर ने 'सम्राट अशोक', दिल्ली की 'सुमुखा' ने 'कथा एक कंस की', 'उड़ान' दिल्ली ने 'इतिहास' तथा संस्कार भारती, दिल्ली ने 'रक्त-अभिषेक' नाटक प्रस्तुत किये। फ़िल्मों की दुनिया में, फ़िल्म निर्देशकों के फ़िल्मों के 'रिट्रोस्पेक्टिव' आयोजित करने की परम्परा है। यह पहला अवसर था, जब भारत के किसी नाटककार के नाटकों का इस तरह 'रिट्रोस्पेक्टिव' आयोजित किया गया। ज्ञान दादा ने ठीक कहा था।

अपने नाटकों का स्वयं मूल्यांकन सम्भव नहीं है। पिछले वर्षों में हिन्दी के अनेक विद्वानों ने मेरे नाटकों की समीक्षाएँ की हैं, वे सब समीक्षाएँ श्री रवीन्द्र नाथ बहोरे (पूर्व सम्पादक : छायानट) ने अपनी पुस्तक *'नाटककार दया प्रकाश सिन्हा : समीक्षायन'* में संग्रहित की हैं। *ये विद्वान समीक्षक हैं–श्री विष्णु प्रभाकर, डॉ. दशरथ ओझा, डॉ. सूर्य प्रसाद दीक्षित, डॉ. रामदरश मिश्र, डॉ. पूरनचन्द टण्डन, डॉ. जयदेव तनेजा, डॉ. शत्रुघ्न प्रसाद, श्री देवेन्द्रराज अंकुर, डॉ. सुन्दर लाल कथूरिया, डॉ. लक्ष्मण सहाय, डॉ. रामशरण गौड़, डॉ. रमानाथ त्रिपाठी, श्री कमला प्रसाद चौरसिया, श्री जगदीश शर्मा, डॉ. हरीश कुमार सेठी, डॉ. बंशीधर, श्री योगेश प्रवीन, श्री सुशील कुमार सिंह, डॉ. नन्दलाल मेहता 'वागीश',*

डॉ. ममता सिंगला, डॉ. जितेन्द्र सहाय, डॉ. दयाकृष्ण विजयवर्गीय, श्री रेवती सरन शर्मा, डॉ. विनय, डॉ. रामगोपाल शर्मा 'दिनेश', डॉ. सुधीन्द्र कुमार, श्री सुरेन्द्र कुमार तिवारी, डॉ. धर्मपाल सिंहल, डॉ. मधुरेश नन्दन कुलश्रेष्ठ, श्री योगेन्द्र द्विवेदी, डॉ. विश्वनाथ मिश्र, श्री वीरेन्द्र मोहन, डॉ. अनुम गुप्ता, डॉ. विश्वनाथ मिश्र, डॉ. ओम प्रकाश सारस्वत, डॉ. बलदेव बंशी, डॉ. योगेश मिश्र, श्री शंकर लाल पुरोहित, श्री हरजेन्द्र चौधरी, नरेश शांडिल्य, पवन कुमार सिंह, डॉ. मदन मोहन माथुर, डॉ. विनीता गुप्ता, डॉ. वीणा गौतम, श्री संगम पाण्डे, डॉ. लव कुमार लवलीन, श्री लक्ष्मीकान्त वर्मा, डॉ. गिरीश रस्तोगी तथा डॉ. अवनिजेश अवस्थी।

ग्रन्थ *'नाटककार दया प्रकाश सिन्हा : समीक्षायन'* के सम्पादक रवीन्द्रनाथ बहोरे ने अपने सम्पादकीय में मेरे नाटकों का मूल्यांकन करते हुए जो संक्षिप्त टिप्पणी की है, उसका एक अंश उद्धृत है–

> ''दया प्रकाश सिन्हा के नाटकों की समीक्षा करने के निमित्त महत्त्वपूर्ण विवेच्य सूत्र उनके चरित्र/पात्र हैं। इस दृष्टि से यह प्रश्न महत्त्वपूर्ण है कि क्या उनके समग्र लेखन का कोई ऐसा आन्तरिक सूत्र है, जो उनके हास्य, व्यंग्य, मिथक, इतिहास आदि विविध रंगों के वैविध्यपूर्ण लेखन को एकत्व प्रदान करता है? यहाँ पर उल्लेखनीय है कि सभ्य समाजों में आपसी चर्चा के तीन विषय होते हैं : पहला 'लोग', दूसरा 'घटनाएँ', तथा तीसरा 'विचार' अथवा 'अवधारणा'। सामान्यजन प्रायः दूसरों के बारे में चटपटी बातें करते हैं। मध्यम कोटि के लोग घटनाओं पर चर्चा करते हैं और बौद्धिक वर्ग के लोग घटनाओं से सम्बन्धित विचारों और अवधारणाओं पर विमर्श करते हैं। श्री सिन्हा के नाटक निश्चय ही 'विचार नाटक' कहलाने के हक़दार बनते हैं।...
>
> श्री सिन्हा का समग्र नाट्य-सृजन 'विचार नाटक' के अन्तर्गत श्रेणीबद्ध किया जा सकता है। अवधारणा के स्तर पर परिकल्पना करके, ठोस रंगमंचीय धरातल पर, जीवन्त पात्रों के माध्यम से, अपने नाटकों का रूपायन नाटककार सिन्हा की विशेषता है।
>
> इस तथ्य पर भी विचार करना आवश्यक है कि श्री सिन्हा से वरिष्ठ, किन्तु लगभग समकालीन नाटककारों में मोहन राकेश सर्वाधिक विख्यात और चर्चित नाटककार हैं। अगर उनके नाटकों को समकालीन नाट्य-रचना को परखने की कसौटी मान लिया जाये, तो श्री सिन्हा के नाटक कहाँ ठहरते हैं? मोहन राकेश के तीनों नाटकों–'आषाढ़ का एक दिन', 'आधे-अधूरे' तथा 'लहरों के राजहंस' की ज़मीन एक ही है। ये तीनों नाटक स्त्री-पुरुष

के सम्बन्धों का अन्वेषण करते हैं और स्त्री-पुरुष सम्बन्धों का सूक्ष्मदर्शी (माइक्रोस्कोपिक) परीक्षण कर उसके मनोवैज्ञानिक पक्ष को उजागर करते हैं। इसके विपरीत दया प्रकाश का कोई भी नाटक स्त्री-पुरुष के सम्बन्धों पर केन्द्रित नहीं है। उन्होंने विभिन्न नाटकों में सामाजिक-राजनैतिक विसंगतियों और संघर्षों को अपने नाटक का विषय बनाया है। यह मूलभूत अन्तर कदाचित् नाटककारों के अनुभवों की असमानता को दर्शाता है। मोहन राकेश प्रायः आजीवन स्वतन्त्र लेखक रहे। उनके अनुभवों का दायरा लेखकों, पाठकों और व्यक्तिगत जीवन की परिधि के भीतर ही रहा, जबकि श्री सिन्हा साहित्य-कला की सीमा के दूसरी ओर सरकारी अधिष्ठान से तैंतीस वर्षो तक जुड़े रहे। उन्होंने जगत-जीवन को सत्ता के छज्जों से देखा। छत पर चढ़कर देखने वाला दूर-दूर तक देख सकता है। उसकी निगाह में एक साथ विस्तृत क्षेत्र आता है, इसीलिए उनके नाटकों में नाट्य-व्यापार का क्षेत्र भी विस्तृत है। उनके अधिकांश नाटक 'मेरे भाई मेरे दोस्त', 'इतिहास-चक्र', 'सीढ़ियाँ', 'इतिहास', 'रक्त-अभिषेक' आदि की ज़मीन समाज, राजनीति और इतिहास को समेटती है। मोहन राकेश जहाँ स्त्री-पुरुष सम्बन्धों को सूक्ष्मदर्शी यन्त्र से देखते हैं, वहाँ सिन्हा जी समाज-इतिहास-राजनीति को दूरदर्शी यन्त्र से देखते हैं। इस प्रकार मोहन राकेश के नाटकों में स्त्री-पुरुष सम्बन्धों का केन्द्रीभूत चित्रण गाढ़े रंगों से किया गया है; जबकि दया प्रकाश सिन्हा के नाटकों में मानव-प्रवृत्तियों और इतिहास की धाराओं का अन्वेषण समय के विशाल फलक पर किया गया है।''

शीर्षस्थ साहित्यकारों और अध्येताओं के द्वारा किये गये अपने नाटकों के मूल्यांकन से मैं अभिभूत और कृतज्ञ हूँ। साथ ही मैं अति विनम्रतापूर्वक देश/विदेश के उन तमाम निर्देशकों के प्रति अपना आभार व्यक्त करता हूँ, जिन्होंने मेरे नाटक मंचस्थ करके, उनको अपनी स्वीकृति से अभिषिक्त किया।

नोएडा
मार्च, 2018

दया प्रकाश सिन्हा

अनुक्रम

कथा एक कंस की
(1974)

Saakar
|| कंस ||

नाटक के प्रथम निर्देशक

के.बी. चन्द्र

को मित्रता की अर्द्ध-शताब्दी पर

नाटककार का दृष्टिकोण

(प्रथम संस्करण की भूमिका)

एक व्यक्ति लोगों की भीड़ को सम्बोधित करते हुए कुछ कहता है, तो वह नाटक नहीं होता। किन्तु वही व्यक्ति जब विशिष्ट उद्देश्य से, अपने स्वर में कोई 'भाव' उत्पन्न करता है, तो वह नाटक बन जाता है। इस 'भाव' में ही नाटकीयता के तत्त्व हैं। यह नाटकीयता स्वर की विशिष्टता और उतार-चढ़ाव के अतिरिक्त वेश-भूषा, रूप-सज्जा, भाव-भंगिमा, मुद्रा आदि से भी उपलब्ध होती है, जो कि अभिनेता के साधारण सम्बोधन को नाटक का रूप देते हैं।

कदाचित सभ्यता के विकास में पहला नाटक केवल एक अभिनेता वाला ही रहा होगा। उस एक पात्रीय नाटक का अभिनेता संवाद नहीं बोलता होगा। नाटक के शब्द बाद में आये। मूल एक पात्रीय नाटक के सम्बोधन की भाषा, विचित्र वेश-भूषा, मुद्रा और भंगिमाएं ही होंगी। आदिम अभिनेता किसी जानवर की खाल ओढ़कर, या बिना ओढ़े ही, उसकी चाल-ढाल तथा मुद्रा का 'माइम' (मूकाभिनय) करता होगा। यही नाटक की शुरुआत रही होगी। कालान्तर में अभिनेताओं की संख्या बढ़ी। उनकी वेश-भूषा, रूप-सज्जा में विकास हुआ। मौखिक ध्वनियों के पश्चात् शब्दों और संवाद ने अपना स्थान रंगमंच पर ग्रहण किया। इस परिप्रेक्ष्य में हम नाटक को परिभाषित करते हुए कह सकते हैं कि नाटक एक या अधिक अभिनेताओं द्वारा उपस्थित दर्शको के प्रति वांछित प्रभाव के लिए एक कलात्मक, मूक अथवा शाब्दिक सम्बोधन है।

नाटक एक कला है। लिखित नाटक साहित्य का भी अंग होता है। हर कला तथा साहित्य मूलतः एक सम्बोधन है। चित्रकला, नृत्य, संगीत, नाटक, कविता इत्यादि सब ही के द्वारा रचनाकार एक प्रकार से दर्शकों, श्रोताओं, पाठकों इत्यादि को संबोधित करता है। इस समानता के बावजूद, रंगमंचीय कला में, विशेषकर नाटक में संबोधन, अन्य ललित विधाओं जैसे चित्रकला, कविता, कहानी इत्यादि से भिन्न होता है। चित्रकला, कविता इत्यादि के सृजन के क्षणों में चित्रकार अथवा कवि नितांत अकेला होता है। उस चित्र का दर्शक अथवा उस कविता का पाठक उस समय वहाँ उपस्थित नहीं होता, यद्यपि रचनाकार के अवचेतन में उसकी अन्ततः उपस्थिति के प्रति सजगता अवश्य रहती है। चित्र निर्माण की समाप्ति पर, जब वह

कलादीर्घा में प्रदर्शित होता है, तब दर्शक उसे देखते हैं। चित्र की रचना में दर्शक का कोई योगदान नहीं होता। उसी प्रकार कविता के सृजन के पश्चात् जब वह किसी पत्रिका या पुस्तक में प्रकाशित होती है, तब पाठक उसका रसास्वादन करते हैं। चित्र के दर्शकों के समान कविता के पाठक भी कवि को कविता की रचना-प्रक्रिया में प्रभावित नहीं करते। यदि उनका कुछ प्रभाव होता भी है, तो वह अवचेतन के स्तर पर, नितान्त अप्रत्यक्ष।

चित्र के दर्शकों के समान नाटक के सम्बोधन का लक्ष्य होते हैं—उसके दर्शक। किन्तु चित्र के दर्शकों के समान नाटक के दर्शक, नाटक प्रदर्शन की प्रक्रिया से असंयुक्त नहीं होते। लिखा हुआ नाटक, अपने आप में सम्पूर्ण नहीं होता। उसकी पूर्णता उसके मंच-उपस्थापन में होती है। लिखे हुए नाटक की तुलना, अधूरे चित्र अथवा शिल्प से की जा सकती है। नाटक एक ऐसी साहित्यिक विधा है, जिसका उद्देश्य कविता, कहानी की तरह से केवल पढ़े जाना ही नहीं है, बल्कि अन्ततः जीवन्त अभिनेताओं द्वारा उसका मंचन है। अतएव जब लिखित नाटक के शब्दों को अभिनेताओं द्वारा वाणी मिलती है, उन शब्दों में निहित भावों का जब अभिनेताओं की भंगिमा और अभिनय-प्रतिभा के द्वारा विमोचन होता है, और अभिनेताओं द्वारा संप्रेषित भाव प्रेक्षकों के हृदय में उन्हीं भावों की अनुगूँज पैदा करते हैं, और उसकी प्रतिध्वनि लौटकर पुनः अभिनेताओं को प्रभावित करती है, तब नाटक की सही रचनात्मकता का उद्घाटन होता है। इस प्रकार हम देखते हैं कि नाटक की रचना-प्रक्रिया की पूर्णता नाटक के मंचित होने पर ही होती है, और चित्रकला के दर्शकों के विपरीत इसमें दर्शकों के प्रति संबोधन नितान्त प्रत्यक्ष होता है।

किसी सीमा तक नाटक के दर्शक, नाटक की प्रस्तुति के स्तर को भी प्रभावित करते हैं, जिस प्रकार अच्छे अभिनेता दर्शकों को अपने जादू से बाँधते हैं। अभिनेता और दर्शकों का यह जीवन्त आदान-प्रदान ही नाटक की विशेषता है, जो किसी अन्य साहित्यिक और कलागत विधा में उपलब्ध नहीं होती। अभिनीत होते हुए नाटक की रचना-प्रक्रिया में दर्शक का योगदान फ्रांसीसी शब्द 'असिस्ते' से स्पष्ट होता है। इस शब्द के दो अर्थ हैं—एक सहायता करना, तथा दूसरा नाटक देखने जाना। इस शब्द के विकास में नाटक और दर्शकों के सम्बन्ध का इतिहास छिपा है। नाटक देखने जाने वाला दर्शक मात्र दर्शक ही नहीं होता, अपितु नाटक के उपस्थापन में सहायक भी होता है। नाटकों के मूल्यांकन में, प्रायः दर्शकों की भूमिका की अवहेलना हुई है। नाटक का सही मूल्यांकन साहित्य को परखने की परम्परागत कसौटी नहीं हो सकती। नितांत रंगमंचीय तत्त्व, जैसे रूप-सज्जा, वेश-भूषा, मंच-सज्जा इत्यादि भी नाटक के मूल्यांकन की श्रेष्ठता के लिए अपने आप में अपर्याप्त हैं। श्रेष्ठ नाटक वही है जिसमें अभिनेता और दर्शक बराबर की रचनात्मक-साझेदारी अनुभव करते हैं। संवाद, भाषा, रूप-सज्जा इत्यादि सब तत्त्व, इसकी तुलना में गौण होते हैं। आशा है

कि पिछले दशक में हिन्दी रंगमंच के विकास की माँग के अनुरूप, नाटक के मूल्यांकन की कसौटी भी परिवर्धित होकर पुरानी शास्त्रीयता तक ही सीमित नहीं रह जायेगी।

× × ×

कुछ वर्षों पहले मैं कृष्णलीला देख रहा था। कंस ने अपनी नवविवाहित बहन देवकी तथा उसके पति वसुदेव को कारागार में डाल दिया। मेरे मस्तिष्क में उसी समय अनेक प्रश्न उठे। कंस तो केवल राजकुमार था। राजा तो उसका पिता उग्रसेन था। कंस के इस कुकृत्य पर राजा उग्रसेन ने आपत्ति क्यों नहीं की? कृष्णलीला में इस सम्बन्ध में कुछ भी नहीं दिखाया गया था। मैंने अनुमान लगाया कि कंस ने उसी समय अपने पिता उग्रसेन को बंदी बनाकर कारागार में डालकर राजसत्ता स्वयं ग्रहण कर ली होगी। साथ ही यह प्रश्न उठा कि अपने पिता के विरुद्ध विद्रोह करने के लिए उसको सहायता किससे मिली होगी?, अपने अनुमान की सत्यता परखने और अन्य प्रश्नों के उत्तर पाने के लिए मैंने लाइब्रेरी में जाकर श्रीमद्भागवत देखी। मेरे आश्चर्य और हर्ष की सीमा नहीं थी जब मैंने देखा कि कंस ने सचमुच अपने पिता उग्रसेन को बन्दीगृह में डाल दिया था और इस विद्रोह के लिए उसे सहायता अपने ससुर मगधनरेश महाराज जरासन्ध से प्राप्त हुई थी। स्पष्ट ही कंस की कथा के पीछे कंस का राजसत्ता का लोलुप, मगधनरेश की सत्ता-विस्तार की भावना, कंस की अपने पिता के प्रति दुर्भावना आदि महत्वपूर्ण लगें, न कि वह भविष्यवाणी जिसमें देवकी के आठवें पुत्र द्वारा कंस की हत्या का इंगित था। इस संदर्भ में श्रीमद्भागवत के निम्नलिखित अंश उल्लेखनीय हैं :

कंस ने अपने पिता उग्रसेन को, जो यदु, भोज, अंधक, वृष्टि व यादवों के नायक थे, बंदीगृह में डाल दिया और स्वयं उन पर राज्य करने लगा, क्योंकि कोई भी उसका विरोध न कर सकता था।

–दशम स्कंध (पूर्वाद्ध) प्रथम अध्याय

महाबली कंस मगधराज जरासंध की सहायता से प्रलम्बासुर, बकासुर, वारूण, तृणावर्त, अधासुर, मुष्टिक, अरिष्टासुर, द्विविद, पूतना, केशी, धेनुक, बाणासुर और शौमासुर के साथ मिलकर यादवों को सताने लगा। कंस से पीड़ित होकर यादव, कुरु, पांचाल सब कैकेय, शाल्व, विदर्भ, निषेध, विदेह और कौशल आदि देशों में भाग गये।

–दशम स्कंध (पूर्वाद्ध) द्वितीय अध्याय

हरिवंश पुराण में भी इस सन्दर्भ में पर्याप्त सामग्री है, जिसके कुछ अंश नीचे दिये जा रहे हैं :

कंस ने अपने पिता राजा उग्रसेन का इधर-उधर आना-जाना बन्द करके, उन्हें नगर के मुख-द्वार पर बन्द कर दिया।

–27, त्रयत्रिंश सर्ग

रंगभूमि में पहुँचते ही बलभद्र ने (कृष्ण से) कहा, यह यहाँ शत्रु कंस बैठा है, यह जरासन्ध का आदमी है। इस प्रकार के इशारे से कृष्ण का समस्त मनुष्यों का परिचय करा दिया। ये समस्त लोग भी उसी गोल की ओर देख रहे थे, जो बलभद्र और कृष्ण से सहित था।

–69 षट्त्रिंश सर्ग

श्रीमद्भागवत तथा हरिवंश पुराण के अतिरिक्त मैंने पद्मपुराण, विष्णु-पुराण तथा ब्रह्मवैवर्त-पुराण भी पढ़े। उनमें भी इसी आशय के साक्ष्य प्राप्त हुए। तब यह प्रश्न उठा कि कंस ने वसुदेव को बन्दी क्यों बनाया? आधुनिक मन आकाशवाणी या भविष्यवाणी पर विश्वास करना स्वीकार नहीं करता। तब कौन-सा अन्य कारण हो सकता है? पुराणों में एक कारण मिला, जो तर्कसंगत प्रतीत हुआ। वसुदेव की सगी बहन कुन्ती, हस्तिनापुर के कौरव राजा महाराज पाण्डु को विवाहित थी। अतएव वसुदेव का हस्तिनापुर की ओर झुकाव होना स्वाभाविक होगा। इसके विपरीत कंस का सम्बन्ध मगध से था। मथुरा दो बड़े विशाल साम्राज्यों के बीच स्थित एक छोटा-सा साम्राज्य था, जिसे दोनों ही अपने अधिकार-क्षेत्र में लाना चाहते होंगे। अतएव मगध और हस्तिनापुर के बीच का विभेद (जिसकी परिणति भीम द्वारा जरासन्ध की हत्या में हुई) मथुरा में, कंस और वसुदेव के बीच कटुता और संघर्ष में अभिव्यक्त होना नितांत तर्कसंगत लगता है।

श्रीमद्भागवत के एक अंश ने, जिसमें कृष्ण के भय से आक्रान्त कंस का चित्रण है, मुझे अत्यन्त आकर्षित किया :

"वह भयवश रात्रि को बहुत देर तक जागता रहा। उस दुर्मति को सोने तथा जागने में विविध स्वप्न दिखाई दिये। उसने देखा कि जल या दर्पण में उसका प्रतिबिम्ब है किन्तु उसके सिर नहीं है। चन्द्रमा, तारों और दीपक की ज्योतियाँ दो-दो होकर दिखाई पड़ती हैं। छाया में अनेक छिद्र दिखाई पड़ते हैं। कानों में प्राणों का छू-छू शब्द सुनाई पड़ता है। वृक्षों का रंग सोने के समान पीला दिखाई पड़ता है। बालू कीचड़ में पैरों के चिह्न दिखाई नहीं पड़ते हैं। वह प्रेतों से गले मिल रहा है। गधे पर चढ़ कर चल रहा है। विष का भक्षण कर रहा है। सिर से पैर तक तेल से तर होकर जवा-कुसुम की माला पहने, नंग-धड़ंग अकेला ही चलता जा रहा है।"

नृशंस, क्रूर, कंस के भयातुर एकाकी अंतिम क्षणों के इस चित्रण में मुझे हिटलर का प्रतिरूप अनुभव हुआ, जो द्वितीय महायुद्ध के अंतिम दिनों में इसी प्रकार भयभीत, आतुर, मृत्यु की प्रतीक्षा करता हुआ अपनी 'बंकर' में अकेला रह गया था। उसी क्षण मैंने कंस पर नाटक लिखने का निश्चय किया।

नाटक लिखने के लिए पुराणों से प्राप्त कंस की कथा के चार आधार स्पष्ट थे—कंस ने अपने पिता के विरुद्ध विद्रोह करके उन्हें कारागार में डाल दिया, वह जरासन्ध का दामाद था और मागध सहायता उसे उपलब्ध थी, उसने हस्तिनापुर से

सम्बन्धित वसुदेव को भी बन्दीगृह में डाल दिया, तथा अपने अन्तिम दिनों में कृष्ण से वह इतना भयभीत था कि उसे नींद नहीं आती थी। यह वह बिन्दु हैं जहाँ से मैंने नाटक प्रारम्भ किया।

× × ×

नाटक प्रारम्भ करते समय मेरे सामने मिथक के उपयोग और विवेचन का प्रश्न था। मिथक का वैसे का वैसा ही उपयोग आधुनिक वैज्ञानिक युग में अर्थहीन होता। नाटक में प्रस्तुत आकाशवाणी का दृश्य आज के शिक्षित समाज से तादात्म्य स्थापित नहीं कर सकता। कंस के द्वारा पत्थर पर फेंकी हुई नव-जात बालिका का देवी के रूप में आकाश पर चमकना तथा भविष्यवाणी करना, अशिक्षित वर्ग को भले ही प्रभावित करके श्रद्धा में उनके हाथ जुड़वा ले, किन्तु आधुनिक बौद्धिक वर्ग का विश्वास प्राप्त नहीं कर सकता। अतएव यह आवश्यक था कि नाटक को समसामयिक काल से जोड़कर आधुनिक चेतना के संदर्भ में प्रस्तुत किया जाये। इसके लिए वांछनीय था—मिथक का सहज मानवीय मुहावरे में निरूपण (इन्टरप्रेटेशन)। मैंने इस नाटक में यही करने का प्रयत्न किया है।

जब कंस नवजात बालिका को धरती पर पटकता है, तो वह उसके हाथ से छूटकर आकाश पर चली जाती है। वहाँ देवी रूप में प्रकट होती है, और कंस से कहती है कि उसको मारने वाला तो जन्म के पश्चात कहीं और भेज दिया गया है। इस चमत्कार का सहजीकरण मैंने इस प्रकार किया कि कंस जब बालिका को धरती पर पटकता है, तो भयभीत होकर देखता है कि वह देवी बनकर आकाश पर चमकती हुई भविष्यवाणी कर रही है। उसने जो सुना और देखा उसकी पुष्टि वह अपने सेनापतियों और सहायकों से चाहता है, किन्तु वह स्पष्ट कहते हैं कि उन्होंने यह चमत्कार नहीं देखा। केवल स्वाति (पूतना) कहती है—'मैंने सुनी।' कंस पूछता है—'आकाशवाणी?' तो पूतना उत्तर देती है—'आकाशवाणी नहीं महाराज कंस के भयभीत हृदय की वाणी।' इस प्रकार यह चमत्कार कंस का केवल भ्रममात्र सिद्ध होता है—जिसे उसकी शिराओं में, कण-कण बढ़ते भय ने निर्मित किया था। मिथक का ऐसा निरूपण आधुनिक युग में स्वीकार किया जा सकता है।

इसी तरह से मैंने कृष्ण और पूतना के प्रसंग को नवीन आयाम प्रदान करने का प्रयास किया है। हाल का जन्मा शिशु, पूतना की हत्या नहीं कर सकता। पूतना विशेष परिस्थितियों, में कृष्ण को अपना स्तनपान कराते हुए स्वयं विष खा लेती है जिसे लोग भ्रमवश उस शिशु का चमत्कार समझते हैं, वर्तमान संदर्भ में अधिक उपयुक्त होगा।

किन्तु मिथक के निरूपण की अपनी सीमाएँ हैं। मिथक का वर्तमान संदर्भ में नया अर्थ निकाला जा सकता है, किन्तु उसकी प्रमुख घटनाओं तथा चरित्रों को बदला नहीं जा सकता। मिथक के निश्चित फ्रेम के भीतर ही उलट-फेर की जा

सकती है, किन्तु मूल रूप में मिथक परिवर्तित नहीं किया जा सकता। उदाहरण के लिए कृष्ण और कंस के प्रसंग का कितना ही आधुनिकीकरण क्यों न किया जाये, कृष्ण ही कंस का वध करेगा। इसका विपरीत कभी भी सम्भव नहीं है। मैंने इस नाटक में, जहाँ तक हो सकता है, कथानक और कथाक्रम को अधिक से अधिक मिथक के निकट रखने का प्रयत्न किया है। केवल उसमें 'इंटरप्रेटेशन' के मामले में मैंने नाटककार की रचनात्मक स्वतन्त्रता का उपयोग किया है।

मैं पहले लिख चुका हूँ कि कंस के चरित्र में मुझे हिटलर की झलक दिखाई दी, तब ही इस नाटक को लिखने की इच्छा, प्रेरणा-सी मेरे मन मे कौंधी। हिटलर की विश्व-विजय की मदमाती आकांक्षा का परिणाम था, द्वितीय महायुद्ध। इसमें असंख्य व्यक्तियों के प्राण गये, अगणित परिवार छिन्न-विच्छिन्न हुए, अनेक नगर तहस-नहस होकर धरती में मिल गये। कुछ काल के लिए ऐसा लगा कि पूर्ण विश्व उसके आधिपत्य में आ जायेगा। अपनी उपलब्धि के इस चरम चरण में भी हिटलर को नींद नहीं आती थी। वह छिपकर डॉक्टर के यहाँ जाता था। अपने जीवन की सुरक्षा के लिए नितान्त भयभीत था। और अन्तिम दिनों में वह आधा पागल-सा हो गया था। उसके सब साथी, सहायक एक-एक करके उसका साथ छोड़ चुके थे। 'अपनी उपलब्धि के शिखर पर खड़ा एकाकी प्रेत-सा' वह अपने बंकर में बिल्कुल असहाय अकेला था, जब उसने आत्महत्या करने का निश्चय किया। यदि विश्लेषण किया जाये तो सब ही नृशंस, अत्याचारी शासकों का, जो केवल आत्म-सत्ता स्थापित करना चाहते हैं, जीवन का 'कर्व' इन्हीं निश्चित दिशाओं में बढ़ता है।

यह कहना सही नहीं होगा कि मैंने कंस के चरित्र को केवल हिटलर के जीवन पर आधारित किया है। मैंने कंस के द्वारा उन व्यक्ति-तन्त्री स्वेच्छाचारी शासकों के निर्माण और विनाश का अन्वेषण किया है जिनका समय-समय पर इतिहास के विभिन्न मोड़ों पर आविर्भाव हुआ है, चाहे वह कंस हो या औरंगजेब, या हिटलर या मुसोलिनी। ऐसे व्यक्ति आत्म-सत्ता के विस्तार की उद्दाम आकांक्षा से पीड़ित उस मार्ग पर बढ़ते ही जाते हैं, जहाँ से लौटना संभव नहीं होता, और जिसकी परिणति आत्मनाश के अतिरिक्त और कुछ नहीं है। शेर के सवार की भाँति वह अन्त तक शेर से उतर नहीं सकते। अन्ततः ऊपरी तड़क-भड़क के बावजूद, वह विवशता की घुटन अनुभव करते हैं, जो उनके जीवन की वास्तविक त्रासदी होती है। इस नाटक के द्वारा मैंने एक स्वेच्छाचारी शासक के उत्थान-पतन के अतिरिक्त उसकी महत्वाकांक्षा में निहित त्रासदी को पकड़ने की भी चेष्टा की है। यही नाटक की मूल संवेदना है।

कंस ने अपने पिता को कारागार में डाल दिया था—इस तथ्य के आधार पर मैंने कल्पना की कि कंस अपने पिता से किसी न किसी रूप में क्षुब्ध होगा, जिसकी अभिव्यक्ति उसके विद्रोह के रूप में हुई। मनोविज्ञान में इस बात के लक्ष्य हैं कि प्रायः अतिशय रौब-दाब और डाँट-डपट करने वाले व्यक्ति की सन्तान अन्ततः अपने

पिता के विरुद्ध विद्रोह करती है। इसके आधार पर मैंने उग्रसेन की ऐसे ही एक पिता के रूप में कल्पना की, जिसके प्रति कंस का रोष अपने बाल्यकाल से ही था। इस धारणा को और अधिक विश्वसनीय बनाने के लिए कंस को भावुक संगीत-प्रेमी, सपने देखने वाले युवक के रूप में चित्रित किया, जो उस आदिम युग के बर्बर वातावरण में अहिंसा, करुणा, पुष्प और सुगन्ध की बातें करता है। ऐसे भावुक के आत्म-सम्मान को जब धक्का लगता है, तो वह प्रतिहिंसा से भर उठता है। पिता को बन्दी बनाकर, सत्ता हथियाकर, वह अपने बर्बर क्रूर कृत्यों से जताना चाहता है कि वह कोमल भावुक व्यक्ति नहीं है। सत्ता के भँवर-जाल में फँसा व्यक्ति निकल नहीं सकता। सत्ता का अपना तर्क होता है। वह सत्ता सुदृढ़ करने के लिए जितना ही अत्याचार करता है, उतना ही वह अपनी सुरक्षा के लिए भयभीत होता जाता है। हर हत्या के पश्चात् विरोध बढ़ता है, और उस विरोध को नष्ट करने के लिए वह और हत्यायें करता है, किन्तु उसी अनुपात में विरोध और भय भी बढ़ते हैं। इस प्रक्रिया में वह कहीं स्वयं घायल हो जाता है और पूछता है–'क्या हर अत्याचार आत्म-यंत्रणा है? क्या हर हत्या आत्म-हत्या है?

सत्ता का तर्क अत्यन्त क्रूर होता है। सत्ताधारी के चारों ओर भय और संशय का घेरा जैसे-जैसे जकड़ता जाता है, वैसे-वैसे ही वह अकेला होता जाता है। न उसका कोई मित्र होता है, न सहायक, न पत्नी, न प्रेयसी, न बहन, न भाई। सब ही संशय से दंशित हो जाते हैं। सत्ता और अधिक सत्ता मात्र ही उनका लक्ष्य रह जाता है जो मरीचिका के समान उसे अन्त तक भरमाये रखता है। यही सत्य कंस के चरित्र द्वारा उद्‌घाटित होता है।

कृष्ण और पूतना के दैविक प्रसंग के सहजीकरण के लिए यह आवश्यक था कि पूतना को भी साधारण स्त्री के रूप में चित्रित किया जाये। अतएव इस नाटक में पूतना को स्वाति नाम दिया है। ब्रह्मवैवर्त पुराण में पूतना को साध्वी स्त्री कहा गया है। अनेक पुराणों में पूतना ही कंस की एकमात्र स्त्री सहायिका बताई गयी है। इस परिप्रेक्ष्य में ही स्वाति (पूतना) को कंस की प्रेमिका की भूमिका में रूपायित किया गया है। वह एक साधारण यादव कन्या है, जो प्रेम कर सकती है, और प्रेम का प्रतिदान दे सकती है। प्रेमी की तरुणाई के प्रथम वसन्त में देखे सपने को साकार करने के लिए वह अपने पूरे जीवन की खुशियाँ उत्सर्ग कर सकती है। उसका प्रेम सहज, स्वाभाविक और निश्छल है। उसका प्रेम केवल देना जानता है, माँगना नहीं। तब ही तो स्वेच्छाचारी, निरंकुश शासक भी, जो उसे अपनी चाल के लिए मोहरे के समान उपयोग करता है, उसकी मृत्यु पर फफक कर रो उठता है। उसके प्रेम को नकार नहीं पाता। वह स्वयं स्वीकार करता है–'हमने सब बन्धन काट दिये, सब सम्बन्ध तोड़ दिये फिर भी प्रतीत होता है कि कुछ सम्बन्ध टूटकर भी नहीं टूटे।' मरुस्थल के नीचे छिपे शीतल जल के भंडार या कंटीली झाड़ियों में खिलने वाले फूलों

के समान वह कंस के जीवन में रहती है। उसकी मृत्यु के पश्चात, ऐसा कुछ भी नहीं बचता, जो सत्ता से उन्मत्त कंस में सहज मानवीय संवेदना को जीवित रखता। उसकी मृत्यु के पश्चात् ही कंस की क्रूरता चरम को पहुँचती है, और उसकी त्रासदी को गहन बनाती है। स्वाति के स्वयं के जीवन की त्रासदी भी उतनी ही करुण है। वह जीवन से बहुत अधिक नहीं माँगती। वह तो केवल वही माँगती है जो हर साधारण व्यक्ति अपने जीवन में चाहता है। किन्तु वह हर पग पर छली जाती है। यही उसकी नियति की विडम्बना है।

हरिवंश पुराण में कंस की जीवद्यशा नामक केवल एक पत्नी का उल्लेख है। किन्तु प्रायः सभी पुराणों के अनुसार कंस की दो पत्नियाँ थीं। उनके नाम अस्ति और प्राप्ति थे। दोनों मगध नरेश महाराज जरासंध की पुत्रियाँ थीं। मैंने इन नाटक में कंस की केवल एक पत्नी का चरित्र रखा है। कारण स्पष्ट है। नाटक का मूल चरित्र कंस है। उसकी पत्नी, प्रेयसी, आदि केवल सहायक पात्र हैं, जिनका उद्देश्य कंस के व्यक्तित्त्व के विभिन्न पहलुओं को उजागर करना है। इस लक्ष्य की पूर्ति कंस की केवल एक पत्नी के द्वारा हो सकती थी। अतएव नाटक में केवल अस्ति की भूमिका है। इसके अतिरिक्त नाटक उपस्थापन के लिए रंगमंडलियों को प्रायः अभिनेत्रियाँ मुश्किल से मिलती हैं। यह तथ्य भी मेरे मस्तिष्क में था। इसलिए मैंने केवल अनिवार्य स्त्री पात्र ही नाटक में रखे, और कंस की दूसरी पत्नी प्राप्ति का नाटक में उल्लेख भी नहीं किया।

कंस के उदय का सम्पूर्ण श्रेय जरासंध को था। पुराणों के पढ़ने से लगता है कि इस समय यादव, वृष्णि, भोज, अन्धक, सात्वत, शूर, यदु, कुक्कुर, मधु आदि कबीलों या जातियों में विभाजित थे। इन विभिन्न जातियों के संघ के प्रमुख को ही मथुरा का राजा कहा जाता था। इसी प्रकार मथुरा का राजा उग्रसेन निरंकुश, स्वेच्छाचारी राजा नहीं था। वह विभिन्न यादव-दलों की सहमति से ही राजा बना था और उनकी सहमति से ही शासन करता था। इस व्यवस्था में गणतंत्र तथा व्यक्तितंत्र का सम्मिश्रण था, जिसमें कदाचित बाहुल्य गणतंत्र के तत्त्वों का ही था। इसके विपरीत मगध में जरासंध ने व्यक्तितंत्र की नींव डाली, जिसमें निरंकुश राजा की आत्म-सत्ता सर्वोपरि थी। जरासंध ने कंस को विवाह में अपनी पुत्रियों के साथ व्यक्तितंत्र की विचारधारा दहेज में दी। इसके फलस्वरूप, कंस ने मागध सैनिकों की सहायता से, अपने पिता उग्रसेन को हटाकर व्यक्तितंत्र की स्थापना मथुरा में की। अतएव मगध की राजकुमारी अस्ति में दर्प की चमक होना स्वाभाविक है। इसी परिप्रेक्ष्य में अस्ति के चरित्र की कल्पना की गयी है। आत्मविश्वास की वह प्रतिमूर्ति है। जब वह मगध से मथुरा आती है तो कंस से कहती है—'मथुरापति के विद्रोहियों से घिरने के समाचार को सुनकर हम मगध में नहीं रुक सके।' कंस उसे टोकता है तो वह तुरन्त कहती है—'हम अकेले नहीं। पिता महाराज ने हमारे

साथ दहेज के शेष मागधी सैनिक भी भेजे हैं।' अस्ति को अच्छी तरह ज्ञान है कि कंस की सफलता के पीछे उसके पिता का हाथ है। वह केवल जानती ही नहीं है बल्कि कंस को जताती भी है। यही दोनों के बीच दूरी स्थापित करता है। कंस स्वयं स्वेच्छाचारी शासक है जिसका गर्व प्रतिगर्व सहन नहीं कर सकता। वह अस्ति की अवहेलना सहन करने लगता है। अस्ति का चरित्र स्वाति से नितांत भिन्न है। वह स्वाति के समान अपने प्रेम में प्रतिदान की कामना त्याग नहीं सकती। वह अवहेलना नहीं कर पाती। वह अकेले ही प्रेम का दीपक नहीं जला सकती। और जब उसके अनुराग का प्रत्युत्तर नहीं मिलता तो उसके आत्मसम्मान को ठेस पहुँचती है और वह घायल शेरनी की तरह कंस पर टूट पड़ती है।

अस्ति के संवादों के आधार पर उसे खलनायिका समझा जा सकता है। यह भी संभव है कि कोई निर्देशक उसे खलनायिका की भंगिमा और मुद्राएँ भी दे दे। यह उसके चरित्र के साथ अन्याय होगा। उसके चरित्र की आधारशिला उसका राजसी गर्व और आत्म-सम्मान है, जिसका टकराव एक स्वेच्छाचारी शासक के अहम से होता है। इसमें वह पराजित होती है, मार दी जाती है, किन्तु अन्त तक वह अपना अभिमान नहीं छोड़ती।

कंस, स्वाति और अस्ति के चरित्र के अतिरिक्त प्रलम्ब और प्रद्योत नाटक के प्रमुख चरित्र हैं। इन दोनों चरित्रों की मैंने मानवीय स्तर पर कल्पना की है। दोनों ही कंस के अच्छे-से-अच्छे और बुरे-से-बुरे कृत्यों के सहभागी हैं। इसके लिए दोनों के पास अपने-अपने कारण है, जो एक-दूसरे के नितान्त विपरीत है। प्रलम्ब कंस का इसलिए सहायक है क्योंकि वह उससे घृणा करता है, और प्रद्योत इसलिए क्योंकि उस पर अवचेतन की किसी ग्रंथि के कारण आसक्त है। कारण कुछ भी हो, दोनों कंस की छाया के समान हैं। और अन्त में जब कंस के चारों ओर संशय का दायरा बढ़ता है, तो दोनों ही उसकी लपेट में आ जाते हैं। सत्ता की मीनार के शिखर पर इतना कम स्थान होता है कि वहाँ केवल एक व्यक्ति ही खड़ा हो सकता है। अतएव स्वेच्छाचारी शासक उस शिखर पर चढ़ते-चढ़ते अपने हर साथी को कहीं-न-कहीं नीचे छोड़ता जाता है। बाद में वह नीचे छूटे हुए साथी ही उसे शिखर के नीचे ढकेलते हैं। इस तथ्य को उजागर करने में ये दोनों चरित्र नाटक में अत्यन्त महत्वपूर्ण हैं।

कंस की कथा से देवकी अविभाज्य रूप से जुड़ी हुई है। वह कंस की चचेरी बहिन थी। किसी पुराण में उल्लेख है कि देवकी के विवाह के पश्चात् कंस स्वयम् रथ की वल्गा (लगाम) थाम कर उसके पति के यहाँ ले जा रहा था, जब उसने आकाशवाणी सुनी कि देवकी का आठवाँ पुत्र उसकी हत्या करेगा। इससे भाई बहन के बीच अनुराग रेखांकित होता है। अपनी बहिन को, जिसे वह अत्यन्त प्यार करता था, बंदीगृह में डालने में कंस को स्वयं ही कितना कष्ट हुआ होगा, उसका आन्तरिक द्वन्द्व कितना भीषण रहा होगा—यह कल्पनीय है। देवकी का द्वन्द्व भी उतना ही

तीव्र होगा। जो भाई उसे इतना प्यार करता था, वही उसे कारागार में डाल गया। कंस और देवकी के इस द्वन्द्व को मैंने एक दृश्य में रूपायित किया है। इससे कंस की अपनी बहिन के प्रति प्रेम और घृणा की मिश्रित भावना को नाटकीय मुहावरे का रूप दिया है। एक ओर बहिन के लिए सहज मानवीय अनुराग, और दूसरी ओर आत्म-सत्ता के विस्तार की दुर्दमनीय आकांक्षा की क्रूर माँग–इन दो विरोधी भावनाओं के बीच फँसा कंस अन्ततः अपनी मानवीय अनुभूतियों को कुचल देता है। यही वह बिन्दु है जहाँ से कंस केवल एक स्वेच्छाचारी नृशंस राजा ही बनकर रह जाता है–जो पाषाण-सा भावनाहीन है।

क्या भावनाएँ कुचल देने से नष्ट हो जाती हैं? कंस अनुभव करता है–"मनुष्य शरीर की कुछ सीमाएँ हैं। वह आकाश में कितना ही ऊँचा क्यों न उठता जाये, उसके पैर धरती पर रहते हैं।" दबाई गयी भावनाएँ समय-समय पर उठकर कंस को उद्वेलित कर देती हैं और उसके अन्तर में संशय की आँधी सतत जीवित रहती है।

पुराणों में वर्णित कृष्ण ईश्वर के अवतार हैं। वह मुष्टिक जैसे मल्ल योद्धाओं को चुटकी में पराजित कर देते हैं। विशाल हाथी को वश में कर लेते हैं। कृष्ण का यह ईश्वरीय रूप इस नाटक की योजना से मेल नहीं खाता। यादव-रोष-प्रतीक और नेता के रूप में कृष्ण का मानवीकरण इस नाटक में किया गया है। यादव असंतोष केवल जनसाधारण तक ही सीमित नहीं था अपितु स्वयं कंस के अनुचरों में भी व्याप्त था। मागध सैनिकों की उपस्थिति ने भी यादव सैनिकों में रोष उत्पन्न किया होगा। इस अनुमान का आधार हरिवंश पुराण का निम्नलिखित अंश है :

"कंस की मृत्यु के पश्चात् कंस के कार्य में नियुक्त जरासंध की स्वछन्द और मनोन्मत्त सेना अत्यन्त क्षुब्ध हुई। जिसे शक्तिशाली यादवों ने नष्ट-भ्रष्ट कर दिया।"

–47 षट्विंश सर्ग

इसमें यह विचारणीय है कि कंस की मृत्यु के पश्चात् उसके यादव सैनिक क्षुब्ध नहीं हुए, केवल मागध सैनिक क्षुब्ध हुए। इससे यह निष्कर्ष निकालना सर्वथा उचित प्रतीत होता है कि कंस के यादव सैनिक और अफसर विद्रोहियों से मिल गये थे। तब ही तो उन्होंने कृष्ण का विरोध न करके केवल विरोध करने का नाटक किया और इसके कारण ही कृष्ण मल्लों को परास्त कर सके। कंस कथा में कृष्ण के चरित्र का ऐसा निरूपण, वांछित सीमाओं के अन्दर ही मिथक का उपयोग कहा जायेगा।

वंशी का विद्रोह के प्रतीक के रूप में विद्रोही गोपों द्वारा उपयोग मेरी कल्पना है। इसी के आधार पर मैंने कृष्ण की गोपियों को रिझाने वाली बाँसुरी के स्वर को, विद्रोह के शंखनाद की प्रचण्डता दी, जिसे सुनकर कंस के अस्तित्त्व का रोम-रोम काँप उठता है। कंस की यह स्थिति, उपरोक्त पुराण-अंश में वर्णित भयातुर कंस के स्वप्नों के नितान्त अनुरूप है। इस संदर्भ में, विद्रोह के प्रतीक के रूप में वंशी की कल्पना भी मिथक संगत ही है।

यह नाटक केवल पौराणिक कंस की ही कथा नहीं है। कंस के माध्यम से इतिहास की उस घटना को पहचानने की कोशिश भी की गयी है जिसके द्वारा स्वेच्छाचारी शासक समय-समय पर मंच पर आते रहते हैं। ऐसे अनेक कंसों में से एक कंस की यह कथा अनेकों के परिप्रेक्ष्य में है।

कंस और रावण हमारे राष्ट्रीय खलनायक हैं। उनके प्रति घृणा हमारे जनमानस में उत्कीर्ण है। कदाचित इसलिए आज तक कंस और रावण हर नाटक या फिल्म में केवल 'विलेन' के रूप में चित्रित किये गये है। कंस और रावण ही क्यों, हमारे नाटककारों और फिल्म बनाने वालों की सब ही पौराणिक और ऐतिहासिक पात्रों के प्रति, एक-सी ही दृष्टि रही है। हर फिल्म में मुगल बादशाह हर समय गुलाब का फूल सूँघा करता है। क्या यह संभव है? अशोक को सदा ही हर नाटककार ने एक साँचे में ढालकर प्रस्तुत किया है। जब कि सच यह है कि हर व्यक्ति न तो शत-प्रतिशत अच्छा होता है और न शत-प्रतिशत बुरा। इस संसार में तो नितांत श्वेत और श्याम बड़ी मुश्किल से मिलते हैं। सब जगह श्वेत और श्याम का मिश्रण सलेटी रंग ही अधिक मिलता है। आवश्यकता है आज एक नयी दृष्टि की जो रावण और कंस जैसे नायकों को मानवीय तत्त्वों में पुनर्मूल्यांकित करके चित्रित करे। साथ ही अशोक और अकबर जैसे चरित्रों की मात्र स्तुति प्रस्तुत न करके उसके गुण-दोषों को एक साथ रूपायित करे, जिससे यह चरित्र मात्र नाटक के पात्र न लगें। उसमें साधारण मनुष्य की धड़कन की अनुभूति हो, और दर्शक उनसे तादात्म्य स्थापित कर सकें।

इस नाटक के द्वारा मैंने कंस को गुण-दोषों सहित एक मानव के रूप में स्थापित करने की चेष्टा की है। आशा है, इस प्रयोग का उद्देश्य स्वीकार किया जायेगा।

× × ×

नाटक के भावों के संप्रेषण की वाहन भाषा होती है। अतएव नाटक की भाषा की अनिवार्य शर्त है कि उसे ऐसा होना चाहिए कि नाटक साधारण दर्शक वर्ग की समझ में आ जाये। अगर वह दर्शक वर्ग उस भाषा को समझ नहीं पाता तो नाटक के भाव उन तक संप्रेषित नहीं हो पायेंगे। अतएव भाषा की सहजता और सरलता नाटक की सफलता के लिए आवश्यक है।

पौराणिक नाटक को संस्कृतनिष्ठ भाषा में लिखने की सहज प्रवृति होती है। सच तो यह है कि इस नाटक का प्रथम आलेख मैंने संस्कृतनिष्ठ भाषा में लिखा। उसी समय मेरे मन में नाटक की भाषा को लेकर अनेक प्रश्न उठे। फिर जब दिल्ली की साहित्यिक गोष्ठियों में उसको पढ़ा, तो वहाँ भी भाषा को लेकर रोचक बहसें हुईं। नाटक का उद्देश्य ही भाषा के स्वरूप को निश्चित करता है। यदि नाटक का उद्देश्य केवल कक्षा में पढ़ाया जाना है, तो उसकी भाषा कितनी भी कठिन हो सकती है। लेकिन यह उद्देश्य, नाटक की सीमाओं को संकुचित करता है। नाटक साहित्य

की ऐसी विधा है जिसकी पूर्णता उसके मंचन में ही होती है। और यदि नाटक को मंचस्थ होना है, तो दर्शकों का मानसिक धरातल ही भाषा को निर्धारित करेगा।

इसको दूसरी तरह से भी देखा जा सकता है। जब शकुन्तला नाटक अमेरिका में अंग्रेजी में खेला जाता है, तो शकुन्तला और दुष्यन्त अंग्रेजी बोलते हैं। इसी प्रकार जब यह नाटक रूस में खेला जाता है, तो शकुन्तला और दुष्यन्त ही नहीं, महर्षि कण्व तक रूसी बोलते हैं। इससे स्पष्ट है जिस देश में नाटक खेला जाता है, वहाँ की भाषा में ही नाटक होना चाहिए, जिससे जनसाधारण उस नाटक को समझ सके। अगर आज हम कोई नाटक हिन्दी-भाषीय क्षेत्र के जनसाधारण के लिए करते हैं तो उसकी भाषा हिन्दी ही होनी चाहिए। ईरानी कथानक पर आधारित सोहराब-रुस्तम की भाषा जिस प्रकार फारसी नहीं हो सकती, उसी प्रकार पौराणिक-कथानकों पर आधारित नाटकों की भाषा सम्पूर्ण रूप से संस्कृतनिष्ठ नहीं हो सकती। दर्शक वर्ग के अनुरूप आज के नाटकों की भाषा हिन्दी होनी चाहिए। इस तर्क के आधार पर मुझे अनुभव हुआ कि इस नाटक की भाषा को संस्कृतनिष्ठ रखना नाटक की व्यापकता को सीमित करने जैसा होगा।

काव्य-नाटकों को छोड़कर, नाटकों में भाषा का स्थान गौण है। नाटक में भाषा का उपयोग केवल उसकी सुन्दरता और काव्यात्मकता के लिए नहीं किया जा सकता। भाषा तो चरित्र और स्थिति के अनुरूप ही बनती है। उसका अपने आप में कोई अस्तित्त्व नहीं है। जिस किसी भी नाटक में भाषा का सौष्ठव नाटक की अपनी माँगों से अलग-अलग होकर प्रतिष्ठित होता है—चाहे वह जयशंकर प्रसाद का ही नाटक क्यों न हो—नाटक की अभिनेयता को क्षति पहुँचती है। दूसरे शब्दों में नाटक की सम्पूर्णता में व्याघात आता है।

इस नाटक के द्वितीय आलेख में भाषा को सरल सहज करते समय मैंने अनुभव किया कि नाटक की भाषा तो हिन्दी अवश्य होनी चाहिए, किन्तु हिन्दी की विभिन्न शैलियाँ युगीन नाटकों के विभिन्न कालों को दर्शाने में बहुत उपयोगी हैं। पौराणिक नाटकों में हिन्दी के साथ-साथ कुछ सरल संस्कृत शब्दों का उपयोग, जो हिन्दी में प्रचलित हों, नाटक के पौराणिक वातावरण के निर्माण में सहायक होगा। इसी प्रकार मुगल दरबार के दृश्य में हिन्दी के प्रयोग में कुछ प्रचलित उर्दू-फारसी के शब्दों का प्रयोग वांछित वातावरण निर्माण करेगा, जैसे आधुनिक पाश्चात्य सभ्यता में रँगे परिवार के दृश्य में पैनापन लाने के लिए अंग्रेजी के एक-दो वाक्यों का बीच-बीच में उपयोग। मैंने इस नाटक के अन्तिम आलेख में भाषा को इसी परिप्रेक्ष्य में सँवारने का प्रयास किया है।

प्रस्तुत नाटक पौराणिक परिवेश में है। अतएव मैंने हिन्दी में प्रचलित फारसी और अरबी के शब्दों के बाहुल्य को रोका है। उदाहरण के लिए प्रातःकाल या उषा के स्थान पर सुबह का सवेरा शब्द प्रयोग किया जा सकता है। 'सुबह' फारसी से

आया शब्द है और 'सवेरा' हिन्दी का देशज। मैंने 'सवेरा' शब्द का प्रयोग किया, हालाँकि इसके अपवाद नाटक के ढूँढ़ने पर अवश्य मिल सकते हैं। यहाँ यह लिखने का उद्देश्य केवल समीक्षकों और विद्वानों का इस ओर ध्यान आकर्षित करना है कि नाटक के संवादों की भाषा की प्रभावोत्पादकता और सीमा के वैज्ञानिक अध्ययन की आवश्यकता है। यह हिन्दी नाटक विधा में विकास के लिए वांछित होगा।

× × ×

इस नाटक में मैंने संरचना के स्तर पर कुछ प्रयोग किये हैं। नाटक का प्रारम्भ उस बिन्दु से होता है, जहाँ कंस स्वेच्छाचारी शासक के रूप में अपने चरम पर है। उसकी इच्छा आदेश है, आदेश नियम। जो उसके सम्मुख आँख उठाता है उसकी आँख निकाल ली जाती है। जो सिर उठाता है, वह सिर खो बैठता है। सब विद्रोहों, विरोधों और असहमतियों को कुचलकर वह एकछत्र शासन कर रहा है। इन सबके बावजूद उसे नींद नहीं आती। नींद के एक क्षण को आकुल-व्याकुल वह दुर्ग की इस अटारी से उस अटारी तक, इस कंगूरे से उस कंगूरे तक एकाकी मँडराता है, इस आशा से कि थक कर नींद आ जाये। और जब उसे नींद आती है तो स्वप्न में विकराल भयावह दो हाथ उसकी ग्रीवा जकड़ते दीखते हैं और वह चीखकर उठ बैठता है। उस समय वह पूछता है—"कहाँ से प्रारम्भ होती है यह कथा, एक साधारण मनुष्य के भगवान बनने की कथा, एक धड़कते हृदय के बहते लहू के ठंडे होकर धीरे-धीरे पत्थर से जमने की कथा। कहाँ से प्रारम्भ होती है यह कथा?"

और इसके बाद वह अपने बीते हुए जीवन को एक बार फिर से जीता है। उसकी विगत जीवन घटनाएं, साथ और सम्बन्ध, आक्रोश और आह्लाद के क्षण, एक-एक कर उसकी स्मृति में सजीव होते हैं। इस प्रकार प्रायः सम्पूर्ण नाटक 'फ्लैश-बैक' के रूप में अनावृत होता है।

जब हम अपने विगत जीवन के बारे में सोचते हैं, तो यह आवश्यक नहीं कि विगत की सब घटनाएं एक के बाद एक समय-क्रम से याद आयें। कोई बाद की घटना पहले याद आ सकती है, और बहुत पहले की घटना बाद में याद आ सकती है। एक घटना की याद करते समय, उससे संबंधित या जुड़ी हुई घटना का उसके तुरन्त बाद याद आ जाना स्वाभाविक है, चाहे दोनों के काल-क्रम में कितना ही अंतर क्यों न हो। इस नाटक की संरचना में मैंने 'फ्लैश-बैक' में काल-क्रम की मर्यादा को आगे-पीछे तोड़कर घटनाओं को रचनात्मकता की माँग के अनुसार पिरोया है।

अरस्तू ने नाटक में समय, स्थान और कार्य-व्यापार के संकलनत्रय की अनिवार्यता का नियम प्रतिपादित किया है। इस नाटक में इस नियम के सर्वथा विपरीत घटनाओं और दृश्यों का संयोजन है। मैं समझता हूँ कि आज रचनात्मकता के क्षेत्र में कला का केवल एक नियम है कि वह किसी नियम से बँध नहीं सकती। शास्त्रीय

सिद्धान्तों का अतिक्रमण करके ही कला ने नवीन आयामों को उद्भासित किया है। किसी भी क्षेत्र में प्रगति की एकमात्र शर्त है—नवीन, अपरिचित और अनखोजे मार्गों का अनुसंधान। इस नाटक में कंस के फ्लैश-बैक में जाने और वर्तमान में लौट आने की विभाजन रेखा अत्यन्त धुँधली है। यदि वह तथ्य नाटक की रचनात्मकता को अन्ततः क्षीण नहीं करता, तो यह प्रयोग सफल कहलायेगा। असफलता के भय से यदि प्रयोग बन्द हो जाएं तो सभ्यता की प्रगति ही रुक जायेगी।

× × ×

भरतमुनि द्वारा अपने पुत्रों की सहायता से अभिनीत प्रथम नाटक की अत्यन्त रोचक कथा नाट्य-शास्त्र के प्रथम अध्याय में मिलती है। त्रेता युग के प्रारम्भ होने पर देवताओं की इस प्रार्थना पर कि वह एक 'ऐसे मनोरंजन का साधन चाहते हैं जो देखा भी जा सके और सुना भी', तो ब्रह्मा ने चारों वेदों तथा वेदांगों के विभिन्न तत्त्व लेकर पाँचवें वेद (नाट्य वेद) की रचना की। फिर उन्होंने देवताओं के राजा इन्द्र से कहा कि नाट्य वेद के आधार पर देवताओं से अभिनय कराओ। किन्तु इन्द्र व अन्य देवता नाटक का आयोजन नहीं कर सके। तब ब्रह्मा ने नाटक के आयोजन का भार भरत मुनि को सौंपा।

भरत मुनि ने 'इन्द्रमख' नामक नाटक मंचस्थ किया। इसमें देवताओं द्वारा दैत्यों और दानवों के विनाश का चित्रण था। नाटक देखते ही दैत्य और दानव बिगड़ उठे। अपने नेता विरूपाक्ष के आह्वान पर उन्होंने अभिनेताओं का घेराव करके 'उनकी वाणी की चेष्टा, अभिनय को विजड़ित कर दिया।' अर्थात् उन्होंने नाटक ही बन्द कर दिया। भरत मुनि का देवताओं के प्रति पूर्वाग्रह था, अतएव उन्होंने ऐसा लिखा है कि देवताओं ने दानवों की खूब पिटाई की। यह संभव है कि देवता भी खूब पिटे हों। और जब देवताओं ने दोबारा नाटक किया, तो अलग-अलग देवताओं की ड्यूटी नायक-नायिका, विदूषक, अन्य अभिनेताओं, रंगशीर्ष, रंगपीठ, मत्त-वारिणी, प्रेक्षागृह इत्यादि की सुरक्षा के लिए लगी। ब्रह्मा ने भी दैत्यों को बहुत समझाया। तब कहीं जाकर यह नाटक मंचस्थ हो सका।

इस प्रकार हम देखते हैं कि प्रथम नाटक के मंचन पर ही विवाद उठ खड़ा हुआ था। इसके बाद अनेकों नाटक विवाद का विषय बनते आये हैं। इसका कारण यह है कि नाटक अत्यन्त पैना माध्यम है, जिसकी मार बहुत गहरा काटती है। नाटक और रंगमंच का पाउडर, पर्दों और रंगों का कृत्रिम संसार कितना भी कमजोर क्यों न हो, उसका प्रभाव वास्तविक, स्थायी और गहरा होता है। रंगमंच की साधारण 'टीन की तलवार' की काट बड़ी-से-बड़ी तोप की मार से अधिक व्यापक और विध्वंसक होती है।

यह बहुत ही दुर्भाग्य की बात है कि साहित्य का ऐसा सशक्त माध्यम केवल पठनीय बनकर रह गया है। यद्यपि शास्त्रों के अनुसार नाटक मूलतः दृश्य-काव्य है,

किन्तु हिन्दी में इसका स्थान विशुद्ध काव्य या पाठ्य-रचना से अधिक नहीं है। इस कारण इसकी अपरिमित शक्ति कुंठित हो गयी है। इस रचना के माध्यम से मैंने साहित्यिक मूल्यों और कलात्मक अपेक्षाओं को सुरक्षित रखते हुए नाटक को रंगमंच के साथ जोड़ने का प्रयास किया है।

दया प्रकाश सिन्हा

दिल्ली
दिसम्बर, 1976

नाटककारीय

(द्वितीय संस्करण की भूमिका)

लगता है इस छोटे से अन्तराल में एक युग बीत गया।

ये नाटक मैंने 1974 में लिखा था। उन दिनों 'शतरूप' मेरे हास्य नाटक 'अपने-अपने दाँव' का रिहर्सल नयी दिल्ली के गाँधी मेमोरियल भवन में कर रहा था। उसमें मेरी भी एक भूमिका थी—'शहंशाह बहादुर' की, जो नाटक के तीसरे अंक में आता था। किन्तु मेरी पत्नी प्रतिभा उसमें नायिका थी जो शुरू से अन्त तक छाई रहती है। मेरी दोनों पुत्रियाँ-प्राची और प्रतीची भी उसमें भाग ले रही थीं। उनके कारण मुझे भी रिहर्सल में आदि से अन्त तक रुकना पड़ता था। वहीं, मैंनेजर के कमरे में बैठकर मैं कागज़ो को रँगता और रिहर्सल के बाद प्रतिभा को सुनाता, जो उस दिन मैंने लिखा होता। 15-20 दिन में नाटक का एक रूप उभरकर आया, तो प्रतिभा ने अपने सहज उत्साह और अधिकर से कहा-'स्वाति का रोल मैं करूँगी', लेकिन उसकी यह कामना पूरी नहीं हो सकी।

नाटक लिखा गया। टाइप हुआ। इधर-उधर पढ़ा गया। दोस्तों ने तारीफ़ की क्योंकि वह दोस्त थे। के.बी. चन्द्रा ने लखनऊ में पूर्वाभ्यास शुरू कर दिया। जो सज्जन कंस की भूमिका कर रहे थे, वह किसी कारणवश हट गये। रिहर्सल रुक गया। चन्द्रा का टेलीफोन आया। फरमान था—'कंस के संवाद याद करके एक हफ्ते के लिए लखनऊ आओ, यहाँ नाटक करना है। अन्य पात्रों को रिहर्सल हो रहा है। चार-पाँच दिन तुम भी उनके साथ रिहर्सल कर लेना'। ऐसे भी नाटक होता है? लेकिन हुआ। मुझे जाना पड़ा क्योंकि दोस्त की मूँछ का सवाल था।

फिर घटनाओं का ऐसा सिलसिला जो अनुत्तरित प्रश्नों के सैलाब ले आया! नवम्बर 1975 में मेरी पत्नी की छोटी बहन चमन वर्मा की मृत्यु हुई थी। आयु यही कोई 29 वर्ष। वह डॉक्टर थी ओर उसके पति भी। ईश्वर की इच्दा समझकर सबने संतोष किया। सबसे बड़ा डॉक्टर तो 'वह' है! उसके आगे भला किस डॉक्टर की चली है? फिर मार्च 76 में मेरा सबसे छोटा जवान अविवाहित भाई सड़क पार करते, तेज़ आती हुई बस से टकरा गया। 18 दिन अस्पताल में बेहोश वह मृत्यु से जूझता रहा और अन्त में हार गया। मई 1976 में एक आपरेशन के लिए प्रतिभा

अस्तपताल गयी। डॉक्टर बिल्कुल आशान्वित नहीं थे। ऐसा लगा कि शायद प्रतिभा भी जाने वाली है। सवाल प्रतिभा का था, लेकिन जीवन-मृत्यु के संशय में मैं झूल रहा था। संस्कारगत प्रार्थनाएँ शायद सुन ली गयी। प्रतिभा घर आ गयी। तभी फ़ीजी में भारतीय सांस्कृतिक केन्द्र में निदेशक के पद पर जाने का प्रस्ताव आया। हमारे पूर्वज भी 1857 के सिपाही विद्रोह में सब कुछ खोकर एक बार पहले भी दिल्ली छोड़कर गये थे। कुछ वैसी ही परिस्थितियों से पीड़ित हम सब सितम्बर 1976 में फ़ीजी चले गये। वहाँ मई 1978 में एक दिन अचानक दिल का दौरा पड़ा और दूसरे दिन प्रतिभा नहींथी। केवल उसका शरीर था। वहाँ। निश्चल! ऐसा लगा था, वह सो रही है। विदेश और छोटी-छोटी बच्चियाँ! लेकिन सहारा देने वाले वहाँ थे! भारतीय हाई कमिश्नर श्री रमेश अरोड़ा, फीजी सरकार के मंत्री विवेकानन्द शर्मा, दिवाकर प्रसाद, दिनेश पंत, नारायण दम्पति, के.पी. शर्मा सुब्रह्मण्यम दम्पति, तुलाराम दम्पति, सत्येन्द्र नन्दन, शान्ति आंटी तथा अन्य अनेक-अनेक। मैंने भारत वापस आने की आज्ञा माँगी। आज्ञा मिल गयी। 16 जनवरी 1979 को 10 बजे रात कलकत्ता हवाई अड्डे पर पहुँचा। वहाँ पता लगा, कि उसी दिन सुबह 9 बजे प्रतिभा के पिताजी भी जा चुके हैं। यह कैसा संयोग! कितना क्रूर! भारत की धरती पर पग रखते ही! कौन है ईश्वर? क्या है भाग्य? क्या है नियति? मृत्यु क्या है? पिछले एक साल मन कितना भटका है। कितने प्रश्न मस्तिष्क को सालते रहे हैं। कितनी सही है स्मृतियों की यंत्रणा। और हर बार अनुत्तरित प्रश्नों की ऊँची मीनार के सामने अपने आपको बौना अनुभव किया है। साथ ही अनुभव की है। मनुष्य की त्रासदी। उसकी लाचारी, उसकी विवशता और उसकी समीा। यहाँ पर मुझे रूसी कवि येवगेनी येन्तुशैंको की कविता याद आ रही है जिसका अंग्रेज़ी अनुवाद कुछ दिनों पहले पढ़ा था :

I Like to laugh
into the faces of my foes
and carrying a woman over a stream;
To gnaw into the books,
Carry logs for Stoves...
I can sing and drink,
no thought of death at all;
Throwing out my hands,
onto the grass I fall
and if in this wide world I die,
Then I'll die through joy that I am alive.

अब भी यह कविताा हृदय के तंतुओं को छूती है, लेकिन झंकार नहीं निकलती। जीवन के जिस बिन्दु पर मैं आज पराजित और पिटा-सा खड़ा हूँ, वहाँ से मुड़कर देखने पर पीछे छूटे आयु के पत्थर मोहभंग का पर्यायवाची है। जीवन का अनकिया जीवन ही करता है। जन्म मे मृत्यु के बीज होतो हैं। जीवन पल-पल, क्षण-क्षण,

मृत्यु की ओर बढ़ने का ही तो नाम है। जीवन और मृत्यु की इस निरर्थक, असंगत, अनर्गल, व्यर्थ, निस्संगत, बेतुकी योजना में मनुष्य की महत्वाकांक्षा एक विकृत व्याकृति बनकर रह जाती है और कंस की कथा एक नया आयाम ग्रहण करती है। एक बार फिर इस नाटक की सार्थकता और सार्वभौमिकता उभर कर आती है।

इस नाटक का साहित्य में जो स्वागत हुआ है, वह बहुत आश्वस्त करता है। सब समीक्षकों ने बहुआयामी संरचना, कथानक की सर्वकालिकता, मिथक के सशक्त प्रयोग को पहचाना और सराहा है। हिन्दी नाटक की तुलना में हिन्दी रंगमंच अभी अधकचरा और अप्रतिष्ठित है। हिन्दी रंगमंच का जनजीवन में वह स्थान नहीं है, जैसा कि मराठी और बंग्ला रंगमंच का है। स्वतंत्रता के तीस साल बाद भी हिन्दी रंगमंच क्षेत्रीय भाषाओं के अनुवाद तथार स्मारिका में विज्ञापन की बैसाखियों के सहारे लड़खड़ता, लंगड़ाता किसी तरह खड़ा है। इस समय उससे अधिक आशा भी नहीं की जा सकती। फिर भी मैं भविष्य के प्रति आश्वस्त हूँ। नीमपढ़े, नक्काल, रंगमंच को 'क्राफ्ट' के स्तर पर समझने वाले निर्देशकों की भीड़ में, काले-काले बादलों में रजत रेखा के समान गिने-चुने ऐसे निर्देशक भी हैं, जो रंगमंच की कलागत रचनात्मकता के साथ शाश्वत साहित्यिक मूल्य को अक्षुण्ण रखते हुए, उसे जनसाधारण से जोड़ते हैं-तुलसीदास और शेक्सपीयर के समान। मैं तुलसीदास को भी रंगकर्मियों की पंक्ति में खड़ा करता हूँ। उन्होंने ही तो काशी में सर्वप्रथम रामलीला आयोजित की थी, रामलीला जो पिछली चार शताब्दियों का सर्वाधिक सफल जनस्वीकृति की गरिमा से भूषित एकमात्र नाटक है। रंगमंच का भविष्य इन अल्पसंख्यकों पर ही है।

इस नाटक का प्रथम संस्करण जब प्रकाशित हुआ था, तब मैं विदेश प्रवास में था। किसी अन्य संदर्भ में लिखी गयी भूमिका उस संस्करण में दे दी गयी। इससे मैं कृताता प्रकाशन के उस अवसर से वंचित हो गया जो भूमिका लिखते समय नाट्यकार को मिलता है। मैं उस कमी को अब पूरा कर सकता हूँ। प्रख्यात कहानीकार श्री राजेन्द्र यादव ने इस नाटक की रचना में प्रारंभ से ही रुचि ली और इसका प्रकाशन भी किया। उनके अनेक सुझावों से मैं लाभान्वित हुआ हूँ। आभारी हूँ मैं उनका। इसी प्रकार प्रख्यात आलोचक श्री नेमिचनद ने पाण्डुलिपि पढ़कर भाषा अनेक सुझाव दिये। नाटक में देवकी संबंधी प्रकरण को लिख कर, समावेश करने की प्रेरणा उन्ही की थी। यह प्रसंग संयोग से बहुत ही अच्छा बना है, और नायक के व्यक्तित्व के एक ऐसे आयाम की उद्‌भासित करता है जो प्रायः हर मनुष्य में होता है। फिर अन्त में, मैं लब्ध-प्रतिष्ठ साहित्यकार और पत्रकार डॉ॰ धर्मवीर भारती के प्रति अपनी कृतज्ञता व्यक्त करना चाहता हूँ, किंतु मेरे पास शब्द नहीं हैं। उन्होंने भी नाटक की पाण्डुलिपि प्रकाशन से पूर्व पढ़कर अपनी प्रतिक्रिया से मुझे लाभान्वित किया। डॉ॰ भारती ने मुझे बड़े भाई का स्नेह दिया है। अपनों को धन्यवाद नहीं दिया जाता।

दिल्ली
2 सितम्बर, 1979

दया प्रकाश सिन्हा

नाटककार का कथन

(पाँचवे संस्करण की भूमिका)

इस नाटक के द्वितीय संस्करण की भूमिका 1979 में लिखी थी। अब पाँचवे संस्करण की भूमिका बारह वर्षों के पश्चात् 1991 में लिख रहा हूँ। इन वर्षों में गंगा में जितना पानी बहा है, उससे कहीं ज्यादा...कहीं, कहीं ज्यादा, विश्व रंगमंच पर घटित हुआ है, लेकिन पिछले एक दशक में जो देखा-सुना, वह अविश्वसनीय प्रतीत होता है। रूस में साम्यवाद का विघटन उतनी ही बड़ी क्रान्तिकारी घटना है, जितनी कि 1917 में उसके सत्तारूढ़ होने की। क्या हम कल्पना भी कर सकते थे, बलन की दीवार का टूटना? किन्तु हम लोगों ने इतिहास को मोड़ लेते देखा, इस दशक में।

फिर खाड़ी युद्ध! मैंने प्रथम संस्करण की भूमिका में लिखा था, 'मैंने कंस के द्वारा उन व्यक्ति-तन्त्री स्वेच्छाचारी शासकों के निर्माण और विनाश का अन्वेषण किया है, जिनका समय-समय पर इतिहास के विभिन्न मोड़ो पर आविर्भाव हुआ है, चाहे वह पिछले कंस हो, या औरंगजेब या हिटलर या मुसोलिनी।' पिछले दशक ने इस सूची में एक नाम और जोड़ दिया—सद्दाम।

मैंने पहले संस्करण की भूमिका में आगे लिख था, 'एसे व्यक्ति आत्मसत्ता के विस्तार की उद्दगम आकांक्षा से पीड़ित उस मार्ग पर बढ़ते ही जाते हैं, जहाँ से लौटना सम्भव नहीं होता और जिसकी परिणति आत्मनाश के अतिरिक्त और कुछ नहीं है।' खाड़ी युद्ध में इराक का विनाश, टूटकर मलबा बनते घर, मलबे में दबे-घुटे, मरते हजारों स्त्री-पुरुष, तोतली बोली में किलकते बच्चों का डाली से नुचे फूलों की तरह धरती पर रौंदा जाना, महकते गुलज़ार परागों पर वीरानी और मौत के सन्नाटे की फ़िरती स्याही की कालिख सद्दाम हुसैन की उंगलियों मे भी दशक में दिखयी पड़ी और एक बार पुनः मैं 'कथा एक कंस की' के पुनर्जन्म से नाटक की सार्थकता के प्रति आश्वस्त हुआ।

पिछले दशक में रंगान्दोलन को हाशिए पर जाते मैंने देखा। 1982 में एशियाड के आयोजन के साथ दूरदर्शन को विस्तार हुआ और साथ ही प्रकट हुए 'टी.वी. सीरियल'।

हिन्दी रंगमंच सीढ़ी बन गया इन सीरियलों में अभिनव का अवसर प्राप्त करने का। हिन्दी भाषी क्षेत्रों में नागर रंगमंच की परम्परा तो पहले से ही नहीं थीं, 1947 के बाद रंगमंच ने उँगली पकड़कर जो थोड़ा-बहुत खड़ा होना शुरू किया था, वह भी 'सीरियल' की आँधी में धप्प से बैठ गया। यह है उपलब्धि इस दशक की। कौन इस 'बैठे हुए' को उठायेगा? हिन्दी क्षेत्र में तो ऐसे दमदार निर्देशक दिखायी नहीं पड़ते।

मैंने 1975 में 'कथा एक कंस की' लिखा था, 1976 में 'सादर आपका'। इस बीच परिस्थितियों का सैलाब ऐसा आया, जिसमें लगा कि ऊपर से मैं अपनी जगह खड़ा हूँ सुदृढ़, अविचल और निश्चिन्त, किन्तु जो बह गयी वह थी, मन स्थिरता और शान्ति और जिसका बहना ऊपर से नहीं दिखायी पड़ता था, इसलिए अगला नाटक लिखकर प्रकाशित होने में 14 वर्ष लग गये। 1990 में मेरा नाटक 'सीढ़ियाँ' प्रकाशित हुआ। यह नाटक एक रूप में 'कथा एक कंस की' का ही विस्तार है। समष्टि फलक पर सत्ता के बहुस्तरीय आयामों और बहुरूपों का जो विश्लेषण मैंने 1971 में अपने नाटक 'इतिहास-चक्र' में प्रारम्भ किया था, उसी की कड़ियाँ है, 'इतिहास-चक्र' 'कथा एक कंस की' तथा 'सीढ़ियाँ'। इस कड़ी में दो और नाटक प्रस्तावित हैं। देखें कब तक लिखे जाते है ये!

2 अक्तूबर, 1991 ***दया प्रकाश सिन्हा***

नाटककार का पुनर्कथन

(छठे संस्करण की भूमिका)

'कथा एक कंस की' जैसा स्वागत साहित्य में हुआ, उससे मैं अभिभूत हूँ। देश के विभिन्न नगरों में, विभिन्न संस्थाओं द्वारा मंचस्थ किये जाने की सूचनाएँ बराबर प्राप्त होती रही हैं। अनेक विश्वविद्यालयों के पाठ्यक्रम में भी निर्धारित किया गया। मेरा रचनाकार मन आश्वस्त होता है।

मेरे एक मित्र ने मुझे परामर्श दिया कि मैं अब एक नया नाटक लिखूँ-मोहन राकेश जैसा, मानवीय संबंधों पर। मैं मोहन राकेश नहीं हूँ। मैं मोहन राकेश नहीं बन सकता। चाह कर भी नहीं बन सकता। मोहन राकेश स्त्री-पुरुष संबंधों, उनके पारस्परिक घात-प्रतिघात, हिंसा-अहिंसा और तृष्णा-वितृष्णा की उलक्षी भावनाओं के अद्वितीय चितेरे हैं। उनके नाटक हिन्दी साहित्य की थाती हैं। मुझमें उनकी जैसी सूक्ष्मदर्शी दृष्टि नहीं है। मैं जीवन को इतिहास के परिप्रेक्ष्य में, सभ्यताओं, संस्कृतियों, समाजों की आदिम वासनाओं और अधिकार लिप्सा के संघर्षों के रूप में देखता हूँ। इसीलिए मेरे नाटक जैसे हैं, वैसे हैं। मोहन राकेश जैसे नहीं। क्या इसका कारण वह जीवन है, जो मैंने और मोहन राकेश ने अलग-अलग ढंग से जिया?

समीक्षक तो आतशी-शीशे (कॉनेवॅक्स लैंस) से नाटक का परीक्षण करते ही हैं, किंतु कभी-कभी स्वयंम दर्पण देखने की इच्छा होती है। पिछले पचास वषो के अपने रंगमंच के सफ़र में जब देखता हूँ कि कहाँ पहुँचा, तब मुड़ कर भी देखता हूँ कि किस रास्ते से यहाँ तक पहुँचा। तब प्रश्न उठता है कि यात्रा में जब दोराहे मिले, तो मैंने वही रास्ता क्यो पकड़ लिया, जिस रास्ते से यहाँ तक पहुँचा? मैं नहीं जानता कि मैंने कोई अन्य दूसरा या तीसरा रास्ता क्यों नहीं पकड़ा जिससे कहीं और पहुँचता?

मुझे ही व्यक्तिगत मानवीय संबंधों को परत-दर-परत खोजने और उनको विश्लेषित करने से अधिक विचारों का अन्वेषण करना सदा ही आकर्षित करता रहा है। मेरा पहला नाटक 'सांझ-सवेरा' पीढ़ियों के संघर्ष और शाश्वत तथा तात्कालिक मूल्यों की टकराहट की कथा है। दूसरे 'मन के भंवर' में एक मनोविश्लेषक का

मनोविश्लेषण है। सातवें दश में 'हिपी' आन्दोलन अपनी उठान पर था। दिल्ली के कनाट-प्लेस में तो वह हर जगह दिखाई पड़ते थे। उनकी नक़ल में चारों तरफ़ 'हिन्दुस्तानी हिप्पी' भी दिखाई पड़ने लगे थे। हिन्दुस्तानियों की इस अनुकरण-प्रवृत्ति को मैंने नाटक 'ओह-अमेरिका' में मुग़ल और अंग्रेजों की गुलामी और बाद से चली आ रही शासकों के अनुकरण की दास मनोवृत्ति के परिप्रेक्ष्य में रूपायित किया। 'सादर आपका' यद्यपि संबंधों पर आधारित नाटक है, किन्तु उसकी अन्तप्रवाहित धारा भी तत्कालीन मूल्यों और शाश्वत मूल्यों का द्वंद्व है। नाटक 'मेरे भाई मेरे दोस्त' ऊपरी तौर पर एक प्रेम कथा है, किन्तु अन्तर्धारा इतिहास, देश विभाजन एवं दो व्यक्तियों के नहीं, दो मज़हबों के सह-अस्तित्व के प्रश्न से जूझती है। यह अलग बात है कि मैंने विचारों के इन नाटाकें को विचपरों से बोझिल और गरिष्ठ नहीं होने दिया। रंगमंच की पहली शर्त संप्रेषियता से उनकों सतत और सयास संवर्धित किया।

इन प्रारंभिक नाटकों में विचार का दायरा और परिवारों तक सीमित था। किन्तु धीरे-धीरे यह दायरा बढ़ने लगा और उनके स्थान पर कालखण्ड के विशाल फलक पर सत्ता और समाज को प्रभावित करती इतिहास, सत्ता, स्वार्थ और आदिम हिंसा के संघर्ष की शाश्वत धारा धीरे-धीरे महत्वपूर्ण होने लगा। इस प्रवृत्ति का प्रारंभ मैं अपने नाटक 'मेरे भाईः मेरे रक्त-अभिषेक में यह धारा अन्तर्धारा नहीं रहती। वह प्रकट, उग्र, प्रबल और प्रकट धारा है, जो कथानक को डुबो देती है।' 'इतिहास' नाटक में तो व्यक्ति है ही नहीं। मात्र इतिहास है और इतिहास की प्रवृत्तियाँ, जो सागर कीं लहरों के समान तट को बार-बार डुबोती हैं। जो सत्ता, समाज और व्यवस्था का विश्लेषण मैंने 'इतिहास-चक्र' में पूरी तरह प्रारंभ किया था, उसी का विस्तार 'कथा एक कंस की' सीढ़ियाँ और 'रक्त-अभिषेक में हैं।'

'कथा एक कंस की' के कथ्य की एक बार फिर पिछले दिनों प्रभावी संपुष्टि हुई, जब हम सबने दूरदर्शन पर इराक़ के तानाशाह सद्दाम हुसैन की मूर्ति को, अपने पेडस्टल से सद्दाम हुसैन को फाँसी पर लटकने के कुछ ही क्षणों पूर्व देखा। 'कथा एक कंस की' कथा सद्दाम हुसैन की भी हो सकती है। नागनाथ और साँपनाथ में क्या अन्तर? सभी तानाशाहों के जीवन का ग्राफ़ एक-सा ही होता है—एक सी ही उड़ान और एक-सा ही पतन। तभी तो अनेक कंसों की कथाऔं में से यह नाटक, एक की कथा है। इतिहास में जो तानाशाह लगातार आते रहे हैं, और भविष्य में आते रहेंगे, मेरा नाटक उन सबकी कथा है।

जब के.बी. चन्द्रा ने नाटक निर्देशित किया था, तो उन्होंने 'नाटक में नाटक' (ध्रुव-हिरण्यकशिपु कथा) को प्रसिद्ध भोजपुरी गायक बलेसर के भोजपुरी गायन के माध्यम से प्रस्तुत किया था, और रोहित त्रिपाठी के निर्देशन में चन्द्रकान्ता नाग ने

पांडवाणी-शैली में यह इस तथ्य को रेखांकित करते हैं कि निर्देशक नाटक के नवीन आयामों का अन्वेषण करके नाटककार की कृति को संवर्धित करते हैं। निर्देशक का ऐसा रचनात्मक योगदान हर नाटककार द्वारा स्वागत्य है। यह नाटककार और निर्देशक के रिश्ते को भी रेखांकित करता है।

दिल्ली
अप्रैल, 2007

दया प्रकाश सिन्हा

सर्वप्रथम **संकेत,** लखनऊ ने 18 जून, 1975 को रवीन्द्रालय, लखनऊ में इस नाटक को मंचस्थ किया, जिसमें निम्नलिखित कलाकारों ने भाग लिया—

स्वाति	इन्दु पन्त
अस्ति	निम्मी जोशी
देवकी	मेहरू जाफ़र
कंस	दयाप्रकाश सिन्हा
वृत्रिघ्न	विजय कपूर
प्रद्योत	अनिल सक्सेना
प्रलम्ब	जीत जरधारी
बाहुक	ज्ञानेन्द्र शंकर
प्रतिहारी	कैलाश सक्सेना
उग्रसेन	राज नारायण
नाट्य मंडली	जगदीश भटनागर , बालेश्वर, अनुप्रिया सक्सेना, जगदीश सक्सेना, कार्तिकेय
मछुआरा	अनिक बांके

निर्देशक : **के.बी. चन्द्र**

पात्र

कंस	तीन जल्लाद
उग्रसेन	सूत्रधार
प्रद्योत	दो सहायक
प्रलम्ब	हिरण्यकशिपु
बाहुक	प्रह्लाद
वृत्रिघ्न	
प्रतिहारी	स्वाति
सैनिक	अस्ति
मछुआरा	देवकी

प्रथम अंक

मंच-सज्जा द्वारा दो अभिनय-स्थल स्थापित होने चाहिए। प्रथम–राजमहल की खुली छत पर, एक पाषाण-स्तम्भ, जिसके निकट कंस के बैठने का एक कुर्सीनुमा आसन पड़ा है, तथा पास ही गजर विशाल हथौड़ी सहित रखा है। द्वितीय–वन्य प्रदेश में एक विशाल वृक्ष।

आरम्भ होने पर निपट निविड़ अन्धकार। प्रकाश की एक रेखा पाषाण-स्तम्भ के शिखर को उद्भासित करती है, फिर उसके निकट रखा राजासन भासमान होता है। तब ही दायीं ओर से शिथिल क्लान्त कंस का प्रवेश।

कंस : यह कैसी विडम्बना है! कितनी रातें बीत गयीं, नींद के एक क्षण आकुल, व्याकुल। जब मूर्ख जनता अपनी फटी कथरियों में लिपटी, धरती के बिस्तर पर पत्थर का तकिया लगाये सोती है, तब हम परम तेजस्वी, महापराक्रमी, महाबलशाली, महाराजाधिराज परमेश्वर श्रीकंस भगवान, रात के अंधेरे में एकाकी मँडराते हैं–प्रेत-से। इस अटारी से उस अटारी तक, दुर्ग के इस कँगूरे से उस कँगूरे तक घूमते हैं–इस आशा से कि थककर नींद आ जाये–एक क्षण के लिए ही सही। जैसे इच्छाओं का क्षितिज सिकुड़ने लगा, सब कुछ सिमटकर केवल एक इच्छा बची है–नींद। **(राजासन पर बैठते हुए)** कुछ क्षणों की नींद–**(शिथिल-सा, अस्फुट स्वरों में)**–नींद

(एक क्षण को आँख बन्द करता है, किन्तु शीघ्र ही भयाक्रान्त हो चीत्कार कर उठता है। उसके हाथ जैसे अपने गले को दबोचते हाथों को हटाने लगते हैं। वह फिसलकर सिंहासन से नीचे आ जाता है। तभी एक हाथ

में भाला लिए भागते-भागते प्रतिहारी का प्रवेश)

प्रतिहारी : भगवान!!

कंस : **(स्वप्न में)** बचाओ! बचाओ!!

प्रतिहारी : भगवान!! **(ऊँचे स्वर में)** भगवान!!

कंस : **(आँखें खोलते हुए)** ऐं?

प्रतिहारी : आप सपना देख रहे थे?

कंस : **(स्वतः ही)** हाँ– **(संभालते हुए)** नहीं। **(अपने को संभाल कर, उठने के पश्चात्)** प्रतिहारी! क्या है?

प्रतिहारी : भगवान, सपना–?

कंस : तुम जा सकते हो।

(प्रतिहारी का नमन करने के पश्चात् प्रस्थान)

कंस : कैसा भयानक सपना था! दो भयानक विकराल हाथ–हजारों पुरुष-स्त्री, वृद्ध, बाल, युवजन, हजारों मुँह, हजारों शरीर, किन्तु हाथ केवल दो, भयानक, विकराल, प्रचंड, क्रूर, डरावने दो हाथ, जिनकी लौह उँगलियाँ गले पर जकड़ती जा रही थीं–जैसे साँसों की धार अब रुकी। अब रुकी। **(भयानक अट्टहास करने लगता है।)** श्री कंस भगवान डर गये! भगवान भयभीत हो गये!! **(हास्य रूदन में परिवर्तित हो जाता है।)** जिस नींद के लिए तरस रहे थे, लालायित थे–अब उसकी कल्पना से ही रोमांच, डर, कँपकँपी।

(वंशी की ध्वनि।)

कंस : **(अचानक भय से)** फिर वही ध्वनि! वंशी का स्वर, भयानक, कानों को चीरता-सा। **(शीघ्रता से गजर पर चोट करता है।)**

प्रतिहारी : **(प्रवेश करके, नमन करता है।)** भगवान!

कंस : हमने अभी-अभी फिर वही वंशी-ध्वनि सुनी। हमें लगता है कि युवक विद्रोही कृष्ण राजमहल में ही कहीं छिपा है। सेनापति प्रद्योत से कहो कि उसे बन्दी बनाकर हमारे सामने उपस्थित किया जाये।

प्रतिहारी : जो आज्ञा। **(नमन करके प्रस्थान।)**

कंस : सोते में विकराल हाथों की लौह-जकड़ और जागते में यमवाहन की चीत्कार-सा वंशीरव। यह कैसी यातना है–न सोते चैन, न जागते शान्ति। जीते हुए मृत्यु और मृत्युमय जीवन। सोने और

जागने का अन्तर मिट गया। जीवन और मृत्यु की अन्तर्रेखा धुँधली पड़ती जा रही है। और धुँधलके में रूप ले रहे हैं—कुछ प्रश्न। मूर्तिमान प्रश्न—क्या हर अत्याचार आत्मयंत्रण है? क्या हर हत्या आत्महत्या है?

कंस : **(मंच पर आगे आते हुए)** कहाँ से प्रारम्भ होती है यह कथा? एक साधारण मनुष्य की असाधारण महत्वाकांक्षा की कथा। एक साधारण मनुष्य के भगवान बनने की कथा। एक धड़कते हृदय के तपते लहू के ठंडे होकर धीरे-धीरे पत्थर की तरह जमने की कथा। तिल-तिल कर, क्षण-क्षण मरने की कथा। जीवित ही मृत्यु-वरण की कथा।

पूर्वदीप्ति (फ्लैश बैक)-1 प्रारम्भ

(उग्रसेन का प्रवेश)

उग्रसेन : **(प्यार से)** कंस!

कंस : **(उत्साह से)** जी, पिता महाराज।

उग्रसेन : तुम्हें कौन हथियार सबसे अधिक प्रिय है?

कंस : जी?

उग्रसेन : तलवार, धनुष-बाण, भाला, शूल, वज्र, गदा? उत्तर दो।

कंस : **(सोचते हुए)** हमें?

उग्रसेन : क्या सर्वाधिक प्रिय है?

कंस : (सहज ही) वीणा।

उग्रसेन : वीणा?

कंस : हाँ, पिता महाराज। वीणा मुझे सर्वाधिक प्रिय है।

उग्रसेन : **(अट्टहास)** अरे, हम तलवार, धनुष-बाण, वज्र की बात कर रहे हैं वीणा-नूपुर की नहीं। मेरा यह पुत्र तो पुरुष के वेष में स्त्री है। स्त्री!

(तिरस्कारपूर्ण अट्टहास के साथ उग्रसेन का प्रस्थान।)

(पूर्वदीप्ति-1 समाप्त)

कंस : कब सुना था यह अट्टहास? वर्षों पहले, युगों पहले। किन्तु हम इसे भूल नहीं सके। आज भी हमें सुनाई पड़ता है—वैसा ही व्यंग्यमय, तिरस्कार भरा। रोम-रोम को अपमानित, लांछित करता-सा।

पूर्वदीप्ति-2 प्रारम्भ

(स्वाति का प्रवेश)

स्वाति : किस चिन्ता में डूबे हैं, महाराजकुमार?

कंस : **(जैसे ध्यान भंग हुआ)** स्वाति, तुम?

स्वाति : किस चिन्ता में उलझे हो? मेरा आना भी तुमको पता नहीं चला।

कंस : ऐसे ही कुछ।

स्वाति : तुम चिन्ता मत किया करो। भगवान तुम्हारी सारी चिन्ताएँ मुझे दे दें और तुम्हें सुख ही सुख दें।

कंस : **(प्यार से)** स्वाति!

स्वाति : **(स्वर बदल कर)** विचारमग्न हो तुम और सुन्दर लग रहे हो।

कंस : हम सुन्दर हैं?

स्वाति : हाँ।

कंस : बहुत?

स्वाति : बहुत ही।

कंस : स्त्रियों की तरह?

स्वाति : **(परिहास में)** स्त्रियों से अधिक।

कंस : **(असहज गम्भीरता से)** हम पुरुष नहीं लगते?

स्वाति : कौन कहता है?

कंस : हममें पुरुषों जैसे गुणों का अभाव है?

स्वाति : नहीं तो।

कंस : हम पुरुष नहीं हैं?

स्वाति : **(दुष्टता से)** मुझसे मत पूछो।

कंस : हम पुरुष नहीं है?

स्वाति : **(मुस्कराकर)** मुझसे मत पूछो।

कंस : मुझे बताओ। बताओ स्वाति। क्या हम पुरुष नहीं हैं?

स्वाति : मैं नहीं बता सकती।

कंस : तुमको बताना पड़ेगा। बताओ। उत्तर दो हमें। क्या हम पुरुष नहीं हैं?

स्वाति : अगर मैंने सच बता दिया तो–

कंस : **(अधीरता से)** तो?

(स्वाति चुप रहती है)

कंस : **(चीखते हुए)** तो?

स्वाति : तो मथुरा की हर स्त्री तुम पर आसक्त हो जायेगी। **(स्वर बदलकर)** तुम्हारी सुन्दरता के आगे कान्ता कान्तिहीन हो जाती है, किन्तु तुम पुरुषों की भीड़ में एक पुरुष हो।

कंस : क्या पुरुषत्व का अर्थ क्रूरता है? केवल निर्ममता, हिंसा, वध, हत्या, रक्तपात ही पौरुष के प्रतीक हैं?

स्वाति : नहीं तो।

कंस : क्या सुन्दर होना स्त्रीत्व का लक्षण है?

स्वाति : नहीं तो।

कंस : **(चीखकर)** तुम झूठ कहती हो।

स्वाति : **(स्वतः)** नहीं तो।

कंस : मुझे मत भरमाओ। मत दो मुझे झूठी सान्त्वना।

स्वाति : मैं सच कह रही हूँ।

कंस : तुम सच कह रही हो, तो क्या मेरे पिता, मथुरा के महाराज उग्रसेन झूठे हैं? क्या मथुरा के सब राजपुरुष झूठे हैं? राजमहल का साधारण द्वारपाल तक इस सच को जानता है। वसुदेव इस सच को जानता है।

स्वाति : वे सच नहीं जानते।

कंस : वे सच न जानते होते तो मुझ पर हँसते? भरी सभा में राजा से लेकर प्रतिहारी तक मेरा उपहास करते? वे सच बोलते हैं, तुम्हारी तरह झूठ बोलकर—

स्वाति : मैं सौगन्ध—

कंस : **(बात काटते हुए)** मत खाओ झूठी सौगन्ध। झूठ के पैर मिट्टी के होते हैं। सच की पहली ही बाढ़ में बह जाएंगे। कंस मूर्ख था—निपट मूर्ख—

स्वाति : तुमको क्या हो गया है?

कंस : पुरुष वही है जो हत्या करे, रक्तपात में हर्षित हो, हिंसा की हुँकार में जीवन-संगीत ढूंढे। निर्मम, क्रूर, बर्बर, अन्धा, बहरा—ऐसा होता है पुरुष। **(व्याकुलता से)** हम ऐसे पुरुष क्यों नहीं हैं? क्यों हमसे दूसरों का दुख नहीं देखा जाता? क्यों हम दूसरों को कष्ट में देखकर करुणा से भर जाते हैं? क्यों दूसरों की पीड़ा देखकर हमारी आँखों में आँसू आ जाते हैं? क्यों हैं हम ऐसे दुर्बल?

स्वाति : यह दुर्बलता नहीं है।

कंस : हम जन्म से ही कुछ ऐसे हैं। हम सदा से सपने देखते हैं, उस संसार के जिसमें बर्बरता नहीं होगी। सब समान होंगे। मनुष्य में मनुष्य के लिए करुणा होगी। ममता होगी। मेरी एकान्त-संगिनी वीणा का संगीत होगा। सुगन्ध और फूल होंगे।

स्वाति : कंस! लोग तुम्हें समझ नहीं पाते हैं। तुम इस युग से बहुत आगे हो।

कंस : किन्तु हमें इस युग में ही जीना है। यह बूढ़ा आकाश साक्षी है, हम इस युग में जन्मे हैं और इसी युग में जियेंगे। जिन्होंने हमारा उपहास किया है, उनकी आकृति से हम हँसी नोंच लेंगे। विद्रूप से टेढ़े होंठों से जब पश्चाताप का रक्त गिरेगा—तब हमारा दहकता हृदय ठंडा होगा।

स्वाति : ऐसे मत कहो। मुझे डर लगता है।

कंस : महाराज उग्रसेन के मनोरंजन के लिए राजपुरुषों का जमाव था। वहीं एक निरीह बकरा था—महाबली, महापराक्रमी यादवों के मनोरंजन का साधन। महाराज की आज्ञा पर वसुदेव ने सौ पग की दूरी से उस बकरे की दायीं आँख में तीर मारा। वह निशाने पर लगा। रस्सी से बँधा बकरा अपने स्थान पर उछला, फिर वहीं गिर पड़ा। एक दबी चीख यादव-शौर्य की तालियों की गड़गड़ाहट के बर्बर तुमुल नाद में भिंच गयी। विजय की आभा और गर्वोन्नत वक्ष से मंडित वसुदेव ने सबको देखा। तभी महाराज ने आदेश दिया—महाराजकुमार कंस भी सौ पग से उस बकरे की बायीं आँख छेदकर धनुर्विद्या में निपुणता प्रदर्शित करेंगे। एक पागल तमाशे की पुनरावृत्ति की आशा—वही हर्ष का तुमुल नाद। हमने तीर से निशाना लगाया, उस बकरे की बायीं आँख के लिए। कुछ क्षणों का नीरव मौन, किन्तु वे नीरव क्षण कितने मुखर थे! उस निपट मौन ने हमसे कहा, यह तुम क्या कर रहे हो? वह बकरा, जिसकी दायीं आँख से रक्त बह रहा था, निरीह, दीन, आर्त दृष्टि से हमें देख रहा था। हमें उसकी बायीं आँख में भी लहू के आँसू बहते दिखाई पड़े। सच, हमने उसकी बायीं

आँख में भी रक्त के आँसू देखे। हमारे बाण लगने से पूर्व ही उनसे रक्त गिरने लगा था—मैंने देखा। कदाचित् ऐसा हमें लगा। इस मरे हुए-से पशु को मारने वाले हम भी क्या पशु नहीं है? यह कैसा पागलपन है? हमने कमान से तीर उतार लिया। हमसे यह नहीं होगा—हमने महाराज से कहा। सैकड़ों आँखें हमें एकटक घूर रही थीं। उनकी आँखों के प्रश्न हमें हजारों काँटे से चुभ रहे थे। हम यह जानते थे—महाराज के स्वर में जैसे तिरस्कार और घृणा की बाढ़ थी। तुम हाथों में स्त्रियों के कंकण पहनकर वीणा बजाओ। ये पुरुषों के खेल तुम्हारे-जैसे स्त्रैण पुरुष के बूते के नहीं। अपमान, लांछन, तिरस्कार, उपहास—**(सहसा क्रोध से)** मूर्ख, बर्बर, पशु—

स्वाति : कंस!

कंस : स्वाति, हम कंस की नियति देख रहे हैं, वह दिन के उजाले-सी स्पष्ट है। **(विक्षिप्त-सा)** वह देखो—वह देखो—अनगिनत शवों के ढेर—स्त्री, वृद्ध, बालक, तरुण, सभी प्राणहीन पुतले-से, जैसे असंख्य मरे हुए बकरों के ढेर पर ढेर। आकाश में उड़ती चीलों के भयानक भँवर। गिद्ध की चोंच में किसी बालक के अबोध नयन, किसी स्त्री के उजले स्तनों का रक्त-रिसता मांस, किसी युवक की शक्तिशाली भुजाओं में छेद करती गिद्ध की चोंच, धरती से ऊँची-और ऊँची, हिंस्र, लपलपाती, तपती, जलाती, लाल-लाल आग की लपटें और आकाश से टूट-टूटकर गिरते अंगारे, कोलाहल, शोर भगदड़, चीख-पुकार, आर्तनाद, ...यही है कंस की नियति! **(अचानक)** मैं जा रहा हूँ स्वाति।

स्वाति : **(घबराकर)** कहाँ?

कंस : मेरी नियति मुझे बुला रही है **(स्वाति के निकट आकर उसे बाँहों में भरते हुए करुणा से)** स्वाति। **(कुछ क्षणों पश्चात् अचानक)** मुझे जाना चाहिए। **(एकदम चला जाता है।)**

स्वाति : **(पुकारते हुए)** कंस! सुनो कंस! **(पीछे जाते हुए)** रुक जाओ। **(पुकारते हुए नेपथ्य में जाते हुए)** लौट आओ, कंस, लौट आओ। **(पीछे-पीछे प्रस्थान।)**

(पूर्वदीप्ति-2 समाप्त)

कंस : (**प्रवेश करके**) कैसे लौट आऊँ स्वाति! लौटने के सब सेतु हमने स्वयं ही नष्ट कर दिये। अब तो इतनी दूर चले आये हैं, इतनी दूर, कि लौटने का विचार भी नहीं कर सकते। यह दुर्गम पथ, कँटीला, पथरीला—इसमें चलते-चलते पैर छलनी हो गये, उनसे रिसते रक्त के साथ यौवन के प्रथम ज्वार का साहस, विश्व-विजय की मदमाती आकांक्षा चूर-चूर हो गयी। अब बचा है—क्लान्त, शान्त, थका, शिथिल, पराजित कंस, अपनी उपलब्धि के शिखर पर चढ़ा, अकेला, बिल्कुल अकेला।

पूर्वदीप्ति-3 प्रारम्भ

(बाहुक, प्रलम्ब ओर प्रद्योत का प्रवेश)

कंस : तुम लोग यहीं ठहरो। हम पिता महाराज को मगधपति महाराज जरासन्ध के विशेष दूत बाहुक को दर्शन देकर कृतार्थ करने के लिए यहाँ लेकर आते हैं।

(कंस का प्रस्थान।)

प्रलम्ब : दर्शन देकर कृतार्थ करने! (**व्यंग्य से हँसता है।**)

बाहुक : मुझे मथुरा नहीं भायी, प्रलम्ब।

प्रद्योत : क्यों?

बाहुक : एक बार राजगृह देख लो तो संसार का कोई भी नगर न रुचे।

प्रद्योत : हर एक को अपनी जन्म-नगरी प्रिय होती है। उसकी तुलना किसी दूसरे देश से—

बाहुक : प्रद्योत, नगर होता है नागरिकों से। यादव तो नगरों में रहना ही नहीं जानते—असभ्य, गँवार, निपट मूर्ख—

(कंस का राजा उग्रसेन के साथ प्रवेश।)

कंस : मगध नरेश महाराज जरासन्ध के सेनापति बाहुक यादवराज के श्री चरणों में तुच्छ भेंट लेकर उपस्थित हुए हैं।

(बाहुक एक घुटने के बल बैठकर, दोनों हाथों से खड्ग भेंट करने का अभिनय करता है। राजा उग्रसेन जैसे ही खड्ग स्वीकार करने को झुकते हैं, उनकी पीठ पर प्रद्योत तलवार रख देता है।)

प्रद्योत : आप बन्दी हैं।

(प्रलम्ब का अर्थपूर्ण हास्य अचानक फूटता है। बाहुक भी अचानक तलवार राजा उग्रसेन के सीने पर रखकर खड़ा हो जाता है।)

उग्रसेन : **(क्रोध से)** कंस!

प्रलम्ब : कंस नहीं, महाराजाधिराज कंस।

बाहुक : महाराजाधिराज कंस की जय!

(उग्रसेन द्वार के बाहर को देखता है)

बाहुक : तुम्हारे सभी अंगरक्षक मागध सैनिकों से पराजित होकर मौत के घाट उतर चुके हैं।

प्रलम्ब : जो बुद्धिमान थे, वे इस समय सुनहरी मोहरें गिन रहे हैं–

बाहुक : महाराज जरासन्ध द्वारा दी गयी–

कंस : पिता महाराज, वसुदेव बन्दी होकर कारागार में है।

प्रलम्ब : साथ में उसकी नव-विवाहिता वधू देवकी भी है।

कंस : शूरवंशी यादवों का सहयोग प्राप्त करने के लिए देवकी का विवाह वसुदेव से करके उसे हमारे स्थान पर आप यादव संघ का राजा बनाना चाहते थे–

बाहुक : मूर्ख!

कंस : कंस कवि है, स्त्रियों के कंकण पहनकर वीणा बजाने योग्य। क्लीव, कापुरुष, डर से कपड़े गीले करने वाला कंस, आज पिता महाराज, आपके जीवन का नियामक है।

(उग्रसेन केवल देखता रह जाता है।)

कंस : पिता महाराज, मैंने सौगन्ध खायी थी, आपके उपहास और विद्रूप से विकृत होंठों पर एक दिन क्षमा-याचना होगी। आज वह दिन आ गया है। **(अत्यन्त संयत स्वर में)** पिता महाराज, क्षमा माँगिये। **(उग्रसेन स्तम्भित-से खड़े रह जाते हैं।)** सुना नहीं आपने! पिता महाराज, क्षमा माँगिये। मेरे धैर्य की परीक्षा मत लीजिए। क्षमा माँगिये। **(क्रोध के विस्फोट से)** क्षमा माँगिये।

(उग्रसेन मुख की अस्पष्ट ध्वनियों तथा हाथ के इशारे से कहता है कि वह गूँगा हो गया है।)

प्रद्योत : लगता है महाराज गूँगे हो गये।

कंस : नहीं (**प्रलम्ब की व्यंग्यपूर्ण हँसी**) नहीं ! नहीं! आप गूँगे नहीं हो सकते। आपको क्षमा माँगनी पड़ेगी। क्षमा माँगनी ही पड़ेगी। हम चाहते हैं क्षमा-याचना। सुनते हैं– (**उग्रसेन को झकझोरते हुए**) क्षमा याचना।

(उग्रसेन वैसी ही अस्पष्ट ध्वनियों से इंगित करता है कि उसकी वाणी नष्ट हो गयी है।)

प्रलम्ब : महाराज सच ही वाणी खो बैठे हैं। (**हँसता है।**)

बाहुक : मागध सैनिकों के प्रचंड प्रताप और महाराजाधिराज परम तेजस्वी कंस के सम्मुख किसके मुख में जीह्वा रह सकती है।

कंस : ले जाओ इन्हें। बन्दीगृह में डाल दो। यादव-साम्राज्य में घोषित कर दो कि राजा उग्रसेन ने आत्महत्या कर ली। किन्तु पिता महाराज का जीवन सुरक्षित रहे। देश के अच्छे-से-अच्छे वैद्यों से इनकी वाणी का उपचार हो, जिससे वे हमारे आगे घुटने टेककर, गिड़गिड़ाकर अपने जीवन के लिए क्षमा-याचना करें—उसी वाणी से, जिससे हमारा उपहास किया था। ले जाओ इन्हें।

(उग्रसेन को लेकर बाहुक, प्रद्योत तथा प्रलम्ब जाते हैं।)

कंस : पिता महाराज! आपने यह क्या किया? मैं कब से इस क्षण की प्रतीक्षा कर रहा था कि आप मेरे सामने क्षमा-याचना में झुकें। कितनी ही बार कल्पना में इस क्षण को भोगकर मैं आनन्दित हो चुका हूँ। इस सपने को सच करने के लिए मैं कितनी निद्राहीन रातों में प्रतिहिंसा की आग में दहका हूँ। **(भावातिरेक में आँखें बन्द करता है)**

(पूर्वदीप्ति-3 समाप्त)

कंस : तब हम शायद पाँच-छः वर्ष के थे। हमारे पिता उग्रसेन अपने साथ घोड़े पर हमें वन में ले गये। वहीं बीच जंगल में सरोवर के किनारे घोड़ा बाँधकर वह उड़ती चिड़ियों और मछलियों को अपने बाणों से बेधते रहे। सूर्यास्त के साथ जंगल में अँधेरा घिरने लगा। पिता महाराज बहुत प्रसन्न थे। मदिरा के दो-तीन प्याले गले से उतारकर वह हमारे पास आये।

पूर्वदीप्ति-4 प्रारम्भ

(उग्रसेन का प्रवेश)

उग्रसेन : **(पुकारते हुए)** कंस!

कंस : **(निकट जाकर) आज्ञा पिता महाराज**

उग्रसेन : कंस, तुम राजमहल अकेले जा सकते हो?

कंस : **(अबोधतापूर्ण गर्व से बालक के समान)** हाँ।

उग्रसेन : मार्ग जानते हो?

कंस : इधर जाने वाला मार्ग सीधा मथुरा ही तो जाता है। इधर से ही तो हम आये हैं।

उग्रसेन : शाबाश! अच्छा, तो हम लोग जा रहे हैं। तुम अकेले आ जाओ।

कंस : अकेले।

उग्रसेन : क्या डर लगेगा?

कंस : **(डरते हुए)** नहीं, पिता महाराज।

उग्रसेन : शाबाश! भोजकुल के यादव जन्मजात वीर होते हैं। **(प्रस्थान)**

कंस : हम अपनी जगह जड़ हो गये। पिता महाराज अपने अंगरक्षकों के साथ घोड़ों पर सवार होकर चले गये। **(जाते हुए घोड़ों की टापों का स्वर)** घोड़ों की टापों के स्वर हमारे अन्तर में गहरे, बहुत गहरे उतरकर भय का संचार कर गये। उस घने घोर वन में हम अकेले, बिल्कुल अकेले। भयानक विकराल वन। हर वृक्ष के नीचे अँधेरे में छिपा नर-भक्षी सिंह, प्राणघाती भालू। शरीर की हर शिरा भय से काँपती, झनझनाती! अपनी छाती की धड़कन सुनते हम भयभीत, स्तब्ध-से मथुरा के राजमार्ग पर बढ़ने लगे। थोड़ी दूर आगे, पिता महाराज पेड़ के पीछे से बाहर आकर हमारे सामने खड़े हो गये।

(पीछे से निकलकर उग्रसेन खड़े हो जाते हैं। कंस पाँच वर्ष के बालक के समान उनसे चिपटता है।)

कंस : **(उग्रसेन से चिपटते हुए)** पिता महाराज!

उग्रसेन : तुम रो क्यों रहे हो? क्या तुम डर गये। **(कंस रोता रहता है, उत्तर नहीं देता। तीव्र स्वर में)** क्या तुम डर गये?

कंस : **(रोते हुए)** हाँ।

उग्रसेन : **(सहसा क्रोध से कंस की बाँह पकड़कर झटकते हुए)** दूर हट

जा! (**तिरस्कार से**) भोजकुल के राजकुमार को डर! (**कंस और जोर से रोता है**) अब रोने में अपनी वीरता दिखा रहा है। चुप हो जा। (**कंस रोता रहता है**) चुप हो जा! (**कंस के गाल पर थप्पड़ मारता है**) बोल—भविष्य में हम भयभीत नहीं होंगे।

कंस : (**सिसकियों से**) भविष्य में हम भयभीत नहीं होंगे।

उग्रसेन : हम भोजकुल के वीर यादव हैं।

कंस : हम भोजकुल के वीर यादव हैं। (**बोलते-बोलते दोनों टाँगों को एक-दूसरे से चिपकाता है**)

उग्रसेन : (**अचानक देखकर**) यह क्या? कपड़े गीले?

कंस : (**सहलाता-सा**) न-न-नहीं।

उग्रसेन : वस्त्र गीले। (**दोनों हाथों से कंस को मारता है**) मूर्ख, कायर, दुर्बल! (**मारकर क्रोध से प्रस्थान।**)

कंस : (**रोते हुए**) क्षमा! पिता महाराज क्षमा! अब हम नहीं डरेंगे। कभी नहीं डरेंगे। कपड़े गीले नहीं करेंगे। कपड़े गीले नहीं करेंगे। डरेंगे नहीं। कपड़े गीले कभी नहीं करेंगे। कभी नहीं करेंगे। हम भोजकुल के वीर यादव हैं। भोजकुल के—

प्रलम्ब : (**प्रवेश कर भाषण देता-सा**) भोजकुल के वीर यादव महाराजाधिराज कंस आपके रक्षक हैं। महाराज उग्रसेन वसुदेव को अपने बाद यादवों का राजा बनाना चाहते थे।

प्रद्योत : (**प्रवेश करके भाषण देते हुए**) वसुदेव यादवों का शत्रु है। वसुदेव की बहन कुन्ती कुरु राजा पांडु को ब्याही है। वसुदेव मथुरा का राज्य हस्तिनापुर को देना चाहता है। वह कुरुवंशियों का दलाल है।

प्रलम्ब : सर्वसम्मति से चलने वाली यादव गणराज्य की दुर्बल व्यवस्था शत्रु से लोहा नहीं ले सकती थी—

प्रद्योत : इसीलिए देश की रक्षा के लिए महाराज कंस ने यादव-सभा को हटाकर पूरी सत्ता ग्रहण की है।

प्रलम्ब : मगध के महाराज जरासन्ध की तरह वह सर्व-सत्ताधारी होकर अन्धक, वृष्णि, शूर, भोज आदि सभी यादवों को मिला शक्तिशाली यादव राष्ट्र का निर्माण कर रहे हैं।

बाहुक : (**प्रवेश करके भाषण देते हुए**) आज यादव संकट में हैं। आपकी

सीमा सुरक्षित नहीं है। आपकी सुरक्षा के लिए महाराज कंस के निमन्त्रण पर मागध सैनिक मथुरा में आये हैं। यादव सुरक्षा के लिए मागध सैनिक मर मिटेंगे।

प्रलम्ब : महाराज कंस यादव शौर्य और कीर्ति की पताका हिमालय से कन्याकुमारी तक फहरायेंगे।

प्रद्योत : यादव शौर्य की जय हो!

प्रलम्ब : महाराज कंस सीमा पर आक्रमण के लिए एकत्रित कुरु सेनाओं का विनाश करेंगे।

प्रद्योत : महाराज कंस की जय हो!

प्रलम्ब : जो विपत्ति में सहायता दे वही मित्र।

प्रद्योत : महाराज जरासन्ध हमारे मित्र हैं।

(अपना स्थान बदल-बदलकर प्रलम्ब, प्रद्योत और बाहुक भाषण देते हैं:)

प्रलम्ब : वसुदेव; यादव विद्रोही है।

बाहुक : यादव संकट में हैं।

प्रद्योत : यादव-सूर्य महाराज श्रीकंस की जय!

(तीनों स्थान बदल-बदलकर मुट्ठियाँ तानकर तोते की तरह दोहराते हैं:)

प्रलम्ब : वसुदेव यादव विद्रोही है।

बाहुक : यादव संकट में हैं।

प्रद्योत : यादव-सूर्य महाराज श्रीकंस की जय!

(धीरे-धीरे उनकी वाणी लुप्त हो जाती है, किन्तु वे स्थान बदल-बदलकर मुट्ठियाँ ताने कठपुतली की तरह भाषण देने का अभिनटन करते हैं। कंस गजर पर प्रहार करता है। प्रलम्ब, प्रद्योत और बाहुक अपने-अपने स्थान पर निश्चल हो जाते हैं।)

(पूर्वदीप्ति-4 समाप्त)

प्रतिहारी : **(प्रवेश करके नमन करता है)** भगवान!

कंस : सेनापति प्रद्योत कहाँ हैं?

प्रतिहारी : वह भगवान की आज्ञा से राजप्रसाद में छिपे पापी कृष्ण को ढूँढ़ने गये हैं।

कंस : उनसे कहो कि शीघ्र ही ढूँढ़कर उपस्थित करें।

प्रतिहारी : जो आज्ञा। **(नमन करके प्रस्थान।)**

पूर्वदीप्ति-5 प्रारम्भ

प्रलम्ब : महाराज! यादव अत्यन्त रुष्ट हैं। उनकी सहानुभूति महाराज उग्रसेन के साथ है। वसुदेव और देवकी के साथ है। यादवों को अपनी स्वतंत्रता सबसे प्रिय है। स्वाधीनता के अभ्यस्त यादवों को निरंकुश राजा सहन नहीं हो रहा है।

प्रद्योत : **(शीघ्रता से नमन करके)** हजारों यादव राजमहल के बाहर जमा हो रहे हैं। वे क्रोध से नारे लगा रहे हैं। **(प्रस्थान)**

(भागते हुए बाहुक का प्रवेश)

बाहुक : जैसे कोहरे को सूर्य किरण काटती है, वैसे ही मागध सैनिकों ने दुष्टों को छिन्न-भिन्न कर दिया। शान्ति-व्यवस्था पूर्ण है। **(उसी शीघ्रता से प्रस्थान)**

प्रलम्ब : **(चापलूसी से नमन करके)** महाराज की जय!

प्रद्योत : **(भागते हुए प्रवेश करके)** यादव अत्याचारियों ने दो मागध सैनिकों की हत्या कर दी। **(प्रस्थान)**

बाहुक : **(भागते हुए प्रवेश करके)** मागध सैनिकों ने प्रतिशोध में बीस नागरिकों को काल के गाल में पहुँचा दिया। शान्ति-व्यवस्था पूर्ण है। **(प्रस्थान)**

प्रलम्ब : महाराज की जय!

प्रद्योत : **(भागते हुए प्रवेश करके)** यादवों ने सैनिकों के शिविर में आग लगा दी। सैनिक सामग्री लूट ली। **(प्रस्थान)**

बाहुक : **(प्रवेश करके)** सारी लूटी गयी सामग्री प्राप्त कर ली गयी। विद्रोही नगर-चौक पर फाँसी पर लटके हैं। शान्ति-व्यवस्था पूर्ण है। **(प्रस्थान)**

प्रलम्ब : महाराज की जय!

प्रद्योत : **(भागते हुए प्रवेश करके)** कसीग्राम-वासी यादवों ने राजस्व देना अस्वीकार कर दिया। **(प्रस्थान)**

बाहुक : **(भागते हुए प्रवेश करके)** कसीग्राम और वहाँ के निवासी दोनों का ही अस्तित्त्व यादव-साम्राज्य से समाप्त कर दिया गया। कल रात उस गाँव में आग लगी। जलते घरों से निकलकर

बाहर भागते ग्रामवासी मागध सैनिकों के घेरे के बाहर नहीं आ सके। शान्ति-व्यवस्था पूर्ण है।

(प्रस्थान)

प्रलम्ब : **(नमन करके)** महाराज की जय!

(महारानी अस्ति का प्रवेश।)

कंस : अस्ति।

अस्ति : महाराजधिराज कंस। **(नमन करती है।)**

कंस : महारानी अस्ति! मगध की राजकुमारी और मथुरा साम्राज्य की साम्राज्ञी अस्ति का स्वागत है।

अस्ति : महाराज कंस के विद्रोहियों से घिरने के समाचार पर हम मगध में नहीं रुक सके।

कंस : किन्तु...

अस्ति : हम अकेले नहीं हैं। हमारे साथ पिता महाराज ने दहेज के शेष मागध सैनिक भी भेजे हैं।

प्रद्योत : **(भागते हुए प्रवेश करके)** विद्रोहियों ने...

(अस्ति को देखकर चुप हो जाता है, और नमन की मुद्रा में सिर झुकाकर बैठ जाता है।)

बाहुक : **(भागते हुए प्रवेश करके)** विद्रोहियों का...

(अस्ति को देखकर नमन की मुद्रा में झुककर बैठ जाता है। अस्ति बाहुक और प्रद्योत को देखने के पश्चात् प्रलम्ब की ओर देखती है।)

अस्ति : ये...?

(प्रलम्ब तुरन्त ही नमन की मुद्रा में बैठता है।)

कंस : यह प्रलम्ब है। हमारे मंत्री। यह प्रद्योत—हमारे विश्वासी सेनापति। राजप्रसाद और मथुराधिपति की सुरक्षा का भार इन्हीं का दायित्व है। और मागध सेनापति बाहुक को तो आप जानती ही हैं—

अस्ति : महाराज कंस के अनुचरों को देखकर सन्तोष हुआ। **(कुछ दूर जाकर)** कंस! **(कंस निकट जाता है)** विद्रोहियों से निपटने के लिए ये सेवक पर्याप्त हैं। इन तुच्छताओं पर जीवन नष्ट न करो। आओ हमारे निकट आओ। **(कंस के सिर को अपने कन्धे पर रखकर)** हम प्रतीक्षा कर रहे हैं। **(कंस का**

हाथ देखते हुए) शरीर शिंजनी कुशल उँगलियों के स्पर्श पर सतरंगी रागिनियों में फूट पड़ने को आतुर है। **(अपने स्थान पर लट्टू की तरह घूमते हुए और अपने साथ कंस को घुमाते हुए)** आओ, चन्द्रमा-चषक से आसव पीकर चाँदनी की सेज पर दुलार करें और वासना के झूले पर पेंग बढ़ाकर आकाश छू लें। **(अपनी जगह पर घूमती रहती है।)**

(प्रलम्ब, प्रद्योत और बाहुक उठकर कंस और अस्ति के चारों ओर हाथ पकड़कर घेरे में घूमते हैं। उनके घेरे की गति धीरे-धीरे तीव्र होती है। साथ-साथ वे नारे के समान दोहराते हैं।)

प्रद्योत : विद्रोह...

बाहुक : कुचल दिया...

प्रलम्ब : महाराज की जय...

(वृत्ताकार घूमने की गति बढ़ने के साथ इन नारों की गति भी बढ़ती है। चरम सीमा पर कंस चीख पड़ता है।)

कंस : **(घेरा तोड़कर बाहर आते हुए)** नहीं—नहीं—!

(अस्ति, प्रलम्ब, प्रद्योत और बाहुक जड़ हो जाते हैं।)

कंस : इतने सहायकों, आश्वासनों के बाद भी भय-आदिहीन, अदृश्य, परतों पर जमती परतों-सा, कण-कण करके शिराओं में बढ़ता भय! **(सोचते हुए)** ज्योतिषी ने क्या कहा है? क्या कहा है? **(आदेश से चीखते हुए)** उत्तर क्यों नहीं देते? ज्योतिषी ने क्या कहा है?

(बाहुक, प्रद्योत, प्रलम्ब घबराकर कंस के पीछे खड़े होते हैं।)

तीनों : **(तोते के समान रटे शब्दों में)** वसुदेव-देवकी का आठवाँ पुत्र कंस का विनाश करेगा।

अस्ति : **(अट्टाहस)** ज्योतिषी! यादव-विद्रोह शिथिल हो गया। पराजित हो गया। तभी तो लोग ज्योतिषी के अनर्गल प्रलाप पर विश्वास करने को विवश हुए। पराजय की अनुभूति की पीड़ा को कम करने वाली भविष्यवाणी! वर्तमान की ग्लानि को भविष्य की मदिरा में भुला देना, कुछ काल के लिए ही सही! **(अट्टाहस करती है और जाकर कंस के सिंहासन पर बैठ जाती है। कंस**

से) यहाँ आओ। **(कंस अस्ति के निकट जाता है, और उसके पैरों के पास भूमि पर बैठकर उसकी गोद में सिर रखता है।)** सो जाओ कंस। निश्चिंत होकर सो जाओ, बाहुक प्रलम्ब, प्रद्योत तुम्हें लोरी सुना रहे हैं।

(बाहुक, प्रलम्ब, प्रद्योत तीनों लोरी के स्वर में गाते हैं)

तीनों : हम लोरियाँ गाएं।
राजा जी सो जाएं।
विद्रोह कुचल आएं।

कंस : **(चीखता-सा)** बन्द करो! **(लोरी बन्द हो जाती है। सबसे दूर जाते हुए)** कोई कैसे सो सकता है? कैसे विश्राम कर सकता है? कैसे विश्राम कर सकता है, जब सब उसकी मौत की कामना कर रहे हों, उसकी मौत के लिए भविष्यवाणी को सच करने की प्रार्थना कर रहे हैं? **(दोनों हाथों की उँगलियों से गिनते हुए)** एक-दो-तीन-चार-पाँच-छै-सात-आठ **(अचानक दोनों हाथों की उँगलियों से गोलाकार कमल का फूल बनाता है।)** एक-दो-तीन-चार-पाँच-छै-सात-आठ... **(दुबारा गिनते हुए)** एक-दो-तीन-चार-पाँच-छै-सात-आठ...यह आठवाँ है। **(फिर गिनते हुए)** एक-दो-तीन-चार-पाँच-छै-सात-आठ...अब यह आठवाँ है। कौन-सा आठवाँ है? कोई भी आठवाँ है। आठवाँ...आठवाँ या आठ में से कोई एक...कोई भी एक!

(प्रलम्ब, बाहुक और तीनों कंस के पैरों के निकट घुटने टेककर बैठते हैं)

तीनों : **(तीव्र भेद-भरी फुसफुसाहट में)** यादव पराजित हो गये हैं। जिसने सिर उठाया, सिर काट दिया गया। जिसने आँख दिखायी आँख निकाल ली गयी।

कंस : **(भय से)** आठ में से कोई भी एक...कोई भी एक...

तीनों : यादव पराजित हो गये, किन्तु उनकी आशा जीवित है। उनका मनोबल नहीं टूटा।

कंस : आठ में से कोई एक, कोई भी एक...

तीनों : **(फुसफुसाहट में)** देवकी की हत्या! न रहेगा बाँस, न बजेगी बाँसुरी। यादवों की आशा निराशा में परिवर्तित हो जायेगी। मनोबल खंडित हो जायेगा।

कंस : **(अपनी योजना से संतुष्ट-सा)** हाँ।

तीनों : **(फुसफुसाहट में)** देवकी की हत्या! देवकी की हत्या! देवकी हत्या!!

कंस : **(चीखते हुए)** नहीं। यह मुझसे नहीं होगा। कैसे कर सकता हूँ देवकी की हत्या! मुझमें नहीं है इतनी शक्ति, इतना साहस। नहीं चाहिए मुझे यह राजपाट, यह सत्ता, यह अधिकार।

(उग्रसेन का अट्टाहस और स्वर...मेरा यह पुत्र तो पुरुष वेश में स्त्री है स्त्री)

कंस : **(निश्चय से)** हाँ, देवकी की हत्या।

(शीघ्रता से गजर पर प्रहार करता है। प्रलम्ब, प्रद्योत और बाहुक दर्शकों की तरफ पीठ करके एक पंक्ति में मंच पर पीछे की ओर खड़े हो जाते है। प्रतिहारी का प्रवेश।)

कंस : देवकी को उपस्थित किया जाये।

(प्रतिहारी का प्रस्थान। कंस तलवार उठाता है। तभी सैनिक सहित बन्दी देवकी का प्रवेश। कंस देवकी को देखता रह जाता है।)

देवकी : महाराज ने मुझको बुलाया?

कंस : **(जैसे तन्द्रा से चौंक कर जागते हुए)** हमने? ...आँ-हाँ। हमने बुलाया है।

देवकी : किसलिए?

कंस : **(अपने को सम्भालकर)** तुम...तुम हमसे मिलना चाहती थीं? तुम्हारा संदेश मिला था।

देवकी : हाँ।

कंस : क्यों? कहो, तुमको क्या कहना है?

देवकी : क्या मैं महाराज कंस से अकेले में बात कर सकती हूँ?

(कंस एक क्षण देवकी को देखता है।)

देवकी : **(व्यंग्य से)** महाराज को मुझसे भय है? एक निहत्थी दुर्बल स्त्री से?

(कंस सैनिक को जाने का संकेत करता है। सैनिक का प्रस्थान।)

कंस : अब कहो, क्या कहना चाहती हो?

देवकी : मैं केवल देखना चाहती थी...

कंस : देखना?

देवकी : मेरा प्यारा भाई महाराजाधिराज बनकर कैसा लगता है?

कंस : देख लिया?

देवकी : हाँ, देख लिया।

कंस : क्या देखा?

देवकी : मैं महाराजाधिराज को पहचान नहीं पायी।

कंस : अपने भाई को पहचानती थी?

देवकी : शायद नहीं। समझती थी पहचानती हूँ—किन्तु आज मालूम हुआ, नहीं पहचानती थी।

कंस : दोष तुम्हारा है।

देवकी : हाँ, मेरा ही दोष है। मुझे पहचानना चाहिए था कि अपनी दुलारी बहन की नदी में अचानक गिरी गुड़िया लाने को नदी में कूद पड़ने वाले भाई का स्नेह केवल स्वाँग था। लेकिन यह कैसा स्वाँग था, जिसमें तुमने अपने प्राणों का दाँव लगा दिया था? **(कंस चुप रहता है।)** बोलो, उत्तर दो।

कंस : वह स्वाँग नहीं था?

देवकी : तब क्या यह स्वाँग है जब अपनी नव-विवाहिता बहन को उसके पति के साथ कारागार में डाल दिया?

कंस : यह भी स्वाँग नहीं है।

देवकी : तब सच क्या है?

कंस : दोनों ही सच हैं। बहन के लिए प्राणों का दाँव भी और उसी पर कारागार का अत्याचार भी।

देवकी : तुम क्या हो?

कंस : तुम स्वयं देख रही हो।

देवकी : पहेली?

कंस : नहीं, मनुष्य।

देवकी : मनुष्य ऐसा होता है?

कंस : हाँ, ऐसा ही।

देवकी : दानव-सा?

कंस : हाँ, दानव-सा और देवता-सा भी। मनुष्य की यही तो विडंबना है...देवता और दानव में बँटा...आधा-आधा...। **(निकट जाकर)** अपनी फूल-सी सुकुमार बहन को देखते ही उसे प्यार करने

दुलार कर लेने की ललक मेरे मन में पेंगे मारने लगी—

देवकी : **(रुँधे गले से)** भैया! **(कंस के सीने से लगकर रोती है)**

कंस : **(थपथपाते हुए)** रो लो, बहन, रो लो। **(अपने आँसू पोंछते हुए)** तुम्हारा यह भाई तुम्हें और कुछ नहीं दे सकेगा—सिवाय यंत्रणा, कारागार और कष्ट के। रो लो। मेरी दुलारी बहन, रो लो। **(फफक कर रो पड़ता है।)**

देवकी : **(कंस के आँसू अपने आँचल से पोंछते हुए)** मत रो, भैया। मत रो। मुझे कोई कष्ट नहीं है।

कंस : **(अपने को संभालकर)** मुझे सान्त्वना दे रही है, पगली!

देवकी : तुम्हीं ने तो मेरा वर चुना था।

कंस : हाँ। मैंने ही तुम्हारे लिए वसुदेव को पसन्द किया था। वह तुम्हें बहुत अच्छा लगता था न!

देवकी : **(शरमाकर)** तुम्हारा मित्र था, इसलिए।

कंस : देवकी, मुझे सब याद है। हम और वसुदेव कितने अच्छे मित्र थे। यमुना के तट पर प्रतिदिन शाम को घोड़े दौड़ाते थे। एक दिन मन्दिर से लौटते समय तुमने हम लोगों को देखा था, और फिर बाद में पूछा था—वह कौन था, वह कौन था तुम्हारे साथ। मैंने बताया, वसुदेव। नाम सुनते ही तुम्हारा मुख लाल हो गया था।

देवकी : और क्या याद है?

कंस : एक चार साल की अबोध बड़ी-बड़ी आँखों वाली लड़की मुझसे पूछ रही थी—भैया 'तो' के माने क्या होते हैं। एक सात साल की लड़की से किसी ने पूछा—सबसे अच्छा कौन है? उसने सोचने में एक क्षण भी नहीं लिया, तुरन्त उत्तर दिया—कंस भैया।

देवकी : फिर उसने कौन-सा अपराध कर दिया...

कंस : वह उससे प्रेम करती है जो हमारा शत्रु है। वह हमारे शत्रु की विवाहिता पत्नी है।

देवकी : वही आज शत्रु है जो कभी मित्र था।

कंस : कभी मित्र था...कितनी पुरानी बात है और...आज अर्थ-हीन भी।

देवकी : तुम्हें भ्रम हुआ है, भैया। वह तुम्हारे शत्रु नहीं हैं।

कंस : तुम मुझसे अधिक जानती हो?

देवकी : विशाल मगध साम्राज्य की सीमा पर स्थित हमारा यादव राज्य उसकी तुलना में बहुत ही छोटा है। महाराज जरासन्ध मथुरा को जीतकर अपने साम्राज्य में मिलाना चाहते थे। किन्तु हस्तिनापुर के महाराज पांडु की सहायता के आश्वासन ने महाराज जरासन्ध की यह आकांक्षा पूरी नहीं होने दी। महाराज पांडु का यह आश्वासन इनके प्रयत्न से प्राप्त हुआ। इसलिए मगध-नरेश इनसे कुपित हैं?

कंस : **(व्यंग्य से)** यह तुम्हें वसुदेव ने बताया है?

देवकी : हाँ।

कंस : तो वसुदेव ने तुम्हें यह नहीं बताया कि उसकी बहन कुन्ती के पति महाराज पांडु स्वयं मथुरा राज्य को हड़प जाना चाहते हैं?

देवकी : यह झूठ है।

कंस : भाई और पति के बीच विवाद में तुम किसका पक्ष लोगी, हम जानते हैं।

देवकी : भैया, मैं तुम्हें सच बता रही हूँ।

कंस : तुम्हारा सच वही है जो वसुदेव ने बताया है। वह हस्तिनापुर की सहायता से हमारा अधिकार छीनकर मथुरा का राजा बनने का सपना देख रहा था, षड्यन्त्र रच रहा था—जिसे हमने चूर-चूर कर दिया।

देवकी : मागध सैनिकों की सहायता से।

कंस : **(चिढ़कर)** हाँ, मागध सैनिकों की सहायता से। क्या कुरु सैनिक मागध सैनिकों से अच्छे हैं? दोनों ही एक-से हैं। दो विशाल राज्यों के बीच फँसा यादव राज्य कितना ही छोटा क्यों न हो, उसका अपना अस्तित्त्व है। हम उस पर आँच नहीं आने देंगे...अपने शरीर के अन्तिम रक्त-बिन्दु तक।

देवकी : वह मथुरा का राज्य नहीं चाहते।

कंस : हम कैसे यह मानें?

देवकी : मुझ पर विश्वास करो।

कंस : तुम पर?

देवकी : हाँ, मुझ पर। भैया, मुझ पर विश्वास करो। मैं तुम्हारी बहन...मुझ

पर विश्वास करो। **(भावुकता से)** तुम्हारी लाडली दुलारी बहन की गुड़िया नदी में गिर गयी है। एक बार और क्या तुम प्राणों का दाँव लगाकर...

कंस : देवकी, मत भूलो, तुम बन्दी हो। यादवराज से बात कर रही हो। विश्वास! क्या अर्थ है इस शब्द का! तुम हमें देखने आयी थीं, देख चुकीं। **(गजर पर प्रहार करता है)** तुमने देवता देखा था। अब दानव भी देख लो। अब पहचानने में भूल नहीं होगी। **(सैनिक का प्रवेश।)** बन्दी को कारागार ले जाओ। **(देवकी नमन करके सैनिक के साथ जाने लगती है।)** ठहरो! **(देवकी रुक जाती है।)** सत्ता अविश्वास के सहारे खड़ी होती है, विश्वास के सहारे नहीं। तुम जा सकती हो।

(देवकी तथा सैनिक का प्रस्थान। कंस अपनी जगह जड़ हो जाता है। अस्ति जँभाई लेती हुई आती है और कंस की बाँह पकड़कर अपनी ओर घसीटती है।)

अस्ति : आओ, सोने चलें। मुझे नींद आ रही है।

कंस : तुम जाओ।

अस्ति : **(कामुकता से)** तुम्हारे बिना? कैसे आयेगी मुझे नींद? **(बाँह पकड़कर घसीटते हुए)** आओ, सोने चलें।

कंस : **(क्रोध के विस्फोट से)** जाओ यहाँ से!

अस्ति : **(व्यंग्य से)** मथुरापति इतने भयभीत हो सकते हैं?

कंस : हम भयभीत हैं?

अस्ति : अच्छा?

कंस : नहीं, हम भयभीत नहीं हैं।

अस्ति : **(व्यंग्य से)** सच?

कंस : **(क्रोध से)** हम भयभीत नहीं हैं।

अस्ति : क्षमा महाराज। आप भयभीत नहीं हैं।

कंस : तुम समझती हो हम भयभीत हैं?

अस्ति : नहीं।

कंस : तुम्हें हम पर विश्वास नहीं है?

अस्ति : विश्वास है।

कंस : **(सबलता से)** हम भयभीत नहीं हैं।

अस्ति : हाँ, हाँ, आप भयभीत नहीं हैं।

कंस : तुम हमारा उपहास कर रही हो?

अस्ति : नहीं।

कंस : हम मूर्ख हैं? तुम समझती हो हम नहीं समझते?

अस्ति : क्या?

कंस : तुम्हारी मुस्कान का अर्थ।

अस्ति : **(वितृष्णा से)** ओह!

कंस : हम पर हँसने का साहस!

अस्ति : मैं नहीं हँसी।

कंस : झूठ बोलने का साहस।

अस्ति : मैं नहीं हँसी।

कंस : दुस्साहस! **(क्रोध से)** हम...हम...

अस्ति : क्या कर लोगे तुम?

कंस : हम...

अस्ति : तुम कर ही क्या सकते हो?

कंस : तुम्हें अपने पिता का गर्व है? किन्तु हम...

अस्ति : **(क्रोध से)** हाँ, मुझे अपने पिता का गर्व है। मैं हँस रही थी। तुम पर हँस रही थी। और हँसूँगी। तुम क्या कर सकते हो? तुम इतना डरते हो, यह जानती तो मगध से और सैनिक ले आती।

(कंस को तिरस्कार से देखती हुई गर्व से प्रस्थान करती है। पराजित-सा कंस उसे जाते हुए देखता है।)

कंस : **(अपने को संभालकर)** प्रद्योत! बाहुक! प्रलम्ब!

(पुकारे जाने के अनुसार तीनों आकर कंस के सम्मुख नत-मस्तक होकर खड़े होते हैं।)

कंस : सेनापति प्रद्योत, अंधक, वृष्णि, भोज, शूर इत्यादि सभी यादवों के प्रमुख नायकों पर दृष्टि रखी जाये। सभी शत्रु हैं। सभी से भय है। किसी पर विश्वास न किया जाये। सुरक्षा और सुदृढ़ की जाये।

प्रद्योत : आपकी आज्ञा का पालन होगा।

कंस : बाहुक तुम्हारी सहायता करेंगे। प्रलम्ब, हमें हर घर का समाचार मिलना चाहिए। पत्नी के विरुद्ध पति से, पति के विरुद्ध पत्नी से।

प्रलम्ब : महाराज, आपकी आज्ञा का पालन होगा।

कंस : तुम लोग अब जा सकते हो।

(प्रलम्ब, प्रद्योत और बाहुक नमन करके जाने लगते हैं।)

कंस : प्रद्योत! **(केवल प्रद्योत रुक जाता है। कुछ पल बाद।)** हम किस पर विश्वास करें?

प्रद्योत : क्या कोई भी नहीं है ऐसा जिस पर...

कंस : केवल एक है...

प्रद्योत : कौन?

कंस : प्रद्योत।

प्रद्योत : **(एकदम प्रसन्नता से)** कंस! मैं तुम्हारे लिए कुछ भी कर सकता हूँ। शायद हम लोगों का पिछले जन्म का कुछ सम्बन्ध है।

कंस : शायद...

प्रद्योत : किसी-किसी को देखते ही लगता है यह मेरा अपना है। उसके लिए कुछ भी करने को, प्राण तक देने को, मन अपने आप करता है। **(कंस मुस्कराता है, आसक्ति से)** तुम्हारी यह मुस्कान ही तो इतनी मोहक है। किसी को भी अपना दास बना सकती है। बरसों पहले, जब तुम शायद बारह साल के थे, तब ही से मुग्ध हूँ इस पर।

कंस : प्रद्योत, यादव सेना तुम्हारे अधीन है। हमारे प्राण तुम्हारे हाथ में हैं।

प्रद्योत : जब तक मैं हूँ तब तक...

कंस : अब तुम जाओ, प्रद्योत।

प्रद्योत : **(जाते-जाते)** किन्तु तुम निश्चिन्त रहो। **(मुड़कर जाने लगता है।)**

कंस : प्रद्योत! **(प्रद्योत रुक जाता है)** क्या सेनापति जाने से पहले राजा के सम्मुख नमित नहीं होगा?

प्रद्योत : क्षमा महाराज, मैं तो भूल गया। **(नमन करता है)**

कंस : प्रलम्ब पर हम विश्वास नहीं कर पा रहे हैं। उस पर निगाह रखना।

प्रद्योत : **(पुनः नमन करके)** आज्ञा का पालन होगा।**(प्रस्थान करता है।) (प्रतिहारी का प्रवेश।)**

प्रतिहारी : देवी स्वाति पधारी हैं।

कंस : भेज दो।

(प्रतिहारी का नमन करके प्रस्थान। स्वाति का प्रवेश।)

स्वाति : क्यों बुलाया?

कंस : यह राजप्रसाद देखा?

स्वाति : यही दिखाने को बुलाया था?

कंस : हाँ!

स्वाति : तो यह दिखाकर मुझे प्रभावित करना चाहते हो?

कंस : यह दिखाकर तुम्हें बताना चाहता हूँ कि तुम्हारा प्रेमी कंस इसमें बन्दी है।

स्वाति : मगध की राजकुमारी ने इस बन्दीगृह को स्वर्ग बना दिया होगा।

कंस : हमें तुम्हारी आवश्यकता है, स्वाति।

स्वाति : अन्तःपुर की गिनती बढ़ाने का शौक हर राजा को होता है।

कंस : **(शिकायत से)** स्वाति! **(रुककर)** हमें समझो, स्वाति। सत्ता के शिखर पर हम बिलकुल अकेले हैं। कोई भी ऐसा नहीं जिस पर विश्वास कर सकें। सब सत्ता, अधिकार, धन के लालच में हमारे अपने बने हैं। हम चाहते हैं तुम हमारी सहायता करो।

स्वाति : मैं क्या सहायता कर सकती हूँ?

कंस : वह हम बता देंगे।

स्वाति : नहीं, कंस। मैं कुछ नहीं कर सकती। मुझे सत्ता, धन या अधिकार का लालच नहीं है।

कंस : **(बढ़कर स्वाति की आँखों में देखते हुए)** सब तुम्हारे कंस की हत्या करना चाहते हैं। तुम उसका कटा हुआ सिर देखना चाहती हो?

स्वाति : ऐसे मत कहो कंस।

कंस : अगर तुमने हमें सचमुच प्यार किया है तो सौगन्ध खाओ कि जो हम कहेंगे वही करोगी।...

स्वाति : वही तो करूँगी ही। इसमें सौगन्ध लेने की क्या आवश्यकता है?

कंस : **(आग्रह से)** फिर भी, स्वाति

स्वाति : तुम्हारी प्रसन्नता के लिए सौगन्ध खाती हूँ।

कंस : हम चाहते हैं—तुम तुम—

स्वाति : प्यार की सँकरी डगर पर इतने काँटे हैं यह पहले से जानती तो पैर ही न रखती। **(व्यंग्य से)** माँग लो, जो माँगना चाहते हो। मैं वचनबद्ध हूँ और तुम्हारे प्रेम में पागल। ऐसा अवसर फिर नहीं आयेगा। माँगो।

कंस : हम चाहते हैं—हम चाहते हैं—

स्वाति : बोलो न?

कंस : हम चाहते हैं, तुम प्रद्योत से विवाह कर लो।

स्वाति : वचन दिया है तो पत्थर से भी विवाह कर सकती हूँ।

कंस : विवाह!! **(रुककर)** हम चाहकर भी प्रद्योत पर विश्वास नहीं कर पा रहे हैं। हम चाहते हैं उस पर निगाह रखकर तुम हमें सब सूचना देती रहो। **(कातरता से)** यह हमारे जीवन-मरण का प्रश्न है।

स्वाति : तुम जो चाहते हो, वही करूँगी। प्यार के अन्धे देवता के भक्त भी अन्धे होते हैं। **(कंस गजर पर प्रहार करता है।)**

(प्रतिहारी का प्रवेश)

प्रतिहारी : **(नमन करके)** सेनापति प्रद्योत उपस्थित हैं।

कंस : आने दो।

(प्रद्योत प्रवेश करके नमन करता है।)

कंस : प्रद्योत, यह स्वाति है। यादव साम्राज्य में हमारी सब से अधिक विश्वासी यादव-कन्या। हमारी इच्छा है, तुम इसे पत्नी रूप में ग्रहण करो।

प्रद्योत : **(एक क्षण स्वाति को देखकर)** महाराज की आज्ञा सिर आँखों पर।

(कंस स्वाति के दुपट्टे को वधू के समान उसके मुख पर डालता है। फिर प्रद्योत की बाँह पकड़कर स्वाति के पास लाता है तथा स्वाति के हाथ को उसके हाथ में देता है।)

कंस : अपनी वधू को ले जाओ। तुम्हारे विवाह का राज-समारोह पूरे यादव प्रदेश में मनाया जायेगा।

(पूर्वदीप्ति-5 समाप्त)

(प्रद्योत और स्वाति कंस को नमन करते हैं। फिर प्रद्योत स्वाति को अपने साथ ले जाता है।)

कंस : स्वाति को प्रद्योत को देकर भी कभी हम उसको भूल सके? कभी भूल सकेंगे? इतने वर्षों के अन्तराल के बाद भी वह पतझड़ में बसन्त-सी अचानक आ जाती है। चुपचाप धीरे-धीरे, हल्के पगों से बढ़ती आती है और स्मृति के उन द्वारों को एक झटके से खोल देती है, जिन्हें युगों पहले हमने बन्द कर दिया था। क्या हम भूल पाये हैं अब तक उस अल्हड़ किशोरी को, कुलाँचें भरती हिरनी को, रूपसी रति को?

पूर्वदीप्ति-6 प्रारम्भ

(मंच पर वन्य-प्रदेश का अंश आलोकित होता है। स्वाति भागती हुई कंस के पास आती है। भागने से उसकी साँस फूल रही है।)

स्वाति : भाग गया। देखा न, भाग गया।

कंस : कौन?

स्वाति : हिरन का बच्चा। अभी से कितना शैतान है। पकड़ में ही नहीं आता। बहुत छकाता है। अब देखो, पेड़ों के झुरमुट में जा छिपा। मैं ढूँढ़ते-ढूँढ़ते परेशान हो गयी। नहीं मिला। न मिले। कौन ढूँढ़ता है उसे। **(अचानक)** वह देखो—वहाँ खड़ा है। झाड़ी में से सिर निकालकर मुझे देख रहा है। मुझे तंग कर खुश हो रहा है। वह देखो।

कंस : **(स्वाति को देखते हुए)** देख ही तो रहे हैं।

स्वाति : मुझे नहीं, हिरन के बच्चे को।

कंस : हम हिरनी को ही देख रहे हैं।

स्वाति : **(अनसुनी करके)** हाय, कितना सुन्दर है!

कंस : कितनी सुन्दर है!

स्वाति : आँखें तो देखो, कैसी काली-काली!

कंस : काली-काली जैसे कमल की पंखुड़ियों पर भौंरे बैठे हों, नीली झील में मछलियाँ तड़प रही हों।

स्वाति : **(एक क्षण कंस को आँख भर देखकर)** मुझे ऐसे मत देखो।

कंस : हम इन आँखों में डूबकर तुम्हारे हृदय की उन गहराइयों में जाना चाहते हैं—जहाँ केवल हम हों।

स्वाति : वहाँ तो तुम हो ही।

कंस : सिर्फ हम और कोई नहीं।

स्वाति : किन्तु मुझे ऐसे मत देखो। **(अधीरता से)** ऐसे मत देखो।

कंस : **(स्वाति की दोनों बाँहों को हाथों से पकड़कर)** स्वाति!

स्वाति : मुझे ऐसे मत देखो।

कंस : स्वाति!

स्वाति : मुझे ऐसे मत देखो। तुम्हारी आँखें मुझसे कुछ माँगती हैं। **(अपने को छुड़ाकर)** मुझे भय लगता है इस माँग से। मैं अस्वीकार नहीं कर सकूँगी। नहीं, मैं जाती हूँ। **(कंस से कुछ दूर जाकर अचानक रुक जाती है।)** मुझे जाने दो कंस।

कंस : हमने तुमको कब रोका है?

स्वाति : तुम्हीं ने तो रोका है।

कंस : हमने तो एक शब्द भी नहीं कहा।

स्वाति : क्या सब कहने से ही होता है? **(कंस कोई उत्तर नहीं देता।)** अनकहे भी तो बहुत-कुछ कहा जाता है। मैं बहुत दुर्बल हूँ। मुझे जाने दो।

कंस : **(स्वाति के निकट जाकर)** स्वाति!

स्वाति : कंस! कंस! **(कंस की फैली बाँहों में समा जाती है।)**

(मंच पर अंधकार छा जाता है। कुछ क्षणों पश्चात् सूर्योदय का आभास होता है। सूर्य की प्रथम किरण। पक्षियों का कलरव। कंस पेड़ के नीचे धरती पर सो रहा है। पास ही सरोवर से मुँह-हाथ धोकर उसे आँचल से पोंछती हुई स्वाति वहाँ आती है। उसके बाल पीठ पर बिखरे हैं।)

स्वाति : **(कंस के मुख पर मोरपंख फेरते हुए)** उठो न अब।

कंस : **(आँखें खोलते हुए)** स्वाति!

स्वाति : **(मोरपंख चूमते हुए)** उठो, देखो न, कैसा सुहावना है सवेरे का सिन्दूर।

(कंस स्वाति को खींचकर सीने से लगाता है।)

स्वाति : **(अपने को छुड़ाते हुए)** अब छोड़िये भी, महाराज कुमार! मुझे देर हो रही है।

(कंस अँगड़ाई लेता है और स्वाति के बालों में मुँह छिपा कर सूँघता है।)

कंस : हमने जान लिया?

स्वाति : क्या?

कंस : स्वर्ग यहीं है।

स्वाति : अगर बापू को पता चल गया तो नरक भी यहीं हो जायेगा।

कंस : स्वाति, तुम्हें डरने की कोई आवश्यकता नहीं! तुम हमारी हो, और हम तुम्हारी सौगन्ध खाते हैं...

स्वाति : **(मुँह पर हाथ रखकर)** न, कंस, न। मैं कोई सौगन्ध नहीं चाहती।

कंस : किन्तु हम तो...

स्वाति : हमारे और तुम्हारे बीच केवल अनुराग है। अनुराग का विश्वास है। इसे सौगन्ध से दूषित न करो।

कंस : स्वाति।

स्वाति : अच्छा, छोड़ो यह सब। मुझे देर हो रही है। मेरी चोटी के बन्धन बाँध दो।

कंस : न, बाबा। मैं नहीं जानता बाँधना।

स्वाति : खोलना जानते हो? **(रुककर)** बाँधेगा कौन? तुम्हीं बाँधो।

कंस : जो आज्ञा। **(चोटी के बन्धन बाँधता है।)**

स्वाति : कुछ देर पहले जब मेरी आँख खुली तो देखा तुम मेरी बाँह पर सिर रखकर सो रहे हो। मैं तुम्हें देखती रही—न जाने कब तक। अचानक लगा कि इतने बड़े शरीर के बावजूद तुम निरे बच्चे हो—अबोध अरक्षित। नारी की समस्त शारीरिकता, मानसिकता और भावुकता का केन्द्र क्या उसकी कोख ही है? तुम्हें वक्ष से लगाकर थपक देने के लिए मेरे हाथ अचानक बढ़े। तभी मुझे लगा, तुम जाग न जाओ। मैंने अपने को रोक लिया। किसी तरह अपनी बाँहों से तुम्हारे सिर को हटाकर जब मैं सरोवर की तरफ बढ़ी तो मेरे पैर लड़खड़ा रहे थे। किसी सपनीली मदिरा से उन्मत्त मेरा सिर आकाश छू रहा था। वही सदा का जाना-पहचाना शताब्दियों पुराना बूढ़ा आकाश, वही धरती, वहीं पैरों को भिगोती ओस से भीगी ठंडी घास, वृक्षों की चोटियों पर फैलती सुहाग की लाली। सब कुछ वही था। जो पहले था। केवल मैं ही बदल गयी थी। मैं; मैं नहीं थी, जो पहले थी। तुमने कहीं मुझे भीतर तक छूकर, मेरा कायाकल्प कर दिया था। तुम्हारे प्यार से भीगकर मैंने जीवन

के नये क्षितिज के साक्षात्कार किये। झिलमिलाते इन्द्रधनुषों का मायावी संसार मुझसे लिपट-लिपटकर मेरे अंग-अंग को दुलरा रहा था। सरोवर तट पर मैं सहम गयी। सरोवर में अपनी परछाई देखने का साहस ही नहीं हो रहा था। संभव है, मेरा रूप बदल गया हो। मेरी आकृति में ऐसा कुछ हो गया हो जो मेरा भेद खोल दे तो? जो मैंने सबसे चुराकर पाया था उसकी चोरी ही खोल दे तो? इसी सोच-विचार में सरोवर के तट पर जाने कितनी देर खड़ी रही। फिर किसी तरह सरोवर में अपनी परछाई देखी। यह क्या! मेरी पहचानी-सी आकृति मुझे देख रही थी। कुछ भी तो नहीं बदला मुझमें। मैं वैसी ही तो हूँ। एक अप्रत्याशित निराशा और क्रोध से भर उठी मैं। क्यों नहीं बदली मेरी आकृति? मैं अब भी वैसी ही क्यों हूँ? जिस अपार, अकथनीय, अनिर्वचनीय आनन्द और पुलक की अचानक स्वामिनी मैं अब थी—वह मुझ तक ही क्यों सीमित रहे? मैं संसार पर अपना यह सुख-रहस्य प्रकट कर देना चाहती थी। मेरे सुख में ऐसा कोई चिह्न क्यों नहीं उभर आया, जिसे देखते ही लोग कह सकते—यह स्वाति है, जो अब कंस की है।

कंस : क्या? कंस की क्या?

स्वाति : **(कंस की आँखों में देखते हुए)** अंकशायिनी। **(सहसा लजाकर उठती हुई कंस से दूर जाती है। फिर कंस की तरफ घूमकर)** तुम सोचते होगे--कितनी निर्लज्ज हूँ मैं। **(कंस के सीने लगकर)** तुम ही तो मेरी लाज हो। फिर तुमसे लज्जा कैसी? **(रुककर)** पर एक बात समझ में नहीं आती। यह सब क्या है?

कंस : क्या?

स्वाति : दो शरीरों का अदृश्य बन्धन, एक-दूसरे को पाने और न पाने की अजीब-सी टीस, तृप्ति और तृष्णा की उलझी हुई पीड़ा, तन की सीमाओं को डुबाता आकर्षण का ज्वार और साँसों को बाँधता वासना का संगीत।

(वृक्ष के पीछे विलीन हो जाती है।)

(पूर्वदीप्ति-6 समाप्त)

कंस : **(मंचाग्र की ओर बढ़कर)** मेरी भी समझ में नहीं आया, स्वाति। इतने वर्षों के अन्तराल के बाद भी मैं नहीं समझ पाया। कैसा है यह आकर्षण और आसक्ति का अदृश्य सूत्र जो समय के साथ दृढ़ होता है।

पूर्वदीप्ति-7 प्रारम्भ

(नेपथ्य में समवेत प्रार्थना ... सुनाई देता है : अब देर मत करो। तारणहार!!)

कंस : कौन है तारणहार? **(गर्व से)** आज मथुरा साम्राज्य में जीवन और मृत्यु भी हमारे हाथ में हैं। हमने देवकी को जीवनदान दे दिया। हम चाहते तो उसका ज़ीवन ले सकते थे, किन्तु हमने उसे जीवनदान दिया। **(अचानक गर्व से)** जीवन और मृत्यु के नियन्त्रक हम, महाराज कंस, धरती के ढेले को आकाश का तारा बना सकते हैं और आकाश के तारों को नोचकर मिट्टी में रौंद सकते हैं। हमारे तेज और ओज से शत्रु ऐसे काँपते हैं जैसे आँधी में पत्ते। हमारी सेना की गगनभेदी हुँकार से इन्द्र का सिंहासन हिल जाता है। सर्वपूजित, सर्वशक्तिमान, हम, महाराजाधिराज कंस **(अचानक जैसे शब्द खो गये, अटकते हुए)** तारणहार? कौन है तारणहार?

(प्रलम्ब का प्रवेश)

प्रलम्ब : तारणहार एक कल्पना है।

कंस : हम इस कल्पना को नष्ट कर देंगे।

प्रलम्ब : आप इसे नष्ट नहीं कर सकते।

कंस : **(चुनौती से)** हम क्या नहीं कर सकते?

प्रलम्ब : जब तक एक भी व्यक्ति जीवित रहेगा उसके मानस में यह कल्पना जीवित रहेगी।

कंस : तो एक भी व्यक्ति जीवित नहीं रहेगा।

प्रलम्ब : महाराज शासन किस पर करेंगे।

(कंस निरुत्तर हो जाता है।)

प्रलम्ब : इसके मूल में हैं जनता के धार्मिक विचार, धर्मगुरुओं के प्रवचन शिक्षाएँ—जिन्होंने जनमानस में अक्षय पत्थर के लेख-सा खोद दिया है कि उनके हर संकट में ईश्वर अवतार लेकर उनके कष्टों को हरेगा।

कंस : तो ये हैं मेरे असली शत्रु?

प्रलम्ब : धर्मगुरु, धर्म-शिक्षा—

कंस : किन्तु—

प्रलम्ब : महाराजाधिराज के पवित्र कर-कमलों से अब तक देवकी के सात पुत्रो का उद्धार हुआ है—

कंस : तो?

प्रलम्ब : सातों बार यादव-स्त्रियों को अनुभव हुआ कि उनका गर्भ खंड नोंचकर कुचला गया है। सातों बार यादवों ने नपुंसक क्रोध के ज्वार को हृदय में दबा लिया। सातों बार देव-मन्दिरों में अवतार के लिए आह्वान किया गया—

कंस : हमारा विनाश करने के लिए? **(तिरस्कार से)** मूर्ख!

प्रलम्ब : महाराज! काशी की एक नाटक-मंडली आजकल मथुरावासियों में अत्यन्त लोकप्रिय हो रही है।

कंस : नाटक-मंडली?

प्रलम्ब : वह छह मास से मथुरा में ही है। मथुरा-निवासी उसे देखते नहीं अघाते—

कंस : देखा, क्या है उसमें?

प्रलम्ब : देखने पर महाराज स्वयं समझ जायेंगे—उसकी लोकप्रियता का रहस्य!

कंस : तो हम उसे देखेंगे।

प्रलम्ब : जैसी आज्ञा।

(नमन करके प्रस्थान करता है। कंस सिंहासन पर जाकर बैठता है। प्रद्योत और प्रलम्ब बाहर आकर खड़े होते हैं। द्वार के निकट प्रतिहारी नतमस्तक खड़ा होता है। प्रलम्ब प्रतिहारी की ओर इशारा करता है। प्रतिहारी नमन करके बाहर से नाट्य-मंडली को बुलाने जाता है।)

प्रलम्ब : महाराज नाट्य-मंडली जो नाटक प्रस्तुत करेगी उसका नाम है—नृसिंहावतार।

प्रद्योत : यह कैसा नाम है—नृसिंह?

प्रलम्ब : नृसिंह। जो नर भी है और सिंह भी। आधा नर और आधा सिंह।

कंस : तुम कह रहे थे—यह रूपक मथुरावासियों में बहुत लोकप्रिय हो रहा है।

प्रलम्ब : इतना कि पिछले छह मास से ये लोग यह रूपक मथुरा में दिखा रहे हैं, फिर भी मथुरावासी इसे देखने को टूटे पड़ते हैं। इसीलिए तो ये मथुरा छोड़कर कहीं बाहर जा नहीं रहे हैं।

कंस : प्रलम्ब, तुमने इस रूपक के बारे में जो बताया है, यदि वह सच है तो ये लोग कभी मथुरा के बाहर न जा सकेंगे।

प्रतिहारी : **(प्रवेश करके नमन करने के पश्चात्)** भगवान् की जय हो, नाट्य-मंडली प्रस्तुत है।

(सूत्रधार तथा मुखौटे पहने उसके दो सहायक—स्त्री तथा एक पुरुष-आते हैं। एक सहायक के हाथ में एक चादर है। सब कंस के आगे भूमि पर साष्टांग लेटकर प्रणाम करते हैं। कंस आशीष की मुद्रा में दायाँ हाथ उठाता है।)

प्रलम्ब : महाराजाधिराज ने तुम लोगों को आशीर्वाद प्रदान कर तुम्हारा जीवन धन्य कर दिया। अब उनके मंगल मनोरंजन के लिए रूपक प्रस्तुत करो।

(सूत्रधार उठकर हाथ जोड़कर खड़ा होता है। दोनों सहायक उसके पीछे परदे की तरह चादर तानकर खड़े हो जाते हैं।)

सूत्रधार-सहायक : **(मंगलाचरण गाते हुए)।**
शिव शंकर भोले भाले।
कृपा करो ओ मतवाले।
इस जगती के तारनहार।
कर दो मेरी नैया पार।

सूत्रधार : बहुत दिन हुए
एक थी नगरी हरिद्रोही
और उसका था राजा
—हिरण्यकशिपु

(सहायक धरती पर परदा रखते हैं और उनके पीछे हिरण्यकशिपु मुखौटा पहने दिखाई देता है। सूत्रधार के शब्दों को वह मूक-नृत्य द्वारा रूपायित करता है।)

सूत्रधार : हिरण्यकशिपु के अत्याचारों से
करने लगी धरती त्राहि-त्राहि।

वह अधर्मी नीच राजा—
सत्ता के दम्भ में,
कंचन की चमक में,
भूल गया अपने को,
धर्म को भगवान् को।
करने लगा अपनी मनमानी।
भूल गया वह—
राजा होता है प्रजा का पालक,
उनके कष्टों का निवारक।
करके प्रजा का शोषण
भरने लगा अपना कोष।
प्रजा को कुचलकर,
उनके शवों की नींव पर—
गढ़ने लगा ऊँचा, ऊँचा और ऊँचा महल।
जिसने विरोध में आँखें उठायीं—
उसने खो दी आँखें।
जिसने भुजा उठायी—
काट दी गयीं वे कन्धे से।
जिसने स्वर उभारा—
भींच दिया गया उसका गला।
जिसने पग बढ़ाए,
धकेल दिया गया पीछे।
जिसने भागना, चाहा,
वह भाग न सका।
जिसने जीना चाहा,
वह जी न सका।
जिसने मरना चाहा, वह मर न सका।
जीते हुए मरना और मर-मर कर जीना
विवशता, परवशता,
घुटन, तड़पन, सड़न,
इन सबके ऊपर आसीन हिरण्यकशिपु
जैसे लाशों की नींव पर आकाश चूमती लाट।

सूत्र. सहा. : हे ईश्वर, करुणानिधान, भक्तवत्सल, कृपा के सागर, दया के आगार, सर्वशक्तिमान, परम महान, दुर्बलों की शक्ति, निराश्रितों के आश्रय...

सूत्रधार : सुनो हमारी चीत्कार, आर्तनाद, क्रन्दन, करो
हमारी रक्षा, हम हैं तुम्हारी सरन। हे दीनबन्धु, दीनवत्सल, हिरण्यकशिपु के अत्याचार से हमारी रक्षा करो। हमारा उद्धार करो। हिरण्यकशिपु स्वार्थी है। अपनी सत्ता के आगे उसके लिए सब कुछ हेय है। स्वार्थ-सिद्धि के लिए वह जघन्य से जघन्य कुकर्म कर रहा है। उसकी दृष्टि में असहमति विरोध है। सद्सम्मति विद्रोह है। उसने अपना कोष भरने के लिए प्रजा की सम्पत्ति बलात् छीन ली। किसानों से भूमि छीन ली, व्यक्तियों से पूँजी छीन ली। गृहपतियों से घर छीन लिए।—लाशों के कफन तक छीन लिए। उसके राज में चाटुकार पल रहे हैं। स्वार्थी धर्महीन पनप रहे हैं। हिरण्यकशिपु के नाम पर वे हिरण्यकशिपु से भी अधिक अत्याचार कर रहे हैं। हे करुणामय, कहाँ हो तुम? बहुत देर कर दी। हमसे नहीं सहन होती यह विपत्ति। नहीं सहन होता यह दुःख, यह कष्ट। नहीं सहन होता यह मृत्यु से भी अधम जीवन! यह तिल-तिल कर मरना, यह मर-कर कर जीना।

दोनों सहायक : **(रोते हुए)** त्राहिमाम्! त्राहिमाम्! त्राहिमाम्!

सूत्रधार : उसी समय भविष्यवाणी हुई—भक्तजनों, धैर्य करो। पाप का घड़ा भरने वाला है। शीघ्र ही मैं अवतार लूँगा और पापाचारी से धरती का उद्धार करूँगा। इस भविष्यवाणी को सुनकर कुम्हलाये हृदयों में आशा की कलियाँ खिल उठीं हैं। आनन्द का ज्वार उमड़ पड़ा।

(दोनों सहायक आनन्दातिरेक को प्रदर्शित करने वाला नृत्य करते हैं।)

सूत्रधार : **(नृत्य रुकने पर)** इस भविष्यवाणी के बाद हरिद्रोही राज्य की जनता उद्धारक की प्रतीक्षा दिन-रात करने लगी।

(दोनों सहायक हिरण्यकशिपु के सम्मुख परदा उठाकर खड़े हो जाते हैं। साथ ही दोनों हाथ जोड़कर आकाश की तरफ प्रार्थना के रूप में देखते हैं।)

सूत्रधार : उद्धारक की आशा को तोड़ने हिरण्यकशिपु का अत्याचार बढ़ा। जैसे-जैसे अत्याचार बढ़ा, वैसे-वैसे उद्धारक पर विश्वास बढ़ा। **(स्वर बदलकर)** और देखो चमत्कार। जैसे कीचड़ में कमल खिले, वैसे ही राक्षस के घर साधु जन्मा।

(सहायक चादर नीचे करता है। पीछे भगवान की प्रार्थना में हाथ जोड़े प्रह्लाद दिखाई देता है।)

सूत्रधार : नाम रखा गया उसका प्रह्लाद,
बोलते ही उसने लिया हरि का नाम।
हरिद्रोही राजा परेशान,
हरिद्रोही राजा के चाटुकार हैरान।
यह कैसी है माया,
किसी की समझ में न आया।

(सहायक प्रह्लाद के सामने से चादर उठाते हैं।)

सूत्रधार : अन्त में हिरण्यकशिपु का क्रोध जागा,
जैसे सोता हुआ सिंह जागा,
जैसे सोया हुआ ज्वालामुखी जागा।
पहले प्रह्लाद को समझाया,
फिर डराया,
पहाड़ से गिराया,
आग में जलाया,
किन्तु,
उसका बाल भी न बाँका हुआ।

सूत्रधार : बोलो **(कीर्तन की तरह सहायकों के साथ गाते हुए)**
जय शिवशंकर भोले-भाले
कृपा करो हम पर ओ मतवाले।

सूत्रधार : और अन्त में हिरण्यकशिपु अबोध बालक को लोहे के खम्भे से बाँधकर हाथ में नंगी तलवार लेकर मारने आया।

(सहायक परदा नीचे करते हैं। लोहे के खम्भे में जंजीर से बँधा प्रह्लाद दिखाई पड़ता है। पास ही नंगी तलवार लिए हिरण्यकशिपु खड़ा है।)

हिरण्यकशिपु : मैं जिस क्षण चाहूँ तेरा काल बनकर तेरा प्राण हर सकता हूँ।

प्रह्लाद : जन्म और मरण तो उस ईश्वर के अधीन है।

हिरण्यकशिपु : मूर्ख! मैं ही तेरे जन्म-मरण का नियन्ता हूँ। मैं ही ईश्वर हूँ।

प्रह्लाद : यह मिथ्याभिमान है।

हिरण्यकशिपु : तो देख, बुला सके तो अपने ईश्वर को तो बुला। देखें वह तेरी कैसे रक्षा करता है। मेरे हाथों अपनी मृत्यु देख!

(वह मारने को तलवार उठाता है। तभी बहुत जोर का धमाका होता है। खम्भा फाड़कर नृसिंह प्रकट होते हैं। वह हिरण्यकशिपु को पकड़कर उसका पेट फाड़ते हैं। उसमें से लाल रक्त बहने लगता है।)

कंस : **(चीखकर)** बन्द करो!

(पास रखी गजर पर तीन बार हथौड़ी मारता है। गजर की भयानक ध्वनि गूँजती है। तीन तरफ से तीन जल्लादों का प्रवेश।)

कंस : आज से यादव-साम्राज्य में नाटक नहीं होंगे। **(प्रतिध्वनि वातावरण में गूँजती है।)** आज से यादव साम्राज्य में संगीत का निषेध। **(प्रतिध्वनि)** आज से यादव सम्राज्य में देवोपासना का निषेध। **(प्रतिध्वनि)** आज से यादव साम्राज्य में धर्मशिक्षाओं का निषेध। **(प्रतिध्वनि)** ये कुरुवंशियों के दलाल लगते हैं। यादव शौर्य और कीर्ति के इन शत्रुओं को, यादव राजा की सुरक्षा के लिए, नगर से बाहर फाँसी पर लटका दिया जाये।

(नाट्य मंडली में चीत्कार–महाराज क्षमा-क्षमा! तीनों जल्लाद भाले की नोंक पर सबको ले जाते हैं। भागते हुए बाहर से बाहुक का प्रवेश।)

बाहुक : यादवों ने विद्रोह कर दिया। हमारे मागध सैनिकों ने पीछा किया तो मन्दिरों में जा छिपे। सैनिकों ने मन्दिरों में आग लगा दी। वह देखिये आग की लपटें।

(गगनिका पर आग की लपटें दिखाई पड़ती हैं।)

कंस : हम तुमसे प्रसन्न हैं, बाहुक। **(गले की माला बाहुक को देकर)** तलवार की धार से ही सत्ता जन्म लेती है।

(अचानक गगनिका पर आग की लपटें तेज हो जाती हैं। लोगों के भागने-चीखने-चिल्लाने का स्वर वातावरण को आच्छादित कर देता है। पर्दा गिरता है।)

द्वितीय अंक

(परदा उठने पर मंच-सज्जा प्रथम अंक के समान ही दिखाई पड़ती है। सिंहासन पर कंस बैठा है। पास में प्रलम्ब खड़ा है।)

प्रलम्ब : भजन-कीर्तन जनता के कंठ में अवरुद्ध हो गये हैं। मथुरा सम्राज्य में संगीत का निषेध है। मन्दिर जनहीन है। उनमें कुत्ते और सुअर लोट रहे हैं। मथुरा साम्राज्य ने ईश्वर को देश-निकाला दे दिया, किन्तु–

कंस : किन्तु?

प्रलम्ब : ईश्वर मन्दिरों से तो निकल गया, किन्तु साम्राज्य से अभी तक नहीं गया।

कंस : कहाँ है वह अब?

प्रलम्ब : यादवों के हृदय में, उनके घरों में।

कंस : हम उनका हृदय नोच लेंगे। उनके घरों में आग लगा देंगे।

प्रलम्ब : मूढ़जन ईश्वर के बिना नहीं रह सकते।

कंस : उनको रहना पड़ेगा।

प्रलम्ब : ईश्वर मूढ़जनों का सम्बल है, जो उन्हें भयभीत करता है, साथ ही सुनहरे भविष्य की आशा भी देता है।

कंस : **(सोचता-सा)** हम उन्हें नया ईश्वर देंगे।

प्रलम्ब : नया ईश्वर?

कंस : महाराजाधिराज कंस भगवान श्रीकंस बनकर मन्दिरों में स्थापित हो सकते हैं।

प्रलम्ब : भगवान श्रीकंस?

कंस : भगवान श्रीकंस का रौद्र दण्ड और भक्तवत्सल स्वरूप यादवों के हृदय में आसीन हो सकता है।

प्रलम्ब : **(समझकर)** मैं भगवान श्रीकंस की शरण में हूँ।

कंस : **(सोचते हुए)** भगवान श्रीकंस! **(दृढ़ निश्चय से)** घोषणा की जाये, आज से मथुरा साम्राज्य में भगवान श्रीकंस की उपासना होगी। केवल भगवान श्रीकंस की। जो इस आज्ञा की अवहेलना करेगा उसे मृत्यु दण्ड दिया जायेगा। भक्तों को भगवान श्रीकंस अपनी अनुकम्पा से इस लोक और परलोक में सुख, सम्पत्ति और समृद्धि प्रदान करेंगे।

प्रलम्ब : जो आज्ञा। **(नमन करके प्रस्थान)**

कंस : भगवान श्रीकंस! **(अट्टहास)** भगवान! क्लीव स्त्रैण कंस! महाराजाधिराज कंस! भगवान श्रीकंस! **(पुनः अट्टहास)** भगवान!!

(प्रद्योत का प्रवेश)

प्रद्योत : भगवान, मन्दिरों में भगवान श्रीकंस की मूर्तियाँ स्थापित हो चुकी हैं। नगर के सभी प्रमुख स्थानों, चौराहों, उद्यानों में भगवान श्रीकंस की पावन मूर्ति स्थापित की जा रही है। साधारण जनता भगवान श्रीकंस की मूर्ति के दर्शनों के लिए हजारों की संख्या में मन्दिरों पर एकत्रित हो रही है। विभिन्न मन्दिरों में भगवान श्रीकंस के पुजारी नियुक्त हो गये हैं। भगवान श्रीकंस के नाम कीर्तन की मंडलियाँ साम्राज्य के विभिन्न भागों में भेज दी गयी हैं। पाँच सौ एक पंडित भगवान श्रीकंस के नाम का जाप नगर-चौपाल में कर रहे हैं।

कंस : हम इस प्रबन्ध से प्रसन्न हैं, प्रद्योत।

(प्रद्योत का नमन करके प्रस्थान। आरती का दीप लिए प्रलम्ब का प्रवेश।)

कंस : यह क्या है?

प्रलम्ब : भगवान की आरती। आरती की इस एक ज्योति से सैकड़ों-हजारों दीपक ज्योतित होंगे। उनसे आरती लेकर, मथुरा की प्रजा कृतार्थ होगी, अपने जन्म-जन्म के पाप-फल से मुक्त होगी। **(कंस की आरती उतारता है।)**

कंस : प्रलम्ब, हम भगवान श्रीकंस, आज से तुमको कंसधर्म का महापुजारी नियुक्त करते हैं। **(प्रलम्ब नमन करके प्रस्थान करता है।)**

कंस : कायर, क्लीव, स्त्रैण कंस! महाराजाधिराज कंस! भगवान श्रीकंस! कंस धर्म!

(बाहुक का एक गरीब, भयभीत मछुआरे के साथ प्रवेश।)

बाहुक : **(नमन करके)** भगवान यह मछुआरा स्वयं कंस नाम के प्रताप का फल बतायेगा।

मछुआरा : **(रटे हुए शब्दों में)** भगवान, मैं नदी में मछली पकड़ रहा था। अचानक तेज बहाव आया। मेरे पैर तले की बालू फिसली। मैं पानी में बह चला। डूबने लगा। मौत एकदम सामने थी। तभी मैंने कंस-नाम का जाप किया। मेरे पैरों के नीचे धरती आ गयी। मैं डूबने से बच गया। कंस नाम से मौत के मुँह से निकल आया।

कंस : **(अँगूठी निकाल कर देते हुए)** राजकोष से इसको सौ चाँदी की मुद्राएँ दी जाएँ।

(बाहुक नमन करता है। मछुआरा साष्टांग प्रणाम करके जाता है। अचानक आँधी चलने लगती है।)

कंस : उस दिन भी ऐसी ही काली रात थी। हाथियों-सी उमड़ती काली घटाएँ तारों को लीलती जा रही थीं। सब कुछ काँप रहा था। धरती थरथरा रही थी। लगता था कि धरती के हृदय की पीड़ा अपनी भयानक अभिव्यक्ति से सृष्टि को नष्ट करने पर उतारू है।—या—या कि यह सृजन की छटपटाहट थी। पृथ्वी की प्रसव-पीड़ा, वैसी ही, जैसी प्रसव पीड़ा से देवकी कराह रही थी—आठवें पुत्र को जनने की पीड़ा। श्रीकंस के काल को जनने की पीड़ा।

(गोद में नवजात बालिका लिए स्वाति का प्रवेश। साथ में प्रलम्ब, प्रद्योत और बाहुक हैं।)

कंस : **(पाशविक आह्लाद से)** हमारा काल, देवकी का आठवाँ पुत्र!

स्वाति : यह तो कन्या है।

कंस : कन्या? **(कुछ देर विचार-मग्न खड़ा रहता है। फिर दोनों हाथों की उँगलियों से कमल का फूल बनाता है।)** आठवाँ पुत्र—या आठ में से कोई एक। **(अचानक स्वाति के हाथ से नवजात कन्या लेकर धरती पर मारने को उठाता है।)**

स्वाति : **(घबराहट से)** यह तो कन्या है। इसे भी...?

कंस : स्वाति, प्रेम और युद्ध की कोई मर्यादा नहीं होती।

(नवजात शिशु को धरती पर पटक देता है। तेज धमाका होता है। साथ ही गगनिका पर प्रकाश।)

कंस : सुना तुमने, सुना तुम लोगों ने—वह देवी बनकर आकाश पर चमकी और बोली—तुझे मारने वाला तो जन्म के बाद कहीं और भेज दिया गया। **(कोई उत्तर नहीं देता।)** प्रद्योत, तुमने सुना?

प्रद्योत : नहीं, भगवान।

कंस : तुमने कुछ देखा भी नहीं?

प्रद्योत : नहीं।

कंस : और तुमने प्रलम्ब? **(प्रलम्ब अस्वीकार में सिर हिलाता है।)**

कंस : बाहुक, तुमने भी कुछ नहीं देखा।

बाहुक : नहीं, भगवान।

कंस : वह आधी रात के सूर्य-सा ज्वलन्त प्रकाशपुंज, वह दैवी रूप—

बाहुक : मैंने कुछ भी नहीं देखा, भगवान।

कंस : और तुमने, स्वाति? तुमने सुनी वह आकाशवाणी?

स्वाति : मैंने सुनी।

कंस : **(प्रसन्नता से)** तुमने सुनी?

स्वाति : आकाशवाणी नहीं।

कंस : तो?

स्वाति : भगवान श्रीकंस के भयातुर हृदय की वाणी।

कंस : **(आहत-सा)** स्वाति! **(अचानक सँभलकर)** निकल जाओ यहाँ से! हम किसी का भी काला मुख नहीं देखना चाहते।

(सब प्रस्थान करते हैं। आँधी तीव्र हो जाती है।)

(पूर्वदीप्ति-7 समाप्त)

कंस : जो भीषण आँधी बाहर थी, उससे अधिक भीषण झंझा हमारे हृदय में थी। अविश्वास, आशंका, भय चारों दिशाओं से हमें आक्रान्त कर रहे थे। स्वाति ने ठीक कहा था। हमारे भयातुर हृदय ने ही आकाशवाणी की रचना की थी। रोम-रोम में, कण-कण में बसते भय ने उस दैवी मूर्ति का निर्माण किया था—जिसे केवल हम देख सके, केवल हम, और कोई नहीं। **(आँधी रुक जाती है।)** अनर्गल भविष्यवाणी में लोगों का विश्वास इतना दृढ़ था कि कोई भी हमारी हत्या करता, सब उसे देवकी का आठवाँ पुत्र ही कहते—चाहे वह किसी का भी पुत्र होता। इसलिए हमने स्वाति को आदेश दिया कि वह

अपनी सहायक स्त्रियों द्वारा भाद्रपद कृष्ण अष्टमी को जन्मे सभी बालकों की हत्या कर दे। कदाचित् इससे ही लोगों का अवतार में विश्वास टूटे। स्वाति ने नौ बालकों की हत्या करवाई। किन्तु लोगों का विश्वास नहीं टूटा।

पूर्वदीप्ति-8 प्रारम्भ

(प्रलम्ब का प्रवेश)

प्रलम्ब : भगवान, गोकुल ग्राम के शूरवंशी नायक नन्द के पुत्र को यादव-जन अवतार समझ रहे हैं।

कंस : नायक नन्द! उसने लगान दिया है?

प्रलम्ब : नायक नन्द के विरुद्ध कोई भी आरोप लगाना कठिन है। वह लगान समय के पूर्व ही राजकोष में जमा करता है। वह भगवान के प्रति निष्ठा दिखाने में भी सबसे आगे रहता है। गोकुल ग्राम में उसने भगवान श्रीकंस का मन्दिर बनवाया है। उसके विरुद्ध किसी भी कार्यवाही से भगवान के भक्त नागरिकों में असन्तोष होगा।

कंस : तो यह कार्य स्वाति करेगी।

(प्रलम्ब का नमन करके प्रस्थान। प्रतिहारी का प्रवेश।)

प्रतिहारी : महाराज की जय हो! देवी स्वाति पधारी हैं।

(प्रतिहारी जाता है। स्वाति का प्रवेश।)

कंस : स्वाति। **(बाँहों में घेरता है।)**

स्वाति : **(अपने को छुड़ाकर)** तुम्हारी बाँहों के घेरे में भूलने लगती हूँ–

कंस : क्या?

स्वाति : कुछ नहीं।

कंस : क्या भूलने लगती हो।

स्वाति : यही कि तुम अब परमतेजस्वी, महापराक्रमी, महाबलशाली, महाराजाधिराज परमेश्वर कंस भगवान हो।

कंस : तुम हमारा उपहास कर रही हो?

स्वाति : और मुझे एक क्षण को प्रथम तरुणाई में झूमता प्रेमी कंस याद आ जाता है।

कंस : हम अब भी तुमसे प्रेम करते हैं।

स्वाति : झूठ ही सही, फिर भी प्रिय लगता है।

कंस : तुम भी हमारा उपहास...

स्वाति : **(काटते हुए)** नहीं...

कंस : इस सत्ता के भँवर में फँसे, हम इतने अकेले हैं, इतने अकेले, न कोई मित्र, न सहायक, न विश्वासी।

स्वाति : मैं जानती हूँ।

कंस : इस अकेलेपन के बावजूद मन के किसी कोने में हम जानते हैं कि हम अकेले नहीं हैं। स्वाति तो है...

स्वाति : भगवान, मुझे क्या आदेश है?

कंस : **(वितृष्णा से)** भगवान! आदेश!

स्वाति : क्या मुझे कुछ और कहना चाहिए।

कंस : **(बढ़कर बाँहों में लेने के प्रयास सहित)** स्वाति, तुम तो...

स्वाति : **(अपने को छुड़ाती हुई)** तुम्हारा एक सपना था यौवन के प्रथम बसन्त में देखा। उसे सच करने में तुमने पहली आहुति दी—स्वाति की। वह अब मर चुकी है।

कंस : उस आहुति में कंस भी तो भस्म हो गया।

स्वाति : हाँ, प्रेमी कंस भस्म हो गया। किन्तु...

कंस : किन्तु...

स्वाति : उस यज्ञ-अग्नि से महाराजाधिराज श्रीकंस भगवान का आविर्भाव हुआ। **(व्यंग्य से)** परमतेजस्वी, महापराक्रमी, महाबली, महाराजाधिराज परमेश्वर।

कंस : **(झुंझलाकर)** ओह, स्वाति। **(दयनीयता से)** तुम कितनी निर्मम हो। क्या तुम हम पर दया नहीं कर सकतीं?

स्वाति : **(निर्भय होकर)** आदेश दें?

कंस : मथुरा के निकट ही एक ग्राम है—गोकुल।

स्वाति : मैं जानती हूँ।

कंस : वहाँ के नायक नन्द के एक पुत्र कृष्ण को यादव विष्णु का अवतार समझते हैं। वे कंस के विनाश के लिए वर्षों से किसी अवतार की आशा लगाये हैं। कंस के निर्मम क्रूर अत्याचार और दमन से पीड़ित जन छुटकारा पाने की झूठी आशा को भी सच मानने को तैयार बैठे हैं।

स्वाति : लोगों के इस अंधविश्वास को तोड़ने के लिए तुम्हारे कहने पर मथुरा राज्य के कितने ही शिशुओं की हत्या करवा चुकी हूँ।

कंस : किंतु उनका अविश्वास नहीं टूटा।

स्वाति : क्या इस एक हत्या से उनका अंधविश्वास टूट जायेगा?

कंस : नहीं जब तक कंस है, उसका एकाधिकार है, उसका अत्याचार है, उससे छूट जाने की अंधी आशा बनी रहेगी। जैसे-जैसे यह अत्याचार बढ़ेगा—वैसे-वैसे अवतारी उद्धारक का अंधविश्वास भी बढ़ेगा। अनेक शिशुओं की हत्या के बाद भी यह विश्वास दृढ़ है। इस कृष्ण की हत्या के पश्चात् कोई अन्य जन्म ले लेगा, उसे लोग अवतारी समझने लगेंगे।

स्वाति : फिर यह हत्या क्यों?

कंस : एक दिन हम मर जायेंगे—क्या इस डर से जीना बन्द कर देते हैं?

स्वाति : मेरा यह तात्पर्य...

कंस : यह तो खेल है—खेल के नियमों से सब बँधे हैं। कदाचित् ये नियम ही तो खेल हैं **(स्वाति ऐसे देखती है जैसे समझी ही नहीं)** कंस का अत्याचार करना—और जनता का अत्याचारों से छुटकारा पाने का सपना देखना—हम दोनों ही खेल के नियमों से बँधे हैं।

स्वाति : आखिर कब तक...

कंस : जब तक हम दोनों में से एक न रह जाये। जितने भी कृष्ण जन्म लेंगे उनका विनाश कंस की विवशता है। इस खेल की शर्त है।

स्वाति : मेरी भी कुछ विवशता है।

कंस : क्या तुम चाहती हो—तुम्हारा कंस मैदान से भाग जाये?

स्वाति : तुम नहीं समझोगे?

कंस : जब तक हम दोनों में से एक न रह जाये।

स्वाति : **(अचानक रुँधे गले से)** पिछले दिनों मेरा पुत्र—एकमात्र पुत्र चल बसा।

कंस : **(सहानुभूति से)** मुझे मालूम है।

स्वाति : तुम जानते हो मुझे क्या लगता है?

कंस : क्या?

स्वाति : पिछले दिनों तुम्हारी इच्छा के लिए मेरे अधीन काम करने वाली गुप्तचर स्त्रियों ने मथुरा राज्य के अनेक शिशुओं की हत्या

कर दी—यहाँ तक कि लोगों ने कहना शुरू कर दिया—स्वाति राक्षसी है। उसके बड़े-बड़े दाँत और नाखून हैं। वह शिशुओं का रक्त पीती है। उन्होंने मुझे नया नाम भी दिया है। पूतना! पूतना! पूतना!! **(विक्षिप्त-सी हँसी के बाद)** पूतना! **(स्वर बदलकर)** यह सब मैंने तुम्हारे लिए किया। तुम्हें सुखी देखने के लिए किया।

कंस : **(ढ़ाढस देता-सा)** मैं जानता हूँ, स्वाति।

स्वाति : अपने बच्चों को डराने के लिए यादव माताएँ कहती हैं—पूतना आयी। और भयभीत बच्चे माँ की गोद में चिपक जाते हैं। प्रेमी की तरुणाई के प्रथम बसन्त में देखे स्वप्न को साकार करने के लिए प्रेमिका पूतना राक्षसी बन गयी।

कंस : **(दुःख से)** स्वाति, लग रहा है कि मेरे निविड़ एकाकीपन में मेरे साथ तुम भी नहीं हो।

स्वाति : और जब मेरा पुत्र चल बसा तो मुझे मुझे लगा कि यादव माताओं ने मेरा पुत्र मुझसे छीन लिया। मैंने स्वयं अपने पुत्र की हत्या कर दी। स्वाति राक्षसी है, पूतना है, पुत्रहन्ता है! (हँसती-हँसती रोने लगती है।)

कंस : **(सांत्वना से)** स्वाति—**(कन्धे पर हाथ रखता है।)**

स्वाति : **(एकदम)** नहीं कंस, नहीं, मुझसे यह नहीं होगा।

कंस : **(करुणा से)** स्वाति।

स्वाति : मैं माँ भी तो हूँ, मेरे अन्दर की प्रेमिका मेरे मातृत्व की अवहेलना तो नहीं कर सकती। फिर कंस, मैं थक गयी हूँ। तुम्हारा साथ न छूट जाये, इस भय से सत्ता की दौड़ में तुम्हारे पीछे-पीछे भागती रही। अब...और अब मुझसे नहीं भागा जायेगा। मैं थक गयी हूँ। बिल्कुल थक गयी हूँ।

कंस : हम जानते हैं।

स्वाति : अब तो एक इच्छा है। इस भागमभाग से दूर कहीं विश्राम करूँ। चिर-विश्राम।

कंस : हम जानते हैं।

स्वाति : क्या जानते हो—यही कि स्वाति अन्ततः एक दुर्बल नारी है?

कंस : नहीं।

स्वाति : तो?

कंस : कंस के लिए तुम्हारा प्रेम चुक गया है।

स्वाति : यही समझे तुम? **(कंस उत्तर नहीं देता)** उत्तर दो। चुप क्यों हो? यही समझे तुम? **(विषाक्त हँसी से)** और तुम समझ ही क्या सकते हो? **(व्यंग्य से)** परम तेजस्वी, महापराक्रमी, महाबलशाली—

कंस : **(रोकते हुए)** स्वाति!

स्वाति : जिस के लिए मैंने जीवन दे दिया, जिसके हर स्वप्न को साकार करने के लिए मैंने अपने अस्तित्त्व के कण-कण का उत्सर्ग कर दिया, जिसके एक सुख के लिए मैंने हर सुख का बलिदान कर दिया—**(अचानक दृढ़ शब्दों में)** भगवान के आदेश का पालन होगा। कृष्ण का नाश करने स्वाति स्वयं जाएगी।

कंस : हमने तुम्हें जाने को नहीं कहा। तुम्हारे गुप्तचर दल की कोई...

स्वाति : कृष्ण का विनाश करने स्वाति स्वयं जायेगी।

(दृढ़ पगों से स्वाति का प्रस्थान। कंस जाती हुई स्वाति (पूतना) को देखता रह जाता है। तभी प्रलम्ब का बाहर से प्रवेश।)

कंस : प्रलम्ब, देवी स्वाति को देखा?

प्रलम्ब : मैंने तो देखा, किन्तु उन्होंने मेरी तरफ नहीं देखा। वह विचारों में खोयी लगती थीं। **(रुककर सोचता है।)** एक बात और है—

कंस : क्या?

प्रलम्ब : ऐसा अलौकिक तेज उनके मुख पर मैंने कभी नहीं देखा। जैसे देवताओं का नीलाभ प्रभामंडल।

कंस : राक्षसी के मुख पर देवताओं का नीलाभ प्रभामंडल? **(स्वर बदलकर)** गोकुल के कृष्ण की हत्या करने देवी स्वाति स्वयं जाएँगी।

प्रलम्ब : **(आश्चर्य से)** स्वयं?

कंस : हाँ, स्वयं। उनका अनिष्ट न हो, इसलिए मैं चाहता हूँ उनको बिना बताये उनकी सुरक्षा का प्रबन्ध हो।

प्रलम्ब : **(आश्चर्य से)** भगवान!

कंस : तुम्हें आश्चर्य हो रहा है! जाओ।

(प्रलम्ब प्रस्थान करता है।)

(पूर्वदीप्ति-8 समाप्त)

कंस : पाषाण-से क्रूर स्वेच्छाचारी कंस के हृदय में भावुक दुर्बलता! इस मनुष्य शरीर की कुछ सीमाएँ हैं। वह आकाश में कितना भी ऊँचा उठता चला जाये—फिर भी धरती से बँधा रहता है। मरुस्थल के नीचे भी कहीं न कहीं शीतल जल का भंडार होता है। कँटीली झाड़ियों में भी फूल खिलते हैं। मैंने सब बन्धन काट दिये, सबके बन्धन तोड़ दिये, फिर भी लगता है कुछ सम्बन्ध टूटकर भी तो नहीं टूटे थे।

पूर्वदीप्ति-9 प्रारम्भ

(करुण-संगीत के साथ अंतराल अंधकार छा जाता है। कुछ क्षणों के बाद जब प्रकाश आता है तो प्रलम्ब प्रवेश करता है।)

कंस : **(क्रोध से)** झूठ, बकवास! हम नहीं मानते यह सब! यह कैसे संभव है?

प्रलम्ब : भगवान पूरे यादव-साम्राज्य में यह समाचार जंगल की आग-सा फैल गया है। सब कृष्ण को अवतार समझने लगे हैं?

कंस : मूर्ख! सब मूर्ख हैं। बेंट भर का बच्चा कृष्ण; देवी स्वाति की कैसे हत्या कर सकता है? इसमें कोई षड्यन्त्र है। हमें शक है—इस षड्यन्त्र में तुम भी शामिल हो।

प्रलम्ब : **(भय से)** नहीं भगवान।

कंस : **(प्रलम्ब के निकट जाकर)** हमने तुम्हें देवी स्वाति की सुरक्षा के लिए भेजा था। अपने आदेश की अवहेलना का दंड हम स्वयं देंगे। **(प्रलम्ब के गले को दबाते हुए)** दुष्ट, कृतघ्न, नीच!

प्रलम्ब : मरने से पहले मैं इसका रहस्य बताना चाहता हूँ।

कंस : **(गला छोड़कर)** रहस्य? **(रुककर)** रहस्य हम जानते हैं। देवी स्वाति के विषाक्त स्तनों को चूसते हुए कल के जन्मे शिशु ने उनके प्राण खींच लिए। मूर्खों का प्रलाप! तुम समझते हो कि हम इस पर विश्वास कर लेंगे? तुम हमें यही बताना चाहते हो?

प्रलम्ब : नहीं।

कंस : तब?

प्रलम्ब : कुछ और!

कंस : क्या?

प्रलम्ब : देवी स्वाति के स्तन विषाक्त नहीं थे?

कंस : असम्भव?

प्रलम्ब : किन्तु उनके आँचल में भयंकर विष की पुड़िया बँधी थी, जिसके मुख में डालते ही तत्काल मृत्यु निश्चित थी।

कंस : तो...

प्रलम्ब : उन्होंने आँचल से विष निकालकर चुटकी में लिया, फिर कृष्ण को स्तन से हटाकर दूसरे हाथ से उसके मुँह को विष डालने के लिए खोला—किन्तु...

कंस : किन्तु क्या? **(अधीरता से)** उन मूर्ख यादव-जनों ने उनकी सहसा हत्या कर दी? और तुम लोग जो उनकी सुरक्षा के लिए गये थे—निपट नपुंसकों के समान कुछ नहीं कर सके—

प्रलम्ब : नहीं भगवान, सत्य कुछ और है।

कंस : क्या है सत्य? जल्दी बताओ। हम पहेलियाँ नहीं सुनना चाहते। बताओ, सत्य क्या है?

प्रलम्ब : कृष्ण के मुख में विष डालने के पहले देवी स्वाति एक क्षण को रुकीं, उनकी आँखों में ममता और वात्सल्य का ज्वार उमड़ पड़ा। अचानक कृष्ण को अपने खुले वक्ष से लगाकर यह विष उन्होंने अपने मुख में डाल लिया।

कंस : **(चीखकर)** यह झूठ है।

प्रलम्ब : भगवान मैं दंड के लिए प्रस्तुत हूँ।

कंस : **(करुण स्वर में)** स्वाति! स्वाति! स्वाति!! तुमने भी हमें धोखा दे दिया। तुमने भी हमें धोखा दे दिया! तुमने अपने कंस का साथ छोड़ दिया। स्वाति! स्वाति!! **(फफक कर रो पड़ता है।)**

प्रलम्ब : भगवान!

कंस : **(अपने को सँभालकर दृढ़ शब्दों में)** घोषणा कर दी जाये कि राक्षसी पूतना के कुकृत्य से भगवान अत्यन्त कुपित हैं। पूतना के शव को कल सूर्योदय के समय नगर के चौक में फाँसी पर लटकाया जाये। नागरिक जान लें कि यादव-शिशुओं की हर हत्यारी को कठोर दंड दिया जायेगा। ऐसी पापिन राक्षसी के लिए भक्तवत्सल भगवान के पास क्षमा नहीं है। **(प्रलम्ब**

नमन करके जाने लगता है।) ठहरो ठहरो प्रलम्ब। **(जाते-जाते रुक जाता है। कंस उसके निकट आता है।)** प्रलम्ब, स्वाति की मृत्यु के पश्चात् प्रद्योत पर विश्वास करना उचित नहीं। तुम्हीं हमारे सबसे अधिक विश्वासपात्र हो।

प्रलम्ब : भगवान की अनुकम्पा है मुझ पर।

(नमन करके प्रस्थान।)

(पूर्वदीप्ति-9 समाप्त)

कंस : और उसके बाद हमने निश्चय किया कि दमन की गति मन्द कर दी जाय। तभी हमारे श्वसुर मगध नरेश महाराधिराज जरासन्ध का निमंत्रण प्राप्त हुआ, अश्वमेघ यज्ञ के घोड़े की सुरक्षा का भार वे हमें सौंपना चाहते हैं। इतना बड़ा सम्मान हम अस्वीकार नहीं कर सके। मथुरा राज्य का भार प्रलम्ब और प्रद्योत के हाथों देकर हम मगध चले गये। वहाँ बारह वर्ष तक अनेक युद्ध करके अनेक राजाओं के किरीट मगधराज के चरणों में झुकाये। विजयी, सम्मान से भूषित, जब बारह वर्ष बाद हम मथुरा वापिस आये तो हमारे साथ मगध सेनापति वृत्रिघ्न भी था। महापराक्रमी वीर वृत्रिघ्न। महाराज जरासन्ध का अत्यन्त प्रिय सेनापति वृत्रिघ्न।

(वृत्रिघ्न का प्रवेश।)

वृत्रिघ्न : **(नमन करके)** भगवान श्रीकंस की जय।

कंस : वृत्रिघ्न, तुम्हें हमारी नगरी मथुरा कैसी लगी?

वृत्रिघ्न : भगवान श्रीकंस की नगरी तो तीनों लोकों से न्यारी है। यहाँ के प्रासाद, अट्टालिकाएँ और नगर का आलिंगन करती प्रवहमान नीलाभ यमुना—

कंस : वृत्रिघ्न, तुम अत्यंत प्रियभाषी हो। वारवनिता-सी सजीसँवरी राजगृह की तुलना में तुम्हें हमारी मथुरा नगरी प्रिय है—तुम वास्तव में प्रियभाषी हो।

वृत्रिघ्न : किन्तु भगवान, जो मैं कहना चाहता हूँ, वह उतना प्रिय नहीं है।

कंस : **(एक क्षण रुककर)** कहो। तुम्हें आज्ञा है।

वृत्रिघ्न : भगवान, आप शत्रुओं से घिरे हैं। हर यादव आपकी मृत्यु चाहता है। आपके प्रति असन्तोष और क्रोध यादवों के हर

वर्ग में फैल गया है। कभी भी विद्रोह-विस्फोट की सम्भावना है।

कंस : क्या यह सच है?

वृत्रिघ्न : जो मागध गुप्तचर ये समाचार लाये हैं वे अत्यन्त विश्वासी और योग्य हैं।

कंस : प्रलम्ब और प्रद्योत ने तो मुझे कुछ नहीं बताया।

वृत्रिघ्न : ये दोनों विद्रोहियों से मिले हैं–

कंस : असम्भव है!

वृत्रिघ्न : आपकी बारह वर्ष की अनुपस्थिति में विद्रोह का अंकुर अब पूरा वृक्ष बन चुका है। सबसे अधिक भय तो युवा वर्ग से है।

कंस : युवा वर्ग?

वृत्रिघ्न : द्रोह का रोग युवक-युवतियों में सबसे अधिक है। वे भगवान की सत्ता समाप्त करके नव-निर्माण करना चाहते हैं।

कंस : **(व्यंग्य से)** नव-निर्माण!

वृत्रिघ्न : युवक-युवतियाँ जंगलों में, खण्डहरों में, रात को छिपकर इकट्ठे होते हैं। हथियारों की शिक्षा लेते हैं। भगवान के प्रति रोष और असन्तोष को फैलाने का उपाय खोजते हैं।

(कंस गजर बजाता है। प्रतिहारी का प्रवेश।)

कंस : प्रद्योत को बुलाओ। **(प्रतिहारी का प्रस्थान)**

कंस : कौन है इनका नेता?

वृत्रिघ्न : भगवान ने मथुरा साम्राज्य में संगीत का निषेध किया है। इसलिए हर युवक विद्रोही अपने साथ बाँसुरी रखता है।

कंस : बाँसुरी?

वृत्रिघ्न : संगीत-निषेध के विरोध का प्रतीक—वाद्ययन्त्र।

कंस : कौन है इनका नेता?

वृत्रिघ्न : कृष्ण।

कंस : **(सोचते हुए)** कृष्ण! शूरकुल के यादव-नायक नन्द का पुत्र?

वृत्रिघ्न : हाँ, नायक नन्द का पुत्र। किन्तु यादव उसे देवकी का आठवाँ पुत्र समझते हैं।

कंस : **(आत्मविश्वास से)** देवकी का आठवाँ पुत्र तो जन्मा ही नहीं। अन्धविश्वासी!

वृत्रिघ्न : सब अन्धविश्वासी झूठ को सच मानने लगे, तो वह कालांतर में सच ही हो जाता है।

कंस : हम समझते हैं, वृत्रिघ्न!

वृत्रिघ्न : मथुरा साम्राज्य में वंशी-स्वर विद्रोह के शंखनाद से भी अधिक प्रचण्ड है। यह कहना कठिन है कि कौन भगवान का मित्र है, कौन शत्रु। आपके अनुचर और सेवक ऊपर से चापलूस हैं, किन्तु भीतर ही भीतर शत्रुओं से मिले हैं।

कंस : कृष्ण! युवक विद्रोही कृष्ण! नव-निर्माण!

(प्रद्योत का प्रवेश।)

प्रद्योत : **(नमन करके)** भगवान की जय!

कंस : क्या यह सच है कि मथुरा के युवक-युवतियाँ हमारी सत्ता के विरुद्ध विद्रोह संगठित कर रहे हैं?

प्रद्योत : हाँ, भगवान।

कंस : क्या यह भी सच है कि युवक विद्रोही बाँसुरी लिए रहते हैं?

प्रद्योत : हाँ भगवान।

कंस : क्या यह भी सच है कि बाँसुरी उनके विद्रोह का प्रतीक है?

प्रद्योत : हाँ, भगवान।

कंस : और विद्रोहियों का नेता है कृष्ण।

प्रद्योत : हाँ, भगवान।

कंस : तो फिर यह भी सच है कि तुम विद्रोहियों से मिले हो?

प्रद्योत : नहीं, भगवान।

कंस : **(अधीरता से चीखते हुए)** फिर यह समाचार तुमने हमें मगध क्यों नहीं भेजा?

प्रद्योत : यह समाचार मैं महापुजारी, महामात्य प्रलम्ब को देता रहा। मगध में आपको सूचित करने का दायित्व उनका था।

कंस : प्रद्योत, तुम हमारे बाल-सहचर हो। हमारे मित्र हो। हमें तुम पर विश्वास है। किन्तु यादव सैनिकों पर से हमारा विश्वास उठ गया है। इसलिए राजमहल की सुरक्षा का भार मगध सेनापति वृत्रिघ्न को दिया जाता है। तुम भी प्रद्योत, सेनापति वृत्रिघ्न के अधीन कार्य करोगे।

प्रद्योत : भगवान का जैसा आदेश।

कंस : अब तुम जा सकते हो।

(प्रद्योत नमन करके प्रस्थान करता है।)

कंस : कैसा है कृष्ण देखने में?

वृत्रिघ्न : एकदम काला। इसलिए लोग उसे कृष्ण कहते हैं। काला होने पर भी बहुत सुन्दर। अत्यन्त बलशाली।

कंस : प्रसारित किया जाये कि एकांत वन-खण्डों में एकत्रित होने वाले युवक-युवतियाँ रासलीला के लिए मिलते हैं। उनके चरित्र भ्रष्ट हैं। संगीत और काम-क्रड़ा ही उनके साध्य हैं। ऐसे चरित्रहीन लम्पट युवक-युवतियों को दंडित करना कंस-धर्म का प्रथम कर्तव्य है।

वृत्रिघ्न : आदेश का पालन होगा, भगवान।

(वृत्रिघ्न नमन करके प्रस्थान करता है। कंस विचारमग्न खड़ा रहता है। अस्ति का लँगड़ाते हुए प्रवेश। एक हाथ में पादुका है।)

अस्ति : मैं चल नहीं पा रही हूँ। धरती पर पग रखते ही पीड़ा से कराह उठती हूँ। **(रुककर)** मैं तुमसे कुछ कह रही हूँ। **(कंस उत्तर नहीं देता।)** नहीं सुनते हो तो न सुनो।

(अस्ति क्रोध से लँगड़ाते हुई चली जाती है। कंस विचारमग्न खड़ा रहता है। तभी कंस के मस्तिष्क में होनेवाली प्रक्रिया के अयथार्थवादी आयाम में लँगड़ाती हुई स्वाति उजागर होती है।)

पूर्वदीप्ति-10 प्रारम्भ

स्वाति : काँटा लग गया। **(एक पैर पर कूदती अपनी जगह पर घूमती दर्द से कराहती है।)** खड़े-खड़े क्या देख रहे हो? यह नहीं होता, काँटा निकाल दो।

(कंस बैठकर उसके पैर पर काँटा निकालने का अभिनटन करता है। उसके कन्धे का सहारा लेकर स्वाति एक पैर पर खड़ी होती है।)

कंस : कहाँ है काँटा?

(स्वाति हँसती है। कंस आश्चर्य से उसे देखता है। स्वाति हँसती ही जाती है।)

कंस : **(हतप्रभ-सा)** तुम हँस क्यों रही हो?

स्वाति : **(हँसते हुए जैसे विजय के स्वर में)** मेरे काँटा नहीं लगा है।

कंस : तो?

स्वाति : मैं अपनी सहेलियों से कहूँगी कि मथुरा के महाराजकुमार ने मेरे पैर पकड़े।

(कंस स्वाति का पैर झटक देने का अभिनय करता है। स्वाति हँसती हुई भाग जाती है। विचारमग्न कंस के मुख पर मुस्कान चमकती है। तभी लँगड़ाती अस्ति वापिस आती है।)

(पूर्वदीप्ति-10 समाप्त)

अस्ति : सुनो न। **(कंस की मुस्कान बुझ जाती है।)** क्या सोच रहे हो? निकाल दो न। **(वापिस जाने का उपक्रम करती है, किन्तु पीड़ा से सहसा चीख उठती है।)**

कंस : क्या हुआ?

अस्ति : महाराजाधिराज अब पूछ रहे हैं, क्या हुआ? इतनी देर से मैं...। क्या समाधिस्थ थे?

कंस : क्या हुआ?

अस्ति : काँटा चुभ गया है– पैर में। निकाल दो।

कंस : दासी से...

अस्ति : दासी निकाल पाती तो तुमसे कहती। बड़ी कृपा होगी। बहुत पीड़ा है, निकाल दो न।

कंस : **(अस्ति के पैर का तल देखते हुए)** कहाँ है काँटा?

अस्ति : यहीं कहीं है?

कंस : यहाँ तो नहीं है।

अस्ति : होगा यहीं कहीं।

कंस : **(ध्यान से देखकर पैर छोड़ते हुए)** नहीं है।

अस्ति : **(घुटनों तक पैर खोलकर)** देखो न।

(कंस अस्ति के पैरों को झटककर खड़ा होता है। अस्ति शैतानी से हँसती है। कंस मुँह फेरकर खड़ा हो जाता है।)

अस्ति : महाराजाधिराज रुष्ट हो गये? मैंने तो परिहास किया था। **(कंस उत्तर नहीं देता।)** मैं तो तुमको मणिमाला दिखाने आयी थी। पिता महाराज ने राजगृह से भेजी है। **(अस्ति कंस के निकट आकर, अपने वक्ष पर पड़ी मणिमाला दिखाने के बहाने अपने सुगोल पुष्ट स्तन दिखाती है।)** कैसी है यह?

कंस : **(टालता-सा)** बहुत सुन्दर। **(दर्शकों की तरफ पीठ करके खड़ा हो जाता है। कुछ क्षणों का मौन।)**

अस्ति : यह रात्रि कितनी मादक है। काले आकाश पर चमकते तारे, जैसे रात के आँचल पर टँके असंख्य रत्न, स्निग्ध चन्द्रिका, शीतल पवन में तैरती जाती फूलों की सुगन्ध, धरती को आलिंगन में भरने के लिए उस पर झुका आकाश। **(कंस से)** क्या पवन की यह शीतलता तुम्हारी शिराओं में बहते रक्त में उद्दाम उष्णता नहीं घोलती? स्निग्ध चन्द्रिका क्या तुम्हारे हृदय में आकुलता का ज्वार नहीं बहाती? रात की मादकता शरीर को शिजनी-सा झंकृत नहीं करती? क्या तुम्हारे वस्त्र अचानक संकुचित नहीं हो जाते? वस्त्रों का बन्ध असह्य नहीं हो जाता? प्रकृति की मनोरम सुन्दरता ओढ़ लेने के लिए, इस सौन्दर्य से आत्मसात हो जाने के लिए, कोई विक्षिप्त आकुलता आतुरता तुम्हें निर्द्वन्द्व, निर्वस्त्र होने को विवश नहीं करती? **(कंस की पीठ से लगकर)** क्या रात तुमसे कुछ नहीं कहती? **(कंस अस्ति को झटककर दूर चला जाता है।)**

कंस : हमारे निकट इस अनर्गल प्रलाप के लिए समय नहीं है।

अस्ति : तुमको क्या हो गया? कौन-सी ऐसी चिन्ता है जो तुम्हारा मन-मंथन कर रही है। **(निकट जाकर)** देखो। मेरी तरफ देखो। मेरी आँखों में देखो। ऐसी सुन्दर आँखें क्या किसी और की हैं? **(जूड़ा खोलकर अपने बाल कंस के कन्धे पर बिखेरते हुए)** इस कुन्तल राशि के सम्मुख क्या मेघों की काली घटा लजा नहीं जायेगी। मेरी देह-गंध किसी को भी बेसुध कर सकती है। इन्हें देखो। मेरी क्षीण कटि! अपार नितम्ब, सघन जंघाएँ-मेरी अनुपम देहयष्टि! क्या सम्पूर्ण विश्व में कोई अन्य ऐसे अतुल सौन्दर्य की साम्राज्ञी है? **(रुककर)** कंस, कंस, तुम्हें क्या हो गया है? तुम साधारण मनुष्य के समान न हँस सकते हो, न रो सकते हो। **(कंस के वक्ष से चिपकती हुई)** क्यों नहीं तुम साधारण मनुष्य के समान मुझसे प्रेम कर सकते हो?

कंस : क्योंकि अब मैं भगवान श्रीकंस हूँ।

अस्ति : तुम भगवान श्रीकंस क्यों हो?

कंस : क्योंकि मैं भगवान हूँ। **(अस्ति को झटक देता है। अस्ति दूर जा गिरती है।)**

अस्ति : मैं जानती हूँ भगवान क्यों चिन्तातुर हैं। यादव युवकों का नेता कृष्ण भगवान श्रीकंस की सत्ता के प्रति विद्रोह कर रहा है। असंख्य युवक-युवतियाँ उसके दल की सदस्या हैं। वे जंगलों में छिपे रहते हैं। और मथुराधिपति के सैनिकों पर अचानक आक्रमण करके फिर जंगलों में छिपते हैं। **(स्वर बदलकर)** सुनते हैं युवक नेता कृष्ण बहुत सुन्दर हैं। रंग तो श्यामल है, किन्तु उसकी देह-यष्टि में ऐसा आकर्षण है कि समस्त बालाएँ उसको देखते ही मोहित हो जाती है। मैं भी उसे एक बार देखना चाहती हूँ। **(कंस क्रोध से उसकी ओर देखता है।)** देखा तो जाये, इतनी कान्ताओं के हृदय हरण करने वाला कैसा लगता है? कितना साहसी होगा वह जो भगवान के विरुद्ध विद्रोह कर रहा है! भगवान श्रीकंस के विरुद्ध विद्रोह! भगवान!! भगवान जो नपुंसक है!

(कंस सहसा अस्ति को मारने के लिए हाथ उठाता है, किन्तु रुक जाता है।)

कंस : तुम्हारा चन्द्रमुख, ये नयन, ये मुकुल-अधर, गर्वोन्नत कुच, अपार नितम्ब, कंचन जंघाएँ— मैं इन सबसे घृणा करता हूँ।

(अचानक गला घोंट देता है। अस्ति के शव को भूमि पर लिटाकर कुछ देर देखता है। फिर मस्तक चूमता है।)

कंस : **(रुँधे गले से)** मुक्त हो गयीं तुम। मुक्त हो गयीं। उषा की ओस-सा सुकुमार तन और मन, विशाल गगन की अनन्तता में उन्मुक्त हो गया। और मैं, तुम्हारा कंस—**(रो-सा पड़ता है)** तुम्हारा पति, तुम्हारा हत्यारा—**(अचानक स्वर बदलकर)** नहीं अस्ति, मैंने तुम्हारी हत्या नहीं की। **(दृढ़ता से)** मैंने तो हत्या की है उस प्रतिगर्व की, जो मेरा गर्व सहन नहीं कर सकता, चाहे वह पत्नी हो, मित्र हो, बहन या पिता हो। उसे नष्ट होना ही है। **(गजर पर तीन बार प्रहार करता है।) (प्रतिहारी का प्रवेश)**

कंस : महारानी अस्ति वाटिका-विहार को गयी थीं। वहीं सर्पदंश

से मृत्यु हो गयी। शव ले जाया जाये। राजकीय सम्मान से उनका दाह संस्कार हो।

(अन्तराल अंधकार अंधकार के अस्ति और सोने के से हट जाते हैं।)

प्रलम्ब : **(प्रवेश करके)** भगवान ने मुझे बुलाया?

कंस : प्रलम्ब, हम तुमसे कुछ पूछना चाहते हैं?

प्रलम्ब : भगवान आदेश दें।

कंस : मथुरा साम्राज्य का महामात्य, कंसधर्म का महापुजारी प्रलम्ब हमारा मित्र है या शत्रु?

प्रलम्ब : भगवान क्या समझते हैं?

कंस : क्या यह सच है कि वंशीधारी यादव युवक हमारी सत्ता के विनाश को संगठित हो रहे हैं?

प्रलम्ब : हाँ, भगवान।

कंस : और तुमने इसकी सूचना हमें मगध नहीं भेजी?

प्रलम्ब : नहीं महाराज।

कंस : **(चीखकर)** क्यों?

प्रलम्ब : क्योंकि मैं आपका शत्रु हूँ। आपका विनाश चाहने वाला।

कंस : **(आहत-सा)** प्रलम्ब!!

प्रलम्ब : मैं जानता हूँ, ये मेरे जीवन के अन्तिम क्षण हैं। झूठ नहीं बोलूँगा।

कंस : तुमने ऐसा क्यों किया?

प्रलम्ब : क्योंकि मैं ऐसा चाहता था।

कंस : तुम ऐसा क्यों चाहते थे?

प्रलम्ब : मैं महाराज उग्रसेन का जारज पुत्र हूँ। मेरी माँ का विवाह उग्रसेन से नहीं हुआ था। उच्चकुल में जन्म से भूषित, धन से गर्वित महाराज उग्रसेन की अनेक रखैलों में एक नापित कन्या भी है, जिसने अपने शरीर के अर्ध्य से महाराज उग्रसेन की वासना की उपासना की। प्रसाद में उसने पाया—प्रलम्ब, जारज अवैध पुत्र, कुरुप, प्रलम्ब, कुब्जित प्रलम्ब।

कंस : हम यह जानते हैं।

प्रलम्ब : तुम कुछ नहीं जानते। मैंने अनुभव किया है कि महाराजा उग्रसेन का सबसे बड़ा पुत्र मैं हूँ। यादव संघ के राजपद के

उत्तराधिकार पर प्रथम अधिकार मेरा है। मैं तुम्हारा बड़ा भाई हूँ। अग्रज!

कंस : **(तिरस्कार से)** अग्रज!

प्रलम्ब : नापित कन्या का जारज पुत्र यादव संघ का प्रमुख कैसे हो सकता था? उसके लिए एक दावेदार तुम थे और दूसरा वसुदेव। मेरे लिए तुम दोनों ही समान थे। मैंने निश्चय किया, तुम दोनों में से जो भी राजा बनेगा, उससे मैं अपना अधिकार छीनने का प्रतिशोध लूँगा।

कंस : तो यह है तुम्हारा प्रतिशोध? विश्वासघात?

प्रलम्ब : मैं बलहीन, कुब्जित तुमसे द्वन्द्व में तो जीत नहीं सकता था।

कंस : कृतघ्न, पापाचारी, हम तुम्हें वह दंड देंगे कि संसार देखता रह जाएगा। तुम्हारे शरीर के कण-कण का छेदन करके तुम्हें तड़पाया जाएगा। तुम मृत्यु की कामना में बिलखोगे, तरसोगे, प्रार्थना करोगे—किन्तु मरने नहीं दिया जायेगा।

प्रलम्ब : कंस, मुझे मृत्यु का भय नहीं, मुझे शारीरिक यंत्रणा का भी भय नहीं। वर्षों से मैं अपने इस अन्त से परिचित था। इसकी प्रतीक्षा कर रहा था।

कंस : हम आज तुम्हारी प्रतीक्षा समाप्त किये देते हैं।

प्रलम्ब : मेरा प्रतिशोध यही था कि तुम्हें इतना ऊँचा उठाऊँ, इतना ऊँचा कि वहाँ से गिरकर तुम इतने आहत हो कि सहन न कर सको। मैं अपने उद्देश्य में सफल रहा। तुम आज उन ऊँचाइयों से गिर रहे हो। सब यादव तुम्हारे विरुद्ध हैं। तुम्हारे विश्वासी अनुचर विद्रोहियों से मिले हैं। **(कंस गजर पर तीन बार प्रहार करता है।)** मृत्यु के पहले मेरा स्वप्न साकार हो गया। आज मैं सबसे सुखी मनुष्य हूँ। किन्तु कंस, तुम आज सबसे दुखी हो। अपने बनाये घरौंदे की ढहती दीवारों के बीच खड़े एकाकी प्रेत-से, भयाक्रांत, तुम कृष्ण के आने के पूर्व ही, अपने जीवन की भिक्षा माँगते, मृत्यु के पहले ही मर चुके होगे।

(तीन जल्लादों का प्रवेश। कंस के इशारे पर वे प्रलम्ब को ले जाते हैं।)

कंस : सुखी हो तुम। तुम अपना सुख मृत्यु तक ले जा सके। कितनी ईर्ष्या हो रही है तुमसे, प्रलम्ब। **(अचानक वंशी का स्वर)** फिर वही वंशीरव। प्रद्योत अभी तक उस साधारण गाय चराने वाले आभीर छोकरे को भी नहीं ढूँढ़ पाया। इतनी देर हो गयी।

(प्रद्योत और प्रतिहारी प्रवेश करके नमन करते हैं।)

प्रद्योत : हमने राजमहल के कोने-कोने का निरीक्षण किया। कृष्ण राज-प्रासाद में नहीं छिपा है।

कंस : तो फिर वंशी की ध्वनि?

प्रद्योत : कृष्ण राजप्रासाद में आ भी कैसे सकता है? सुरक्षा व्यूह को भेदकर पक्षी भी प्रासाद में प्रवेश नहीं कर सकता। फिर सुरक्षा भी तो भगवान ने मागध सैनिकों को मागध सेनापति वृत्रिघ्न की अध्यक्षता में सौंप रखी है–

कंस : तुम्हें आपत्ति है?

प्रद्योत : नहीं, भगवान।

कंस : प्रासाद की सुरक्षा का भार तुमसे लेकर मागध सेनापति वृत्रिघ्न और मागध सैनिकों को दे दिया गया, तो तुम्हें आपत्ति है?

प्रद्योत : नहीं भगवान।

कंस : फिर वंशी की ध्वनि कहाँ से आयी?

प्रद्योत : भगवान के आदेशानुसार सुरक्षा के लिए मैं भी राजमहल से संलग्न हूँ। कृष्ण तो यहाँ आ ही नहीं सकता।

कंस : हमने स्वयं सुनी।

प्रद्योत : आपका भ्रम है भगवान।

कंस : हमारा भ्रम है! हमारा सेनापति हमसे कहता है– हमें मतिभ्रम हो गया है।

प्रद्योत : **(घबराहट से)** नहीं, भगवान!

कंस : हम विक्षिप्त हैं! **(कंस गजर पर प्रहार करने के लिए आगे बढ़ता है।)**

प्रद्योत : **(आदेश के स्वर में)** ठहरो, कंस। **(कंस गजर बजाते-बजाते रुक जाता है।)** मैं तुमसे केवल एक प्रश्न पूछना चाहता हूँ।

कंस : विश्वासघाती।

प्रद्योत : **(चुनौती से)** कौन है विश्वासघाती? कैसा विश्वासघात?

कंस : तुम विश्वासघाती–तुम्हारा विश्वासघात।

प्रद्योत : झूठ है–

कंस : सच है–

प्रद्योत : झूठ है–

कंस : मृत्यु के सम्मुख–

प्रद्योत : कंस, मृत्यु का भय मुझे नहीं। यह तुम जानते हो। मैं केवल तुमसे एक प्रश्न का उत्तर चाहता हूँ।

कंस : अनर्गल प्रलाप–

प्रद्योत : **(आदेश से)** तुम्हें उत्तर देना होगा। **(रुककर)** क्या तुम सुखी हो? **(कंस उत्तर नहीं देता।)** चुप क्यों हो? क्या तुम्हें वह मिल गया, जो तुमने चाहा था? उत्तर क्यों नहीं देते? **(कंस उत्तर नहीं देता।)** मैंने आजीवन तुम्हारी सेवा की। मुझे इसके लिए दुख नहीं है। न जाने कैसा मोह था वह। अपनी इच्छा से मैंने क्रीतदास की तरह तुम्हारी हर इच्छा का पालन किया। किन्तु आज मैं तुम्हारा असली रूप देख रहा हूँ। स्वार्थी, कुत्सित, घिनौना। **(कंस पर थूकता है। कंस अपने चेहरे से थूक पोंछता है।)** अपनी इच्छा से मैंने तुम्हारी सेवा की। मरूँगा भी तो अपनी इच्छा से। **(कटार अपने सीने में मारकर आत्महत्या कर लेता है।)**

कंस : एक हत्या और। एक हत्या और। क्या हर हत्या आत्महत्या है? **(स्वर बदलकर)** आकाश में उड़ती चीलों के भयानक भँवर, गिद्ध की चोंच में किसी बालक के अबोध नयन, किसी स्त्री के उजले वक्ष का रक्तरिसता मांस-खंड, किसी युवक की शक्तिशाली भुजाओं में छेद करती गिद्ध की चोंच, स्त्री-वृद्ध, बालक-तरुण, सभी प्राणहीन पुतले-से, अगणित शवों के ढेर, शवों के ढेर के ऊपर शवों के ढेर। उनके नीचे, नितान्त नीचे दबा हुआ एक शव। कंस का शव–**(वंशी की ध्वनि)** फिर वही वंशी की ध्वनि। रोम-रोम में भय की सिहरन भरती हुई–वंशी की ध्वनि। **(अचानक स्वर बदलकर)** क्या हम भयभीत हैं? नहीं। हम महाबली, महापराक्रमी, परमतेजस्वी श्रीकंस भगवान किसी से भयभीत नहीं हैं। हमारी इच्छा आदेश है। हमारा आदेश नियम है। हमारे विरुद्ध जो सिर उठायेगा उसका सिर काट दिया जायेगा। जो आँखें दिखायेगा, उसकी आँखें निकाल

ली जायेंगी। हम अपराजेय हैं—हम महाबली—महापराक्रमी —परमतेजस्वी—**(वंशी की ध्वनि)** फिर वही वंशी-ध्वनि—वंशी की ध्वनि!! **(भयभीत-सा पीछे हटता है वंशी की ध्वनि सुनाई पड़ती है।)** नहीं-नहीं—**(पीछे हटते-हटते लड़खड़ाकर गिर पड़ता है।)** —नहीं- **(चीखता-सा)** नहीं-नहीं! नहीं, कृष्ण नहीं! **(जीवन के लिए भीख माँगता-सा)**—नहीं कृष्ण, नहीं—नहीं!

(वंशी की ध्वनि के साथ समापन संगीत उभरता है।)

(इति)

सीढ़ियाँ
(1989)

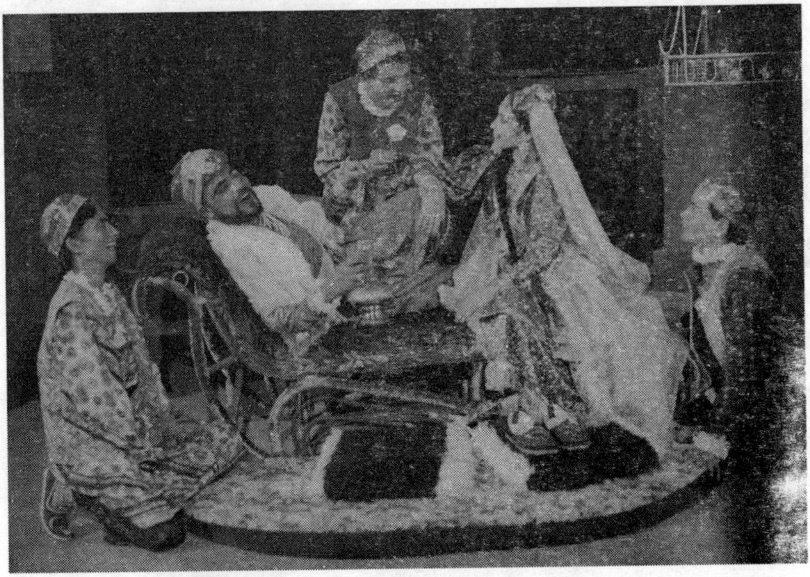

सोमेश और प्राची
के लिए

प्रथम प्रस्तुति

'दर्पण' लखनऊ द्वारा इस नाटक की सर्वप्रथम प्रस्तुति 29 मई, 1990 को रवीन्द्रालय, लखनऊ में निम्नलिखित की सहभागिता से सम्पन्न हुई :

मंच पर

सलीम	मिथिलेश चतुर्वेदी
बानो	अल्पना उप्रेती
खालू	अशोक कुमार घोष
ऊधमबाई/क़ुदसिया बेगम	सन्ध्या रस्तोगी
वहीदा	गीता मिश्रा
मोहम्मदशाह	विजय श्रीवास्तव
बब्बन	मनोज जोशी
नब्बन	विजय तिवारी
छक्कन	चन्द्रशेखर पाठक
जावेद ख़ाँ	प्रयाग वर्मा
अली मदीन क़जलबाश	अशोक सिन्हा
नूरबाई	शोभा दरियानी
मोहम्मद ख़ाँ तुर्कमान	दिलीप श्रीवास्तव
मान ख़ाँ	एम.एम.आब्दी
अमीरन	नीना माथुर
अहमद शाह	गुंजन बसन्त
चुन्ने ख़ाँ	अनुराग रस्तोगी
सफ़दरजंग	अशोक सिंह
बुरके वाला	संजीव निगम
अमीर-1	सूरज

अमीर-2	इन्द्रेश अवस्थी
अमीर-3	एस.के. गर्ग
अमीर-4	अहमद फ़ारूकी
सिपाही	अनुज सिंह, आलोक त्रिपाठी, शचीन्द्र कुमार, संजीव कपूर, सुशील श्रीवास्तव
मुनादी वाला	अनुज सिंह

नेपथ्य में

मंच-परिकल्पना	के.बी. चन्द्रा
मंच-निर्माण	मधु, धीरेन
संगीत-परिकल्पना	उर्मिल कुमार थपलियाल
मंच-संचालन	अनिल रस्तोगी
कला निर्देशन	योगी
प्रस्तुतकर्ता	विद्यासागर गुप्ता

लेखन एवं निर्देशन
दया प्रकाश सिन्हा

नाटककार का दृष्टिकोण

(प्रथम संस्करण की भूमिका)

'सीढ़ियाँ' मेरे पिछले नाटकों से भिन्न है। मेरे प्रायः सभी नाटकों में आस्था की प्रतिष्ठा है। 'कथा एक कंस की', 'इतिहास चक्र', 'ओह अमेरिका', 'सादर आपका', 'मन के भँवर', 'मेरे भाई-मेरे दोस्त', 'अपने-अपने दाँव' आदि नाटकों की ज़मीनें अलग-अलग हैं। इनमें उठाये गये मुद्दे भी अलग हैं, कथानक भी भिन्न हैं। हास्य-व्यंग्य, मिथक, इतिहास, जीवन के अलग-अलग पक्षों को स्पर्श करते इन तमाम नाटकों को जोड़ने वाला केवल एक सूत्र है—आस्था। मेरे व्यक्तिगत जीवन की अभिव्यक्ति इनमें है। कहीं मैं स्वयं हूँ इन नाटकों में।

फिर मुझे कुछ ऐसे अनुभव हुए जिससे मेरे जीवन-मूल्यों की आधारशिला पर प्रहार हुआ। मुझे लगा, मेरे नाटक नक़ली है। वे मेरे आदर्शों के बोझ से दबे हैं। कोई रचना जब रचनाकार के व्यक्तिगत अनुभव के दायरे से निकलकर, समाज के अनुभव से जुड़ती है, जब व्यक्ति का विस्तार समष्टि में होता है, तभी वह रचना कालजयी बनती है। इसलिए 'सीढ़ियाँ' नाटक में नाटककार नहीं है। उसकी आस्था और आदर्श नहीं है। इसमें समाज है, वर्तमान है। इसमें नाटककार केवल आईना है।

'सीढ़ियाँ' नाटक मैंने चौदह वर्षों के अन्तराल के पश्चात् पूरा किया है। पूरे चौदह वर्षों के पश्चात्। 1974 में 'कथा एक कंस की' लिखा था। 1976 में 'सादर आपका'। फिर परिस्थितियों के सैलाब में कुछ ऐसा डूबा-उतरा कि लिख ही नहीं सका। यह नहीं कि लिखना नहीं चाहता था। लिखना चाहता था, फिर भी नहीं लिख सका। 'सीढ़ियाँ' का पहला आलेख 1986 में ही पूरा कर लिया था, जब एक प्रशिक्षण के दौरान एक मास तक मसूरी में रहना पड़ा। फिर आगे गाड़ी नहीं बढ़ सकी। दो और दृश्य जोड़ने थे, एक-दो काटने और एक-दो घटाने थे। बस, इसमें चार साल लग गये। कुल मिलाकर चौदह वर्ष।

इस नाटक को पहले पूरा नहीं कर सका, इसका खेद है। किन्तु नाटक से मैं पूरी तरह आश्वस्त हूँ। इसलिए नहीं कि यह नाट्य-विधा में अन्तिम शब्द है,

बल्कि इसलिए कि हिन्दी में रचे गये नाटकों में यह सबसे अलग है। यह किसी ऐतिहासिक व्यक्तित्व के इर्द-गिर्द नहीं घूमता और न किसी ऐतिहासिक घटना के। 'सीढ़ियाँ' का नायक वह काल-खण्ड है जो पात्रों के माध्यम से इस नाटक में स्थापित है। मुग़ल शासन के अन्तिम चरण में, साम्राज्य के बिखराव के साथ सामाजिक विघटन का वह काल-खण्ड, जो समाज के गिरते जीवन-मूल्यों के साथ अपनी दोशीज़गी (कौमार्य) खो बैठता है। जहाँ वही सत्य है, जिसकी जय हो। सत्य पर असत्य, आस्था पर अनास्था, प्रेम पर वासना, करुणा पर हिंसा और विश्वास पर घृणा की जीत युगधर्म है। पतित समाज, भ्रष्ट अहलकार, विलासी हुक्मराँ—ऐसे बदरंग हैं, जिनसे बनी है, गुज़रे वक़्त की तसवीर। वक़्त के साथ ये रंग न घुले, न उड़े। वर्तमान की तसवीर में भी इन रंगों की झलक है, कहीं-न-कहीं। नाटक के पाठक/दर्शक आज की तसवीर में इस बीते कल की तस्वीर के रंगों की झलक देख सकें, बस, इतना ही तो नाटक का उद्देश्य है...।

मैंने इस नाटक की परिकल्पना क़ुदसिया बेगम और जावेद की प्रेमकथा के रूप में की थी, किन्तु जब लिखने लगा, तो प्रेमकथा गौण हो गयी। वह युग उभर कर ऊपर आया जिसमें सामान्य स्त्री का प्रेम भी अवमूल्यित हो जाता है। वह एक सामान्य पुरूष से नहीं, एक अपुरुष से प्रेम कर जीवन को परिणति देती है। किन्तु नाटक लिखने के दौरान, सलीम का चरित्र, दृश्य-दर-दृश्य बनने लगा। हाशिए पर बनाया उसका रंगीन चरित्र तस्वीर के बीच आने लगा। उसका सफलता के लिए सीढ़ियाँ लाँघना, हमको आज के समाज से एकदम जोड़ता हैं—शताब्दियों के अन्तराल के बीच सेतु-जैसा।

कुछ वर्षों पहले मैनें जोश मलिहाबादी की आत्मकथा 'यादों की बारात' पढ़ी थी। उसके एक प्रसंग में उन्होंने हैदराबाद के निज़ाम का अश्लील, बाज़ारू गाली बकते हुए चित्रण किया है। इसे पढ़कर मैं चकित रह गया। आहत हुआ। ऐसी गन्दी गालियाँ देना मध्यवर्ग के लिए तो अकल्पनीय है। दिमाग़ में खिचड़ी पकती रही। सच ही यह मध्यम वर्ग के लिए अकल्पनीय है। किन्तु उस सामन्ती वर्ग के लिए नहीं। उस वर्ग के लिए कुछ भी अकल्पनीय नहीं है। तब लगा कि फ़िल्मों में राजा, बादशाह आदि का कलफ़ लगा, हर समय फूल सूँघता, संवाद बोलता चित्रण कितना बनावटी होता है। राजा-महाराजा भी तो अन्ततः मनुष्य ही होते हैं। उनमें मानवीय प्रवृत्तियाँ, अच्छी-बुरी, ऊँची-नीची, उदात्त और ओछी उसी अनुपात में होती हैं, जिस अनुपात में सामान्य मनुष्य में। बाहरी मुखौटा उतार कर जब वह अपने में होते हैं, तो किसी अन्य साधारण मनुष्य से भिन्न नहीं होते। इस परिप्रेक्ष्य में शहंशाह की मुखौटाविहीन महफ़िले-याराँ, चुहल, विलास,

सब स्वाभाविक ही हैं। विशेषकर तब, जब इसके लिए ऐतिहासिक साक्ष्य भी उपलब्ध हों। शंहशाह के शोख़ रंगों से बने चित्र से भिन्न, शहंशाह की 'अप्रतिमा' क्या स्वीकार की जायेगी?

× × ×

कुछ वर्षों पूर्व गोवा गया था। वहाँ से तीस-चालीस किलोमीटर दूर एक छोटे कस्बे की रंगशाला देखने का अवसर मिला। रंगशाला की ईंटों की दीवारों पर प्लास्टर नहीं था। टीन की छत थी। लगभग सात-आठ सौ के बैठने की व्यवस्था थी। साथ ही रंगमंच भी इतना बड़ा था कि उस पर आसानी से कोई नाटक खेला जा सके। किन्तु जिसने मुझे सर्वाधिक आकर्षित किया, वह था एक लकड़ी का नोटिस-पट्ट जिस पर मराठी में लिखा था—'फुल हाउस। रसिक दर्शकों को धन्यवाद।' इसको देखने से मुझे ज्ञात हुए कि इस ख़स्ता-हाल रंगशाला में अभिमंचित नाटकों के लिए टिकट ख़रीदकर देखने वालों की प्रायः इतनी भीड़ उमड़ती है कि टिकट समाप्त हो जाते हैं और आयोजकों को बार-बार 'फ़ुल हाउस' का बोर्ड लगाना पड़ता है। इसलिए उन्होंने स्थायी रूप से इस आशय का बोर्ड 'पेण्ट' करवाकर रख लिया है। मेरे मन में टीस उठी। कब हिन्दी रंगमंच भी इतना लोकप्रिय होगा। कब हिन्दी रंग-आयोजक इसी प्रकार फुल-हाउस का बोर्ड पहले से 'पेण्ट' करवाकर रखेंगे? क्या जन-सापेक्ष होने से मराठी रंगमंच का स्तर हिन्दी रंग-प्रस्तुतियों से किसी प्रकार हीन है? क्या जन-स्वीकार से अलंकृत रंगमंच के नाटकार और निर्देशक हिन्दी रंग-निर्देशकों और नाटकारों से निम्न स्तर के हैं?

स्वतन्त्रता के पूर्व हिन्दी क्षेत्र में रंगमंच-नाममात्र को ही था। और आज तैंतालीस वर्ष पश्चात भी हिन्दी रंगमंच प्रायः उसी स्थिति में है। इसके लिए आज दूरदर्शन को दोष दिया जाता है। दूरदर्शन के 'सीरियलों' को दोष दिया जाता है। मंच कलाकार कब तक भूखे पेट रह सकते हैं? यह प्रश्न उठाया जाता है। लेकिन इसका उत्तर कौन देगा कि क्या कारण है कि चालीस वर्षों के बाद भी हिन्दी रंगमंच समाज में अपनी जगह नहीं बना सका? क्यों दर्शक निशुल्क नाटक देखने नहीं जाते? क्यों हिन्दी के कुछ तथाकथित प्रमुख नाट्यदल केवल लाखों रुपयों की सकारी सहायता से चल रहे हैं? क्यों वह सामान्यजन से कटे हैं? क्यों उन्हें जन-स्वीकृति और जन-संरक्षण प्राप्त नहीं है?

पिछले चालीस वर्षों का लेखा-जोखा जब लिया जायेगा तब वह लोग कटघरे में खड़े किये जायेंगे, जिन्होंने हिन्दी रंगमंच को उस जगह पहुँचाया, जहाँ पर वह अब है। आज रंगमंच समाज के अनुभव का दस्तावेज़ न होकर पश्चिम की भौंडी नक़ल का माध्यम बन गया है। यूरोप में 'थियेटर ऑफ़ एब्सर्ड' का बोल

बाला है, तो यहाँ भी उसी नक़ल में ऊल-जलूल नाटक करना एक फ़ैशन-सा बन गया है। यूरोप के एक निर्देशक द्वारा मनो-शारीरिक रंगमंच प्रारम्भ हुआ। यहाँ के नगरों में भी रंगमंच पर सामूहिक कसरत प्रारम्भ हो गयी। कोई आयातित 'टोटल थियेटर' लेकर उड़ चला : बेसुरे कण्ठों ने रंगमंचों पर रेंकना शुरू किया तो दर्शक प्रेक्षागृह से बाहर ऐसे गये कि टिकट बेचने की परिपाटी ही समाप्त हो गयी। कौन ख़रीदेगा टिकट? और क्यों ख़रीदे?

× × ×

मैंने नाटक कभी फ़ैशन के लिए नहीं लिखा। मैं जो हूँ, जो मेरा परिवेश है, जो मेरे अनुभव सीमा से आबद्ध हैं, उसी को नितान्त ईमानदारी से नाटकीय, मुहावरों में उतारने का प्रयत्न किया है। मेरा जन्म गाँव में नहीं हुआ, और न मैं गाँव में पला-बढ़ा। इसलिए मैंने 'गोबर' जैसे किसी पात्र को गढ़ने का प्रयत्न नहीं किया, और न 'गोदान' जैसी कोई रचना की। बिना 'लमही' के कोई प्रेमचन्द नहीं बन सकता। कोशिश करके भी कोई रेणु नहीं बन सकता। मैंने सदैव अपनी सीमा को जाना है। बिरहा, कजरी, लाँगुरिया की मैने साँस नहीं ली, और न ये मेरे रक्त में घुले हैं। इसीलिए जब 'फ़ोक-इस्टाइल' नाटकों का चलन हुआ, तो मैं इनसे दूर ही रहा। उन बेचारे शहरी निर्देशकों पर मुझे सदा ही तरस आया, जो बिरहा, कजरी, चैती, घाटो, विदेसिया, रसिया, लाँगुरिया, ख़याल, आल्हा, चार-वेद आदि में अन्तर न जानते हुए भी नाटक में कुछ गाना बजाना डालकर समझ बैठते हैं कि उन्होंने नाटक को गाँवों से जोड़ दिया। ऐसी कृत्रिम दोग़ली प्रस्तुतियों ने हिन्दी रंगान्दोलन को जो क्षति पहुँचायी है, वह अकल्पनीय है। मैं नाट्य प्रस्तुतियों में लोक-तत्त्वों के समावेश का स्वागत करता हूँ। इसके लिए आवश्यक है कि निर्देशक की लोक-विधा में गहरी पकड़ हो, तब ही नाटक के साथ न्याय होगा—जैसे रतन थियम द्वारा 'चक्रव्यूह' नाटक में। लेकिन प्रयोग के लिए प्रयोग की प्रवृत्ति जो पिछले दस-पन्द्रह वर्षों में देखी गयी, उसने हिन्दी रंगमंच का मर्सिया ही लिख दिया है। मैं आशा करता हूँ कि विद्वान/समीक्षक रंगकर्मी हिन्दी रंगान्दोलन के ह्रास्व के कारणों का विश्लेषण करेंगे और एक नयी शुरूआत करेंगे।

× × ×

प्रकाशन के पूर्व यह नाटक लखनऊ की प्रसिद्ध नाट्य-संस्था 'दर्पण' द्वारा मंचस्थ किया गया था। मैंने स्वयं इसका निर्देशन किया था। किसी भी नाटक की 'अग्नि-परीक्षा' उसका अभिमंचन है। मैं आश्वस्त हुआ, जब खचाखच भरे रवीन्द्रालय के क्षीण वातानुकूलन के पश्चात भी दर्शक उमस और गर्मी बर्दाश्त करते हुए, नाटक के अन्त तक बैठे रहे। नाटक के सफल अभिमंचन के पीछे डॉ॰ अनिल

रस्तोगी, श्री के. बी. चन्द्रा, श्री उर्मिल थपलियायल तथा श्री योगी का अमूल्य रचनात्मक-सान्निध्य मेरे लिए व्यक्तिगत उपलब्धि है। हिन्दी को समर्पित श्री बिशन टण्डन (बिशन भाई) लेखक ही नहीं, हिन्दी के संरक्षक भी हैं। उनके प्रति आभार प्रकट करके मैं उनके स्नेह से विमुक्त नहीं हो सकता।

दया प्रकाश सिन्हा

लखनऊ
2.9.90

'सीढ़ियाँ' नाटक का नायक न मुग़ल बादशाह मोहम्मदशाह रंगीले है, और न ढिंढोरची से सूबेदार बनने वाला सलीम। इसका नायक वह कालखण्ड है, जिसमें वही सत्य है जिसकी विजय हो और जिसमें सत्य पर असत्य, आस्था पर अनास्था, प्रेम पर वासना और करुणा पर हिंसा की जीत युगधर्म है।

द्वितीय संस्करण की भूमिका

प्रकाशन के पूर्व 1990 में लखनऊ की प्रसिद्ध संस्था 'दर्पण' के साथ मैंने 'सीढ़ियाँ' नाटक निर्देशित किया था। भाग्यवान था कि मुझे सुप्रसिद्ध और प्रतिष्ठित रंगकर्मी के.बी. चन्द्रा, उर्मिल थपलियाल और अनिल रस्तोगी का सहयोग प्राप्त हुआ।

इसके ग्यारह वर्षो के पश्चात् मैंने दिल्ली की 'स्नेह भारती' संस्था के लिए 'सीढ़ियाँ' को पुनः निर्देशित किया। नाटक की अनेक प्रस्तुतियाँ दिल्ली, नोएडा, लखनऊ, इलाहाबाद और गुवाहटी नगरों में हुई। विभिन्न दर्शकों और समीक्षकों की प्रतिक्रिया ने एक बार पुनः नाटक के स्तर और गुणात्मकता के प्रति आश्वस्त किया। इसी नवीन विश्वास के साथ नाटक का यह संस्करण प्रस्तुत है।

दिल्ली
अप्रैल, 2007

दया प्रकाश सिन्हा

प्रथम अंक

दृश्य : एक

(जमुनापार पटपड़गंज इलाके में मस्जिद के पीछे की दीवार में एक छोटी-सी कोठरी। उसके दरवाज़े के बाहर सलीम ढोल बजा रहा है।)

सलीम : **(ढोल बजाते हुए)** ख़ल्क ख़ुदा का, मुल्क क़िब्ला जनाब अबुल मुज़फ्फ़र नसीरुद्दीन मोहम्मदशाह बादशाह ग़ाज़ी का, हुकूमत सूबेदार-ए-दिल्ली, दौलतुज़्ज़म्मा शेख़ मिर्ज़ा सलीमशाह बहादुर की।

बानो : **(कोठरी से निकलते हुए)** अरे सलीम, क्या दिल्ली के सूबेदार बदल गये?

सलीम : हाँ, अब दिल्ली में नये सूबेदार हैं।

बानो : क्यों?

सलीम : क्योंकि अब नये सूबेदार हैं।

बानो : वही तो पूछ रही हूँ—पुराने कहाँ गये?

सलीम : **(बेसब्री से)** जहन्नुम में गये। ...मर गये।

बानो : मर गये? कैसे?

सलीम : जैसे सब मरते हैं। बस टें हो गये।

बानो : मेरा मतलब है—कैसे मरे? अपने आप या किसी ने...

सलीम : मैने मार दिया। मैने मार डाला।

बानो : क्या कहते हो?

सलीम : क्यों मर गये! कब मर गये! कैसे मर गये! क्यों, कब, कैसे? सवाल तो ऐसे पूछती है, जैसे पुराने सूबेदार की कुछ लगती है!

बानो : **(सफाई देते हुए)** मेरा मतलब था...

सलीम : जाने दे, जाने दे। जो गया उस पर मिट्टी डाल। अब नये की फ़िक्र कर।

बानो : मेरे लिए जैसा पुराना, वैसा ही नया। कोई भी हो, मुझे क्या लेना-देना?

सलीम : **(स्वर बदलकर)** ऐ लड़की, तू बेहद बदतमीज़ है।

बानो : क्या हुआ?

सलीम : तुमने नये सूबेदार को कोर्निश की?

बानो : **(इधर-उधर देखकर)** कहाँ हैं नये सूबेदार?

सलीम : लगता है तुम्हारी बीनाई कुछ कमज़ोर हो गयी है **(ढोल कन्धे से उतारते हुए)** ख़ालू से इलाज के लिए कहना पड़ेगा।

बानो : लेकिन...

सलीम : **(अकड़कर रौब से)** झुककर सलाम करो। दिल्ली के नये सूबेदार तुम्हारे सामने खड़े हैं।

बानो : अरे तुम। तुम्हीं हो **(सोचते हुए)**...मिर्ज़ा...

सलीम : हाँ, शेख मिर्ज़ा सलीम बेग शाहबहादुर। पचीस हज़ारी मनसबदार।

बानो : **(खिलखिलाकर हँसते हुए)** नये सूबेदार! नये मनसबदार!

सलीम : हँसने की क्या बात है?

बानो : **(हँसी रोककर)** सलीम, तुम्हारे नाम के आगे-पीछे यह शेख, मिरज़ा, बेग—वग़ैरा कैसे लग गया?

सलीम : मैंने लगा लिया।

बानो : क्यों?

सलीम : बड़ी क़ुन्दज़हन औरत से पाला पड़ा है। दिल्ली के सूबेदार का छोटा-सा नाम होगा? बस, बित्ते भर का नाम—सलीम! न कुछ आगे और न कुछ पीछे?

बानो : **(समझते हुए)** तो दिल्ली के नये सूबेदार का नाम है यह।

सलीम : क्या करता। सूबेदारी करनी है, तो नाम के आगे-पीछे कुछ लगाना ही पड़ेगा। जितना बड़ा ओहदा...

बानो : उतना ही बड़ा नाम।

सलीम : **(गरूर से)** शेख़ मिर्ज़ा सलीमबेग शाह बहादुर। दौलतुज्ज़मा इन्तज़ामुद्दौला...

बानो : हौला! भौला! मौला?

सलीम : देख बानो, मेरा मज़ाक न बना। मैं ख़्वाब देख रहा हूँ। देखने दे।

बानो : तो आप ख़्वाब देख रहे हैं?

सलीम : मैं दिल्ली का सूबेदार हूँ। हवादार में बैठा हूँ। हवादार में मखमल का मसनद बिछा है। गाव तकिये पर क़मख़ाब का ग़िलाफ़ है। उस पर आराम से मैं अधलेटा हूँ। चार कहार आगे और चार कहार पीछे हवादार को उठाये चल रहे हैं।

बानो : वाह!

सलीम : मैं क़िलए-मोअल्ला से अपनी हवेली को वापस आ रहा हूँ।

बानो : कहाँ से?

सलीम : क़िलए, मोअल्ला से। **(मायने समझाते हुए)** मतलब लाल क़िले से।

बानो : लाल क़िला क्यों नहीं कहते?

सलीम : **(झल्लाकार)** लाल क़िला तो हर ऐरा-ग़ैरा नत्थू-खैरा कहेगा। दिल्ली का सूबेदार हूँ इसलिए कहता हूँ—क़िलए मोअल्ला।

(बड़बड़ाते हुए) न जाने किस क़ुन्दज़हन से पाला पड़ा है।

बानो : समझ गयी, सूबेदार साहब! समझ गयी। आगे बढ़िये।

सलीम : हवादार के आगे सिपाही। हवादार के पीछे सिपाही। अगल बगल सिपाही। मैं गाव तकिये के सहारे मसनद पर अधलेटा इधर-उधर के नज़ारे ले रहा हूँ। और हवादार बढ़ रही है...ख़रामा...ख़रामा...

बानो : हवादार को रोकिये, सरकार! आपकी हवेली आ गयी।

सलीम : हवेली आ गयी?

बानो : जी हाँ परवर-दिगार!

सलीम : तो रुक गये हम।

बानो : हवेली पर पहुँचकर सूबेदार ने क्या किया?

सलीम : वही जो सूबेदार करते हैं।

बानो : मसलन...

सलीम : हम देखते हैं हवेली को। दरबान, चोबदार, चौकीदार सब कोर्निश में झुके हैं। आदाब...आदाब...आदाब। हमने जवाब में गर्दन झुकायी—बस थोड़ी-सी। हम बढ़े। हवेली का दरवाज़ा खुला। हमने हवेली के अन्दर क़दम रखा तो, बस...

बानो : बस क्या?

सलीम : हरम की हूरों ने हमें घेर लिया। एक से एक ख़ूबसूरत, एक से एक हसीन। एक से एक नाज़ुक, एक से एक रंगीन। हाय! क्या शबाब की शबनम है! हुस्न का मेला है! हमने किसी की ज़ुल्फ़ सूँघी; किसी के गाल पर चुटकी काटी, किसी का बाज़ू पकड़कर अपने आग़ोश में खींचा (**बानो की बाह पकड़कर अपने पास खींचता है।**)...

बानो : (**अपने को छुड़ाते हुए**) क्या करते हो? कोई देख लेगा।

सलीम : देखेगा कौन?

बानो : अब्बा नमाज़ पढ़ने गये, आते होंगे?

सलीम : (**अचानक नाटकीयता से**) बस तोड़ दिया ख़्वाब। अच्छा-भला मैं अपनी हवेली के हरम में था। हसीनों की महफ़िल थी। ख़ुशबुओं का हुजूम था। फ़िज़ा में उनकी आँखों के तारे और हँसी के जुगनू थे। और तुम ख़ालू को वहाँ लेकर पहुँच गयीं। कबाड़ा कर दिया ख़्वाब का।

बानो : (**रूठकर**) मेरे अब्बा तुमको इतने बुरे लगते हैं।

सलीम : बुरे नहीं लगते। लेकिन तुम्हीं बताओ, इन्दर-सभा में तुम्हारे अब्बा का क्या काम? वह लाठी हाँकते आयेंगे और चालू हो जायेंगे—शराब हराम है। मौसीक़ी हराम है। रक़्स हराम है। (**चिढ़कर**) जब सब ही हराम है, तो बचा ही क्या। कह दो ज़िन्दगी भी हराम है।

बानो : उन्हें ख़ुदा का ख़ौफ़ है। ज़िन्दगी भर उन्होंने पंचवक़्ता नमाज अदा की है।

सलीम : मगर मिला क्या उन्हें? फ़ौज में सिपाही थे (**नकल करते**

हुए) "सब ख़ुदा के बन्दे हैं। लूटना, ख़ुदा की निगाह में क़ुफ़्र है।" अरे सिपाही लूटेगा नहीं, तो सिपाही कैसा। जिस ख़ुदा का इतना भरोसा था, उसने क्या दिया। आँखें भी ले लीं।

बानो : ऐसा मत कहो।

सलीम : क्यों न कहूँ। क़ुरान की आयतें, शरीयत की हिदायतें, मौलवी की नसीहतें, बस ग़रीबों के लिए ही होती है।

बानो : वह सबके लिए हैं।

सलीम : **(अपनी रौ में)** क़िले में जाकर देखो। वहाँ की राग-रंग की महफ़िल। शराब के दौर। मैंने तो सुना है कि हरम की ज़्यादातर बेगमें कोई-न-कोई नशा करती हैं। कोई शराब में धुत रहती है, कोई अफ़ीम की पिनक में। कोई-कोई तो धतूरा पीती हैं। उन पर ख़ुदा का ग़ुस्सा नाज़िल नहीं होता?

बानो : होगा, एक दिन ज़रूर होगा।

सलीम : हश्र के दिन? उस दिन ख़ुदाबन्द अल्ला ताला इन्साफ़ करेंगे। उस दिन वह अपने नेकबन्दों को जन्नत अता फ़रमायेंगे। जन्नत में क्या है—हूरें? कौन इन्तज़ार करे हश्र के दिन का। फिर किसने जानी जन्नत की हक़ीक़त। पता नहीं जन्नत में हूरें हैं भी या नहीं। लेकिन यहाँ इस दुनिया में तो हूरों की कमी नहीं है? वह मिल जायें, तो मुझे जीते जी जन्नत मिल जायेगी।

बानो : **(नाराजगी से)** जाकर अपने लिए हूरें ढूँढों। **(अन्दर जाने लगती है।)**

सलीम : नाराज़ हो गयी, बानो?

बानो : अपनी हूरों के पास जा। मेरी क्या ज़रूरत।

सलीम : देख बानो, मुझे यह ढिंढोरची का काम क़तई पसन्द नहीं है। सुबह से शाम तक ढोल बजाकर अपना गला फाड़ते रहो। दिन भर बाद जब घर लौटता हूँ, तो जिस्म से तो थका होता ही हूँ, दिल से भी शिकस्त होता हूँ। तेरे साथ थोड़ी दिल्लगी करता हूँ, तो रूठ जाती है।

बानो : तू समझता है, मैं तुझे जानती नहीं?

सलीम : अब्बा मरहूम ने नाम तो दिया सलीम, लेकिन कहाँ एक वो सलीम, जो जहाँगीर बनकर बादशाह बना, कहाँ एक यह सलीम, जिसकी क़िस्मत गधे की सींग से लिखी गयी है।

बानो : गधे के सींग नहीं होते।

सलीम : तभी तो मेरी क़िस्मत की लिखाई पढ़ी नहीं जाती। वहाँ सब मटियामेट हो गया है और मैं रह गया—ढिंढोरची। ख़ल्क ख़ुदा का मुल्क बादशाह का।

बानो : दिल छोटा न कर। ख़ुदा चाहेगा तो तेरे दिन भी फिरेंगे।

सलीम : बानो, मेरे दिल में आग-सी सुलगती रहती है। पन्द्रह साल का था, तब से ढोल पीट रहा हूँ। मैं नहीं चाहता कि बाक़ी ज़िन्दगी भी ढोल ही पीटता रहूँ।

बानो : ख़ुदा पर भरोसा रखो।

सलीम : मैं कुछ बनना चाहता हूँ। मैं भी सभी कुछ वह चाहता हूँ जो दूसरों के पास है। आख़िर मैंने क्या गुनाह किया है कि मुझे यह फटे-पुराने कपड़े भी मुश्किल से मयस्सर हैं। दो वक़्त की रोटी भी नहीं जुड़ पाती? वह हीरे-जवाहरातों में खेलते हैं। क़ोफ़्ते-क़बाब शराब से गले के नीचे उतारते हैं। मालपुए की डकार लेते हैं।

बानो : ख़ुदा की मरज़ी।

सलीम : **(अपनी रौ में)** मैं बारह साल का था। वहीं बल्लीमारान में हम उम्र लौण्डों के साथ गुल्ली-डण्डा खेल रहा था। तभी वहाँ फ़ौजदार का सिपाही आया। सब लौण्डों से बोला—चलो, फ़ौजदार साहब के यहाँ चलो। कुछ काम करना है। मैंने कहा—मैं नहीं जाता बेगार करने। मेरी बात पूरी होने के पहले ही उसका हण्टर मेरी पीठ पर था। साड़......साड़......मैं सामने ज़मीन पर पड़ा तड़प रहा था, लेकिन उसके हाथ नहीं रुक रहे थे। मेरी पीठ ख़ून से तरबतर थी।

(बानो पास जाकर सलीम के कन्धे पर सहानुभूति से हाथ रखती है।)

सलीम : वह मुझे नहीं मार रहा था। वह बाक़ी सबको बता

रहा था कि बेगार से इनकार करने की सज़ा क्या है। **(अचानक मजबूती से)** मैंने फ़ैसला कर लिया है।

बानो : क्या?

सलीम : वह हंटर एक दिन मेरे हाथ में होगा। **(वहशत से)** और पीठ चाहे किसी की भी हो। साड़...साड़... **(ख्याली हंटर से किसी को मारता है।)**

बानो : ख़ुदा पर भरोसा रखो

सलीम : **(बिगड़कर)** क्या ख़ुदा-ख़ुदा लगा रखा है। क्या ख़ुदा के पास कोई और काम नहीं है, जो वह यही देखता रहे कि सलीम क्या कर रहा है।

बानो : अब्बा कहते हैं कि ख़ुदा से कुछ छिपा नहीं रहता। वह सब कुछ देखता रहता है?

सलीम : तब वह क्यों नहीं देखता—कि मोहम्मदशाह रँगीले के हरम में एक से एक ख़ूबसूरत चार हज़ार औरतें हैं। वह बादशाह है, लेकिन हुकूमत का सब काम छोड़-कर एक मामूली तवायफ़ ऊधमबाई के कोठे पर पड़ा रहता है। स्साला हरामी का पिल्ला...।

दृश्य : दो

(ऊधमबाई का कमरा। सजावट तत्कालीन। झाड़-फ़ानूस, गद्दा, मसनद, गाव तकिया, हुक्का, तबला, सारंगी। मसनद पर तकिये के सहारे अधलेटी, शीशे में अपनी छवि निहारती ऊधमबाई कोई ग़ज़ल गुनगुना रही है। गाते-गाते बैठ जाती है, और शीशे में अपना चेहरा देखते-देखते अपनी चोटी गूँथने लगती है। तभी नेपथ्य में कुत्ते के भौंकने की आवाज़ सुनाई पड़ती है। गाना रुक जाता है।)

ऊधमबाई : **(अपने आप)** बादशाह क्यों भौंक रहा है। **(पुकारते हुए)** वहीदा! वहीदा! **(उठकर दरवाजे के पास जाकर)** वहीदा, देख यह बादशाह क्यों भौंक रहा है। **(वापस**

आकर शीशे के सामने खड़े होकर, नृत्य की विभिन्न अदाओं में अपनी ख़ूबसूरती निहारती है। बादशाह फिर भौंकने लगता है।)

ऊधमबाई : **(तेज आवाज़ में)** वहीदा, यह बादशाह क्यों भौंक रहा है?

(वहीदा का प्रवेश)

ऊधमबाई : यह बादशाह क्यों भौंक रहा है?

वहीदा : यही तो बताने आयी हूँ।

ऊधमबाई : क्या है?

वहीदा : सन्देश आया है—क़िले से।

ऊधम : क्या है?

वहीदा : बादशाह सलामत की रौनक़-सवारी क़िले से चल चुकी है।

ऊधमबाई : हाय अल्लाह! **(एकदम मुड़कर चलने लगती है, फिर रुककर)** मैंने तो पूछा ही नहीं कहाँ के लिए।

वहीदा : कहाँ के लिए हो सकती है? आप ही बताइये।

ऊधमबाई : **(शर्माते हुए)** मैं क्या जानूँ।

वहीदा : आशिक़ मिज़ाज बादशाह की एक ही मंज़िल है—हुस्न **(ऊधमबाई शीशे में अपनी सुन्दरता निहारती हैं)** पूरे हिन्दुस्तान में जिसके हुस्न और जमाल की चर्चा है—जिसकी नज़र का तीर लोगों को दीवाना कर देता है, जिसकी निगाहे-करम की उम्मीद से ही अमीरों, नवाबों के ख़्वाबों की दुनिया सज जाती है ऐसी खुशनसीब, हसीनों की सरताज-ऊधमबाई क्या दो-चार हैं?

ऊधम : तेरी बातें मीठी हैं। तू किसी को भी अपनी ज़बान से जीत सकती है।

वहीदा : अभी तक तो किसी को जीत नहीं सकी।

ऊधम : कोशिश करके जीता तो क्या जीता। मज़ा तो इसमें है कि पता भी न चले और जीत अपने आप हो जाये। अचानक घूमकर देखें, कोई शिकस्ता क़दमों पर गिरा हो, क़दम चूमता हुआ।

वहीदा : यह हुनर सबके पास कहाँ! इसी से तो आपने दिल्ली

के शहंशाह मोहम्मदशाह को अपना ज़र-ख़रीद गुलाम बना लिया है।

ऊधम : मैंने तो नहीं कहा था...

वहीदा : सुर्ख़ गोरे रंग और तराशे जिस्म के शायराना ख़मों और उभारों के बावजूद क्या कहने की जरूरत बचती है?

ऊधम : **(वहीदा के निकट जाकर, उसकी ठुड्डी पकड़ते हुए)** मैंने कहा, तू बहुत मीठी बातें करती है। **(लहजा बदलकर)** यह तो बता, मैं ठीक-ठाक हूँ—या कुछ...?

वहीदा : हिन्दुस्तान का शहंशाह आपके कपड़े देखने नहीं आ रहा है।

ऊधम : क्या देखने आ रहा है?

वहीदा : ख़ुदा की बेहतरीन बेमिसाल कारसाज़ी।

ऊधम : मज़ाक छोड़...यह बता, यह कपड़े ठीक हैं?

वहीदा : सच पूछिये, तो दीवाने की हुस्न-खोजी निगाहों के लिए कपड़े तो...**(थोड़ा रुककर)** रुकावट हैं।

ऊधम : रहने दे रुकावट। नहीं तो इन्तहा में अपनी जान ही न गँवा बैठे बेचारा।

वहीदा : बादल की घटाओं जैसे ये गेसू, नागिन जैसी बलखाती चोटी, महताब-सा चमकता मुखड़ा, नीले समन्दर में तैरती, इतराती मछलियों जैसी बिन काजल कजरारी आँखें, गुलाब की पंखड़ियों से नाज़ुक रसीले लब, यह नाज़ो-अन्दाज़, यह शराब-सी छलकती जवानी, यह समन्दर-सा ठाठें मारता जोबन। ख़ुदा अपने बनाये करिश्मे पर ख़ुद हैरत करता होगा। शहंशाह बेचारा तो आदम की औलाद है। **(वहीदा के संवाद पर ऊधमबाई नृत्यमय अभिनय करती है।)**

ऊधम : बस वहीदा, बहुत हो गयी चापलूसी। **(कुत्ते के भौंकने की आवाज़)** बादशाह को कहीं और जाके बँधवा दे।

वहीदा : ठीक कहती हैं। कहीं बादशाह को बादशाह ही न काट खाये। **(हँसती हुई बाहर जाती है।)**

(ऊधमबाई शीशे में देखते हुए बालों में कंघा करती है, फिर अपने आप से बात करती है।)

ऊधम : ऊधमबाई, इतना ग़रूर न कर। माना वह तुझ पर दीवाना है। लेकिन यह क्यों भूल जाती है, वह बादशाह है।

ऊधम : वह बादशाह है तो क्या? दीवाना तो दीवाना। चाहे बादशाह हो या गुलाम। मोहब्बत की यही फ़ितरत है। दीवाने सब एक-से होते हैं।

ऊधम : मोहब्बत बादशाहों का शौक़ होता है। एक खेल। एक खिलवाड़।

ऊधम : मेरे लिए भी तो खेल है—खिलवाड़। मन बहलाने का नया शगूफ़ा। मैंने भी तो कितने खिलौनों से खेला है। एक नया खिलौना यह भी।

ऊधम : लेकिन यह बादशाह है। हर खिलौने से अलग। जिस दिन जी भर गया, निकाल फेंकेगा।

ऊधम : वह कोई और होगी, जिन्हें निकाल फेंका होगा। यह ऊधमबाई है। इसको निकाल फेंकना इतना आसान नहीं। जादू वह जो सिर चढ़कर बोले। नशा वह जो कभी न टूटे।

ऊधम : **(अपने-आप पर बेतरह हँसकर)** यह मुझे क्या हो गया। पगला गयी हूँ। अपने-आप से ही बातें कर रही हूँ। **(घबराकर)** बादशाह सलामत तो आने वाले होंगे। **(शीशे के सामने जाकर एक नया हार गले में डालती है। मोहम्मदशाह हल्के क़दमों से प्रवेश करते, ऊधमबाई के पीछे पैरों के पास बैठकर कुत्ते की तरह बोलता है—भौं-भौं-भौं)**

ऊधम : **(चौंककर)** यह क्या!

मोहम्मदशाह : **(खड़े होकर)**, तुम्हें कुत्तों से मोहब्बत है?

ऊधम : तो?

मोहम्मदशाह : **(बच्चों की तरह)** मुझसे मोहब्बत करो।

ऊधम : **(कुछ क्षण मोहम्मदशाह को एकटक निहारती है, फिर उसके पास जाकर उसके दोनों हाथ अपने हाथ में लेकर)** मोहब्बत?

मोहम्मदशाह : हाँ।

ऊधम : **(अचानक उल्लासमय नृत्य के दो-चार चक्करों के बाद)** मैं कुत्तों को ड्योढ़ी के बाहर रखती हूँ। **(हँसती हुई नृत्य में मग्न हो जाती है।)**

मोहम्मदशाह : मैं...मैं बादशाह हूँ...

(नाचती हुई ऊधमबाई अचानक रुक जाती है।)

ऊधम : मैं तवायफ़ हूँ। **(फिर नाचने लगती है।)**

मोहम्मदशाह : मुझमें मुग़ल ख़ून है।

ऊधम : **(अचानक नाच रोककर)** मुझमें मुग़ल ख़ून के अलावा ईरानी, तूरानी, अफ़ग़ानी और हिन्दुवानी ख़ून है।

मोहम्मदशाह : मैं...मैं तुमसे मोहब्बत करता हूँ।

ऊधम : तो मैं क्या करूँ? **(नाचने लगती है।)**

मोहम्मदशाह : तुम्हारी मोहब्बत में दीवाना हो रहा हूँ। **(पगड़ी उतारकर)** मैं यह **(पगड़ी)** तुम्हारे क़दमों में रखता हूँ। इसमें कोहेनूर है। दुनिया का नायाब रतन।

(नाचती हुई ऊधमबाई रुक जाती है।)

ऊधम : दिल रतनों से नहीं जीता जाता, चाहे वह कोहेनूर ही क्यों न हो। **(ऊधमबाई फिर नृत्य में मग्न हो जाती है।)**

मोहम्मदशाह : तुम्हारा आशिक हूँ। तुम्हारा दीवाना। तुम्हारी मोहब्बत की भीख माँगता हूँ। तुमको क़िलए-मोअल्ला ले जाना चाहता हूँ। तुमको अपनी मलका बनाना चाहता हूँ। मैं...मैं तुमसे निकाह करना चाहता हूँ। **(ऊधमबाई अचानक नृत्य रोक देती है। कुछ क्षण मोहम्मदशाह को एकटक देखती है, फिर सिर पर चुन्नी घूँघट की तरह लेती है।)**

ऊधम : ले चलो मुझे क़ाज़ी के पास।

मोहम्मदशाह : **(अतीव ख़ुशी से फूटते हुए)** जियो मेरी जान! जियो! **(पुकारते हुए)** कोई है। कहाँ मर गये सबके सब। वहीदा वहीदा! **(वहीदा का भागते हुए प्रवेश)** सितारों से कहो वह फूल बरसायें। हवाओं से कहो, वह ख़ुशबू बिखेरें। ग़रीबों और कंगालों को अशर्फ़ियाँ बाँटी जायें। **(गले का हार निकालकर वहीदा के हाथों में फेंकते हुए)** ऊधमबाई

हिन्दोस्तान की मलका बनकर हम पर हुकूमत करेंगी। हमने उनसे निकाह करने का फ़ैसला किया है। इस मुबारक मौक़े पर हम उनको मनसबदार बनाते हैं। पचास हज़ारी मनसबदार। आज से वह क़ुदसिया बेगम के नाम से जानी जायेंगी। उनको हम बाईजू साहिबा, और साहिबुज्ज़मानी के ख़िताब अता करते हैं।

वहीदा : **(कोर्निश करती हुई)** शहंशाहे आलम और मलिकाए-आलिया की ख़िदमत में क़नीज़ का सलाम। **(झुककर तीन बार सलाम करती है।)**

दृश्य : तीन

(स्थान : पटपड़गंज। वही, दृश्य : एक जैसा)

सलीम : **(बानो की कोठरी के सामने ढोल बजाकर ऐलान करते हुए)** सुनो, सुनो, सुनो। हर ख़ास-ओ-आम सुनो। ख़ल्क खुदा का, मुल्क बादशाह मोहम्मदशाह रँगीले का, हुक्म बाईजू साहिबा, साहिबुज्ज़मानी, क़िब्लए आलम, हज़रत क़ुदसिया बेगम, मलका-ए-आलिया हिन्दुस्तान का...।

ख़ालू : **(कोठी से निकलकर)** आओ, सलीम! आओ **(नज़दीक जाकर सीने से लगाता है।)** कहाँ रहे इतने दिन?

सलीम : ख़ालू, मज़े में तुम हो। यहाँ जमुना पार पड़े हो। तुम्हें क्या पता, दिल्ली में क्या हो रहा है?

ख़ालू : यह क़ुदसिया बेगम कौन है?

सलीम : तवायफ़ थी—चावड़ी बाज़ार की ऊधमबाई।

ख़ालू : अब हिन्दुस्तान की मलका है?

सलीम : यही तो दिल्ली है। कभी चित तो कभी पट। कभी तख़्त तो कभी तख़्ता। तवायफ़ ऊधमबाई, आज मलका क़ुदसिया बेगम है।

ख़ालू : यह तो ज़माने की फ़ितरत है।

सलीम : वज़ीर, अमीर, दीवान, मीरबख़्शी, सब उसके आगे हाथ बाँधे खड़े रहते हैं। कल की तवायफ़ आज मलका बनकर ख़ानदानी अमीरों पर हुकूमत कर रही है।

ख़ालू : ख़ुदा ने औरत को औलाद देने के लिए बनाया है। ख़ाविन्द की ख़िदमत के लिए बनाया है। हुकूमत का काम मर्द का है।

सलीम : मगर वह ईरानी, तूरानी, पठान, अफ़ग़ान, मुग़ल, सैय्यद—सबकी नाक में नकेल डालकर नाच नचा रही है—ता थइया! ता थइया! हुकूमत के काम से फ़ुर्सत पाकर बादशाह सलामत की अय्याशियाँ और बढ़ गयी हैं। आजकल नूरबाई पर फ़िदा हैं।

ख़ालू : अल्लाह ख़ैर करे।

सलीम : सब कुछ हम लोगों के लिए है। उनके लिए नहीं जो ऊँची-ऊँची दीवारों के पीछे हैं। उन दीवारों के पीछे जो गुल खिलाते हैं अगर हम सुन भी लें तो क़ाफ़िर बन जायें। बादशाह की शराब की महफ़िल के साथी हैं—भड़भूँजें, भाँड़, भँडुए, एक हिजड़ा—क्या नाम है उसका, **(सोचते हुए)** जावेद ख़ाँ; वह भी बादशाह की नाक का बाल हो रहा है।

ख़ालू : हमें क्या? जो जैसा करेगा, ख़ुदा वैसा ही सिला देगा।

सलीम : हम लोगों में यही तो ख़राबी है। जो है, जैसा है, उसी में ख़ुश हैं—धोबी के गधे-सा, घर से घाट और घाट से घर का चक्कर लगाकर भी ख़ुश।

ख़ालू : क़िस्मत की तहरीर कोई कैसे बदल सकता है?

सलीम : क्यों नहीं बदल सकते? ऊधमबाई को देखो। तवायफ़ की बेटी, तवायफ़ की बहन, तवायफ़ की नातिन। पूरी पक्की तवायफ़, आज क़ुदसिया बेगम बनकर क़िले में रोशन है। और तो और, उसका भाई मान ख़ाँ—उसे भी बादशाह ने जागीरदार बना दिया है। कल वह महफ़िलों में कूल्हे मटकाता था, आज पाँच हज़ारी मनसबदार है।

ख़ालू : दूसरे की तरक्क़ी देखकर ललचाना नहीं चाहिए।

सलीम : सच बात सुनोगे ख़ालू? इस ज़माने मे पुरानी बातें सब हवा हो चुकी हैं। देने को अशर्फियाँ हों, कमसिन औरत हो, तो जो चाहो पा सकते हो।

ख़ालू : तुम्हारी बातों में शैतान की आवाज़ सुनाई पड़ती है।

सलीम : सारा कारोबार ही रिश्वत पर टिका है। बादशाह किसी को जाग़ीर देने का हुक्म कर दें। हुक्म की तहरीरी सनद ही नहीं निकलेगी, जब तक वज़ीर कमरुद्दीन के कोठे पर अशर्फियों की थैली न पहुँच जाये। कौन रिश्वत नहीं लेता?

ख़ालू : देखो सलीम। ज़िन्दगी में असली चीज़ है सकून। ख़ुदा बस इतना दे कि रोटी चल जाये। पहनने को कपड़ा मिल जाये...

सलीम : **(काटते हुए)** कपड़ा चाहे फटा-पुराना-चीथड़ा हो।

ख़ालू : सलीम बेटे, मैं तुमसे बहस में जीत नहीं सकता। जा, तेरी बात ही ठीक है। लेकिन यह तो सोच, मैं अब बुड्ढा हो चुका हूँ। एक पैर क़ब्र में लटका है। तेरी अमानत बानो कब तक मेरे पास रहेगी? तेरे मरहूम अब्बा और अम्मी यह शादी तय कर गये थे। बहिश्त में बैठे उनकी निगाहें तेरी तरफ़ हैं। बोल, कब तक अपना घर बसायेगा।

सलीम : **(ढोल अपने गले में डालते हुए)** घर...घर तो झोंपड़ी भी हो सकती है। झुग्गी भी हो सकती है। घर तो मामूली आदमी बसाते है। बड़े लोग हवेली बसाते हैं। जहाँ इतना इन्तजार किया, वहाँ बस थोड़ा और इन्तज़ार करो। ख़ालू, मैं घर नहीं, हवेली बसाऊँगा। **(ढोल बजाते हुए)** हर ख़ास-ओ-आम को इत्तला दी जाती है कि मैं सलीम वल्द फ़क़ीरा, साकिन बल्लीमारान, दिल्ली, ऐलान करते हैं कि हम जल्दी ही हवेली बसायेंगे...
(ढोल पर ढमढम चोट करता है।)

दृश्य : चार

(मान ख़ाँ की बैठक में खड़ा मान ख़ाँ का इन्तज़ार कर रहा है। तब ही हाथ में शराब की बोतल लिए नशे में धुत्त मान ख़ाँ भीतर से आता है।)

सलीम : हुज़ूर मालिक की ख़िदमत में नाचीज़ का सलाम क़बूल हो। **(सलाम में झुककर खड़ा होता है।)**

(मान ख़ाँ, सलीम के चारों ओर लड़खड़ाते क़दमों से घूमकर उसे देखता है।)

मान ख़ाँ : क्या बेचते हो, म्याँ?

सलीम : मैं बेचने आया हूँ, अपनी वफ़ादारी। हुज़ूर की गुलामी करना चाहता हूँ।

मान ख़ाँ : **(ग़ौर से देखता है, फिर अचानक जैसे ग़ुस्से में)**–
तिगदा तिगदा थई
तिगदा दिग दिग थई।

सलीम : **(एकदम घबराकर उसके पैरों पर गिरते हुए)** क़दमों में पड़ा हूँ। माफ़ करें इस ग़रीब को, ग़रीबनवाज़!

मान ख़ाँ : **(जैसे पूछते हुए–"तुम कौन हो")**
ता थई थई तत
ता थाई थई तत

सलीम : ढिंढोरची हूँ। नाम सलीम है। बल्लीमारान में रहता हूँ। आपके हुज़ूर से जुहार करने हाज़िर हुआ हूँ।

मान ख़ाँ : **(जैसे पूछते हुए–"क्यों आये हो")**
थई ता थई, थई ता थई।

सलीम : वाह! वल्लाह! सुभान अल्लाह! क्या बोल हैं। क्या बोलते हैं। लगता है हरसिंगार के पेड़ से फूल झरते हैं। कान में शहद घोलकर डाल दिया। सुबह-सुबह चिड़ियों की चहचहाट, चीयूँ-चीयूँ। कबूतर ने कबूतरी के कान में कहा–गुटर।

मान ख़ाँ : **(कुछ नाराजगी से)** ता थई। ता थई। ता थई।

सलीम : नाराज़ न हों, सरकार! यह ग़रीब आपकी ख़िदमत में बड़ी उम्मीदें लेकर आया है। ख़ुदा आप पर मेहरबान हैं। आपकी बहन ऊधमबाई मलिका क़ुदसिया बेगम बनकर मुग़लिया हुकूमत में चार चाँद लगा रही हैं। आप हमारे अमीर हैं। हमारे मनसबदार हैं। हम आपकी रियाया हैं। आपकी ख़िदमत में एक दरख़्वास्त लेकर हाज़िर हुआ हूँ। **(मान ख़ाँ सलीम की बात का ध्यान न**

देते हुए, शराब अपने मुँह में उड़ेलता है।) हुज़ूर, बड़ी मेहरबानी होगी, अगर क़िले में प्यादे की नौकरी दिलवा दें। आप मलिका से सिफ़ारिश कर दें, या शहंशाह से। आपके एक इशारे से मेरी ज़िन्दगी बन जायेगी। जब तक ज़िन्दा रहूँगा, आपके नाम की माला जपूँगा। अल्लाह से आपके लिए दुआएँ माँगूँगा। मैं ढिंढोरचीगीरी से आजिज़ आ गया हूँ। क़िले में एक अदना-सी नौकरी की दरकार है—बस। मैं आपकी क़दम-बोसी करता हूँ। **(पैर पकड़कर उन पर अपना सिर रखता है। मान ख़ाँ पैर छुड़ाकर जाने लगता है।)**

सलीम : **(पीछे से पुकारते हुए)** हुज़ूर, मेरा ख़ानदान नाचने-गाने वालों का है। **(जाता हुआ मान ख़ाँ रुक जाता है।)**

सलीम : जी हाँ सरकार, मेरा ख़ानदान नाचने-गाने वालों का है।

मान ख़ाँ : तुमने क्या कहा?

सलीम : मैं ठीक कह रहा हूँ। मेरा ख़ानदान नाचने वालों का है। मैं नाचता हूँ—ता थेई थेई थेई। मेरे अब्बा मरहूम तबला बजाते थे—ना धिन धिन ना। मेरे मरहूम दादा सारंगी बजाते थे। चीं...। मेरे नगड़दादा सितार बजाते थे—तिन-तिन-तिन। मेरे नगड़दादा के नगड़दादा...

मान ख़ाँ : **(एकदम खुशी से)** ख़ानदानी फ़नकार हो तुम?

सलीम : जी हाँ, हुज़ूर...जी हाँ हुज़ूर!

मान ख़ाँ : आओ, मेरे सीने से लग जाओ। **(बाँहें फैलाता है। सलीम दौड़कर उसके गले लगता है फिर उससे दूर होकर सलाम करता है।)**

मा ख़ाँ : **(बाँहें फैलाकर)** एक बार और। **(सलीम मान ख़ाँ के गले लगता है, फिर सलाम में झुकता है।)**

मान ख़ाँ : तुम नहीं जानते, हमें कितनी खुशी हुई तुमसे मिलकर। लो, इस ख़ुशी में एक जाम हो जाये। **(ज़बरदस्ती सलीम के मुँह में बोतल उँडेलता है। मजबूरी में सलीम आधी बोतल पी जाता है।)**

मान ख़ाँ : तो...अब कुछ हो जाए।

सलीम : **(चढ़ते शराब के नशे में)** कुछ हो जाये।

मान ख़ाँ : ज़रा हम भी तो तुम्हारा कमाल देखें।

सलीम : बात यह है कि इधर रियाज़ कुछ कम हो गया है। मुल्ला-मौलवी कहते हैं—कि रक़्स हराम है इसलिए...

मान ख़ाँ : ख़ाक डालो मुल्ला-मौलवियों पर। बस कुछ हो जाये।

सलीम : **(चढ़ते नशे में)** तो हो ही जाये।

मान ख़ाँ : गतनिकास जानते हो?

सलीम : बहुत अच्छी तरह। **(दरवाजे की ओर इशारा करते हुए)** बस यहाँ से निकलने की देर है—देख लेंगे निकास।

मान ख़ाँ : चक्कर दिखा सकते हो?

सलीम : मैं और करता ही क्या हूँ। दिन भर मोहल्ला-मोहल्ला, गली-गली चक्कर ही तो लगाता हूँ।

मान ख़ाँ : तो कितने चक्कर लगा सकते हो...9-18-27?

सलीम : **(शराब की शोखी)** मैं 9-18-27 नहीं, सौ-सवा-सौ भी मेरे लिए कुछ नहीं। दस-बीस कोस तो...

मान ख़ाँ : तो हो जाये।

सलीम : हो जाये।

मान ख़ाँ : **(नेपथ्य में पुकारते हुए)** ख़ाँ स़ाहब, हमारे मेहमान नाच रहे हैं। चक्कर में अपने कमाल दिखायेंगे। ज़रा तबले पर आइये।

(नेपथ्य में तबले के बोल सुनाई पड़ते हैं।)

(अपने पैर के घुंघरू खोलकर सलीम के पैरों में बाँधता है। घुंघरू बँधवाकर सलीम शराब के नशे में घमण्ड से ऐंठता-सा दिखाई पड़ रहा है।)

मान ख़ाँ : **(सलीम से)** तो इरशाद। **(सलीम तबले के बोल पर चक्कर लगाता है।)**

मान ख़ाँ : **(चक्कर गिनते हुए)**...एक....दो...तीन...चार....पाँच... छह...सात....आठ....**(थक कर धीमा होने लगता है)** नौ...दस...ग्यारह...

(पैर अपने पैर के बँधे घुंघरू में फँस जाता है और धड़ाम से गिर जाता है।)

मान ख़ाँ : **(दौड़कर घुंघरू उठाता है)** यह क्या, घुंझरू तोड़ दिये। **(घुंघरू उठाकर रोता है।)**

(मान ख़ाँ को रोते हुए देखकर, सलीम उसे कुछ देर देखता है, फिर चापलूसी में उसके रोने में अपना रोना मिलाता है।)

मान ख़ाँ : **(एकदम बिगड़कर)** निकल जा हरामज़ादे! **(सलीम अपना ढिंढोरा उठाकर भागता है)** अरे मेरे घुँघरू तो देता जा। **(सलीम का पीछा करता नेपथ्य में जाता है।)**

दृश्य : पाँच

(लालक़िले में बादशाह की रंगे-महफ़िल। तख्त पर तकियों के सहारे अधलेटा मोहम्मदशाह। पास ही नूरबाई बैठी है।)

नेपथ्य से : शहंशाहे हिन्दुस्तान की ख़िदमत में पेशावर के सूबेदार नासिर ख़ाँ के वकालत-पनाह अलीमर्दान क़ज़लबाश क़दमबोसी के लिए हाज़िर होते हैं।

(जावेद ख़ाँ के साथ अलीमर्दान क़ज़लबाश का प्रवेश)

अलीमर्दान : **(झुककर)** नाचीज़ का सलाम क़ुबूल फ़रमायें।

मोहम्मद : अमाँ जावेद, यह किस मरदूद को हमारी महफ़िले-याराँ में पकड़ लाये?

जावेद : यह है अलीमर्दान क़ज़लबाश।

मोहम्मद : **(बिना सुने)** अरे, साक़ी! जाम ख़ाली है।

छक्कन : कहीं घास चर रहा होगा मज़े-मज़े...

बब्बन : जावेद मियाँ ने देखा, तो दिल आ गया...

नब्बन : और हाँक लाये शहंशाहे हिन्द की महफ़िल में।

छक्कन : सोचा होगा...

बब्बन : क्या सोचा होगा?

छक्कन : यही सोचा होगा कि...

नूरबाई : सोचा होगा कि रँगीले ने अपनी महफ़िले-याराँ में इतने गधे इकट्ठे किये हैं—एक गधा और सही।

मोहम्मद : वाह नूरे-नश्म! जियो नूरे-जिगर! जियो। मेरी जान नूरबाई! ख़ुदा सलामत रखे तुम्हें।

(तीनों मसख़रे गधों की तरह ढींचूँ-ढींचूँ करने लगते हैं।)

मोहम्मद : बन्द करो अपनी बकवास। सालों ने धोबी-घाट बना दिया। **(झुँझलाकर)** बन्द करो। **(प्याले की शराब तीनों पर फेंकता है। तीनों गधे की तरह रेंकना बन्द कर हाथों पर पड़ी शराब कुत्तों की तरह चाटते हैं।)**

बब्बन : इन दो चार बूँदों ने तो तिश्नगी और बढ़ा दी।

नब्बन : जैसे तपते तवे पर पानी की बूँदे-छन्न छन्न। भाप बनकर उड़ गयीं।

छक्कन : समन्दर के किनारे बैठे हैं, फिर भी पानी से महरूम। दिल ख़ाली। जिगर ख़ाली, प्याला भी ख़ाली।

बब्बन : अगर मर गये प्यासे?

छक्कन : 'अगर' कैसे? क्या कोई क़सर बाक़ी है। मर ही तो गये प्यासे...

नब्बन : **(पूरा करते हुए)** साक़ी के क़दमों में।

बब्बन : ज़ालिम!

छक्कन : संगदिल!

बब्बन : बेदर्द, बेपनाह!

मोहम्मद : मत कर देर साक़ी। डाल दे एक भरपूर निगाह। तेरी नज़र की शराब से मरते ही उठेंगे।

नूरबाई : **(शर्माने का नाटक)** हटिये...

तीनो मसख़रे : **(अपने प्याले बढ़ाते हुए)** वल्लाह! वल्लाह!

(नूरबाई तीनों के गिलास में शराब डालती है।)

छक्कन : **(शराब का प्याला ढालते हुए)** रँगीले पिया, यह कौन बाँगड़ू है?

मोहम्मद : यही तो हमने जानना चाहा था।

जावेद : हुज़ूर यह है अलीमर्दान क़ज़लबाश।

बब्बन : गज़लबाश! तो यह ग़जलें कहता है।

नब्बन : लो, यह तो हमारी बिरादरी का हैं।

छक्कन : हो जायें दो-चार ग़ज़लें। इरशाद!

बब्बन : **(गला साफ़ करते हुए)** इरशाद!

अलीमर्दान : ग़ज़लबाश नहीं, क़ज़लबाश।

जावेद : यह पेशावर के सूबेदार नासिर ख़ाँ के वकील हैं।

मोहम्मद : तो यह नासिर ख़ाँ के पास जायें। हमारे पास क्यों आये हैं?

अलीमर्दान : परवर दिगार, उनका पैग़ाम लेकर हुज़ूर के दरबार में हाज़िर हुआ है।

मोहम्मद : माँ बदौलत इस वक़्त अपने दोस्तों के साथ मसरूफ़ हैं।

जावेद : आलीजाह, यह दिल्ली में आपके दीदार के लिए तीन महीने से टिके हैं।

अलीमर्दान : ख़ता माफ़ हो। चार महीने से।

छक्कन : तो चार महीने और सही। जल्दी क्या है?

बब्बन : तब तक चावड़ी बाज़ार की तवायफ़ों के दीदार करें।

छक्कन : **(पूरा करते हुए)** कैसा है यह ग़ज़लबाश? सुर में है या बेसुरा?

बब्बन : दम में है या बेदमा?

बब्बन : हाल में है या बेहाला?

अलीमर्दान : हुज़ूर, मैं क़यामत तक आपकी क़दमबोसी के लिए इन्तज़ार कर सकता हूँ। मैं आपकी अदना रियाया हूँ। मेरी गर्दन मेरे धड़ पर हुज़ूर की मेहरबानी से है। मेरी ज़िन्दगी तो आपकी रेहन है। जब चाहें तब ले लें। पेशावर के सूबेदार आपके ग़ुलाम हैं। मैं उनका वकील, उनका ग़ुलाम हूँ। मैं। आपके ग़ुलाम का ग़ुलाम हूँ।

छक्कन : बोलता तो ठीक है।

मोहम्मद : **(जम्हाई लेते हुए)** ठीक है। लेकिन यहाँ क्यों आ गये ...हमारी महफ़िल में?

जावेद : हुज़ूर, आपने आज इन्हें महफ़िल में पेश करने का हुक्म दिया था।

मोहम्मद : हमने हुक्म दिया था? **(सोचते हुए)** हमें तो याद नहीं पड़ता।

बब्बन : रँगीले पिया, ज़माना बहुत ख़राब है। ख़ुदा का भी डर उठ गया है। हुज़ूर ने कोई हुक्म-वुक्म नहीं दिया, फिर भी इस मरदूद—उँह मरदूद नहीं, इस नामर्द, नामुराद

जावेद ने झूठ कह दिया—हुज़ूर, आप ही ने तो हुक्म दिया था। किसी आदमी का यक़ीन तो किया ही नहीं जा सकता।

छक्कन : आदमी का यक़ीन नहीं किया जा सकता। लेकिन यह मियाँ जावेद तो आदमी नहीं हैं।

बब्बन : ये न आदमी है, और न औरत।

मोहम्मद : आदमी पर यक़ीन नहीं किया जा सकता, इसीलिए हमें जावेद ख़ाँ पर यक़ीन करना होगा। **(नूरबाई से)** क्या कहती हो तुम, नूरबाई?

नूरबाई : ठीक फ़रमाया रँगीले पिया।

जावेद : कल रात आप ही ने हुक्म दिया था।

मोहम्मद : हम तुम्हारा यक़ीन करते हैं।

नूरबाई : जावेद ठीक कह रहा है, रँगीले पिया! आप ही ने हुक्म दिया था।

मोहम्मद : लो भाई, अब तो हुस्न तुम्हारी वकालत करने लगा। वकील के लिए वकालत। तुम मुक़दमा जीत गये। **(अलीमर्दान से)** कहो, क्या कहना है?

छक्कन : फूटो।

बब्बन : बको-बको।

नब्बन : हाँ, हाँ...रेंकिये।

अलीमर्दान : हुज़ूर, पेशावर के सूबेदार को पाँच साल से तनख़्वाह नहीं मिली।

मोहम्मद : छत्तीसे? तुझे कब से तनख़्वाह नहीं मिली?

छक्कन : तनख़्वाह की क्या ज़रूरत। मैं तो हुज़ूर की वफ़ादारी से ज़िन्दा हूँ।

अलीमर्दान : सूबेदार साहब तो किसी तरह बिना तनख़्वाह के काम चला रहे हैं? लेकिन सिपाहियों के लिए मुश्किल हो रहा है। उन्हें भी पाँच साल से तनख़्वाह नहीं मिली।

मोहम्मद : गिलौरी देना। **(नूरबाई पान देती है।)**

अलीमर्दान : उनके बीवियाँ हैं, बच्चे हैं।

छक्कन : बिना बीवी काम नहीं चल सकता है?

बब्बन : चल सकता है।

नब्बन : क्या सबूत, बच्चे उनके ही हैं?

अलीमर्दान : हुज़ूर से दस्तबस्ता गुज़ारिश है कि पेशावर सूबे के सिपाहियों के हालात पर तवज्जह फ़रमायें।

मोहम्मद : तवज्जह फ़रमायें? **(नूरबाई को देखते हुए)** हाँ-हाँ, हम तवज्जह ही दे रहे हैं। ख़ुदाबन्द को जब कोई काम नहीं होगा, फ़ुर्सत से बैठा होगा, तब बड़ी मेहनत से, बड़े जतन से, बड़ी तवज्जह से ख़ुद अपने हाथों से नूरबाई को गढ़ा होगा।

अलीमर्दान : जहाँपनाह, थोड़ी तवज्जह की दरकार है।

मोहम्मद : तवज्जह ही दे रहा हूँ।

अलीमर्दान : मामला बहुत अहम है।

मोहम्मद : वाक़ई, यह मामला बहुत अहम है। दिल का मुआमला है। नूरबाई! तुमने मेरा दिल लेकर कहाँ रख दिया?

नूरबाई : अपने दिल में, हुज़ूर!

छक्कन : तब ही तो दिल दुगुनी चाल से दुलत्ती मार रहा है—धक-धक! धकाधक!

अलीमर्दान : ग़रीब सिपाहियों को लोगों ने उधार देना बन्द कर दिया है। तमाम सिपाही फ़ौज छोड़कर भाग गये हैं।

बब्बन : फ़ौज छोड़कर भाग गये? बहुत अच्छा हुआ।

बब्बन : क्या करते होंगे?

छक्कन : कोठे पर तबला बजाते होंगे—तिनक धिन, तिनक धिन।

अलीमर्दान : सरकारे आलिया, ख़ुदा के बाद आपका ही दर्जा है। फ़लक पर ख़ुदा और ज़मीन पर बादशाह। ख़ुदा को याद करने के पहले बन्दे आपको याद करते हैं। मैं आपके आगे दामन फैलाता हूँ। सिपाहियों की वर्दी फट गयी है। उनकी तलवारों में ज़ंग लग रही है। फिर हुज़ूर एक बहुत ही ख़तरनाक ख़बर भी है।

मोहम्मद : ख़तरनाक!

अलीमर्दान : सूबेदार साहब ने ख़ासतौर से आपको बताने के लिए कहा है।

मोहम्मद : क्या ख़बर है? क्या पेशावर में कोई नूरबाई से भी ज़्यादा ख़ूबसूरत है? हम नहीं मानते।

अलीमर्दान : ईरान का बादशाह नादिरशाह बड़े ज़ोर-शोर से फ़ौजी तैयारी में लगा है। उसकी नियत ख़राब है। उसकी बदगुमान निगाहें हिन्दुस्तान की ओर हैं। तख़्ते ताऊस पर हैं।

बब्बन : ऐसी हिम्मत! उसकी गुस्ताख निगाहें शहंशाहे-हिन्द के तख़्ते ताऊस पर!

छक्कन : मैंने नादिरशाह की दाढ़ी न मूँड दी तो हज्जाम की औलाद नहीं।

बब्बन : मैंने भी उसे घाट पर पटककर कपड़े-सा न निचोड़ा, तो मैं धोबी की औलाद नहीं।

बब्बन : **(जैसे अर्थी को आगे से दोनों कन्धों पर उठाते हुए)** राम-नाम सत्त है।

छक्कन : **(जैसे अर्थी को पीछे से एक कन्धा देते हुए)** रोज एक मत्त है।

बब्बन : **(जैसे अर्थी को पीछे से कंधा देते हुए)** हमें उठावन पत्त है।

बब्बन : राम-नाम सत्त है।

छक्कन : रोज़ एक मत्त है।

बब्बन : हमें उठावन पत्त है।

मोहम्मद : अमाँ यह कौन मर गया?

नब्बन : नादिरशाह। उसे निगमबोध घाट ले जा रहे हैं जलाने।

मोहम्मद : क्या उसे हिन्दुओं की तरह जलाओगे?

नब्बन : जी हाँ, हुज़ूर! जला देंगे। बिलकुल जला देंगे। हश्र के दिन फ़ैसले के वक़्त उसका निशाँ भी न होगा।

अलीमर्दान : यह मज़ाक़ नहीं है। नादिरशाह की नियत बिलकुल ठीक नहीं है। सल्तनत के लिए वह एक ख़तरा है।

मोहम्मद : अलीमर्दान क़ज़लबाश! यह सही है कि हमारी दिल्ली पहाड़ पर नहीं है। हम मैदान के लोग बहुत दूर तक देख नहीं पाते। तुम्हारा सूबेदार पहाड़ पर रहता है। इसलिए कुछ ज़्यादा ही दूर देख लेता है। उसी को कुछ ईरानी सिपाही दिखाई पड़ गये होंगे। हमसे पैसा ऐंठने के लिए सूबेदार अफ़साना नवीस बन गया। लेकिन

हम भी कम चालाक नहीं हैं। हम नहीं आने वाले ऐसे झाँसे में।

अलीमर्दान : लेकिन आलमपनाह! पाँच साल से तनख़्वाह नहीं मिली...

मोहम्मद : वकालत पनाह, थोड़ सबर करो। तनख़्वाह नहीं मिली तो अब मिल? जायेगी। हुकूमत के काम में देर-सबेर तो होती ही है। हुकूमत कोई शराब तो नहीं, जो गले में उतारी और सरूर आ गया। हुकूमत का काम चलता है—रफ़्ता-रफ़्ता, धीरे-धीरे।

नब्बन : रफ़ता-रफ़ता!

बब्बन : धीरे-धीरे!

छक्कन : धीरे...धीरे!

मोहम्मद : हम बंगाल के सूबेदार को हुक्म दिये देते हैं। बरसात के बाद पेशावर रुपये पहुँच जायेंगे। बाँट देना सिपाहियों को एक साल की तनख़्वाह।

अलीमर्दान : परवरदिगार...!

मोहम्मद : सरकार के काम में जल्दबाज़ी ठीक नहीं। उसका अपना तरीक़ा है। ढंग है। उसमें सब कुछ होता है लेकिन आहिस्ता-आहिस्ता। अब तुम जा सकते हो।

अलीमर्दान : ग़रीबपरवर!

मोहम्मद : **(सख़्ती से)** हमने तुम्हें जाने का हुक्म सादिर किया है।

(अलीमर्दान फ़र्शी सलाम करके जाता है। जावेद उसके साथ जाता है। उन दोनों के पीछे, बब्बन, नब्बन, छक्कन दरवाज़े पर एक स्वर में कहते हैं—'आहिस्ता-आहिस्ता'।)

मोहम्मद : कम्बख़्त ने मुँह का ज़ायका ख़राब कर दिया। **(इधर-उधर ढूँढते हुए)** वह कहाँ है?

छक्कन : वह?

नब्बन : वह?

बब्बन : वह?

मोहम्मद : **(झुँझलाकर)** वही।

छक्कन : वही?

बब्बन : **(ढूँढते हुए)** वही।

नब्बन : **(इधर-उधर झाँककर)** कहाँ गया वह?

नूरबाई : मेरे आक़ा, मेरे अलावा भी किसी की तलाश है?

मोहम्मद : उँह, पीकदान।

छक्कन : हुज़ूर को पीकदान की क्या ज़रूरत? सारा मुल्क आपका है। उसके बाशिन्दे आपके हैं। जहाँ चाहें पीक दें।

मोहम्मद : तुम्हारे ऊपर पीक दें?

छक्कन : **(कमर से बँधे पटक को खोलकर हथेलियों में रखकर बादशाह के सामने पेश करता है। रँगीला उसमें पीक थूकता है।)** ज़हे क़िस्मत। **(पीक के सने पटके को चुनरी की तरह सिर पर ओढ़ता है।)**

छक्कन : मैं तो रँगीले के रँग राती। **(गाते हुए)** रँगीला मेरा साँचो प्रीतम...

मोहम्मद : **(ठहाका लगाते हुए)** छत्तीसे! नहीं, नहीं। हम तुम्हारे प्रीतम नहीं। पूछ लो नूरबाई से। हमें यह शौक़ नहीं। हम तुम्हारे प्रीतम नहीं। साला छत्तीसा, बड़ा हरामी है। **(ठहाका मारकर हँसता है। नब्बन और बब्बन हँसी में साथ देते हैं।)**

दृश्य : छह

(शहर कोतवाल एक छोटे तख्त पर गाव तकिये के सहारे बैठा है। पान की गिलौरी मुँह में दबाकर तम्बाकू मुँह में डालता है, तब ही उसकी निगाह प्रवेश करते हुए सलीम पर पड़ती है।)

कोतवाल : आ गये आप। आइये, आइये तशरीफ लाइये। आप ही का इन्तज़ार कर रहा था, बन्दानवाज़।

(सलीम पीछे मुड़कर ऐसे देखता है, जैसे कोतवाल उसके पीछे खड़े किसी दूसरे को खुशामदेद कर रहा हो।)

कोतवाल : मैं किसी और से नहीं, आप ही से अर्ज़ कर रहा हूँ, सलीम शाह!

सलीम : **(हैरत से)** मुझसे?

कोतवाल : जी हाँ। आप ही से कह रहा हूँ खुशामदेद।

सलीम : यह तो आपकी ज़र्रेनवाज़ी है, वर्ना बन्दा किस क़ाबिल है। **(झुककर फ़र्शी सलाम करता है।)**

कोतवाल : आपकी क़ाबलियत तो हम जानते हैं। यह तो मुझे अब पता चला है कि दिल्ली में आप जैसे नगीने बसते हैं। हमें आप पर फ़ख़्र है। दिल्ली को आप पर नाज़ है।

सलीम : **(तारीफ़ से शर्माया-सा)** जी...

कोतवाल : आपने हमारी कल रात चाँदनी-चाँदनी कर दी। कल रात की ख़ुशबुयें आज भी हवाओं में इतरा रही हैं। उसके तसव्वुर में हम नशे-नशे में हैं। हमारी चढ़ी-चढ़ी आँखें, बहकी-बहकी बातें, कल रात का अफ़साना बयाँ कर रही हैं। इसके लिए हम आपका शुक्रिया अदा करना चाहते हैं।

सलीम : आप ख़ुश हो गये। बस और मुझे कुछ नहीं चाहिए। सरकार, मुझे अपनी चाकरी में रख लें। सिपाही की नौकरी दे दें।

कोतवाल : सिपाही की नौकरी तो देंगे ही। लेकिन हम तुम्हें कुछ इनाम भी देना चाहते हैं। तुमने हमें नायाब तोहफ़ा दिया है, हम भी तुम्हें उतना ही नायाब इनाम देना चाहते हैं। बोलो, क्या लोगे?

सलीम : जी...

कोतवाल : शरमाओ मत। बेझिझक होकर कहो। हाँ...हाँ, कहो।

सलीम : जी...कुछ...भी...।

कोतवाल : तुम तो बहुत शर्मीले हो। **(गले से मोती की माला उतारकर)** यह मोती की माला हम तुमको देते हैं। लो **(सलीम नजदीक आकर मोती की माला लेने को हाथ बढ़ाता है, तो कोतवाल उसमें थूक देता है। सलीम हैरानी से हाथ खींचता है। थोड़ी देर सन्नाटे में खड़ा रह जाता है।)**

सलीम : **(कोतवाल का पैर पकड़ते हुए)** ख़ता माफ़ हुज़ूर...

(कोतवाल सलीम को लात मारता है। सलीम गिर पड़ता है।)

सलीम : माई-बाप!

कोतवाल : कहता है हुज़ूर की ख़िदमत में दोशीज़ा पेश है। वह निकली तेरी अम्मी। साला पकड़ लाया चावड़ी बाजार की हर्राफ़ा रण्डी। हमें बताता है मासूम दोशीज़ा लाया हूँ। अरे हम दिल्ली के कोतवाल हैं। क़िलए मोअल्ला के क़िलेदार हैं। यहाँ की राई-रत्ती तक का हमें पता है। दाई से पेट छिपाने चला है।

सलीम : **(कोतवाल का पैर पकड़ते हुए)** ख़ता माफ़, आलीजाह!

कोतवाल : **(पैर छुड़ाकर अपनी जगह बैठते हुए)** हमें दोशीज़गी की तलाश है। हम दिल्ली के कोतवाल हैं। क़िलए मोअल्ला के क़िलेदार हैं। **(उगालदान में पान थूकता है)** सब झूठ है। न हम कोतवाल हैं। न क़िलेदार। जानते हो, हम क्या हैं? असलियत में क्या हैं?

(सलीम सिर झुकाये बैठा रहता है।)

कोतवाल : कोई नहीं जानता। सिर्फ़ हम जानते हैं। **(शराब की बोतल मुँह से लगाकर आधी बोतल पीकर)** हम बताते हैं तुम्हें। **(खड़े होकर)** हम हैं जल्लाद। जल्लादे-आज़म। सल्तनत के सबसे बड़े जल्लाद। सल्तनत को .ख़तरा है फूलों से, मासूम फूलों से। इसलिए फूल बनने के क़ब्ल ही मासूम गुंचों को तोड़ दिया जाता है, मसल दिया जाता है। कौन मसलता है? मैं! मैं सल्तनत का जल्लादे-आज़म।

पता नहीं किसमें मुराद का ख़ून हो? कौन बहादुर शाह की किस बेटी के किस दामाद का वारिस हो और वह तख़्त का दावेदार बन जाये? कौन शहरयार या दानियाल से अपना रिश्ता निकाल ले? कौन दाराशिकोह का हक़ माँगता सामने आ खड़ा हो? सल्तनत को बहुत अन्देशे हैं। उसे बड़े ख़तरे हैं, उन सबसे, जो मासूम हैं, हसीन हैं। चमन के हँसते गुलों से ख़तरा है। बाग़ की बुलबुलों से ख़तरा है। बादे-सबा से ख़तरा है। फ़लक के फैलाव से ख़तरा है। उसे उस सबसे ख़तरा है जो पाक है, जो मासूम है, जो सच है, जो दोशीज़ा है। और उनकी दोशीज़गी मसलना मेरा काम है। गुज़रे

बादशाहों और शहज़ादों की औलादों की मासूम गर्दनों को जिस्म से अलग करना...मासूम हसीनाओं को हरम तक पहुँचाना...क्योंकि मैं सल्तनत का जल्लादे-आज़म हूँ। **(शराब की बोतल मुँह से लगाकर पीता है)** ज़माने से दोशीज़गी मिटाकर मैं ख़ुद दोशीज़गी के लिए भटक रहा हूँ। **(अचानक रूँधे गले से)** जब मैं बंगाल के बरसाती मैदानों में और दकन के गर्म पठारों में अपने तेग़ के जौहर दिखा रहा था, तब मेरी दोशीज़ा बहन शाही हरम में पहुँच चुकी थी और जब मैं दिल्ली वापस आया तो वह लापता थी। बहुत तलाशा, बहुत तलाशा। तब वह मिली। हाँ, भोगल के एक चकले में रण्डी बनी हुई। और तब से मैं दोशीज़गी तलाश रहा हूँ ज़माने की खोयी हुई दोशीज़गी। अगर चाहते हो सिपाही बनना, तो लाओ एक दोशीज़ा। हसीन; कमसिन, मासूम, मुलायम, उठान पर भरी-भी कसमसाती दोशीज़ा...और मैं मसल दूँ उसकी दोशीज़गी। जैसे मेरी बहन कुचल दी गयी। ला सकोगे ऐसी दोशीज़ा? मैं तुम्हें बादशाह का ख़ास सिपाही बनवा दूँगा। और तुम्हारा मुँह रुपयों से भर दूँगा। बोलो, जवाब दो। ज़वाब दो।

(सलीम सिर झुकाये बैठा रहता है।)

दृश्य : सात

(स्थान : लालक़िले में बादशाह की रंगे-महफ़िल।)

मोहम्मद : जावेद कहता है तुम ईरान के सफ़ीर हो। इसलिए हमारे मेहमान हो। लो भाई, मान लिया। तो कहिये, मेहमान साहब?

तुर्कमान : ईरान के शाह नादिरशाह ने इस नाचीज़ के ज़रिये—शहंशाहए हिन्दोस्तान के लिए दोस्ती का पैग़ाम भेजा है।

मोहम्मद : ले लिया पैग़ाम। आगे बोलो।

नब्बन : रँगीले पिया, अकेले-अकेले ही ले लिया। बाँटियेगा नहीं।

मोहम्मद : हम तो भूल ही गये। देखो मियाँ, क्या नाम है तुम्हारा?

तुर्कमान : मोहम्मद ख़ाँ तुर्कमान।

मोहम्मद : तुर्कमान ख़ाँ, हमारे दिल में तुम्हारे शहंशाह के लिए बड़ी इज्ज़त है। बड़ी मोहब्बत है। सुनते हैं कमाल के इन्सान हैं वह। भेड़ें चराते-चराते हुकूमत चलाने लग गये।

छक्कन : वल्लाह!

मोहम्मद : मामूली इन्सान यह नहीं कर सकता। इसीलिए हम दिल से उनसे मोहब्बत करते हैं। **(जावेद से)** ठीक कहा न? **(अपने आपसे)** बहुत कह लिया। अब तो हलक़ सूख रहा है। **(प्याला नूरबाई की ओर बढ़ाता है।)**

छक्कन : साक़ी देर न कर। जेठ-बैसाख में सावन की घटा-सी बरस।

(नूरबाई शराब उड़ेलती है।)

मोहम्मद : तुर्कमान ख़ाँ...

तुर्कमान : इस गुलाम का नाम मोहम्मद ख़ाँ तुर्कमान है।

बब्बन : आलीजाह एक मियाँ तुर्कमान तो दिल्ली में भी थे। उन्होंने दिल्ली दरवाज़े के पच्छिम में दरवाज़ा बनवाया था, लेकिन वह तो मर चुके हैं।

नब्बन : क्या पता, भूत बनकर आया हो।

मोहम्मद : तुर्कमान ख़ाँ, हम तुम्हारे शाह की इज्ज़त करते हैं, इसलिए हमने तुमको दीवाने-ख़ास में बुलाया है। अपने यारों की महफ़िल में बुलाया है। तुम्हारे शाह का भेजा पैग़ाम हमने लिया और अपने दोस्तों में बाँटा। **(पैग़ाम को मसख़रो की ओर फेंकने का अभिनय करता है।**

छक्कन : **(फेंके हुए पैग़ाम को रोकने का अभिनय करते हुए)** यह लिया!

नब्बन : वाह! वल्लाह!

मोहम्मद : हमारी दोस्ती का पैग़ाम अपने शाह को ले जाकर दो। उनसे कहो कि वह भी इसे अपने यारों में बाँट दें, जैसे हमने बाँटा।

नब्बन : वाह, रँगीले पिया! वाह! क्या बात बनी है!

छक्कन : बराबर की चोट!

बब्बन : नहले पर दहला!

नब्बन : हथौड़ी पर हथौड़ा।

मोहम्मद : अब तुम जा सकते हो, तुर्कमान ख़ाँ!

तुर्कमान : ग़ुलाम का नाम मोहम्मद ख़ाँ तुर्कमान है।

मोहम्मद : ठीक है। ठीक है। नाम तुम्हारा कुछ भी हो, मोहम्मद ख़ाँ या तुर्कमान ख़ाँ...

छक्कन : घसीटे या कल्लू...।

नब्बन : फ़कीरे या लल्लू...।

मोहम्मद : अब तुम जा सकते हो।

बब्बन : अब फूटो भी यार।

तुर्कमान : शाहे ईरान का पैग़ाम अभी बाक़ी है अगर इजाज़त दें...

मोहम्मद : बोलो न। तकल्लुफ़ किस बात का है।

बब्बन : शर्माता है, बेचारा।

तुर्कमान : आपके सिपाही ईरानी हद पार करके, ईरानी सल्तनत में घुस आये, और फ़सल काटकर ले गये। ईरानी सूबेदार ने पेशावर के सूबेदार से शिकायत भी की, लेकिन उसने कोई जवाब नहीं दिया।

मोहम्मद : बस, फ़सल ही तो काटकर ले गये?

छक्कन : भेड़ तो नहीं उठा ले गये, जो ईरानी शाह परेशान है।

तुर्कमान : यह सिर्फ़ फ़सल की बात नहीं है। यह ईरानी हुकूमत की शान में गुस्ताख़ी है। ईरानी ग़ैरत पर डाका है।

मोहम्मद : **(आश्चर्य से)** ईरानी हुकूमत में गुस्ताख़ी! ईरानी ग़ैरत पर डाका!

तुर्कमान : शाहे ईरान, शाहे हिन्दोस्तान से दोस्ती बनाये रखना चाहते हैं, इसलिए उन्होंने चाहा है कि शाहे हिन्दोस्तान दस हज़ार अशरफ़ियों का मुआवज़ा दें नहीं तो...

मोहम्मद : नहीं तो...? **(थोड़ी देर का सन्नाटा)** शाहे ईरान हिन्दुस्तान पर हमला कर देगा?

नब्बन : तेरी तो...

छक्कन : हिम्मत तो देखो साले की।

बब्बन : दो कौड़ी का एलची। धमकी देता है हमारे आक़ा को। हरामी की औलाद।

नब्बन : खड़े क्या देखते हो जावेद? साले का सिर क़लम कर दो।

छक्कन : न रहेगा बाँस, न बजेगी बाँसुरी।

बब्बन : रँगीले पिया, हुक्म तो दीजिये। मैं साले को पहुँचा दूँ जमुना-घाट। कर दूँ राम-नाम सत्त साले का।

मोहम्मद : जावेद, क्या सज़ा दी जाये इस नकचढ़े पिल्ले को?

जावेद : ख़ता माफ़ आलमपनाह। यह एलची है। इनकी जान की सलामती आलमपनाह की ज़िम्मेदारी है।

मोहम्मद : तो जाओ तुर्कमान ख़ाँ, हमने तुमको माफ़ किया। जावेद ने कहा और हमने मान लिया।

तुर्कमान : ग़ुलाम परवर-दिगार का शुक्र गुजार है। लेकिन जान की अमान पाऊँ तो अर्ज़ करूँ।

मोहम्मद : हाँ-हाँ इजाज़त है।

तुर्कमान : शाहे ईरान के लिए आपके जवाब की दरकार है।

मोहम्मद : अमाँ जावेद, किस घामड़ को पकड़ लाये। अभी तक यह हमारा जवाब नहीं समझा। कैसा चुग़द है। **(तुर्कमान से)** कहाँ के रहने वाले हो मियाँ तुर्कमान?

तुर्कमान : उज़्बेकिस्तान।

नब्बन : उज़्बक है बेचारा।

छक्कन : तभी तो।

मोहम्मद : यह उज़्बेकिस्तान कहाँ है?

जावेद : समरक़ंद के शामाल।

मोहम्मद : भाई, हम तो दिल्ली के बाहर कभी गये नहीं। बस बरसात में मेहरौली तक चले जाते हैं, लेकिन हमें हाल सब जगहों का मालूम है। पूरा पक्का।

नब्बन : रँगीले पिया ने कोई जिन्न साधा है...?

छक्कन : वही घुमा लाया होगा?

मोहम्मद : नहीं-नहीं। यह बात नहीं।

बब्बन : तब? ख़्वाब में देख लिया?

मोहम्मद : नहीं।

नब्बन : तब?

मोहम्मद : किसी मुल्क को जानना हो, तो उस मुल्क की औरत को जानो।

नब्बन : **(हैरत से)** अच्छा!

मोहम्मद : बस, उस मुल्क के बारे में सब कुछ जान जाओगे।

बब्बन : वाह, कितना आसान नुस्ख़ा है...

नब्बन : और कितना रँगीला!

मोहम्मद : बंगाली औरत को देखो—साँवरी, काली-कजरारी आँखें, लहराते घने काले बाल, रसीली-रसभरी-सी। बस, हमने जान लिया बंगाल में हर समय घने काले बादल छाये रहते हैं। उसकी साँवरी अदा वहाँ के सब्ज़ खेतों की देन है। **(गर्व से)** अब बताओ, हमने सही जाना बंगाल?

छक्कन : कमाल है, रँगीले पिया,! अल्लाह का ख़ास करम है आप पर।

मोहम्मद : हम फ़िरंग मुल्क नहीं गये। लेकिन हमने फ़िरंगी औरतों को जाना है। उनके ज़रिये जानते हैं कैसा है वह मुल्क।

बब्बन : कैसा है वह मुल्क?

मोहम्मद : फ़िरंगी औरत होती—गोरी, सफ़ेद भभूक-सी। हमने जान लिया कि फ़िरंगी मुल्क के पहाड़ों पर हमेशा बर्फ़ जमी रहती है।

(नब्बन सर्दी में काँपने का अभिनय करता है।)

मोहम्मद : इससे हमारा अन्दाज़ है कि फ़िरंगी मुल्क में बहुत सरदी होती होगी। **(रसिकता से)** एक बात है, मियाँ!

छक्कन : इरशाद।

मोहम्मद : **(नूरबाई से)** इसीलिए फ़िरंगी औरतें थोड़ी ठण्डी होती हैं।

नूरबाई : हटिये भी। **(मोहम्मद शाह ठठाकर हँसता है।)**

(तीनों मसख़रे साथ में हँसते हैं।)

नब्बन : हुज़ूर, उज़्बेकिस्तान कैसा है?

मोहम्मद : **(सोचते हुए)** उज़्बेकिस्तान? ज़मीन तो वहाँ की कुछ पथरीली है, लेकिन इतनी पथरीली नहीं कि वहाँ कुछ न उगे। वहाँ हरियाली भी है। अच्छी खेती होती है। कोई पत्थर तोड़ सके तो नीचे मीठे पानी के चश्मे मिलते हैं...

बब्बन : कैसे जाना?

मोहम्मद : हमने उज़्बेक औरतों को जाना है। वैसे तो थोड़ी कड़ियल होती हैं—अख़रोट के छिलके-सी। लेकिन एक बार ऊपरी सख़्ती तोड़ दो...तो बस भीतर मुलायम गूदा-ही-गूदा। क्यों, ठीक कहा न, तुर्कमान ख़ाँ? तुमको भी तो तजुर्बा होगा। बाहर से अख़रोट-सी सख़्ती और भीतर की गूदेदार नरम गरमी। तुम्हारी बेगम भी तो ऐसी ही होगी?

तुर्कमान : **(तलवार खींचकर)** ख़बरदार!

(बिजली की तेज़ी से जावेद तुर्कमान की पीठ पर तलवार रख देता है।)

जावेद : एक क़दम भी आगे बढ़े तो...**(तुर्कमान अपनी जगह पर रुक जाता है।)** अगर जान की सलामती चाहते हो, तो तलवार हाथ से गिरा दो। **(तुर्कमान तलवार हाथ से गिर जाने देता है। बब्बन डरते-डरते तुर्कमान के पास जाता है, और तलवार उठाकर भागता है।)**

मोहम्मद : जाम ख़ाली है, साक़ी।

नूरबाई : मुए ने रंग में भंग कर दिया। **(शराब का प्याला मोहम्मदशाह को देती है।)**

(छक्कन धीरे-धीरे तुर्कमान के पास जाता है। उसकी ठुड्डी हाथ से छूकर चूमता है। तुर्कमान ग़ुस्से से घूरता है किन्तु असहाय है। छक्कन धीरे-धीरे उसके बढ़े पेट पर हाथ फेरता है।)

छक्कन : अरे बब्बन, इसका पेट कितना बड़ा है?

नब्बन : इतना बड़ा पेट?

छक्कन : लगता है पेट रह गया है।

बब्बन : पैर भारी हो गये हैं।

छक्कन : पैर भारी हो गये हैं? देखें तो **(जब तुर्कमान का पैर उठाना चाहता है, तुर्कमान पैर जमा लेता है। पैर उठाने में पूरी ताक़त लगाता है, लेकिन उठा नहीं पाता। कोशिश में गिर पड़ता है। उठकर धूल झाड़ते हुए)** वाक़ई, इसके पैर भारी हो गये हैं। उठते ही नहीं।

बब्बन : खड़े-खड़े क्या देख रहे हो। ख़ुशी मनाओ। **(दो प्याले आपस में बजाता हुआ पूरे स्टेज पर चक्कर लगाता है।)**

नब्बन : **(तुर्कमान के पेट पर हाथ फेरते हुए)** कितने महीने का होगा?

छक्कन : नवाँ महीना होगा।

बब्बन : क्या! नवाँ महीना?

छक्कन : **(हिजड़ों की नक़ल करते हुए)** नब्बन के बाबू! ओ नब्बन के बाबू!

नब्बन : हाँ, जी **(ताली बजाता है।)**

छक्कन : लो, नवाँ महीना लागा...

नब्बन : हाँ, जी। **(ताली बजाता है।)**

छक्कन : दाई को बुलाओ...

नब्बन : हाँ, जी **(ताली बजाता है।)**

बब्बन : **(औरत की तरह सर पर कपड़ा डालकर)** आयी दाई...

छक्कन : हाँ, जी। **(ताली बजाता है।)**

बब्बन : लो, आ गयी दाई...

छक्कन : हाँ, जी। **(ताली बजाता है।)**

बब्बन : तो पेट दिखाओ...

छक्कन : हाँ, जी। **(ताली बजाता है।)**

बब्बन : **(तुर्कमान के पेट पर हाथ फेरते हुए)** तो पेट दिखाओ...

छक्कन : हाँ, जी **(ताली बजाता है।)**

नब्बन : **(बब्बन की नक़ल करते हुए)** तो पेट दिखाओ...

छक्कन : हाँ, जी। **(ताली बजाता है।)**

(नब्बन और छक्कन इसी को बार-बार दोहराते हैं। उसी दौरान बब्बन तुर्कमान की कमर से कटार निकालता है।)

बब्बन : **(अचानक कटार दिखाते हुए)** तो पेट बचाओ **(तुर्कमान के पेट में कटार भोंकने का अभिनय करता है, किन्तु मारता नहीं।)**

छक्कन : हाँ, जी। **(ताली बजाता है।)**

बब्बन : **(कटार भोंकने का अभिनय करते हुए)** तो पेट बचाओ।

छक्कन : हाँ, जी।

नब्बन : हाँ, जी।

बब्बन : तो पेट बचाओ। **(अचानक तुर्कमान के पेट में कटार भोंक देता है।)**

(तुर्कमान चीख़ के साथ गिर पड़ता है। बब्बन खून से रँगी कटार उठाता है।)

छक्कन : **(खुशी से)** मर गया साला!

नब्बन : नादिर की औलाद! **(बब्बन खून से रँगी कटार मोहम्मदशाह को देता है।)**

मोहम्मद : कितना ख़ूबसूरत रंग है। इसको देखकर टेसू के फूल याद आ गये। होली कब खेली जायेगी?

(दृश्य जड़ (फ्रीज़) हो जाता है। नेपथ्य में समवेत गाने की आवाज़ आती है–"फागुन आयो री सखी, फागुन आयो री। साजन आयो न अली, सावन आयो री।" जैसे-जैसे गायन का स्वर तीव्र होता है, प्रकाश धीमा होता है।)

दृश्य : आठ

(सलीम अपना ढिंढोरा एक तरफ़ रख के, बड़े अदब से हाथ बाँधकर, निगाहें नीची करके, खड़ा हो जाता है–जैसे किसी का इन्तज़ार कर रहा हो।)

(जावेद का प्रवेश)

सलीम : **(दौड़कर क़दमों पर गिरते हुए)** ग़रीबपरवर!

जावेद : क्या है?

सलीम : हुज़ूर का इक़बाल बना रहे। दिन-दूनी रात चौगुनी तरक़्क़ी हो।

जावेद : क्या बात है?

सलीम : बन्दा जानता है कि सरकार एक दिन सल्तनत के सिपहसालार बनेंगे। फिर वज़ीर बनेंगे। हुज़ूर के नाम का डंका हिन्दोस्तान की सरहदों के पार, काबुल, क़न्दहार और फ़ारस में बजेगा।

जावेद : **(झुंझलाकर)** क्या चाहते हो?

सलीम : अलीजाह के निगाहे-करम की दरकार है।

जावेद : इसीलिए रास्ता रोकने यहाँ खड़े हो?

सलीम : ख़ता माफ़ हो हुज़ूर-पुरनूर। मरता क्या न करता। तेग़ आपके हाथ में है। गर्दन चाक कर दें, लेकिन एक मौक़ा अपनी ख़िदमत का दें।

जावेद : कैसी ख़िदमत?

सलीम : अपनी चाकरी में रख लें। अपना प्यादा बना दें, सिपाही बना लें। फिर देखिये मेरी वफ़ादारी के जौहर। सरकार बहादुर के लिए अपनी जान निछावर करके ही मेरी रूह को सकून हासिल होगा।

जावेद : सिपाही बनना चाहते हो?

सलीम : सरकार की ख़िदमत मेरी ज़िन्दगी की तमन्ना है।

जावेद : तलवार चलाना जानते हो?

सलीम : तलवार...**(हकलाते हुए)** तलवार चलाना तो हमारा ख़ानदानी पेशा है। मेरे दादा के दादा के नगड़दादा शहंशाह बाबर की फ़ौज में सिपाही थे। उनकी तलवार के जौहर ने इब्राहिम लोदी की फ़ौज में खलबली मचा दी थी।

जावेद : तुम अपने बारे में बताओ?

सलीम : मेरे नाना के नाना के नगड़नाना समरक़न्द के थे। उनकी तलवार की धार से निकला लहू का दरिया पेशावर से कटक, मुल्तान और लाहौर होता हुआ दिल्ली तक बहा था। उन्हें लोग आफ़ताबे-तेग़ कहते थे। उनकी तलवार की चमक में सबके दीदे चौंधिया जाते थे। वह तो...

जावेद : **(एकदम बेसब्री से डाँटते हुए)** ख़ामोश। तुम बहुत बात करते हो।

सलीम : सरकार, हुज़ूर-पुरनूर..

जावेद : **(अपनी कमर से तलवार निकालकर)** यह लो तलवार। **(तलवार सलीम को पकड़ाता है फिर दूसरी तलवार अपनी कमर से निकालता है।)** हो जाये दो-दो हाथ। यह लो, बचाओ अपने आपको। **(वार करता है। सलीम की तलवार छूटकर दूर जा? गिरती है।)**

जावेद : तलवार उठाकर इधर लाओ।

(सलीम डरते-डरते तलवार उठाकर जावेद को देता है।)

जावेद : **(तलवार लेकर म्यान में रखते हुए)** तुम बातों के बहादुर हो। शीरीं ज़बान से जंग नहीं फ़तह होती। **(जाने को बढ़ता है।)**

सलीम : **(जाते हुए जावेद के पीछे से)** मेरे दादा हिजड़े थे।

(जाता हुआ जावेद रुक जाता है।)

जावेद : **(सलीम के नज़दीक आकर)** तुम्हारे दादा हिजड़े थे?

सलीम : जी हाँ, सरकार!

जावेद : **(सख़्ती से)** और तुम्हारे अब्बा भी हिजड़े थे?

सलीम : जी हाँ, माई-बाप!

जावेद : तुम हिजड़े की औलाद हो?

सलीम : जी हाँ, माई-बाप **(जावेद अचानक सलीम को एक जोरदार थप्पड़ मारता है। सलीम दूर जाकर गिरता है।)**

(तेज़ कदमों से जावेद नेपथ्य में जाता है। घोड़े पर बैठकर उसके जाने की आवाज़ सुनाई देती है। मायूस सलीम अपने गाल सहलाता है।)

दृश्य : नौ

(स्थान : लाल क़िले में बादशाह की रंगे-महफ़िल)

(नब्बन, बब्बन और छक्कन गाते हुए नाच रहे हैं–"फागुन आयो री सखी, फागुन आयो री। साजन आयो न अली, सावन आयो री।" नूरबाई भी नाच रही हैं। मोहम्मदशाह भी ढपली बजाते हुए गा रहा है।–सब मस्ती में हैं। नाच गाना चरम पर पहुँचता है, तब ही एक बहुत तेज़ विस्फोटक ध्वनि और एकदम सन्नाटा। सब-के-सब अपनी जगह विभिन्न मुद्राओं में जड़ (फ्रीज़) हो जाते हैं। दौड़ते हुए एक सिपाही आता है।)

सिपाही-1 : ईरान के शहंशाह नादिरशाह की फ़ौजों ने इस्फ़हान, क़न्दहार काबुल, जलालाबाद और पेशावर को फ़तह करके अटक पर घेरा डाल दिया है। **(जिस तेज़ी से आया उसी तेज़ी से सिपाही भागता हुआ प्रस्थान करता है।)**

मोहम्मदशाह : **(शराब के नशे में)** नादिरशाह! **(वितृष्णा से)** वह ख़ुरासानी गड़रिया। किस साले घामड़ का नाम ले लिया। मुँह का ज़ायका ख़राब हो गया। थू!

(पहले के समान नाच-गाना प्रारम्भ हो जाता है। थोड़ी देर बाद वैसी ही विस्फोटक, तेज़ आवाज़ के साथ। भागते हुए दूसरे सिपाही का प्रवेश)

सिपाही-2 : ईरान के शहंशाह नादिरशाह की बिजली की रफ़्तार से बढ़ती फ़ौजें वज़ीराबाद, एमनाबाद, गुजरात को नेस्तनाबूद करके लाहौर तक पहुँच गयी हैं।

मोहम्मदशाह : **(शराब के नशे में)** कौन नादिरशाह? कैसा नादिरशाह? कहाँ का नादिरशाह? हमसे क्या लेना-देना उसका। हम किसी नादिरशाह को नहीं जानते। हम तो सिर्फ़ उसको जानते हैं जिसका नाम है—नूरबाई। **(ऐलान करता है।)** वह मुस्कुरा दे तो चमन में बहार आ जाये। वह अपने हसीन रुख़ से नक़ाब हटा दे तो सुबह हो जाये। **(नूरबाई अँगड़ाई लेती है।)** यह अँगड़ाई तो बस क़यामत है! निगाह भरकर मुर्दे को देख ले तो वह जी उठे।

(नूरबाई नजदीक तख़्त पर बैठकर, शुक्रिया के अन्दाज में झुककर सलाम करती है।)

मोहम्मदशाह : **(खींचकर उसे सीने से लगाता है।)** जियो नूरबाई, जियो। हज़ारों साल जियो।

(सब पहले के समान नाचने-गाने लगते हैं। तब ही एक विस्फोटक ध्वनि के साथ सन्नाटा छा जाता है। दौड़ते हुए तीसरे सिपाही का प्रवेश।)

सिपाही-3 : शहंशाह नादिरशाह की फ़तह्याब ईरानी फ़ौज लाहौर से चल कर पानीपत को रौंदती हुई करनाल आ पहुँची है। उनका अगला हमला दिल्ली पर होगा। **(ख़तरा सुनाकर सिपाही का तेज़ी से प्रस्थान)**।

मोहम्मदशाह : यारों, सुना तुमने? वह ख़ुरासानी लफ़ंगा, क्या नाम है उस कमबख़्त का—**(सोचते हुए)** नादिर? हाँ, नादिर। मुग़ल सल्तनत से टक्कर लेने चला है स्साला।

नब्बन : इसे कहते हैं चींटियों के पर निकलना।

बब्बन : भेड़ें चराने निकला होगा बेचारा। हाँफता-हाँफता दिल्ली की तरफ़ भटक आया।

छक्कन : उसकी फौज़ में तो भेड़ें ही भेड़ें होंगी।

मोहम्मदशाह : हम लड़ेंगे?

नब्बन : बेशक लड़ेंगे।

छक्कन : कैसे लड़ेंगे।

बब्बन : कैसे लड़ेंगे?...**(सोचते हुए)** बस मोर्चे पर एक दर्जन हसीनाओं को भेज देंगे। वह जायेंगी लचकती; मटकती, शर्माती। नाज़ोअदा से नज़रें घुमाकर इधर निगाहे-नाज़ का तीर छोड़ा, उधर मूँजी की पलटन बेहोश होकर गिर न पड़े, तो मैं धोबी की औलाद नहीं।

मोहम्मदशाह : **(निश्चय से)** नहीं, हम लड़ेंगे।

नब्बन : कैसे लड़ेंगे?

मोहम्मदशाह : तलवार से लड़ेंगे।

छक्कन : तलवार?

बब्बन : तलवार!

नब्बन : तलवार!

छक्कन : तलवार की क्या ज़रूरत! क़ैंची लेकर जायेंगे और मूंड लेंगे उसको और उसकी भेड़ों को।

मोहम्मद : हम तलवार से लड़ेंगे। हममें मुग़ल ख़ून अभी बाक़ी है। उस बदख़्वार नादिर के बच्चे को छठी का दूध न पिला दिया...**(जोश में उठ खड़ा होता है लेकिन कराहकर गिरने लगता है। सब दौड़कर पकड़ते हैं)** जोश में भूल ही गया था कि घुटनों में गठिया का दर्द है। **(नूरबाई का सहारा लेकर एक-एक घुटना सीधा करता है। नब्बन घुटनों की मालिश करता है।)** अब ठीक है।

नूरबाई : मेरे आक़ा, आपने तो डरा ही दिया था। भाड़ में जाये नादिरशाह। अपनी सेहत का ख़्याल रखना चाहिए। जी है तो जहान है। सेहत पहले, मुई लड़ाई बाद में।

नब्बन : गठिया है तो क्या?

बब्बन : आलमपनाह क्या सवारी करते हैं? धकाधक, धकाधक।

छक्कन : किसकी?

बब्बन : घोड़ी की! क्यों नूरबाई? ठीक कहा न!

नूरबाई : धत्त।

मोहम्मद : **(झुंझलाकर)** अरे भाई, हमें लड़ने जाना है। क्या किसी के पास एक तलवार भी नहीं है?

नब्बन : तलवार? **(इधर-उधर खोजता है!)**

छक्कन : तलवार?

बब्बन : तलवार? **(किसी के पास तलवार नहीं है, सब इधर-उधर देखते हैं।)**

जावेद ख़ाँ : **(प्रवेश करके)** जहाँपनाह की ख़िदमत में तलवार हाज़िर है। **(कमर में बँधी तलवार म्यान से निकालकर दोनों हाथों से पेश करता है।)**

मोहम्मद : तुम सब उल्लू के पट्ठे हो। **(जावेद से तलवार लेता है।)**

नब्बन : हुज़ूर ने ख़िताब दिया है। **(झुककर सलाम करता है।)**

छक्कन : अब ख़िलअत भी मिलेगी। **(झुककर सलाम करता है।)**

बब्बन : जागीर की उम्मीद भी है। **(सलाम में झुकता है।)**

मोहम्मद : तुम लोगों के पास तलवार भी नहीं है। सिर्फ़ जावेद के पास मिली।

बब्बन : उसके पास तो होनी ही चाहिए।

मोहम्मद : (हाथ में उठाकर तलवार को देर तक देखता है। चेहरे पर उदासी छा जाती है। नेपथ्य में करुँगा संगीत) अब बहुत देर हो गयी (तलवार फेंक देता है।)

दृश्य : दस

(बानो अपनी कोठरी से पानी का घड़ा उठाकर बाहर आती है, फिर दरवाज़ा बन्द करती है। उसमें ताला डालती है। घड़ा उठाकर बाहर जाती है। दूसरी तरफ़ से सलीम आता है। वह रईसी कपड़े पहने है। बानो उसे पहचान नहीं पाती। वह उसे अजनबी समझकर अपनी चुनरी से चेहरा ढककर चली जाती है।)

सलीम : बानो! **(बानो रुक जाती है।)** मुझे नहीं पहचाना? मैं हूँ, मैं सलीम।

बानो : **(घूमकर देखते हुए)** यह तुम हो?

सलीम : **(गर्व से)** हाँ, मैं।

बानो : मैं तो समझी....

सलीम : **(अकड़कर)** तुम समझीं, कोई अमीर चला आ रहा है। हाकिमे इलाक़ा! **(गर्व से ठहाका मारता हुआ हँसता है।)**

बानो : **(निकट आकर)** यह क्या अपनी धजा बनायी है? मैं तो पहचान ही नहीं सकी।

सलीम : कैसे पहचानती। तेरी नज़रों ने तो सिर्फ़ ढिंढोरची को ही जाना है।

बानो : **(सूंघते हुए)** इतर लगाया है?

सलीम : ख़स का इतर है। ले सूँघ। ये ढिंढोरची के पसीने की बू नहीं है, जो दूर से ही ठाठें मारे। सूँघकर देख।

बानो : मुझे नहीं अच्छा लगता।

सलीम : इतर नहीं अच्छा लगता।

बानो : मुझे तो ढिंढोरची के पसीने की बू पसन्द है।

सलीम : **(बिगड़कर)** साले सुअर तो मोरी के ग़लीज़ पर जान देंगे। तू क्या जाने इतर क्या होता है। तुम्हारे बाप-दादा ने कभी सूँघा था इतर?

बानो : **(सख्ती से)** हाँ, मेरे बाप-दादा ने कभी इतर नहीं सूँघा।

सलीम : यह महबूब अली अत्तार के यहाँ का है। मालूम है तुम्हें...महबूब अली का इतर बादशाह इस्तेमाल करते हैं।

बानो : उसका इतर तुम्हें कैसे मिला?

सलीम : कैसे नहीं मिलता? उसकी दुकान से मिला।

बानो : महबूब अली ने दिया तुम्हें?

सलीम : अरे वह कैसे देता! वह तो टें हो गया था।

बानो : क्या मतलब?

सलीम : मतलब, वह अल्लाह को प्यारा हो गया था। ईरानी ने उसकी फूली तोंद में ऐसे छुरी भोंकी जैसे तरबूज़ को काटने जा रहा हो, और वह चौख़ाने चित्त। लुढ़क गया ज़मीन पर।

बानो : हाय अल्लाह!

सलीम : तुझे क्या पता, दिल्ली में क्या हो रहा है। मज़े में यहाँ पटपड़गंज में जमुनापार पड़ी हो। ठुमक-ठुमक घड़ा कमर पर लादकर पानी भरने जा रही हो। उधर दिल्ली में सल्तनतें बदल रही हैं।

बानो : क्या कह रहा है तू?

सलीम : ईरान के बादशाह नादिरशाह ने दिल्ली पर हमला बोला। ईरानी फ़ौज के आगे मुग़ल फ़ौज ऐसे पसर गयी, जैसे महबूब के नीचे माशूक़ा। **(बानो का हाथ पकड़कर अपनी ओर खींचता है।)**

बानो : **(अपने को छुड़ाकर)** तुमने शराब पी है?

सलीम : ईरानी बादशाह तख़्ते-ताऊस पर नंगी तलवार लेकर चढ़ा बैठा है। मोहम्मदशाह रंगीला बादशाही से हटा दिया गया। मुजफ़्फ़र हुसैन दिल्ली का नया फ़ौजदार बनाया गया है। मुझे हुक्म हुआ और मैंने भी ढोल बजाकर ऐलान कर दिया—फ़लक ख़ुदा का, मुल्क नादिरशाह का, हुकूमत सूबेदार मुज़फ़्फ़र हुसैन की।

बानो : बेचारा बादशाह!

सलीम : दिल्ली पर ईरानियों की हुकूमत है। चारों ओर ईरानी सिपाही कैसे अकड़कर चलते हैं। जिधर से निकल जायें, सब झुककर सलाम करते हैं। कहाँ ईरानी, कहाँ हिन्दुस्तानी। उनका भभूक गोरा रंग, ऐसा लगता है जैसे चेहरे पर नूर बरस रहा हो। किसी अकेले-दुकेले ईरानी सिपाही को हिन्दुस्तानी भड़ुओं ने मार दिया। जब इसकी ख़बर नादिरशाह को लगी, तो उसकी आँखों से शोले भड़क उठे। जैसे चिनगारी उठने लगी। कोतवाली आकर उसने अपनी तलवार म्यान से निकाली। बस, हर ईरानी सिपाही की तलवार हिन्दुस्तानी गर्दनों पर बिजली-सी कौंधने लगी। ख़ून की नदियाँ बहने लगीं। इधर लाश, उधर लाश। गलियाँ लाशों से पट गयीं। औरतों और बच्चों को भी नहीं छोड़ा।

बानो : हाय अल्ला! एकदम वहशी है।

सलीम : **(गर्व से)** तू सोचती होगी कि मैं कैसे बच गया। पूछ।

पूछ। **(बानो नहीं पूछती)** मैं ईरानियों के साथ मिल गया। ईरानी सिपाही किसी टटपुंजिये सेठ का दरवाज़ा तोड़ रहे थे—मैंने उनको बताया किसके यहाँ पैसा है। मैंने उन्हें बताया किस बन्द दरवाज़े के पीछे चाँद-सा मुखड़ा है। बस वह ख़ुश हो गये। अरे मैंने तो उनसे यह भी कहा कि मेरे बुज़ुर्ग ईरान से हिन्दुस्तान आये थे।

बानो : तुम झूठ बोले?

सलीम : **(चिढ़कर)** तो क्या यह बोलता कि मेरे बाप-दादा कुँजड़े थे? जब वह हिन्दू थे तब भी कुँजड़े थे, जब मुसलमान हुए तब भी कुँजड़े-के-कुँजड़े बने रहे।

बानो : यह कपड़े?

सलीम : ईरानी सिपाही मुझ पर बहुत मेहरबान हैं। मुझे बिरादर सलीम कहते हैं।

बानो : यह कपड़े उन्होंने दिये?

सलीम : कुछ उन्होंने दिये। कुछ मैंने बटोरे। बहते चश्मे में जो हाथ न धोये वह नामाक़ूल है। इस समय ढिंढोरची सलीम कौड़ी-कौड़ी को मोहताज नहीं है। उसके पास हज़ारों रुपये के सोने-चाँदी के ज़ेवर हैं। अनगिनत अशर्फ़ियाँ हैं। यह अशर्फ़ियाँ मैं तेरे लिए लाया हूँ। अपनी मंगेतर बानो के लिए। **(अशर्फ़ी की थैली बानो के हाथ में रखते हुए)** लो, रखो इसे।

बानो : **(ज़मीन पर थैली फेंकते हुए)** मुझे नहीं चाहिए नापाक दौलत।

सलीम : नादान लड़की, दौलत कभी नापाक नहीं होती है। वह हमेशा पाक रहती है। दौलत तो हसीन लौण्डिया-सी होती है—हमेशा पाक। जो पाये, जब भी पाये, निहाल। **(थैली उठाकर)** अब मैं ग़रीब नहीं हूँ। तुझे मेरी क़सम। ले, यह हार पहन ले। सोने का है। पुखराज और पन्ना जड़ा है इसमें। **(हार बानो के गले में डालता है।)** अब मैं तुझसे शादी करूँगा। चल आ, आज ही अपनी शादी मनायें। **(हाथ पकड़कर कोठरी की ओर खींचते हुए)** आ न।

बानो : ख़बरदार जो मुझे हाथ लगाया। **(गले से माला निकालकर फेंकती है।)**

सलीम : तू तो अनाड़ी घोड़ी-सी बिदकती है। **(माला उठाकर)** आ न, मैं तुझे सब सिखा दूँगा। फिर तो हौले-हौले ऐसी दुलकी चलेगी कि सवार को मज़ा आ जायेगा। आ न। **(मजबूती से पकड़कर अपने पास खींचता है। बानो उसे हाथ में काट खाती है। सलीम घबराकर उसे छोड़ देता है।)** साली कुतिया, काटती है। तेरे नखरे न छाँट दिये, तो मेरा नाम सलीम नहीं।

बानो : **(कोठरी के पास पड़ा डण्डा उठाकर)** मैं तेरी जान ले लूँगी।

सलीम : **(फुर्ती से डण्डा हाथ से छीनकर, उसके दोनों हाथों को उसकी पीठ के पीछे से पकड़कर उसका चेहरा अपनी ओर घुमाता है।)** मुझे काटेगी? छिनाल! **(थप्पड़ मारते हुए)** ले काट। अब काट। **(बानो सलीम को घूरती है। कुछ लम्हों के बाद)** बेचारी बानो, गालों पर उंगलियाँ उछल आयीं **(कामुकता से)** चल, अन्दर कोठरी में। तेरे हल्दी-चूना लगा दूँ।

बानो : **(अचानक सलीम को धक्का देकर आवाज़ देती है।)** बचाओ। **(अचानक दिये गये धक्के से सलीम ज़मीन पर गिर पड़ता है, वह उठना चाहता है, तभी लाठी टेकते अन्धे खालू आते दिखाई देते हैं।)**

खालू : **(आते हुए)** मैं आ गया, मेरी बच्ची! मैं आ गया। **(बानो दौड़कर खालू से लिपटकर रोती है। सलीम अशर्फ़ी की थैली और माला उठाकर भाग जाता है।)**

खालू : लगता है कोई भाग गया। मैंने भागने की आवाज़ सुनी। कौन था? कौन था? **(बानो रोती रहती है।)** चुप हो जा, मेरी बच्ची। कौन था वह?

बानो : एक ईरानी सिपाही।

खालू : ईरानी लुटेरे? वह यहाँ भी आ गये? यहाँ जमुनापार भी? अल्लाह तूने मुझे बिलकुल ठीक वक़्त पर भेजा। बिल्कुल सही वक़्त पर, नहीं तो मेरा कोहेनूर लुट

जाता। मैं तेरा कैसे शुक्रिया अदा करूँ। **(जैसे इबादत में)** अल्लाह, तेरा करम। तेरी मेहरबानी। **(ऊँचे गले से)** अल्लाह!!

नेपथ्य में अज़ान की आवाज़ आती है।

दृश्य : ग्यारह

(स्थान : लाल किले में अन्तःपुर)

(क़ुदसिया बेगम तेज़ क़दमों से घुसती है। तख़्त पर बैठकर अपने ऊपर हाथ का पंखा झलती है। अचानक कुछ सोचकर खड़ी हो जाती है।)

बेगम : **(आवाज़ देते हुए)** अमीरन! अमीरन!

(अमीरन का प्रवेश झुककर सलाम करती है।)

बेगम : कहाँ मर गयी थी तू?

अमीरन : मलकए-आलिया, बात यह है...

बेगम : मुझे एक जाम दे।

अमीरन : सन्तरा या ख़स?

बेगम : अपना सिर दे। तू भी अपने आपको नादिरशाह की ख़ाला समझने लग गयी है। कहाँ चली गयी थी मरने?

अमीरन : मलकए-आलिया, आपको तो क़िले के हाल मालूम ही हैं। ईरानी लुटेरे अपनी मनमानी कर रहे हैं।

बेगम : इसीलिए तूने भी मनमानी शुरू कर दी। कहाँ गयी थी? **(तख़्त के पास रखी चौकी पर शराब की सुराहियाँ रखी हैं। एक सुराही से शराब उड़ेलकर अमीरन क़ुदसिया बेगम को देती है। बेगम शराब पीती है, तो लगता है उसका गुस्से का पारा कुछ कम हुआ है।)**

बेगम : क़िले में जो हो रहा है, वह देखा नहीं जाता। अल्लाह! यह सब देखने से पहले ही मुझे उठा लेता।

अमीरन : वहाँ ईरानी सिपाही....

बेगम : ईरानी तो तेरे ख़सम हैं। गयी थी अपने ख़समों के पास। बदज़ात कुतिया कहीं की।

अमीरन : मलकए-आलिया, क़नीज़ की ग़लती माफ कीजिये। क़नीज़ आपके पैरों की जूती है। आपकी शान में ग़ुस्ताख़ी हुई हो तो माफ़ फ़रमायें।

बेगम : **(गुस्सा कम होता है।)** मुझे ख़स का जाम दे। **(अमीरन दूसरे गिलास में शराब उड़ेलती है।)** क्या कुछ नया हुआ?

अमीरन : अब क्या बतायें। बताते भी ज़बान शर्म से कटती है।

बेगम : पहेलियाँ-सी क्या बुझा रही है। बतायेगी भी?

अमीरन : ख़बर यह है कि अवध के सूबेदार...

बेगम : मुझे मालूम है। नवाब वज़ीर सआदतख़ाँ बुरहानुलमुल्क की उस वहशी ने इतनी बेइज्ज़ती की कि उनको ख़ुदकुशी करनी पड़ी। किसकी पगड़ी, कब, कहाँ उछल जाये, कब किसी की गर्दन ज़मीन पर लुढ़क जाये, कोई नहीं जानता। एक ख़ौफ का गुमनाम साया आहिस्ता-आहिस्ता ख़ून के साथ रगों में दौड़ रहा है। पता नहीं कब ईरानी लुटेरे हरम के दरवाज़े तोड़कर नंगी तलवारें लिए हुए घुस आयें और....**(अचानक स्वर बदलकर, शराब का प्याला ज़मीन पर फेंककर)** क्यों नहीं ख़त्म कर देते यह ज़िन्दगी और ख़त्म कर देते दहशत भरा इन्तज़ार।

अमीरन : **(प्याला उठाकर)** आज हरम में कुछ ईरानी सिपाही आये थे।

बेगम : मुग़ल हरम में ईरानी सिपाही? जहाँ बादशाह के अलावा किसी मर्द ने क़दम नहीं रखा? मुग़ल अस्मत बेआबरू होकर बीच बाज़ार में नंगी खड़ी है।

अमीरन : उनके हुक्म से हरम की सारी बांदियों को एक जगह इकट्ठा किया गया।

बेगम : तू भी वहाँ गयी थी?

अमीरन : जाना पड़ा, मलकए-आलिया!

बेगम : मुझसे बिना पूछे?

अमीरन : क्या करती। ईरानी तेग़ के आगे मजबूर हो गयी। वहाँ सबको एक क़तार में खड़ा कर दिया गया। मैं भी उसी

क़तार में थी। फिर एक ईरानी सूबेदार आया। उसने अपनी फ़ौज के बड़े अफ़सरों के लिए औरतें चुनीं। जो ख़ूबसूरत और कमसिन थीं, वह चुन ली गयीं।

बेगम : तू?

अमीरन : मैं नहीं चुनी गयी। मेरी इतनी क़िस्मत कहाँ। सुना है ख़ुश होकर ईरानियों ने इनाम-इकराम से उनको लाद दिया। (**बेगम उठकर हण्टर उठाती है, लेकिन अमीरन देख नहीं पाती**) चाँदी-सोने के ज़ेवरात, सोने का गुलबन्द, मानिक की चूड़ियाँ, मोतियों की माला...ख़ुदा जिस पर मेहरबान हो....मैं गिला नहीं करती। मुझे कोई अफ़सोस नहीं।

बेगम : (**हण्टर मारते हुए**) बदज़ात, बेग़ैरत, तेरे दीदों की हया कहाँ गयी? पानी मर गया है। ईरानियों के हमबिस्तर होने की इतनी बेताबी? वह ईरानी जिनके जूतों-तले कुचली मुग़ल सल्तनत आहें भर रही हैं, जो हज़ारों बेगुनाह हिन्दुस्तानियों के .ख़ून से होली खेलकर जश्न मना रहे हैं, जो लालक़िले के सीने पर सवार वहशी हैवान-से अपने घिनौने पंजों से शाही मुग़लिया ख़ानदान के सीने को चीर रहे हैं, उन ईरानियों के बिस्तर तक नहीं जा सकी, इसलिए तुझे अफ़सोस हो रहा है? क़िस्मत को रो रही है? (**हण्टर मारती है।**) हर्राफ़ा, तुझमें ज़रा भी ग़ैरत नहीं है। (**हण्टर फेंकते हुए**) मैं तेरा चेहरा भी देखना नहीं चाहती। हट जा सामने से। (**रोती हुई अमीरन अपनी हिचकियाँ दबाती है, आँसू पोंछती है।**)

अमीरन : मलकए-आलिया, मैं गुनहगार हूँ। मुझे माफ कीजिये। मैं आपके आगे रहम का दामन फैलाती हूँ। अपनी फैयाज़दिली और बड़प्पन की भीख मेरी झोली में डाल दीजिये। मैं बेग़ैरत तो हूँ ही। .ख़ुदा इसके लिए मुझे सज़ा देगा। उस ख़ुदा के आगे मैं माफ़ी की झोली नहीं फैलाऊँगी। वह जो सज़ा देगा, क़बूल करूँगी। लेकिन मेरी आक़ा, अगर आपने मुझे माफ़ नहीं किया तो मैं ज़हर खा लूँगी। (**पैर पकड़कर**) अम्मी की मुहब्बत के

बाद, अगर किसी से मैंने हमदर्दी पायी है, तो सिर्फ़ आपसे। आपकी बेरुख़ी मैं बर्दाश्त नहीं कर सकूँगी। मैं ख़ुदकुशी कर लूँगी।

बेगम : **(नरम पड़कर)** ठीक है। मेरे पैर छोड़ दे। **(अमीरन पैरों पर गिरकर फफककर रोती है।)**

अमीरन : ठीक है, मैंने माफ़ किया। अब मेरे पैर छोड़ दे। **(अमीरन पैर छोड़ देती है, और एक ओर बैठकर आँसू पोंछती है।)**

बेगम : कहाँ है तेरी अम्मी?

अमीरन : मैं नहीं जानती। पता नहीं ज़िन्दा भी है या....।

बेगम : तुम क़िले में कब आयीं?

अमीरन : बहुत सालों पहले। याद भी नहीं कितने पहले।

बेगम : कैसे आयी?

अमीरन : क्या कहूँ, क़िस्मत ले आयी, यही समझिये।

बेगम : मैं तेरे बारे में जानना चाहूँगी।

अमीरन : महरौली में जोगमाया मन्दिर के पास हमारा घर था। वहीं मैं अपनी अम्मी के साथ रहती थी। एक दिन सुना बादशाह की सवारी वहाँ से निकलने वाली है। पन्द्रह-सोलह साल की थी उस वक़्त। बादशाह को देखने के लिए बेताब हो गयी और जब हाथी पर बैठे बादशाह की सवारी निकली, तो इत्तफ़ाक़ से बादशाह ने मुझे देखा। मुझसे निगाहें मिलते ही वह मुस्कुराये और मेरे तरफ़ एक फूल फेंका। मैं अपनी क़िस्मत पर इतराती न थकती। दो-चार रोज़ बाद बादशाह के कारिन्दे आये। उन्होंने मेरे अब्बा को बताया कि बादशाह उनकी बेटी को अपनी बेगम बनाना चाहता है। अशर्फ़ियों की थैली दी। सखियों ने मेरी क़िस्मत पर रश्क़ किया। कहाँ महरौली का झोंपड़ा, कहाँ लालक़िला।

बेगम : फिर?

अमीरन : मैं लालकिले में लायी गयी। शाम ढले क़ीमती कपड़ों और गहनों से सजाकर एक पलंग पर बैठा दी गयी। किसी ने कहा—आज तुम्हारी सुहागरात है। मैं सहमी-सी

बैठी रही। रात बीतने लगी। बीतते-बीतते पूरी रात गुज़र गयी। सूरज निकल आया, लेकिन बादशाह नहीं आये। काफ़ी दिन चढ़े बादशाह आये, और मुझे देखकर बहकी आवाज़ में बोले—जानेमन, तुम्हारी आँखें बड़ी ख़ूबसूरत हैं। इतना कहकर वह मेरे क़दमों के पास, पलँग पर गिर पड़े। थोड़ी देर में मुझे उनकी साँसों के खर्राटे सुनाई पड़ने लगे। वह शराब के गहरे नशे में सो रहे थे। दोपहर के बाद जब वह सोकर उठे, तो मुझे देखकर मुसकराये, बोले—'जानेमन, तुम्हारी सोहबत बड़ी लज्ज़तदार है। बड़ा मजा आया। हम चाहते हैं, इससे जो औलाद पैदा हो, उसको तुम्हारी ख़ूबसूरत आँखें मिलें।' यह कहकर बादशाह सलामत चले गये। मैं हैरत से अपनी जगह पत्थर बन गयी थी।

बेगम : फिर?

अमीरन : फिर तो दास्तान बहुत मुख़्तसर है। मैं दो-चार रात इसी तरह दुल्हन की तरह बैठायी गयी। लेकिन बादशाह नहीं आये, तो बाँदी बनाकर हरम में डाल दी गयी। उस सुहागरात से मैं अपनी ज़िन्दगी में किसी मर्द का इन्तज़ार कर रही थी। आज एक मौक़ा आया लेकिन उम्र दग़ा दे गयी।

बेगम : तुम्हारी दास्तान सुनकर हमदर्दी होती है। मुझे ग़म हुआ।

अमीरन : ग़म मत कीजिये। ग़म तो ग़रीबों की ज़िन्दगी का हिस्सा है। हमारे लिए क्या ग़ैरत, क्या बेग़ैरत। सब एक हैं। हम बेग़ैरती में भी शाही ख़ानदान पर दाग़ न लगने दें, तो यह हमारे लिए फ़ख़्र का बायस होगा।

बेगम : शाही ख़ानदान पर दाग़?

अमीरन : जान की अमान पाऊँ तो कुछ अर्ज़ करना चाहती हूँ।

बेगम : क्या कहना चाहती है? इजाज़त है।

अमीरन : मैंने सुना है कि नादिरशाह के नापाक इरादे मुग़लिया ख़ानदान में दाग़ लगाना चाहते हैं।

बेगम : **(अन्देशे से)** क्या मतलब?

अमीरन : मलकए-आलिया, हरम में ख़बर है कि उस भेड़िये ने आपको माँगा है।

बेगम : **(चीखकर)** अमीरन!!

अमीरन : मैं जान की सलामती तो पहले ही माँग चुकी हूँ।

बेगम : **(अपने को सम्हालकर)** तुमसे किसने कहा?

अमीरन : ईरानियों के पास से जो बांदियाँ वापस आयी हैं—उन्होंने कहा।

बेगम : **(अपने आपसे बोले हुए)** क्या यह मुमकिन है?

अमीरन : .ख़ुदा का क़हर नाज़िल हो उन पर।

बेगम : हम शहंशाह से मिलना चाहेंगे, अभी इसी वक़्त।

अमीरन : शहंशाह?

बेगम : हाँ, शहंशाह।

अमीरन : इस वक़्त दिल्ली का शहंशाह नादिरशाह है। उसके नाम से जामा मस्जिद में .ख़ुतबा पढ़ा गया है। वह तख़्तेताऊस पर बैठता है।

बेगम : तख़्तेताऊस पर कोई भी बैठे, लेकिन जब तक मैं ज़िन्दा हूँ, मेरे लिए शहंशाह सिर्फ़ मोहम्मदशाह हैं। समझीं। जाओ, उनको अभी बुलाकर लाओ।

अमीरन : जो हुक्म मलकए-आलिया का। **(प्रस्थान)**

(एक क्षण का अन्धकार। प्रकाश होने पर मोहम्मदशाह प्रवेश करते हुए दिखाई पड़ते हैं।)

मोहम्मद : मलका, आपने हमें बुलवाया?

बेगम : हाँ, मेरे आक़ा!

मोहम्मद : इस वक़्त जबकि .ख़ुद हमें हमारी ख़बर नहीं है।

बेगम : कितने दिन ग़ुज़र गये, बिना अपने सरताज का दीदार किये। अपने बादशाह को सिर्फ़ निगाह भर देखना चाहती थी।

मोहम्मद : न, न, मत कहो हमें बादशाह। हमने बादशाहत छोड़ दी है। हम फ़क़ीर हो गये हैं। तुम्हारे सामने बादशाह मोहम्मदशाह नहीं, एक फ़क़ीर खड़ा है।

बेगम : फ़क़ीर?

मोहम्मद : यह दुनिया तो फ़ानी है। यहाँ की सब चीज़ आनी-जानी

है। इससे कैसा लगाव। कैसी मोहब्बत। सब झूठ है। सच सिर्फ़ .ख़ुदा है। कुछ नहीं है, सिवाये .ख़ुदा के। "लाइलाहा-इल-लल्लाह"। लगन लगानी है तो सिर्फ़ उससे। मोहब्बत करनी है तो सिर्फ़ उससे। वही एक अकेला है, हम सबका परवरदिगार

बेगम : मैंने सुना है कि नादिरशाह...

मोहम्मद : कौन नादिरशाह? कैसा नादिरशा? कहाँ का नादिरशाह? उस पाक परवरदिगार के सामने सब तिनके हैं। तूफ़ान में तिनके उड़ जायेंगे। न बादशाह रहेगा और न बादशाहत। नादिरशाह क्या चीज़ है? उसके जलाल के सामने नादिरशाह अंन्धा हो जायेगा। सूखी लकड़ी-सा जलकर नेस्तानाबूद हो जायेगा।

बेगम : लेकिन अभी तक वह ज़िन्दा है। **(प्याले में शराब डालती है।)**

मोहम्मद : यह तो निगाहों का फेर है। मेरी निगाहों से देखो। **(शराब का घूंट लेकर)** एक फ़क़ीर की निगाहों से देखो। कहीं नहीं है, नादिरशाह। सिर्फ़ .ख़ुदा है। उसका नूर है। उसका हुस्न है। उसका जलाल है। .ख़ुदा तेरी क़ुदरत। हम कभी तेरा राज़ नहीं समझ सकते। कभी तेरी मंशा से वाक़िफ़ नहीं हो सकते। कितना बड़ा कारसाज़ है तू। तू ही तू है। **(शराब का एक घूंट लेकर, कुछ देर प्याले में देखता है, फिर फफककर रो उठता है।)**

मोहम्मद : हमारा लालक़िला उजड़ गया। हमारी दिल्ली बेनूर हो गयी।

बेगम : सब्र रखिये। सब्र कीजिये।

मोहम्मद : बेगम, हमारा लालक़िला उजड़ गया। **(बेगम के कन्धे से लगकर रोता है।)** हमारा लालक़िला उजड़ गया।

बेगम : .ख़ुदा की मर्ज़ी। आप हौसला मत खोइये। .ख़ुदा सब ठीक करेगा।

मोहम्मद : वह नामाक़ूल, बदशऊर, गड़रिये की औलाद, बादशाह बना है। साले को तमीज़ भी नहीं कि तख़्त पर कैसे बैठें। चला है तख़्तेताऊस पर बैठने...ऐसे उँकडू बैठा

था, जैसे क़दमचे पर बैठा हो। साला हरामी का बच्चा, .ख़ुदा का क़हर हो उस पर। बिजली गिरे और मर जाये मरदूद। **(सुराही उठाकर उससे शराब पीता है।)**

मोहम्मद : तहज़ीब-शऊर...कोई शराब तो नहीं जो मुँह लगा ली, और पेट में पहुँच गयी। कल तक भेड़ें चराता था, आज बना है बादशाह। सात पुश्तों के बाद ख़ानदान में तहज़ीब आती है। फिर उसके वज़ीर, सिपहसालार, अमीर, मीर, बख़्शी....सब साले, एक से एक बढ़कर घामड़ हैं। .ख़ेमों में रहने वालों ने इमारत पहली बार देखी। जहाँ भी दीवार में हीरे-जवाहरात देखते हैं, चाकू से खोदकर जेब में रख लेते हैं। दस्तरख़ान से नाक पोंछते हैं। परदों से जूते साफ़ करते हैं। जूते पहने पलंग पर चढ़ जाते हैं। गुलाब जल से हमाम में अपने घोड़े धोते हैं। हैवान, जंगली बदअक़्ल, बदशऊर, साले हरामज़ादे।

(अचानक सुराही उठाकर फ़र्श पर फेंक देता है।)

मोहम्मद : सब कुछ ख़त्म हो गया। कुछ नहीं बचा। **(रुंधे गले से)** मेरी दिल्ली बेनूर हो गयी। मेरा लालक़िला उजड़ गया। **(उठकर बेजान क़दमों से धीरे-धीरे जाते हुए गाता है "चल ख़ुसरो घर आपने रैन भई चहुँ देस")**

बेगम : ठहरिये, मेरे आक़ा! मुझे आपसे कुछ पूछना है।

मोहम्मद : तुमने कहा तो ठहर गये, वर्ना अब चला-चली का दौर है। चमन में ख़िज़ा है, बहार चली गयी। यहाँ न गुंचे हैं न फूल। फिर यह भौंरा यहाँ क्या करे? फिर भी तुमने कहा, तो हम ठहर गये।

बेगम : मैं आपसे कुछ पूछना चाहती हूँ...।

मोहम्मद : पूछना चाहती हो? मोहम्मदशाह से? मोहम्मदशाह कहाँ है? वह तो ज़िन्दा दफ़न हो गया। मग़रिब से एक आँधी आयी थी, उसमें लालक़िला टूटकर गिर पड़ा। उसी के भीतर मोहम्मदशाह दफ़न हो गया। लालक़िले की गिरी हुई दीवारें, बुर्ज़ें, छतरिया, सब उसके मज़ार हैं। फिर तुम किससे पूछोगी? कौन जवाब देगा? मुर्दे बोलते नहीं। **(जाते हुए फिर गाता है–रैन भई चहुँ देस...)**

बेगम : **(जाते हुए मोहम्मदशाह से, ऊँची आवाज़ में)** मैं जानना चाहती हूँ कि क्या नादिरशाह ने मुझे माँगा है।

मोहम्मद : **(रुककर)** नहीं, तुम्हें नहीं माँगा। बिलकुल नहीं। उसने तो नूरबाई को माँगा, और उसको हमने भिजवा दिया। तुम इत्मीनान से रहो। तुम्हें नहीं माँगा।

बेगम : **(नज़दीक जाकर)** और अगर मुझे माँगा तो?

मोहम्मद : तो...

बेगम : तो...जवाब दीजिये। अगर उसने मुझे माँगा तो? **(मोहम्मद कोई उत्तर नहीं देता)** तो....तो....?

मोहम्मद : **(जवाब टालते हुए)** चल ख़ुसरो घर आपने, रैन भई... **(गाते हुए बाहर जाता है।)**

(बेगम मजबूरी से मुट्ठियाँ भींचती है। तब ही जावेद ख़ाँ का प्रवेश।

जावेद : **(कोर्निश करके)** मैंने मलकए-आलिया की बादशाह सलामत से गुफ़्तगू सुनी।

बेगम : **(क्रोध से)** तुमने? तुम्हारी जुर्रत?

जावेद ख़ाँ : ख़ता माफ़ हो। बादशाह सलामत की हिफ़ाजत की ज़िम्मेदारी मुझ पर है। क़िले के हाल आप जानती हैं। कहा नहीं जा सकता, कौन दोस्त है और कौन दुश्मन। इसलिए बादशाह सलामत, जिससे भी बात करते हैं, वह सुनना मेरा फ़र्ज़ हो जाता है।

बेगम : तो?...क्या कहना चाहते हो तुम?

जावेद : सिर्फ़ इतना ही कि उस दरिन्दे ईरानी ने अभी तक आपको नहीं माँगा है। लेकिन अगर उसने कभी ऐसी जुर्रत की, तो मैं आपके साथ जाऊँगा। नामर्द होने की वजह से मुझे दिक्क़त नहीं होगी। लेकिन इसके पहले कि वह अपनी नापाक निगाह हमारी मलकए-आलिया के दामन पर डाले, यह ख़ंजर उसके जिगर के पार होगा। आप मुझ पर भरोसा कर मुतमइन रहें। **(कोर्निश करता है।)**

बेगम : मेरी समझ में नहीं आता...नामर्द कौन है? तुम या...?

दृश्य : बारह

(स्थान : पटपड़गंज)

सलीम : .खल्क .खुदा का, मुल्क औरत का, हुकूमत हिजड़े की...
(ढोल पीटता है।)

(खालू का लाठी लिए झोंपड़ी में प्रवेश)

खालू : अरे, ब.र्खुरदार!

सलीम : आदाब, .खालू!

खालू : बहुत दिन बाद आये। यह सुबह-सुबह क्या ऐलान कर रहे हो...।

सलीम : .खालू, तुम तो रहते हो जमुनापार। तुम्हें क्या पता दिल्ली में क्या हो रहा है।

खालू : अरे तुम ठहरे दिल्ली वाले। तुम्हारा-हमारा क्या मुक़ाबला।

सलीम : वहाँ तो दुनिया ही बदल गयी। बादशाह मुहम्मदशाह .खुदा को प्यारा हो गया।

खालू : .खुदा उसकी रूह को अपने करम में ले।

सलीम : कैसे ज़िन्दा रहता। उनकी मौत बनकर आया था, वह नादिरशाह। सोना, चाँदी, जवाहरात, हीरे, पन्ने, मोती... सभी तो ले गया। अब लालक़िले में बचा ही क्या है। वह तख़्ते-ताऊस भी ले गया, और ताज का नूर कोहेनूर भी ले गया।

खालू : कोहेनूर भी?

सलीम : अब तख़्तनशीन है—अहमदशाह। एकदम चुग़द है। दिन-रात ऐशो-इशरत में पड़ा रहता है। शराब-अफ़ीम, गाँजा और औरतें। उसे फुर्सत कहाँ कि सल्तनत के मामलों पर तवज्जह दे।

खालू : क्या होने को है?

सलीम : अब तो चढ़ बनी है—क़ुदसिया बेगम की। मादरे-सल्तनत बनकर अपने चहेते जावेद के साथ हुकूमत कर रही है। वज़ीर-अमीर, मुल्ला-मौलवी, ग़ाजी-हाजी, सब हाथ बांधे बेगम की ड्योढ़ी पर हुक्म के इन्तज़ार में घण्टों

खड़े रहते हैं। वह हिजड़ा जावेद ख़ाँ, सुनते हैं क़ुदसिया बेगम के महल में रात को भी पड़ा रहता है। उसे नवाब बहादुर का खिताब अता किया है।

खालू : **(आहत)** तौबा!

सलीम : ख़ालू, पिछले जुमेरात तो बड़ा मज़ा आया।...हो...हो...हो।

खालू : हँसता ही जा रहा है।

सलीम : बस कुछ मत पूछो। बहुत मज़ा आया। हो...हो...हो...हो।

खालू : बताओ भी कुछ।

सलीम : क़िले के लाहौरी दरवाज़े के बाहर कुछ मसख़रों ने एक कुतिया और एक गधा एक खूँटे में बांध दिये। जो भी अमीर-उमरा उधर से गुज़रता तो मसख़रे कहते—दरबार में जाने के पहले क़ुदसिया बेगम और नवाब बहादुर को सलाम करते जाओ।

खालू : लाहौल विलाक़ुवत! **(उठकर खड़ा होता है।)**

सलीम : सुनते हैं, कुछ ने तो झुककर सलाम भी किया....

(बानो पानी का घड़ा सर पर रखे बाहर से आती है। हाथ में रस्सी है।)

खालू : बानो! आ गयी, बेटी मैं उधर मसजिद की तरफ़ जा रहा हूँ। दरवाज़ा बन्द करके बैठना। **(बानो कोठरी में जाकर भीतर से दरवाज़ा बन्द कर लेती है।)**

सलीम : ख़ालू जान, कमाल है।

खालू : कैसा कमाल?

सलीम : एकदम कमाल है। मान गये तुमको ख़ालू।

खालू : अब क्या हुआ?

सलीम : कैसे जान गये कि बानो आयी है?

खालू : हम अन्धे आहट पहचानते हैं। मैं तो दिल की भी बात जान लेता हूँ।

सलीम : बताओ तो, मेरे दिल में क्या है?

खालू : न पूछ मुझसे। तुझे बुरा लगेगा।

सलीम : मुझे बुरा नहीं लगेगा। बताओ न। तुम्हें ख़ुदा की क़सम।

खालू : बेईमानी।

सलीम : क्या कहते हो, ख़ालू!

खालू : मैं कब तक बानों को घर में बैठाये रखूँ। तुम दोनों साथ खेले हो। तुम्हारे मरहूम अब्बा की यह ख़्वाहिश थी कि तुम दोनों का निकाह हो जाये।

सलीम : वह तो बात यह है...।

खालू : मैं तो नमाज़ पढ़ने जा रहा हूँ। यहीं बैठो। चले मत जाना। नमाज़ पढ़कर वापस आ जाऊँ तो तुमसे बात करूँगा। आज फ़ैसला करना ही है। जाना मत। **(जाता है।)**

(सलीम कोठरी के दरवाज़े के पास खड़ी चारपाई को बिछाकर बैठता है। तम्बाकू निकालकर खाता है, फिर कोठरी के दरवाज़े की साँकल बजाता है।)

बानो : **(भीतर से)** कौन है?

सलीम : अरी, मैं हूँ सलीम। तेरा सलीम।

बानो : **(भीतर से)** क्या है?

सलीम : खोल तो दरवाज़ा। कुछ बात करनी है। बहुत ज़रूरी बात है।

बानो : मैं दरवाज़ा नहीं खोलूँगी।

सलीम : मैं क़सम खाता हूँ। ऐसा-वैसा कुछ नहीं करूँगा। एक बार तो एतबार कर। मैं क़सम खाता हूँ।

बानो : मैं दरवाज़ नहीं खोलूँगी।

सलीम : मैंने क़सम खायी है।

बानो : तेरी क़सम का क्या एतबार?

सलीम : मैं अपनी नहीं, ख़ुदा की क़सम खाता हूँ। क़लामे-पाक क़ुरान शरीफ़ की क़सम खाता हूँ। मैं ऐसा-वैसा कुछ नहीं करूँगा। सिर्फ़ कुछ बात करना चाहता हूँ। क़सम क़ुरान पाक की।

(बानो दरवाज़ा खोलकर बाहर आ जाती है।)

बानो : बोल, क्या कहना चाहता है।

सलीम : देख बानो मैं बहुत बुरा आदमी हूँ। मुझमें बहुत ऐब हैं। लेकिन मैंने सबसे तौबा कर लिया है। **(कान पकड़ता है।)**

बानो : **(अविश्वास से)** आज सूरज पच्छिम से निकलता दिख रहा है।

सलीम : मैंने फ़ैसला किया है कि अब आगे से शरीफ़ आदमी की ज़िदगी बसर करूँगा। जल्दी ही तुझसे निकाह कर घर बसाऊँगा।

बानो : तो मुझसे नहीं, अब्बा से कहो।

सलीम : उनसे तो कहूँगा ही लेकिन तुझसे कुछ बात करना चाहता हूँ।

बानो : घर बसाना है तो अब्बा से ही कहो।

सलीम : **(बेसब्री से)** उनसे तो कहूँगा ही, लेकिन उसके पहले की बात तुझसे करनी है।

बानो : मुझसे? कहो क्या बात है?

सलीम : तू बैठ जा पहले। बैठ जा। **(इसरार करके उसे चारपाई पर बैठाता है।)** देख बानो, मैं चाहता हूँ कि निकाह के बाद तुझे अमीर-ज़ादियों की तरह रखूँ। लौंडियां और बांदियाँ तेरी ख़िदमत करें।

बानो : मुझे यह सब नहीं चाहिए।

सलीम : मैं तंग आ गया हूँ, इस ढिंढोरचीगीरी से। कुछ और करना चाहता हूँ।

बानो : क्या करोगे?

सलीम : यही तो सोच रहा हूँ। मुझे .खास-सिपाही की जगह मिल सकती है। फ़ौजदार ने वादा किया है।

बानो : वाक़ई?

सलीम : आजकल क्या नहीं हो सकता। बस थोड़ी अक़्ल चाहिए और कुछ चाँदी के सिक्के।

बानो : क्या इसके लिए रुपये देने होंगे?

सलीम : और नहीं तो क्या सेंतमेंत में। बिना रुपये लिए, वज़ीर, मीर, बख़्शी, क़ाज़ी, कोई भी किसी रुक़्के पर दस्तखत नहीं करता। रिश्वत का खुलेआम बोलबाला है। जो चाहो सो ले लो, अगर टेंट में देने को रक़म हो।

बानो : तुम्हें रुपयों की क्या कमी?

सलीम : जानती तो है तू। लूटे हुए रुपये चोरी चले गये।

बानो : या जुए में गँवा दिये?

सलीम : अब क्या करूँ?....(**रुककर**) एक तरकीब है। लेकिन इसमें तुम्हारी मदद की ज़रूरत है।

बानो : मेरी?

सलीम : हाँ, तुम्हारी। देखो, सबके सब दोज़खी कीड़े हैं। इन्हें तो रुपये चाहिए, या औरत। अगर रुपये का इन्तज़ाम नहीं कर सकता तो...(**हिचक के साथ**) औरत का इन्तज़ाम करना पड़ेगा।

बानो : (**आशंका से**) तुम कहना क्या चाहते हो?

सलीम : तेरी अक़ल पर क़ुरबान जाऊँ। इशारे से ही समझ गयी। देख, सिर्फ़ एक रात की बात है। तेरा कुछ नहीं जायेगा। लेकिन मेरी मदद हो जायेगी। मैं ढिंढोरचीगीरी छोड़कर .ख़ास-सिपाही बन जाऊँगा। फिर हम लोग निकाह कर लेंगे। तेरी इस मदद का एहसानमन्द में ज़िन्दगी भर रहूँगा। बस एक रात के लिए 'हाँ' कर दे। तुझे रईसज़ादियों की तरह रखूँगा। बस तू 'हाँ' कर दे। ऐश करेगी तू। बोल, क्या है तेरा फ़ैसला?

बानो : (**संयत स्वर में**) मेरा फ़ैसला!

सलीम : कितनी हसीन है तू। महलों में सजेगी।

बानो : सुनेगा तू?

सलीम : बेगमों जैसी रौनक़ है तुझ पर।

बानो : (**पैर की जूती उतारकर दिखाते हुए—बेहद ठण्डी नपी-तुली आवाज़ में**) यह है मेरा फ़ैसला। (**तेज़ी से कोठरी में जाकर, भीतर से दरवाज़ा बन्द करती है।**)

सलीम : (**पहले हक्का-बक्का खड़ा रह जाता है फिर अचानक**) स्साली, कुतिया, हरामजादी—थू! (**क्रोध में थूकता है।**)

दृश्य : तेरह

(**बुरका पहने एक औरत बानो के बन्द दरवाजे पर दस्तक देती है।**)

बानो : (**अन्दर से**) कौन है?

औरत : मैं हूँ बी। ज़रा दरवाज़ा तो खोलना।

बानो : कौन है?

औरत : अरे क्या अन्दर से ही कौन है, कौन है, कर रही है। मैं हूँ रज़िया। चौधरी असदुल्ला की भांजी।

बानो : **(एकदम दरवाज़ा खोलकर)** रज़िया! **(नज़दीक जाते हुए)** अरे कब आयी तू? आओ, अन्दर आओ।

औरत : मैं तो तुझे ले जाने आयी हूँ।

(बानो की बाँह अपनी ओर खींचते हुए उठा लेती है।)

बानो : छोड़ दे...छोड़ दे। **(चेहरे से बुर्का उठ जाता है। बुरके में आदमी दिखाई पड़ता है।)** बचाओ....बचाओ।

(वह आदमी बानो का मुँह बन्द करने की कोशिश करता है। तभी बाहर से खालू आते हैं।)

खालू : मैं आ गया, बच्ची! मैं आ गया। कौन है? कौन है? **(इत्तफ़ाक से बानो को ले जाता हुआ बदमाश खालू से टकरा जाता है। खालू हाथ का डण्डा छोड़कर बदमाश को कसकर पकड़ लेते हैं)** छोड़ दे। छोड़ दे मेरी बेटी को। मैं तेरी जान ले लूँगा। छोड़ दे।

(तभी कहीं से छिपा सलीम आकर खालू की पीठ में छुरा भोंक देता है। खालू कराह के साथ गिर पड़ता है। बदमाश बानो को लेकर भाग जाता है। पीछे-पीछे सलीम भी जाता है। थोड़ी देर में दूर होती हुई घोड़े की टापें सुनाई पड़ती है।)

खालू : **(बेबसी में)** ख़ुदाबन्द ताला, अल्ला, करीम....

दृश्य : चौदह

(स्थान : लाल क़िला)

अलबेला : नवाब बहादुर, हमने सुना है कि बादशाह का फ़र्ज़ है कि वह रियाया में बदअमनी रोके, जिससे चैन और सुकून से लोग ज़िन्दगी बसर कर सकें।

जावेद : आलमपनाह ने ठीक ही सुना है।

अलबेला : इसलिए बादशाह को चाहिए कि रियाया में जो लोग बदअमनी फैलाते हैं, उनको सख़्त से सख़्त सजा दें।

जावेद : ठीक फरमाया आपने।

अलबेला : इसीलिए हमने हुक्म दिया है कि ऐसे शातिर इन्सानों को फाँसी की सज़ा दे दी जाये। हमने ठीक हुक्म दिया है न?

जावेद : आपका हुक्म आने वाले बादशाहों के लिए मिसाल होगा।

अलबेला : **(एकदम खुश होकर)** वाक़ई?

जावेद : वाक़ई।

अलबेला : साथ ही बादशाह को हर उस काम को बढ़ावा देना चाहिए जो रियाया में ख़ुशी बढ़ाये। उन्हें तरोताज़ा करे। उनकी ज़िन्दगी में रंगीनी भरे। नवाब बहादुर, आप बता सकते हैं, यह काम कौन कर सकता है?

जावेद : **(सोचते हुए)** हरदिल अज़ीज़ शहंशाह के नेक हुक्म और फ़रमान।

अलबेला : नहीं-नहीं...**(गर्व से)** नहीं बता सके?

जावेद : मैं शहंशाह की सलतनत का अदना अहलकार हूँ। इतनी समझ मुझमें कहाँ। मैं अपनी शिकस्त इक़बाल करता हूँ।

अलबेला : अगर कोई रियाया में खुशी बाँटता है, उनको तरोताज़ा करता है, उनकी ज़िन्दगी रंगीं ख़्वाबों से भरता है तो वह है—तवायफ़। नवाब बहादुर, क्या हमने ग़लत कहा?

जावेद : आलमपनाह और ग़लत कहें। यह नामुमकिन है। शहंशाह के ताज पर .खुदा का साया होता है। उसके गले में .खुदा की आवाज़। ज़मीन पर वह .खुदा का नुमायन्दा होता है। परवरदिगार, आपने बिलकुल ठीक कहा।

अलबेला : इसलिए हमने फैसला किया है कि तवायफ़ों से किसी क़िस्म का तावान नहीं लिया जायेगा। बल्कि उनके नेक काम के लिए सल्तनत की तरफ़ से हर महीना तवायफ़ों को वज़ीफ़ा दिया जायेगा।

जावेद : **(फर्शी सलाम कर)** शहंशाह के हुक्म पर अमल होगा।

अलबेला : तुम कह रहे थे कि शहंशाह ज़मीन पर .ख़ुदा का नुमायन्दा होता है।

जावेद : आपने सही फ़रमाया, मेरे आक़ा।

अलबेला : वह जिसे चाहे उसे सूबेदार-मनसबदार बना सकता है।

जावेद : दुरुस्त है ज़िल्ले-इलाही।

(क़ुदसिया बेगम का प्रवेश, पीछे-पीछे नवाब वज़ीर सफ़दरजंग भी आते हैं।)

अलबेला : **(क़ुदसिया बेगम को सलाम करके)** मादरे-सल्तनत की ख़िदमत में हमारा सलाम क़बूल हो।

बेगम : ख़ुदा शहंशाहे हिन्दोस्तान को उम्रदराज़ करे।

सफ़दरजंग : शहंशाहे हिन्द की ख़िदमत में नाचीज़ का सलाम पेश है।

अलबेला : नवाब वज़ीर सफ़दरजंग, आप बहुत ठीक वक़्त पर आये। हम मादरे-सल्तनत को अपने दिमाग़ का कमाल दिखाने जा रहे हैं।

सफ़दरजंग : ग़ुलाम की ज़हे-क़िस्मत।

अलबेला : मादरे-सल्तनत, हर बादशाह बूढ़े खूसटों को सूबेदार, मनसबदार बनाता रहा है। अमीरुल-उमरा कभी एक राय नहीं होते। आसफ़जाह निज़ामुलमुल्क चाहते हैं कि मालवा का सूबेदार कोई तूरानी बनाया जाये। नवाब वज़ीर अब्दुल मन्सूर ख़ाँ सफ़दरजंग चाहते हैं कि मालवा का सूबेदार कोई ईरानी बनाया जाये। इस ईरानी-तूरानी के झगड़े को दूर करने के लिए हमने मालवा का सूबेदार बनाने के लिए जिसे चुना है, उसका अन्दाज़ा आप तसव्वुर में भी नहीं कर सकतीं।

बेगम : कौन है वह?

अलबेला : अभी पेश होता है वह आपकी ख़िदमत में **(दोनों हाथों से ताली बजाता है। थोड़ी देर में एक छह-सात साल का लड़का शहंशाह के सामने कोर्निश करता है।)**

अलबेला : जनाब चुन्ने ख़ाँ को ख़ानेदौराँ का ख़िताब अता फ़रमाते हुए हम शहंशाहे हिन्दोस्तान अहमद शाह अलबेला, उनको मालवा का सूबेदार तैनात करते हैं। सूबेदार मालवा को हुक्म दिया जाता है कि वे मादरे-सल्तनत की ख़िदमत में कोर्निश बजा लायें।

(मालवा का सूबेदार, क़ुदसिया बेगम के सामने कोर्निश करता है।)

अलबेला : **(मूर्खतापूर्ण प्रसन्नता से)** हम चाहें तो पत्थर को सूबेदार बना दें। हम शहंशाह हैं।

बेगम : हमें शहंशाह का फ़ैसला पसन्द आया। शहंशाह ने जिस तरह ईरानी-तूरानी झगड़े से किनारा किया है, वह एक ज़हीन और रौशन दिमाग़ बादशाह ही कर सकता है। मादरे सल्तनत को शहंशाहे हिन्दोस्तान पर फख़्र है।

अलबेला : सूबेदारे मालवा को हुक्म दिया जाता है कि अब वह शहंशाहे हिन्दोस्तान को तीन बार सलाम करे।

चुन्ने ख़ाँ : सिर्फ़ मादरे-सुल्तान को सलाम करना था...

अलबेला : अबे तो क्या हमको सलाम करके छोटा हो जायेगा?

चुन्ने ख़ाँ : हर एक को सलाम....?

अलबेला : हम बादशाह हैं।

चुन्ने ख़ाँ : नहीं करते।

अलबेला : करेगा कैसे नहीं....

चुन्ने ख़ाँ : नहीं करता।

अलबेला : अम्मी, इस लौण्डे की हिम्मत तो देखिये। बादशाहे हिन्दोस्तान से ज़बान लड़ाता है। चल, हमें सलाम कर।

चुन्ने ख़ाँ : नहीं करता।

अलबेला : लगाऊँगा दो झापड़....

चुन्ने ख़ाँ : **(जीभ निकालकर अगूँठा दिखाता है।)**

अलबेला : स्साला अगूँठा दिखाता है। ठहर तो, अभी बताता हूँ। **(चुन्ने ख़ाँ को पकड़ने दौड़ता है।)**

(चुन्ने भागता है। पीछे-पीछे अलबेला भागता है। दोनों का प्रस्थान। क़ुदसिया बेगम हँसती है।)

बेगम : **(हँसते हुए)** अभी भी बच्चा है।

सफ़दरजंग : रुख़सत की दरकार है, मादरे-सल्तनत! **(झुककर सलाम करके जाता है।)**

बेगम : कुछ समझ में नहीं आता। सफ़दरजंग हमारे साथ हैं या हमारे दुश्मनों के साथ।

जावेद : सब अपने-अपने साथ हैं। जिसका जब जिसके साथ

काम पड़ता है, वह उसके साथ हो जाता है। सब-के-सब मतलबी हैं। किसी पर एकदम यक़ीन नहीं किया जा सकता।

बेगम : तुम ग़लत कहते हो। अभी भी एक है, जिस पर यक़ीन किया जा सकता है।

जावेद : कौन?

बेगम : **(उठकर जावेद के पास जाकर उसके सीने से लगते हुए)** जावेद।

जावेद : मादरे-सल्तनत....

बेगम : मत कहो मुझे मादरे-सल्तनत। क़ुदसिया कहो।

जावेद : **(क़ुदसिया को बाँहों में भरते हुए)** क़ुदसिया!

बेगम : तुम्हारी इन बाँहों में मुझे सुकून मिलता है....ज़िन्दगी में एक, सिर्फ़ एक मिल जाये तो इस यक़ीन के सहारे ज़िन्दगी कट सकती है। उस यक़ीन पर मौत भी लुटायी जा सकती है।

जावेद : **(क़ुदसिया को दोनों कन्धों से पकड़कर)** या .खुदाया, अगर मुझे मौत देना तो मेरी तुझसे इल्तिजा है, इन हसीन हाथों की मिट्टी मुझे क़ब्र में दफ़न करे। **(क़ुदसिया के दोनों हाथ अपनी आँखों से लगाता है।)**

बेगम : मुझे दहशत होती है। मौत की बात न करो।

जावेद : तुमने मुझे इतना दिया है, सब कुछ दिया है कि अब कोई ख़्वाहिश नहीं है। कोई अरमान नहीं। ख़्वाहिश है तो बस इतनी, कि ख़ून का आखिरी क़तरा तक तुम्हारे काम आ सके।

बेगम : मत करो मौत की बात। मुझे दहशत होती है।

जावेद : तुमने मुझे इतना दिया है। इतना कुछ। बदले में मैं तुम्हें क्या दे पाया। **(क़ुदसिया से दूर हटते हुए)** कुछ भी तो नहीं। इसीलिए मौत की बात करता हूँ। तुम्हारे लिए यह ज़िन्दगी मौत को निछावर करना चाहता हूँ।

बेगम : **(जावेद के पास जाकर)** क्या नहीं दिया तुमने? तुमने मुझे इज्ज़त दी। एक इन्सान होने का एहसास दिया। औरत होने का नहीं, एक इन्सान होने का एहसास दिया,

एक ग़ैरतमन्द इन्सान। तुमने एक कमज़ोर, मँझधार में बहती, भटकती औरत को अपनी मज़बूत बाँहों के घेरे में लेकर तहफ्फ़ुज का एहसास दिया। यह क्या कम है।

जावेद : **(क़ुदसिया से दूर हटकर)** मैं तुम्हें एक औलाद भी नहीं दे सका। कितना मजबूर हूँ मैं। कितना मजबूर है यह मेरा जिस्म। कितना मजबूर है मेरा वजूद।

बेगम : **(जावेद के पास जाकर)** औरत मर्द से सिर्फ़ औलाद ही नहीं चाहती। मर्द वह है जिसकी बाँहों में औरत ज़िन्दगी की तमाम परेशानियों से आज़ाद हो सके। जिसकी बाँहें उसके चारों ओर ऐसा क़िला तामीर कर दें, जिसमें गर्म हवा तक आने से डरे। तुमने वह क़िला मेरे चारों ओर तामीर किया है। आज मुझे अपने वजूद पर ग़रूर है तो तुम्हारी वजह से। यह ग़रूर मुझे कोई मर्द नहीं दे सका, कोई नहीं। सबने मुझे अपनी मर्दानगी के पैमाने के तौर पर इस्तेमाल किया और फिर छोड़ दिया। ओह जावेद, तुम नहीं समझ सकते, तुम मेरे लिए क्या हो। कहाँ से आ गये? कैसे आ गये मेरी ज़िन्दगी में? ख़ुदा की रहमत। ख़ुदा के भेजे फ़रिश्ते।

जावेद : उस वक़्त मैं बारह-चौदह साल का था। क़ाफ़िले को जब डाकुओं ने लूटा, तो अब्बा-अम्मी दोनों ही हलाक़ कर दिये गये थे। मुझे डाकुओं ने किसी गिरोह को बेच दिया, जिसका काम था लड़कों को नामर्द बनाकर बेचना—रईसों, अमीरों, बादशाहों के हरम के लिए! मैं किसी तरह एक दिन उन लोगों की क़ैद से भाग निकला। दो दिन का भूखा-प्यासा जमुना बाज़ार के घाट पर बैठा था, तो एक सात-आठ साल की लड़की अपनी अम्मी के साथ जमुना नहाने आयी थी। अम्मी जब पास के मन्दिर में गयी तो वह लड़की मेरे पास आयी। बड़ी-बड़ी मासूम निगाहों से मुझे एकटक देखते हुए उसने पूछा—'भूख लगी है? कुछ खाओगे?' इसके पहले कि मैं जवाब देता, वह मेरे हाथ में चार पूरियाँ

रख गयी। शायद मन्दिर के लिए लायी थी, लेकिन मुझे दे गयी। तब से मैं उस लड़की को तलाश रहा था।

बेगम : वह लड़की मिली तुम्हें?

जावेद : हाँ। बीस-बाईस बरस बाद।

बेगम : पहचाना तुमने?

जावेद : नहीं। नहीं पहचान सका। वह लड़की बड़ी होकर हुस्न और जमाल में बहिश्त की हूर लगती थी। मैं नहीं पहचान सका उसे। लेकिन जब उसकी अम्मी को देखा, तब जाना, यही है वह नन्हा फरिश्ता, जिसे मैं अरसे से ढूँढ रहा था। मेरी ज़िन्दगी की तलाश के साथ ज़िन्दगी के सफ़र को भी अपनी मंज़िल मिल गयी। अब मुझे ख़ुदा से कुछ नहीं चाहिए।

बेगम : कौन है वह लड़की? कहाँ है वह बहिश्त की हूर? क्या नाम है उसका?

जावेद : वह मेरे सामने खड़ी है। नाम है उसका ऊधम बाई.... .क़ुदसिया बेगम। **(रुककर एकटक देखते हुए)** मैं आज भी इस चेहरे में मासूस लड़की की वह बड़ी-बड़ी आँखें देख सकता हूँ।

बेगम : ओह जावेद! **(जावेद के सीने से लगकर)** तुमने मुझे यह पहले क्यों नहीं बताया।

(अचानक दरवाज़े के पास से कुछ आवाज़ आती है। जावेद चौंककर उधर देखता है। फिर इशारे से क़ुदसिया बेगम को चुप रहने का इशारा करके वह तलवार निकालकर दरवाज़े तक हल्के क़दमों से जाता है और अचानक दरवाज़ा खोल देता है। सलीम जो छिपकर बातें सुन रहा था, घबरा जाता है। जावेद उसे बाँह से पकड़कर बीच मंच पर गिरा देता है। सलीम के हाथ का भाला भी दूर जा गिरता है। जावेद सलीम के सीने पर तलवार रख देता है।)

जावेद : कुत्ते! नमक हराम!

बेगम : यह जासूस लगता है। इससे पूछो कि यह किसका आदमी है? कौन इसे यहाँ लगाया है?

जावेद : हरामज़ादे, बता किसके लिए तू जासूसी करने आया है?

सलीम : किसी के लिए नहीं। माई-बाप, किसी के लिए नहीं। मैं बेगुनाह हूँ। मुझे माफ़ कीजिये।

जावेद : ठीक-ठीक बोल, नहीं तो यह तलवार तेरे सीने के आर-पार होगी।

सलीम : **(चीख़कर रोते हुए)** रहम, सरकार! माई-बाप रहम। मेरे बीवी-बच्चे यतीम हो जायेंगे। रहम! रहम!

बेगम : जावेद, इसको मेरे सामने आने दो।

(जावेद सलीम के सीने से तलवार हटा लेता है। सलीम दौड़कर क़ुदसिया बेगम के पैरों के सामने ज़मीन पर लोट जाता है।)

सलीम : मादरे-सल्तनत, रहम! भिखारी की झोली में रहम की भीख डाल दें; गुनाहों के लिए माफ़ करें। मैं कान पकड़ता हूँ। अपने गालों पर तमाचे लगाता हूँ यह गुनाह फिर कभी नहीं करूँगा।

बेगम : ठीक है। हमने तुम्हें माफ़ किया।

सलीम : मादरे-सल्तनत!

बेगम : हाँ, हमने माफ़ किया।

सलीम : आप फ़रिश्ता हैं। रहमत की फ़रिश्ता। ख़ुदा आपका इस्तक़बाल और ऊँचा करेगा। आपके जलाल की चमक सातवें फ़लक तक पहुँचेगी।

बेगम : लेकिन हमें यह बताओ, तुम्हें किसने यहाँ जासूसी के लिए भेजा है?

सलीम : मेरे सर की क़सम, किसी ने नहीं।

बेगम : फिर तुम छुपकर हम लोगों की बातें क्यों सुन रहे थे?

सलीम : **(रोता-सा)** कहाँ सुन रहा था? मैं नहीं सुन रहा था। मैं तो सुन ही नहीं सकता। मैं तो बहरा हूँ। सुन ही नहीं पाता। रहम। मादरे-सल्तनत, रहम।

(क़ुदसिया के पैरों के पास फिर ज़मीन पर लोट जाता है।)

जावेद : **(तलवार सलीम की पीठ पर रखते हुए, क़ुदसिया से)**

सुना आपने, यह बहरा है। सुन ही नहीं पाता। **(सलीम से)** खड़े हो। **(सलीम घबराकर खड़ा हो जाता है।)** अपने बहरे कानों से सुनो। मैं जानना चाहता हूँ कि तुम किसके आदमी हो? किसके लिए जासूसी कर रहे थे? सफ़दरजंग के लिए या निज़ामुलमुल्क के लिए या किसी और के लिए। मैं दस तक गिनता हूँ। अगर तुमने इस बीच नाम बता बता दिया तो तुम ज़िन्दा रहोगे, नहीं तो दस आते ही यह तलवार तुम्हारे जिगर में होगी।

सलीम : माई-बाप, तरस खायें मुझ पर।

जावेद : एक....दो....तीन....

सलीम : **(रोते हुए)** मैं मरना नहीं चाहता, सरकार....मैं मरना नहीं चाहता।

जावेद : चार.....पाँच....

सलीम : **(घबराकर हाँफते हुए)** नहीं, सरकार! नहीं, नहीं। मैं मरना नहीं चाहता। सिर्फ़ एक बार .ख़ता माफ़ करे... सिर्फ़ एक मौक़ा और दें। आइन्दा कभी ऐसा नहीं होगा।

जावेद : छह.....सात.....आठ.....

सलीम : या .ख़ुदा, रहम कर। **(घुटने के बल बैठते हुए)** नवाब बहादुर, आपके क़दमों की क़सम, एक बार माफ़ कर दें। सिर्फ़ एक बार। आपके पाक क़दमों की क़सम।

जावेद : नौ....दस....

सलीम : **(अचानक चीखते हुए)** निज़ामुल्मुल्क ने सरकार। निज़ामुलमुल्क के आदमियों ने मुझे यह नौकरी दी। यहाँ तैनात किया उन्होंने। मैंने कुछ नहीं किया। मैं बेगुनाह हूँ।

बेगम : निज़ामुलमुल्क। यह हरक़त निज़ामुलमुक की है। **(जावेद से)** हमें उससे और होशियार रहने की ज़रूरत है।

सलीम : **(जावेद के पैर पकड़ते हुए)** मैं बेगुनाह हूँ। मुझे माफ़ फ़रमायें। मैं कुछ नहीं जानता। मैं ग़रीब क्या जानूँ चाल-फ़रेब। चन्द सिक्कों के लालच में यह सिपाही की नौकरी कर ली। वरना मैं क्या जानूँ सिपाही-विपाही।

न मैं सिपाही, न मेरा बाप सिपाही। मैं तो मामूली ढिंढोरची था।

जावेद : ढिंढोरची?

सलीम : हाँ, सरकार! ढिंढोरची। मैं ढिंढोरची, मेरा बाप ढिंढोरची। मेरा दादा ढिंढोरची। कान पकड़े। बहुत भर पाये। मैं फिर बन जाऊँगा ढिंढोरची। जान की सलामती दें, हुज़ूर! मैं आपके क़दमों में पड़ा हूँ।

जावेद : **(सलीम को गले से पकड़कर उठाते हुए)** मादरे-सल्तनत मैं, इसको जानता हूँ। पहचानता हूँ। बहुत पहले मेरे पास एक ढिंढोरची आया था। सिपाही की नौकरी माँगता था।

सलीम : वह मैं ही था।

जावेद : हाँ, मुझे याद है। बहुत मिन्नतें कर रहा था—सिपाही की नौकरी के लिए।

सलीम : वह मैं ही था, सरकार!

जावेद : वह ढिंढोरची हिजड़ा था।

सलीम : **(रहम की उम्मीद में)** मैं...मैं हिजड़ा हूँ।

जावेद : उसका बाप भी हिजड़ा था।

सलीम : **(तोते-सा दोहराते हुए)** मेरा बाप भी हिजड़ा था।

जावेद : **(सख़्त तौलती नज़रों से घूरते हुए)** तुम हिजड़े की औलाद हो?

सलीम : **(घबराया-सा)** जी...जी...जी हाँ, सरकार **(जावेद थप्पड़ मारता है। सलीम ज़मीन पर गिर पड़ता है।)**

(जावेद तख़्त के पास रखे गजर पर चोट करता है। दो सिपाही भाला लिए प्रवेश करता हैं।)

जावेद : गिरफ़्तार कर लो इसे। **(सिपाही दोनों बाँहों से सलीम को पकड़कर उठाते हैं। दहशत से सलीम के मुँह से आवाज़ नहीं निकल रही है।)**

जावेद : **(सलीम से)** तुमने अपने रहनुमा का नाम बताकर अपनी जान की सलामती हासिल कर ली है। इसलिए ढिंढोरची, तुम ज़िन्दा रहोगे। लेकिन हिजड़े की औलाद हिजड़ा बनकर ही ज़िन्दा रह सकती है। **(सिपाहियों**

से) यह तब तक हिरासत में रहेगा जब तक जर्राह इसे मुकम्मिल हिजड़ा न बना दे।

सलीम : **(चीखते हुए)** नहीं....**(सिपाही उसे खींचकर ले जाते हैं।)** रहम...रहम, मेरे आक़ा! रहम...

दृश्य : पन्द्रह

(स्थान : सफ़दरजंग की कोठी में तहख़ाना।)

(पार्श्व (विंग) से नीचे मंच पर सीढ़ी के द्वारा आया जा सकता है। तहखाने में तीन-चार अमीर खड़े आपस में फुसफसाकर बातें कर रहे हैं। सफ़दरजंग और उसके पीछे आता सलीम सीढ़ी से उतरते हैं।)

सफ़दरजंग : **(सीढ़ी से उतरते हुए)** साहिबान! ख़ुशामदेद! ख़ुशामदेद। **(नीचे आकर)** अपने ग़रीबख़ाने पर आपका ख़ैरमख़दम करते हुए मुझे बड़ी ख़ुशी हो रही है।

अमीर-1 : हम इस दावतनामें का मक़सद जानना चाहते हैं।

अमीर-2 : फिर इस तरह हम लोगों को यहाँ, चुपचाप तहख़ाने में क्यों लाया गया?

सफ़दरजंग : यह दावतनामा मेरी मय्यत के सिलसिले में है।

अमीर-3 : क्या कह रहे हैं?

अमीर-2 : अगर सल्तनत के वज़ीरे-आज़म, अवध और इलाहाबाद के सूबेदार ही मायूस हो जायेंगे तो...

अमीर-1 : तो हम लोगों का क्या होगा?

सफ़दरजंग : अब जल्दी ही आप लोगों को मेरी कोठी पर मातमपुर्सी के लिए आना होगा। मैं, नवाब वजीर अबू-अल-मन्सूर ख़ाँ सफ़दरजंग, नवाबे-अवध ने ख़ुदकुशी करने का फ़ैसला कर लिया है।

अमीर-2 : तौबा! तौबा! ऐसा क्यों कहते हैं?

सफ़दरजंग : औरत और हिजड़े की हुकूमत में रहने से तो बेहतर है मर जाना।

अमीर-3 : आप ठीक कहते हैं। इन हालात में कोई ग़ैरतमंद आदमी कैसे ज़िन्दा रह सकता है।

सफ़दजंग : कौन है ग़ैरतमन्द। मैं या आप? कोई भी ग़ैरतमन्द होता तो अब तक ज़िन्दा न बचा होता? यह सब देखने के पहले ही वह ज़हर खा चुका होता।

अमीर-1 : आपने तो मुँह की बात ले ली। कैसे कोई बर्दाश्त करे यह ज़िल्लत। कहना तो मैं भी यही सब चाहता था। लेकिन डर से मुँह पर ताला डाल दिया था। आज आपने कहा, तो कुछ हिम्मत हुई।

अमीर-4 : इस महफ़िल की ख़बर अगर उस नामर्द को पहुँच गयी...?

अमीर-2 : तो किसी के जिस्म पर सर नहीं होगा।

अमीर-3 : उसके जासूसों का जाल चारों तरफ़ फैला है। कौन जाने, हमीं लोगों में से...

सफ़दरजंग : इतना डरने की ज़रूरत नहीं। यहाँ सब अपने ही लोग हैं।

अमीर-4 : **(संयम से)** फ़ौजदार तो...?

सफ़दरजंग : फ़ौजदार मिर्ज़ा सलीम बेग हमारे ख़ास भरोसे के हैं। इनके दादा समरक़न्द से आये थे। इनकी अम्मी का ताल्लुक़ पाक सैयद ख़ानदान से है। इनके सामने आप लोग खुलकर बात कर सकते हैं।

अमीर-2 : फिर भी?

सफ़दरजंग : कहा न, इन पर हम सब पूरा यक़ीन कर सकते हैं। अगर मुझ पर यक़ीन है, तो इन पर भी यक़ीन कर सकते हैं। वैसे भी यह आप लोगों के बीच नहीं बैठेंगे। मैं इन्हें ज़रूरी और अहम ज़िम्मेदारी सरअंजाम देने भेज रहा हूँ।

अमीर-4 : यक़ीन करने के अलावा और चारा ही क्या है। अगर यह हमारी ग़ुफ़्तगू की ख़बर उस दरिन्दे को पहुँचा भी दें, तो हद से हद हमारी जान ही तो ले लेगा। हम तो जान देने को तैयार बैठे हैं।

सलीम : हुज़ूर अनवर से जाने की इजाज़त माँगता हूँ। **(फ़र्शी सलाम कर जाता है।)**

सफ़दरजंग : आप लोगों ने मान ख़ाँ का नाम तो सुना होगा...अरे वही क़ुदसिया बेगम का चचेरा भाई।

अमीर-3 : हाँ-हाँ, वही, जो महफ़िलों में नाचता है?

अमीर-2 : वही! जो महफ़िलों में नाचता है। उल्टी कटोरियों को सीने पर चोली में बाँधकर अदायें मारता है। घाघरा पहनकर कूल्हे मटकाता है। उसे बादशाह ने पाँच हज़ारी मनसबदार से तरक्क़ी देकर तीस हज़ारी मनसबदार बनाया है।

अमीर-1 : वह नचनियाँ! तीस हज़ारी मनसबदार!!

सफ़दरजंग : जी हाँ, वह मेहरा, नचनियाँ। उसे खिताब भी अता फरमाया गया है--मुतकुद्दोला बहादुर।

अमीर-1 : उसे तो कूल्हा मटकनिया बहादुर का खिताब दिया जाना चाहिए था।

अमीर-4 : **(जोश से)** क्या हम सब यही देखने के लिए ज़िन्दा हैं। लगता है हमारी रगों का ख़ून पानी बन गया है।

अमीर-3 : एक औरत और एक हिजड़ा मिलकर हम पर हुकूमत करें!

अमीर-4 : लानत है हम पर! हमारी मर्दानगी पर!

अमीर-1 : अभी तो इब्तदा है। आगे-आगे देखिये होता है क्या!

अमीर-2 : अब देखने को बाक़ी ही क्या बचा है!

अमीर-1 : आज वह नचनियाँ मनसबदार बना है। सुना है बादशाह सलामत का जल्दी ही फ़रमान आने वाला है कि सूबेदार, मनसबदार, जागीरदार—सिर्फ़ हिजड़े ही होंगे।

अमीर-4 : बको मत मियाँ।

अमीर-1 : जी हाँ, जनाब! आप लोगों का मुआइना होगा। जो नामर्द पाये जायेंगे वही अपना ओहदा, कोठी रख सकेंगे। जो नहीं पाये जायेंगे...

अमीर-2 : उनसे मनसबदारी छीन ली जायगी।

अमीर-3 : जी नहीं। उन्हें एक महीने का मौक़ा दिया जायेगा। एक महीने में या तो जर्राह बुलाकर नामर्द बन जाओ, या मनसबदारी छोड़ो।

अमीर-4 : बर्दाश्त की भी हद होती है।

अमीर-3 : मियाँ, तैश दिखाने से क्या फ़ायदा! यह बड़ी-बड़ी दाढ़ी, यह ऐंठी हुई मूँछें सब बेकार हैं। उस हर्राफ़ा को तो

खुसरे पसन्द हैं। दाढ़ी-मूँछ मुड़ा के घाँघरा-चोली में उसके आगे कूल्हे मटकाओ, तो सीने से लगा लेगी।

अमीर-4 : **(अमीर-3 से ताव में)** अगर एक लब्ज़ भी बोले तो तुम्हारी ज़बान काट लूँगा।

सफ़दरजंग : खामोश, साहबान! आपस में लड़ने से क्या फ़ायदा। हम लोगों को मिलकर सोचना है कि क्या किया जाये।

अमीर-2 : .ख़ुदा का ख़ौफ़ करना चाहिए।

सफ़दरजंग : हम लोग अकेले कुछ नहीं कर सकते। अकेले-अकेले तो सिर्फ़ ज़हर पीकर इस जहन्नुम से निजात पा सकते हैं।

अमीर-2 : लगता है क़यामत दूर नहीं। .ख़ुदा ने औरत को मर्द की ख़िदमत के लिए बनाया है। मर्द को हुकूमत करना चाहिए।

अमीर-1 : लेकिन हुकूमत कर रही है औरत। ख़िदमत कर रहे हैं मर्द।

अमीर-3 : .ख़ुदाई क़ानून को तोड़ने पर .ख़ुदा हमें कभी माफ़ नहीं करेगा।

अमीर-4 : सबसे ज़्यादा अय्यार तो वह हिजड़ा है। उसकी सब जगह की ताक़त उसके दिमाग़ में पहुँच गयी है। कितना चालाक है। कभी ईरानियों की तरफ़ तो कभी तूरानियों की तरफ़। दोनों को लड़ाता रहता है।

अमीर-1 : यह मामला ईरानी-तूरानी का नहीं है। यह मामला मर्दानगी का है। एक औरत और एक हिजड़े ने मिलकर हमारी मर्दानगी को ललकारा है।

सफ़दरजंग : जो मर्द हैं, चाहे वह ईरानी हों या तूरानी, मुग़ल हों या पठान, अरबी हों या हिन्दुस्तानी—उनको एक होना है। मैं मर्दों को दावत देता हूँ। उनकी मर्दानगी को दावत देता हूँ कि वह हमारे साथ आयें। हम एक साथ जियेंगे और एक साथ मरेंगे। लेकिन .ख़ुदाई क़ानून को बरक़रार रखेंगे।

अमीर-4 : हमारे रास्ते का काँटा वह खुसरा है। सबसे पहले उसी को हटाना पड़ेगा।

सफ़दरजंग : ख़ुदा ने चाहा तो यही होगा। **(दोनों हाथ उठाकर)** आमीन!

सब : सुम्मा आमीन!

(धीरे-धीरे अँधेरा होने लगता है। आगे-आगे मशाल लिए सलीम और उसके पीछे-पीछे जावेद सीढ़ी से उतरता है। सफ़दरजंग आगे बढ़कर जावेद को सीने से लगाता है। तब ही पीछे से सलीम उसकी पीठ में छुरी भोंक देता है। जावेद तलवार निकाल कर अपने चारों ओर खड़े अमीरों पर हमला करना चाहता है, किन्तु लड़खड़ाकर गिरता है। सब जावेद ख़ाँ के चारों ओर झुककर तड़पते हुए उसका मरना देखते हैं। जावेद ख़ाँ के मरने पर सफ़दरजंग उठकर सलीम के पास जाता है। अपने गले से मोतियों की माला निकालकर सलीम के गले में डालता है, फिर उसे अपने सीने से लगाता है।)

दृश्य : सोलह

(स्थान : लाल क़िले में क़ैदख़ाना)

(जंज़ीरों से बँधे अहमदशाह और बेगम क़ुदसिया को क़ैदखाने में ढकेलकर सिपाही वापस चले जाते हैं।)

अहमद : क्या हम कभी यहाँ से निकल सकेंगे?

बेगम : शायद नहीं।?

अहमद : क्या हमें यह लोग खाना देंगे?

बेगम : शायद नहीं।

अहमद : वह पानी तो देंगे?

बेगम : शायद नहीं।

अहमद : तो...तो... हम ज़िन्दा कैसे रहेंगे?

बेगम : ज़िन्दा नहीं रह सकेंगे।

अहमद : **(दहशतज़दा)** हम मर जायेंगे।

बेगम : **(ठण्डे स्वर में)** हम मर जायेंगे।

अहमद : (**घबराकर**) नहीं। हम मरना नहीं चाहते। हम मरना नहीं चाहते।

बेगम : बच्चे इतना नहीं घबराते।

अहमद : हम जीना चाहते हैं।

बेगम : इतना नहीं डरते।

अहमद : उनसे कहिये, हमें कुछ नहीं चाहिए। हम बादशाह नहीं रहेंगे। जो चाहे बादशाह बन जाय, लेकिन हमें ज़िन्दा छोड़ दें।

बेगम : ज़िंदगी से इतनी मोहब्बत?

अहमद : उनसे कहिये, हमारा ताज भी ले लें।

बेगम : वह तो ले ही चुके हैं।

अहमद : हमारे सारे कपड़े ले लें। सारे हीरे-जवाहरात...सब कुछ ले लें।

बेगम : वह सब पहले ही ले चुके हैं।

अहमद : बस, हमें ज़िन्दा छोड़ दें। हम उनसे कुछ भी नहीं मागेंगे। लाल क़िले से बाहर चले जायेंगे। कहीं झोंपड़ी में रह लेंगे। बस उनसे कहिये, ज़िन्दा छोड़ दें।

बेगम : इधर आओ, मेरे बच्चे! मेरे पास आओ। (**अहमद पास जाकर उसकी गोद में सर छिपाकर दुबक जाता है।**) तुम बहुत डर गये हो। इतना नहीं डरना चाहिए। मौत तो हर एक के लिए लाज़िमी है। जो इस दुनिया में आता है, उसे एक दिन तो जाना ही पड़ता है। कोई ज़रा देर से जाता है, कोई ज़रा जल्दी।

अहमद : नहीं, अम्मी! हम अभी नहीं जाना चाहते। हमें बचा लीजिये। आपसे इल्तजा करते हैं। हम आपके हाथ जोड़ते हैं। उनसे कहिये कि हमें छोड़ दें।

बेगम : नादान बच्चे, बादशाह जिस शान से ज़िन्दा रहते हैं, उसी शान से मौत को गले लगाते हैं। लगता है, वह लोग आ गये।

अहमद : (**चौंककर उठ बैठता है**) कौन?

(**दरवाज़े से दो सिपाहियों के साथ, हाथ में नंगी तलवार लिए सलीम का प्रवेश**)

सलीम : (**अहमदशाह को देखकर**) इसे ले चलो।

अहमद : **(घबराकर)** नहीं, नहीं। हम मरना नहीं चाहते। हमें छोड़ दो। हम आपके क़दमों पर पड़ते हैं। **(सलीम के पैरों पर पड़ता है।)**

(बिजली की फुर्ती से क़ुदसिया बेगम सलीम के क़दमों पर झुके अहमदशाह को खींचकर उठाती है।)

बेगम : **(चीखते हुए)** क्या करते हो। अब तक इज़्ज़त से ज़िन्दा रहे हो, अब ग़ैरत से मरने जाओ। **(सलीम से)** ले जाओ इसे।

अहमद : **(रोता हुआ)** अम्मीजान!

बेगम : जाओ।

(सिपाही 'नहीं-नहीं' करते, रोते अहमदशाह को पकड़ कर बाहर ले जाते हैं। थोड़ी देर में पास के कमरे से उसकी भयाक्रान्त चीख सुनाई पड़ती है–'अम्मी'।)

बेगम : अलविदा, मेरे बच्चे! अलविदा! तुम कितने ख़ुशक़िस्मत हो। ख़ुदा ने तुम्हें अपने पास बुला लिया। तेरी इस अम्मी की ऐसी क़िस्मत कहाँ। तभी तो अब तक ज़िन्दा है। **(रुककर)** उधर कुछ दूर पर दीवार के उस पार मेरे बेटे की लाश पड़ी है। उसके सीने में तलवार का जख़्म होगा। उसमें उसका लाल गर्म ख़ून बह रहा होगा। ख़ून, जो मेरा अपना है। ख़ून, जो मेरे दूध से बना है। उसका जिस्म अभी भी गर्म होगा। ऐसा लगता होगा जैसे सीने पर सुर्ख़ गुलाब की माला पहने वह अभी सोया है। काश, एक बार मैं देख पाती...। **(अचानक शून्य में देखते हुए)** जावेद! जावेद, तुम?

(दो सिपाहियों के साथ सलीम का प्रवेश। उसके हाथ में आग में तपी दो लाल लोहे की सलाखें हैं।)

सलीम : पकड़ लो इसके हाथ। **(एक सिपाही फुर्ती से क़ुदसिया बेगम के हाथ पीठ की तरफ़ से पकड़ता है। दूसरा सिपाही सिर पकड़ता है। सलीम दोनों सलाखें सामने से उसकी आँखों में घुमाता है। क़ुदसिया बेगम के गले से एक दर्दनाक चीख़ निकलती है। एकदम अन्धकार।)**

(कुछ क्षण पश्चात् ढिंढोरची के ढोल की आवाज़ सुनाई पड़ती है। कुछ क्षण पश्चात् जैसे ही इस दृश्य पर प्रकाश आता है, एक दूसरा ढिंढोरची ढोल बजाता दिखाई पड़ता है।)

ढिंढोरची : ख़ल्क ख़ुदा का, मुल्क शहंशाहे हिन्द अज़ीज़ुद्दीन आलमगीर ग़ाज़ी का, हुकूमत सूबेदार-ए-दिल्ली दौलतुज़्ज़मा शेख़ मिर्ज़ा सलीमशाह बेग-बहादुर की...

(तब ही हवादार (खुली पालकी,) जिसमें तकियों के बीच में सलीम अधलेटा मुस्करा रहा है, लिए चार कहार आते हैं। आगे-पीछे हथियारबन्द सिपाही हैं। दिल्ली के सूबेदार की सवारी देखकर, ढिंढोरची अचकचाकर चुप हो जाता है, और सलाम में झुक जाता है। सलीम गले से माला उतारकर ढिंढोरची को फेंकता है। ढिंढोरची माला लेकर फिर कोर्निश में झुकता है। दृश्य जड़ (फ्रीज) हो जाता है।)

(इति)

परिशिष्ट-1

मोहम्मदशाह रंगीले के दरबार में गाई जाने वाली बंदिशें

1. बन्दिश : मियां मल्हार, एक ताल (विलम्बित)

स्थाई :

ममंदसा रंगीलेरे, बलमा तुम बिन मैंका
कारी बदरिया नेक न सुहावे

अन्तरा :

उमड़-उमड़ घन आवे, नैनन झर लगावे
तरसावै सदा रंगीले को सुखदाई
चमक बिच डरावै ममंद सा।

2. बन्दिश : राग गौड़-मल्हार

स्थाई :

रुम झुम बदरवा बरसे, दामिनी दमके पवन चले
पापी पपीहा पियु-पियु करे

अन्तरा :

मंमद सा पिया सदा रंगीले, उन बिन जियरा तरसे
नन्ही-नन्ही बूँदे, मेघा बरसे
भींज गयी तन सब सरसे

3. बन्दिश : राग दरबारी कान्हड़ा

स्थाई :

बंधनवा बांधो रे, बांधो रे, बांधो सब मिलिके मालिनिया
ममदसा प्यारे के घर काजे

अन्तरा :

सदारंगीली तान कसो बधावा गावो माई
सब सायत सों आजे।

4. बन्दिश : राग मियां मल्हार (त्रिताध मध्यलय)

बोल रे पपैया अब घन गरजे
उन उन कर आई बदारिया
बरसन लागी सदा रंगीले
मंमदसा दामिनी सी चाँद
कौंधे मोरा जिया लरजे

5. होरी

होरी को रंग हुरदंग मच्योरे भइया
फागुन फुहार आज होली है।

तक तक तक तक मारे पिचकारी
नाचत गावत दै दै तारी

अ र र र र र र र मलत गुलाल मुख
होरी की होरी बरजोरी है।।

तिनक तिनक तिन धिनक धिनग धं
धागे न तु न क धिं धागु न तुन न कधि
बाजत ढोल मृदंग बांसुरी
शहनाई और ढोरी है।

परिशिष्ट-2

नाटक के आधार-स्तम्भ : ऐतिहासिक साक्ष्य

Extracts from the 'Fall of Mughal Empire', Vol. 2
by Sir Jadunath Sarkar (Reprint, 1971),
Orient Longman, New Delhi

- Muhammad Shah had come to the throne in 1719 at the age of 17. For seven years before that event he had been kept under confinement in the palace harem and had received no education such as might fit a man to rule a kingdom or lead an army.

  — Page 4

  But his sedentary life of inactivity and his sexual excess soon impaired his constitution and he became a confirmed invalid by the time he was only forty. The evil was agravated by his taking to opium, and this drug habit made him weak and emaciated, till at last it became impossible to move him from his palace.

  — Pages 4 & 5

- When the fires of youthful passions had burnt themselves out, a deep melancholy settled on Muhammad Shah, and towards the end of his life he loved to frequent the society of faqirs.

  — Page 5

- The Queen-mother Udham Bai, formerly a public dancing girl, had been introduced to Mohammad Shah's notice by Khadija Khanam, the daughter of Amir Khan, and had so fascinated the Emperor as to be raised to be dignity of a queen.

  — Page 209

- But what outraged public sentiment and lowered the imperial prestige most was her intimacy with the eunuch Javed Khan, who even went so far as to pass his nights in the imperial harem, in defiance of the long-standing palace rules.

  — Pages 208 & 210

- They (The royal guards) tied up a young ass and a bitch at the palace gate and when the nobles and other courtiers came to attend the darbar, they audaciously urged them, saying, "First make your bow to these. This one (pointing to the ass) is the Nawab Bhadur (Javed Khan) and that (the bitch) is Hazrat Qudsia, the Queen-mother"!

  — Page 110

- He (Javed Khan) had established complete Away over the mind and body of Udham Bai even before her husband's death.

  — Pages 210 & 211

- In the midst of the ennui caused by sensual excess, he (Ahmed Shah) used to seek diversion in childish act of sovereignty.

  — Page 206

- ...or that the equally important charge of Kashmir...he conferred on a still smaller prince Tala Sa'id Shah (one year old) as absentee 'subahdar', with a lad of fifteen (another court favourity) as the 'naib nazim'.

  — Page 207

- It is said that Udham Bai put on white robes and discarded her jewels and ornaments (like a widow, on the death of Javed Khan).

  — Page 277

रक्त-अभिषेक
(2004)

स्वगत : नाटककार का कथन

मेरा यह नाटक 'रक्त-अभिषेक' मेरे आज से जुड़ा है। मेरे सब नाटक मेरे आज से जुड़े हैं। इसी तरह इस नाटक में भी मेरा अपना आज है।

यह नाटक बाइस सौ वर्ष पुरानी कथा कहता है, इस दृष्टि से यह एक ऐतिहासिक नाटक है। किन्तु इस ऐतिहासिक नाटक में 'मेरा आज' है, इसलिए यह ऐतिहासिक होते हुए भी समसामयिक नाटक है। यह इतिहास के माध्यम से आज की कथा कहता है। यह आज ही तो है जो आज के दर्शकों से इतिहास को जोड़ता है।

मैंने गहन सुचिंतन के बाद विशेष रूप से लिखा है कि नाटक 'मेरे आज' से जुड़ा है। मैंने यह नहीं लिखा कि नाटक 'आज' से जुड़ा है। 'आज' का अर्थ है– मेरा-तेरा-सबका आज। समसामयिक समाज का सत्य। युगीन सत्य। किन्तु 'मेरा आज' वह सत्य है, जिसकी अनुभूति मैं अपनी तरह से करता हूँ। अपनी मानसिकता, परिवेश और व्यक्तित्व के चश्मे से करता हूँ। अतएव यह नाटक ऐतिहासिक परिप्रेक्ष्य में मात्र आज की कथा नहीं है। वस्तुतः यह नाटक उस 'आज' का रूपायन है, जो मेरा 'अपना' आज है, जो आज मेरे व्यक्तित्व से संयुक्त है, जो मेरे व्यक्तित्व का विस्तार है और जिसमें सत्य को देखने की मेरी अपनी जीवन-दृष्टि है।

यह नाटक सेनापति पुष्यमित्र शुंग द्वारा अपने ही राजा, अंतिम मौर्य सम्राट बृहद्रथ की हत्या का मात्र रूपायन नहीं है। यह सही है कि सैनिक तख्तापलट (मिलिटरी कू) समसामयिक इतिहास में अनेक देशों में (जिसमें पड़ोसी देश पाकिस्तान विशेष रूप से शामिल है) एक आम बात है। किन्तु इसके उदाहरण प्राचीन भारतीय इतिहास में नहीं मिलते। इस दृष्टि से सेनापति पुष्यमित्र शुंग का यह कृत्य एक महत्त्वपूर्ण घटना है, और नाटक लिखने के लिए उपयुक्त नाटकीय विषय। 'रक्त-अभिषेक' एक सैनिक विद्रोह की कथा ही नहीं है। इस माध्यम से मैंने भारतीय मानस के आदर्शवाद और यथार्थवाद, कर्म और अकर्म, अनुरक्ति

और विरक्ति तथा हिंसा और अंहिसा के शाश्वत द्वंद्व का अन्वेषण किया है।

कुरुक्षेत्र की युद्धभूमि। कौरव और पांडव सेनाएँ आमने-सामने शस्त्रों से लैस खड़ी हैं—युद्ध के शंखनाद की प्रतीक्षा में। किसी भी क्षण अपने शत्रुओं पर आक्रमण करने को आतुर। तूफान के पहले का सन्नाटा। तभी पांडव योद्धा अर्जुन के मानस में हरहराता द्वंद्व असहनीय हो जाता है। वह अचानक शस्त्र फेंक देता है। वह कहता है कि अच्छा हो मेरे शत्रु मुझ निःशस्त्र की हत्या कर दें, किन्तु मैं उनके विरुद्ध शस्त्र नहीं उठाऊँगा।

पृथ्वीराज चौहान भी इसी द्वंद्व से ग्रसित था। मोहम्मद गौरी पराजित होकर उसके सामने बंदी बना खड़ा था। मोहम्मद गौरी का अपराध अक्षम्य था। अकारण ही, केवल साम्राज्यवादी विस्तार के लिए आक्रमण कर असंख्य भारतीयों की हत्या का दोषी था वह। ऐसे हत्यारे का क्या दंड हो? पृथ्वीराज के मानस में शाश्वत द्वंद्व की आधी हरहराने लगी। कर्म-अकर्म, दंड-क्षमा, हिंसा और अहिंसा। पृथ्वीराज ने मोहम्मद गौरी को क्षमा कर दिया। आगे का इतिहास सब जानते हैं। मोहम्मद गौरी अपनी पराजय नहीं भूला। एक वर्ष के भीतर ही उसने भारत पर दोबारा आक्रमण कर दिया। अब बंदी पृथ्वीराज मोहम्मद गौरी के सामने खड़ा था। उसने पृथ्वीराज की क्षमा का प्रतिउत्तर क्षमा से नहीं दिया। उसने पृथ्वीराज को प्राणदंड का आदेश दिया। क्यों? क्योंकि मोहम्मद गौरी भारतीय मानस के शाश्वत द्वंद्व से मुक्त था। आज भी भारतीय मानस में अर्जुन और पृथ्वीराज अपनी पूरी विशिष्टताओं के साथ जीवित हैं। जिसने भारत की सार्वभौमिक सत्ता के प्रतीक संसद पर आक्रमण किया, और जिसकी रक्षा में कितनी ही जाने गयी और जिनके लहू ने भारतमाता के चरणों पर महावर रचा, ऐसे मोहम्मद अफजल गुरु को फाँसी दी जाए या न दी जाए—सार्वजनिक विषय बना रहा है। कारगिल-युद्ध में एलओसी (नियंत्रण-रेखा) पार की जाए या नहीं, सियाचिन से सेना हटाई जाए या नहीं, यह सब भारतीय मानस के शाश्वत द्वंद्व की ही अभिव्यक्ति हैं।

इसके विपरीत, हम देखते हैं कि पाकिस्तान के पूर्व प्रधानमंत्री जुल्फिकार अली भुट्टो को फाँसी पर लटकाने के पूर्व जियाउल हक एक क्षण भी संशयग्रस्त नहीं हुआ। अमेरिका और इराक के हाथ भी सद्दाम को फाँसी पर लटकाने के पहले एक क्षण के लिए नहीं रुके। ब्रिटेन-रूस-अमेरिका की सेनाओं ने इटली के फासिस्ट नेता मुसोलिनी की हत्या के बाद भी सार्वजनिक चौराहे पर उसकी लाश को फाँसी दी। कम्युनिस्ट रूसी क्रांति ने जार निकोलस द्वितीय को क्षमा नहीं किया। न केवल जार की हत्या की, अपितु उसके पूरे परिवार, पत्नी, पुत्र-पुत्रियों तक की हत्या कर दी। और जब 1956 में हंगरी के राष्ट्रवादी प्रधानमंत्री ने

रूसी साम्राज्यवाद के विरुद्ध बगावत की, तो रूसी टैंकों ने हंगरी पर आक्रमण करके वहाँ रूसी प्रभुत्व स्थापित किया। और हंगरी के प्रधानमंत्री को डेढ़ साल बाद फाँसी पर लटका दिया। अभारतीय समाज और चिंतन 'मूसा के विधान' (मोजेज लॉ) के 'आँख के बदले आँख' के सीधे, सपाट और आदिम विधान से अनुचालित है। वह सत्य-असत्य, हिंसा-अहिंसा, कर्म-अकर्म, दंड-क्षमा, आदर्श-यथार्थ आदि दार्शनिक द्वंद्वों से सर्वथा मुक्त है। यह द्वंद्व तो केवल भारतीय मानस की विशेषता है। या विवशता?

बाइबिल में एक गाल पर कोई थप्पड़ मारे तो थप्पड़ खाने को दूसरा गाल बढ़ा देने की शिक्षा है। किन्तु आज तक, इतिहास के किसी काल में, किसी ईसाई राजा या राष्ट्र ने इसका पालन नहीं किया। ऐसी निस्सीम परम अहिंसा का निर्देश पुस्तक तक ही सीमित रह गया। क्यों? क्योंकि यह व्यावहारिक नहीं है। यह अर्द्ध-सत्य है, जो केवल बौद्धिक विलास और अमूर्त कर्महीन सिद्धांत हो, वह सत्य नहीं हो सकता।

जो दृष्टि जीवन को कर्म-अकर्म अनुराग-विराग, प्रेम-घृणा, हिंसा-अहिंसा के अलग-अलग सांचों में बांटकर जीवन को टुकड़े-टुकड़े देखती है, वह दोषपूर्ण है। इस द्वैत से निरपेक्ष एक तीसरा मार्ग भी है। बहुजन के हित, सुख और कल्याण के लिए की गयी हिंसा भी सत्य, शिव और सुंदर है, जैसे राम द्वारा रावण का और कृष्ण द्वारा कंस का वध।

यह नाटक बौद्ध धर्म विरोधी नहीं है। यह लिखने की आवश्यकता इसलिए पड़ गयी, क्योंकि ऐसे निंदकों को कमी नहीं जो तथ्यों को विकृत करके, अर्थ का अनर्थ कर सकते हैं। यह मैं अपने पिछले अनुभवों के आधार पर लिख रहा हूँ। सेनापति पुष्यमित्र शुंग भी बौद्ध धर्म का विरोधी नहीं था। वह भारतीय वैचारिक और धार्मिक सहिष्णुता और सौमनस्य की परंपरा में बौद्ध धर्म का सम्मान करता था। इस संदर्भ में परिशिष्ट अवलोकनीय है।

यह नाटक वैदिक-बौद्ध संघर्ष की गाथा भी नहीं है। यह यूनानी-भारती संघर्ष की गाथा है। अगर पुष्यमित्र शुंग न होता तो देश पर यूनानियों का आधिपत्य उसी प्रकार का होता जैसे कालांतर में तुर्कों, अफगानों, मुगलों और अंग्रेजों का हुआ। इतिहास-निर्माता और राष्ट्रनायक के रूप में सेनापति पुष्यमित्र शुंग की भूमिका सदा अक्षुण्ण रहेगी।

नाटक मूलतः एक कला है—ललित कला, संगीत, साहित्य और नृत्य कलाओं के समान। किन्तु अन्य कलाओं से वह कुछ भिन्न भी है। नाटक द्विआयामी कला है। अपने लिखित रूप में वह एक साहित्यिक कृति है। किन्तु रंगमंच पर प्रस्तुत होते हुए वह प्रदर्शन-कला (परफार्मिंग आर्ट) बन जाता है। लिखित नाटक का मूल्यांकन उसके साहित्यगत मूल्यों के आधार पर किया जाता है। प्रदर्शन कला के रूप में उसका मूल्यांकन रंगमंच पर उसकी सफलता, असफलता के आधार पर किया जाता है। ऐसा हो सकता है कि कोई नाटक साहित्यिक कृति के रूप में समीक्षकों द्वारा बहुत श्रेष्ठ सिद्ध हो, किन्तु मंचस्थ होने पर वह असफल हो जाए। इसके विपरीत, यह भी सत्य है कि कोई नाटक रंगमंच पर अपार सफलता प्राप्त करे, किन्तु उसका नाट्यालेख अत्यंत सामान्य तथा साहित्यगत मूल्यों से सर्वथा हीन हो। तब श्रेष्ठ नाटक कौन है? उसकी श्रेष्ठता मापने की कसौटी क्या है? उत्तर स्पष्ट है—जो नाटक लिखित रूप में साहित्यगत मूल्यों से भरपूर हो और साथ ही मंच पर भी उतना ही श्रेष्ठ सिद्ध हो, जैसे—शेक्सपियर के नाटक।

हिन्दीभाषी प्रदेशों में नाटक की परंपरा का अभाव है। नियमित रंगमंच का तो सर्वथा अभाव है। यह सही है कि छिट-पुट नाटक-दल अपेक्षाकृत बड़े शहरों में कुछ-कुछ करते रहते हैं, किन्तु समाज में रंगकर्म की जड़ें इतनी गहरी नहीं हैं कि एक-एक नाटक की 200-400 प्रस्तुतियाँ संभव हो सकें, जैसा कि विदेशों में होता है। इसलिए अधिकांश नाटककारों को अपनी रचनाओं को मंच पर परखने का अवसर ही नहीं मिलता। वैसा अवसर जो आगा हश्र कश्मीरी को उपलब्ध था। मैं इस मामले में थोड़ा भाग्यशाली हूँ। मैं नाट्य-लेखन के साथ, नाट्य-निर्देशन से भी जुड़ा रहा हूँ। इसलिए नाटक लिखने के पश्चात् उसकी मंच प्रस्तुति भी स्वयं करता हूँ। अपने अधिकांश नाटकों का मैं प्रथम निर्देशक रहा हूँ। पूर्वाभ्यास के दौरान मैं पांडुलिपि को संशोधित,परिवर्द्धित करता हूँ। अटपटे शब्दों को, जिन्हें अभिनेताओं को बोलने में कठिनाई होती है, निकालकर उनके स्थान पर सहज शब्द संजोता हूँ। प्रस्तुति के आधार पर नाट्य-लेखन में रंग-निर्देश समावेशित करता हूँ। इसी परिप्रेक्ष्य में मैंने रक्त-अभिषेक को भी दिल्ली तथा जबलपुर में प्रस्तुत कर नाटक को मंचसिद्ध किया है।

सुधी पाठकों, रसिक रंग-प्रेक्षकों और पारखी समीक्षकों के लिए जीवन के अंतिम चरण में लिखा यह नाटक।

नयी दिल्ली
मई, 2007

दया प्रकाश सिन्हा

रक्त-अभिषेक : एक आध्यात्मिक गाथा

आदि भारतीय रंगमंच के मूल में आध्यात्मिकता थी। कालांतर में वह भौतिकता के रंग में रंग गया। सतही विषय-वस्तु, घर के बंद कमरों तक सिमटे पारिवारिक कथानक, समय और देश के खांचों में बंधी ऐतिहासिक घटनाएँ-रंगमंच मात्र मनोरंजन के उद्‌देश्य तक सीमित हो गया। इस एकांगी दृष्टि ने जीवन को परस्पर विरोधी तत्त्वों में विभाजित करके देखा—जैसे जीवन विपन्न है अथवा संपन्न; जीवन पराजय है, अथवा विजय; जीवन आधुनिक है अथवा प्राचीन; जीवन (नाटककार के उद्‌देश्य के अनुसार) आध्यात्मिक है, अथवा भौतिक।

किन्तु 'रक्त-अभिषेक' (अहिंसा की हिंसा) जीवन के इस कृत्रिम द्वैत को समाप्त करते हुए, भूत और वर्तमान, ऐतिहासिक और समसामयिक, उदात्त और लौकिक, आदर्शगत मूल्यों और व्यावहारिक संभावनाओं एवं भौतिक और आध्यात्मिक के विभाजन को समाप्त करते हुए, उन्हें एक सतत गतिमान जीवनचक्र में समाहित करता है। ऐतिहासिक परिप्रेक्ष्य में गुंफित यह नाटक, दर्शकों से सामयिक चेतना की अपेक्षा रखता है। यह प्राचीन ऋषियों, ऐतिहासिक साम्राज्यों, पुरातन धर्मों तथा वासनाओं और लालसाओं की सतत भूख के संसार का साक्षात्कार कराता है। और जब दया प्रकाश सिन्हा की लेखनी एकीकृत, सर्वसमावेशी और अविभाजित सृष्टि के सारभूत सत्य से प्रेरित होकर सर्जना करती है, तो हत्या जैसा भौतिक निर्णय नाटक में आध्यात्मिकता का संस्पर्श करता है।

'रक्त-अभिषेक' नाटक की प्रस्तुति का जीवंत अनुभव आवश्यक है, जिससे वह तत्त्व जो रंगमंच का निर्माण करते है उनकी पुंजीभूत ऊर्जा अनुभव की जा सके। नाटक अलग-अलग प्रेक्षकों को अलग-अलग तरह से प्रभावित करता है, क्योंकि नाटक के विभिन्न चरित्र प्रेक्षकों के अंतत् में निहित विभिन्न प्रवृत्तियों का प्रतिनिधित्व करते हैं।

ऋषि पतंजलि हर मनुष्य की अद्वैत आत्मा के प्रतीक हैं, जो धर्म-अधर्म, सम्यक् कर्म, और दुष्कर्म, हिंसा-अहिंसा आदि से निरपेक्ष होकर उचित कर्म (संदर्भानुसार) निर्देशित करते हैं, चाहे वह हत्या ही क्यों न हो। नाटक के नायक

सेनापति पुष्यमित्र द्वारा चयनित घोर, रक्तरंजित, भौतिक कर्म अंततः सत, कल्याणकारी, प्रवृद्ध एवं सर्वथा न्यायोचित सिद्ध होता है।

पाठक, दर्शक और अभिनेता पूरी सघनता से उस अनुभूति को आत्मसात करते हैं, जब नाटककार उस अहिंसा की व्याख्या करता है, जो अंततः हिंसा को जन्म देती है। दुर्बलबुद्धि और अपनी ऐंद्रिक वासनाओं का दास अंतिम मौर्य राजा बृहद्रथ हम सबके क्षुद्र अहम् का रूपायन है, जो सदा दूसरों से हर कीमत पर चाटुकारिता, अनुसमर्थन और ऐंद्रिक परितोषण की माँग करता हुआ विनाश के निश्चित मार्ग पर बढ़ता है। जैसे अत्यधिक विलासिता से मनुष्य का शरीर क्षीण और दुर्बल होकर रोग के विषाणुओं के आक्रमण का द्वार खोल देता है, उसी तरह करुणामय, आदर्शवादी किन्तु संभ्रमित और मंदबुद्धि राजा बृहद्रथ सुरक्षाहीन भारत के द्वार विदेशी आक्रमागकारियों (यवनो) के लिए खोल देता है, जिनकी राजनीतिक और धार्मिक दुर्योजनाएँ हैं।

सेनापति पुष्यमित्र, अहं से परे बुद्धि और चेतन का प्रतिनिधि है, जो सदा सद्बुद्धि और विवेक से संलग्न है और जो क्षुद्र अहम् का नाश करके शरीर (साम्राज्य) का संतुलन प्रतिष्ठित करता है। यह सैनिक (सद्बुद्धि) हम सबमें सोया हुआ है। हम सबमें सोई हुई इस चेतना को जगाने का नाटककार का संदेश, अर्जुन को गांडीव उठाने का कृष्ण का संदेश है। जब सद्बुद्धि सजग होती है, तब अहं शरीर का क्षरण नहीं कर सकता; शरीर शांतिमय हो तो रोगों के आक्रमण से सुरक्षित रहता है। नाटककार हम सबको-शांतिपूर्ण योद्धाओं को-यदि आवश्यक हो तो, हिंसा के लिए आमंत्रित करता है, जिससे अंततः अहिंसा स्थापित हो सके।

परस्पर विरोधी द्वैत हमारे मन-मस्तिष्क में सदा रहते हैं। नाटक एक तीसरे आयाम को दर्शाता है, जो परंपरागत विरोधी तत्त्वों से निरपेक्ष है। यह नाटक हमारे अंदर अध्यात्म से प्रेरित शांतिपूर्ण योद्धा उजागर करता है—जो सतत शांति के निर्माण में सोद्देश्य कार्यरत रहता है, किन्तु जो प्राणिमात्र के कल्याण के लिए सर्वभूत हिताए आवश्यक होने पर हिंसा के प्रयोग में संकोच नहीं करता।

यह संसार भी तो अंततः एक रंगमंच है। परम रंगमंच। नाटक हमें याद दिलाता है कि हम सबको इस परम रंगमंच पर अपनी-अपनी भूमिकाएँ ऐसे निभानी चाहिए, जिसमें दर्शकों और अभिनेताओं दोनों का मनोरंजन और कल्याण हो।

'दिव्यवाणी'

प्रथम प्रस्तुति

'रक्त-अभिषेक' नाटक की प्रथम प्रस्तुति 21 नवम्बर 2006 को श्रीराम सेंटर प्रेक्षागृह, नयी दिल्ली में सम्पन्न हुई इसमें निम्नलिखित कलाकारों ने भाग लिया :

मिनेंडर	:	जितेंद्र बरसीवाल
टाइटस	:	रोहित त्रिपाठी
हेलियोडोरस	:	अरविंद सिंह
बृहद्रथ	:	जय प्रकाश सिंह
पुष्यमित्र शुंग	:	राजीव शर्मा
अन्टोनिया	:	हरविंदर कौर
दासी	:	मिली मिश्रा
बटुक	:	प्रवीण कुमार भारती
पतंजलि	:	जितेंद्र बरसीवाल
वीरसेन	:	आशीष वर्मा
शीलभद्र	:	राज वत्स
प्रजामुख-1	:	संजीव आदि
प्रजामुख-2	:	मिनेत जोरा
सैनिक	:	नितिन खोलिया, मनोज खंडूरी, वरुण वर्मा, सुमित पंवार, शाहीद, अहमद, नित्यानंद वर्मा
कला एवं दृश्यबंध	:	मनीष वर्मा
संगीत	:	काजल घोष
ध्वन्यांकन	:	डिजिटल साउंड स्ट्रडियो नयी दिल्ली
ध्वनि संचालन	:	शफीक
रूप-सज्जा	:	हरीश खोलिया, प्रवीण कुमार भारती
वेश-भूषा	:	मोती खरे
वस्त्र-सज्जा	:	डी.सी. कॉस्ट्यूम

प्रकाश संयोजन	:	राज नारायण दीक्षित
उपकरण एवं शिरस्त्राण	:	हरीश खोलिया, नितिन खोलिया, मनोज खंडूरी
निर्माता	:	डॉ. सत्य प्रकाश
सहायक निर्देशक	:	प्रवीण कुमार भारती
प्रस्तुति	:	दिशा ग्रूप ऑफ बिजुअल एंड परफार्मिंग आर्ट्स

परिकल्पना, लेखन एवं निर्देशन

दया प्रकाश सिन्हा

दृश्य-1

पात्र : मिनेंडर
छः-सात यूनानी जन
हेलियोडोरस
टाइटस

(बीच मंच पर ज़ियस की मूर्ति-चित्र। नेपथ्य में गुरु-गंभीर संगीत जो वातावरण को पवित्र रहस्यात्मक बनाता है। मंच पर अन्धकार, सिवाय एक मशाल के जो एक स्टेंड पर जल रही है। मूर्ति के सामने, एक तरफ मिनेंडर खड़ा है, और दूसरी ओर छः-सात यूनानी लोग हैं)

मिनेंडर : हे ज़ियस, तू हमारा ख़ुदाई बाप है। हमारा मालिक हैं। हमारी हिफ़ाज़त करने वाला मुहाफ़िज़। सब देवता तेरे नौकर हैं। ज़ियस, हम सब फ़रियादी तेरे सामने सिर झुकाए खड़े हैं।

सब : हे परवरदिगार! हम पर रहम कर। हमारी हिफ़ाज़त कर।

मिनेंडर आसमान में चमकता सूरज, चांद-तारे, सब तेरी परिक्रमा कर रहे हैं। ये पहाड़, ये नदियाँ, ठाठें मारता समंदर, लहलहाते खेत, सूखे रेगिस्तान, हवा में झूमते पेड़, आसमान में उड़ती चिड़ियाएँ—सब ही तेरे बनाए करिश्मे हैं।

सब : हे ज़ियस, हम सब तेरे फ़रियादी हैं।

मिनेंडर : हे ज़ियस! मैं बैक्ट्रिया का राजा मिनेंडर, आज तेरे दरबार में तुझे गवाह बनाकर क़सम लेता हू—हिन्दुस्तान में तेरी, सिर्फ़ तेरी हुकूमत होगी। वहाँ के देवी-देवता तुझसे शिकस्त खाकर अपना नामो-निशां खो बैठेंगे। सिकंदरे-आज़म का भारत फ़तह करने का सपना अभी अधूरा है। इस सपने को मैं पूरा करूँगा। ज़ियस! मेरे सिर पर अपनी दुआ का हाथ रख। **(प्रार्थना में झुकता है।)**

कोरस : हे ज़ियस, हम सब तेरे फ़रियादी हैं।

मिनेंडर : **(खड़े होकर)** हमारे पुरखे सिकंदरे-आज़म के साथ हिन्दुस्तान को फ़तह करने आए थे। हिन्दुस्तान की सरज़मी पर जख्मी हो जाने की वजह से सिकंदरे-आज़म को वापस लौटना पड़ा और वह हिन्दुस्तान को फ़तह करने का ख़्वाब दिल में ही लिए! हुए, जन्नत चले गये। लेकिन हमारे पुरखे वापस नहीं गये। वह यहाँ बैक्ट्रिया में रुक गये, सिकंदरे-आज़म की मौत का बदला लेने। हिन्दुस्तान की फ़तह का उनका सपना पूरा करने और सिपहसालार सेल्युकस की शिकस्त का बदला लेने। हे ज़ियस, तूने यह ज़िम्मेदारी मेरे कमज़ोर कंधों पर डाली है। तेरे क़दमों की क़सम, मैं यह ज़िम्मेदारी पूरी करूँगा।

कोरस : हे ज़ियस, हम सब तेरे फ़रियादी हैं।

मिनेंडर : हिन्दुस्तान-फ़तह के काम को सरअंजाम देने के लिए टाइटस हिन्दुस्तान जा रहा है। **(टाइटस आगे बढ़कर ज़ियस के सामने नमन करता है)** यह अपनी हिकमत और अक़्ल से हिन्दुस्तान में ज़ियस की हुकूमत की नींव रखेगा। हे ज़ियस, टाइटस तेरी क़दम-बोसी कर रहा है।
(टाइटस घुटनों के बल झुकता है)

कोरस : हे ज़ियस, हम सब तेरे फ़रियादी हैं।

मिनेंडर : जैसे नींबू दूध को फाड़ देता है, वैसे ही यह टाइटस हिन्दुस्तानियों को, वैदिकों और बौद्धों में तक़सीम करेगा। वैदिकों और बौद्धों को आपस में लड़ाकर, हिन्दुस्तान की ताक़त को कमज़ोर कर देगा। और तब, हे ज़ियस, तुम्हारा यह गुलाम मिनेंडर, हिन्दुस्तान पर हमला करके सिकंदर और सेल्युकस के सपने को पूरा करेगा। ज़ियस, मेरे सर पर अपनी दुआ का हाथ रख। घुटनों के बल बैठकर झुकता है)

कोरस : हे ज़ियस, हम सब तेरे फ़रियादी हैं।
(सब प्रार्थना में घुटनों के बल बैठकर झुकते हैं)

(अतंराल-अंधकार)

(दृश्य समाप्त)

दृश्य-2

पात्र : टाइटस
हेलियोडोरस

(मंच के आगे के दाहिने कोने पर, प्रकाश-वृत्त में हेलियोडोरस बौद्ध भिक्षु का चोला लिए खड़ा है।)

टाइटस : **(प्रवेश करके)** हेलियोडरस, मेरा चीवर!

(हेलियोडरस उसको बौद्ध भिक्षु का चोला देता है। टाइटस अपनी यूनानी पोशाक के ऊपर चोला पहनता है। फिर बौद्ध भिक्षु जैसी टोपी लगता है)

टाइटस : **(कपड़े पहनते हुए)** कमबख़्तो ने एक हज़ार यूनानियों को पाटलिपुत्र की सरहद के बाहर रोक लिया है। क़ैदी बना लिया है। उसमें अंटोनिया भी है।

हेलियोडोरस : यह सब उसी की करतूत है—पुष्यमित्र शुंग की। जब तक वह मगध का सेनापति रहेगा, कभी भी भारत में ज़ियस की सल्तनत नहीं बनने देगा।

टाइटस : उसे ही सबसे पहले देखना होगा। वही है हमारा दुश्मन। पहला दुश्मन।

हेलियोडोरस : और भारती?

टाइटस : ये भारती लोग! सोने की चमक में इनकी आँखें चौंधिया जाती हैं। फिर इन्हें कुछ दिखाई नहीं पड़ता। हर चुंगी पर सोने की कुछ मोहरें फेंक दो, सभी रुकावटें अपने-आप हटती जाएँगी। लेकिन यहाँ पाटलिपुत्र में पुष्यमित्र से तो निपटना ही है एक दिन। **(स्वर बदलकर)** माला कहाँ है? हेलियोडोरस माला पकड़ाता है) लो, मैं बन गया भंते संघरक्षित। **(परिहास में)** धम्म शरणं गच्छामि।

(अंतराल-अंधकार)

(दृश्य समाप्त)

दृश्य-3

पात्र : बृहद्रथ
पुष्यमित्र
टाइटस
हेलियोडोरस

(मौर्य सम्राट बृहद्रथ चौकी पर आँखें बंद किये ध्यान की मुद्रा में बैठा है, हेडियोडोरस उसके अंगरक्षक के रूप में खड़ा है)

पुष्यमित्र : **(प्रवेश करके)** महाराज के श्रीचरणों में नमन स्वीकार हो।

बृहद्रथ : बताओ सेनापति पुष्यमित्र, क्या समाचार लाए हो?

पुष्यमित्र : समाचार बहुत चिंताजनक है।

बृहद्रथ : चिंताजनक?

पुष्यमित्र : यवन सम्राट मिनेंडर भारत पर आक्रमण की तैयारी कर रहा है।

बृहद्रथ : यह तो तुम पहले भी बता चुके हो!

पुष्यमित्र : जी हाँ, किन्तु इधर जो समाचार मिले हैं, उससे इस समाचार की पुष्टि होती है। **(बृहद्रथ आँख बंद कर पुनः ध्यान में चला जाता है)** यवन सम्राट की सेना में यवन, पारसीक और तुरुष्क तो थे ही, इधर सूचना मिली है कि उन्होंने लड़ाकू पश्तूनों की भी एक टुकड़ी तैयार कर ली है। ये पश्तून मगध राज्य की सीमा में पुसकर लूट-मार कर रहे हैं। यवन अधिकारियों से आपत्ति करने पर भी कुछ नहीं हुआ। उल्टे उन्होंने झूठा आक्षेप यह लगा दिया कि हम भारती उनकी सीमा में घुसकर लूट-पाट करते रहे हैं।

सम्राट! (**अचानक बृहद्रथ को ध्यान में देखकर**) मैं फिर आऊँगा...सम्राट ध्यान में हैं।

बृहद्रथ : बोलते रहो सेनापति, बोलते रहो। हम सुन रहे हैं।

पुष्यमित्र : (**संकोच से**) जैसी आपकी आज्ञा। तो मैं निवेदन कर रहा था कि...

बृहद्रथ : (**आँख खोलकर**) सेनापति, हमने इस संसार में जन्म लिया है, इसलिए संसार के सभी नियमों का पालन करते हुए भी हमारा ध्यान तथागत के चरणों में रहता है।

पुष्यमित्र : मैं अवगत हूँ सम्राट।

बृहद्रथ : यह सत्य है कि हम सम्राट हैं। किन्तु हमारा हृदय युद्ध के भेरीघोष से आनंदित नहीं होता। हमें तो धम्मघोष आनंदित करता है। हम चक्रवर्ती सम्राट हैं, क्योंकि हम धम्मचक्र प्रवर्तन करते हैं। (**स्वर बदलकर**) हाँ, तो कहो-क्या कह रहे थे?

पुष्यमित्र : यही कि यवनराजा मिनेंडर भारत पर आक्रमण की योजना बना रहा है।

बृहद्रथ : हमने सुन लिया। आगे कहो। (**आँख बंद करके बैठ जाता है**)

पुष्यमित्र : सम्राट, हम लोगों को भी कुछ करना होगा। हम लोग चुपचाप हाथ पर हाथ रखकर बैठ गये तो इतिहास हमें कभी भी क्षमा नहीं करेगा। इस देश की रक्षा और सुरक्षा का भार विधाता ने आपको दिया है। विदेशी हमारे ऊपर आक्रमण कर दें, हमारे घर जला दें, हमारी स्त्रियों के साथ बलात्कार करें, हमारे पुष्यमित्र बृहद्रथ पुष्यमित्र बृहद्रथ नवयुवकों को फाँसी पर लटका दें—ऐसी पराजय से तो आत्महत्या कर लेना श्रेष्ठ है।

बृहद्रथ : (**आँख खोलकर**) ऐसा कुछ नहीं होगा।

पुष्यमित्र : जी!!

बृहद्रथ : यवन हम पर कभी आक्रमण नहीं करेंगे। हम जानते हैं।

पुष्यमित्र : (**पराजित-सा**) अवश्य।

बृहद्रथ : भविष्य में क्या होगा मैं पहले ही जान जाता हूँ। मेरे अंतस

में एक आवाज सुनाई पड़ती है...और हम सब जान जाते है।

पुष्यमित्र : सम्राट महान हैं।

बृहद्रथ : तुम निश्चिंत होकर जाओ। (**आत्मविश्वास से**) हमने जो कह दिया, वह अटल है! वही होकर रहेगा। (**फिर ध्यान में चला जाता है**)

पुष्यमित्र : (जाते-जाते रुककर) एक और सूचना है, सम्राट!

बृहद्रथ : (आँख खोलकर) और भी कुछ कहना शेष रह गया है?

पुष्यमित्र : एक हज़ार यवन स्त्री-पुरुषों का दल अवैध रूप से भारत में घुस आया है। वह पाटलिपुत्र की नगरसीमा तक पहुँच गया, पर वहाँ उन्हें रोककर बंदी बना लिया गया है।

बृहद्रथ : बंदी बना लिया गया! क्यों? उनका दोष क्या है? क्या उन्होंने किसी का वध किया है? क्या कोई हिंसा?

पुष्यमित्र : नहीं। वह अवैध रूप से सीमा पारकर यहाँ तक पहुँचे हैं।

टाइटस : उन्होंने कोई लूटमार नहीं की। कोई रक्तपात नहीं किया। ऐसे अहिंसक दल को बंदीगृह की यातना? नहीं, नहीं, हमसे ऐसी क्रूरता नहीं हो सकती।

पुष्यमित्र : लेकिन वह अवैध रूप में हमारे देश में घुस आए हैं। घुसपैठिए हैं।

(टाइटस का प्रवेश)

बृहद्रथ : भंते संघरक्षित। आइए। आइए, धर्म-महामात्र! आप बड़े उचित समय पर आए हैं।

टाइटस : आज्ञा दें, सम्राट।

बृहद्रथ : सेनापति कह रहे हैं कि एक यवन दल सीमा पार करके यहाँ पाटलिपुत्र तक पहुँच गया है?

पुष्यमित्र : अवैध रीति से।

टाइटस : उस दल में मेरी बहन भी है।

बृहद्रथ : आपकी बहन, भंते

टाइटस : हाँ, हमारी बहन अंटोनिया।

बृहद्रथ : आपकी बहन बंदी है? यह तो घोर अनर्थ है! नहीं, नहीं! पुष्यमित्र, उनको मुक्त करना होगा।

पुष्यमित्र : ठीक है। महाराज के आदेश का पालन होगा। भंते की बहन अंटोनिया बंदीगृह से मुक्त कर दी जाएगी।

टाइटस : और शेष यवन, महाराज? वे तो आपकी शरण में आए हैं। शरणागत की रक्षा आपका कर्तव्य है, महाभाग।

पुष्यमित्र : सम्राट, अगर इसी तरह से यवन घुसपैठिए भारत की सीमा का अतिक्रमण करते रहे...

टाइटस : कहाँ है सीमा? कहीं नहीं। यह मनुष्य के हृदय की सीमा है। उसके संकुचित हृदय की सीमा है। धर्म की कोई सीमा नहीं है। तथागत ने कहा था—बहुजन हिताय, बहुजन सुखाय! हे भिक्षुओ! मानवता के हित और सुख के लिए चारों दिशाओं में जाओ। उनके लिए कोई सीमा नहीं थी। उन्होंने देश की सीमाओं को पार करने को कहा था।

पुष्यमित्र : पूरे देश में यवनों की अनेक बस्तियाँ बन गयी हैं। हर बस्ती में उनके मंदिर हैं। हर सप्ताह यवन उन मंदिरों में मिलते हैं।

टाइटस : उन मंदिरों में वह प्रेम, करुणा, दया और अहिंसा का संदेश लेने जाते हैं।

पुष्यमित्र : नहीं, वे भारत में यवन साम्राज्य स्थापित करने का सपना लेने जाते हैं।

टाइटस : (**आवेश में**) यह झूठ है!

पुष्यमित्र : यह सत्य है। यही है गुप्त सूचना, सम्राट!

टाइटस : सम्राट, सेनापति झूठा आरोप लगा रहे हैं। वह वैदिक हैं। भारती हैं। इसीलिए हम यवनों और बौद्धों से घृणा करते हैं।

पुष्यमित्र : **(क्रोध में तलवार खींचकर) एक शब्द भी और बोले तो (तलवार उसके सीने पर रख देता है। संघरक्षित आँख बंद कर माला जपते हुए होंठों में प्रार्थना बुदबुदाने लगता है)** मेरे लिए भारती, यवन, वैदिक, बौद्ध, ब्राह्मण, श्रमण सब बराबर हैं। किन्तु इस सबसे ऊपर है—यह देश, यह साम्राज्य! इसकी रक्षा सर्वोपरि है। सुरक्षा मेरा कर्तव्य है। मेरे कर्तव्य में जो भी बाधा बनेगा या मिथ्यारोप लगाएगा,

उसे मैं नष्ट कर दूँगा। मैं किसी को तुष्ट करने के लिए असत्य को सत्य नहीं कह सकता।

(कुछ क्षणों का मौन)

बृहद्रथ : हम तुमसे सहमत हैं, सेनापति। धर्म-महामात्र संघरक्षित ने अनजाने ही तुम्हें आरोपित कर दिया। उसको भूल जाओ और यवनों को बंदीगृह से मुक्त कर दो।

पुष्यमित्र : **(तलवार म्यान में रखते हुए)** महाराज की आज्ञा का पालन होगा, किन्तु पहले धर्म-महामात्र को क्षमा माँगनी होगी!

टाइटस : **(माला जपना रोककर)** मेरा हृदय करुणा से लबालब भरा है। अहिंसा मेरा जीवन है। कोई नहीं है यवन और भारती ...बौद्ध और वैदिक। सब पर तथागत की समान कृपा है। शब्द नहीं, सेनापति! मेरा हृदय देखो।

पुष्यमित्र : क्षमा माँगिए, भंते।

टाइटस : मेरा हृदय करुणा और अहिंसा से लबालब भरा है...

पुष्यमित्र : **(कठोरता से)** क्षमा कोका?!

टाइटस : **(घबराकर)** मैं क्षमाप्रार्थी हूँ।

(बृहद्रथ ध्यान में चला जाता है)

पुष्यमित्र : सम्राट की आज्ञा का पालन होगा। यवन दल मुक्त कर दिया जाएगा। जाने की आज्ञा चाहता हूँ। **(नमन करता है। बृहद्रथ आँखें बंद किये ही हाथ उठाकर आशीर्वाद देता है। पुष्यमित्र का प्रस्थान।)**

(अंतराल-अंधकार)

(दृश्य समाप्त)

दृश्य-4

पात्र : टाइटस
अंटोनिया

(रंगमंच के आगे के दाहिने कोने पर प्रकाश के वृत्त में बौद्ध भिक्षु के वेश में टाइटस खड़ा है। अंटोनिया का प्रवेश)

टाइटस : (**बांह फैलाकर**) अंटोनिया! अंटोनिया! (**अंटोनिया प्रवेश करके टाइटस की बांहों में आती है**) ख़ुशामदीद ख़ुशामदीद।

अंटोनिया : (**अलग होते हुए**) टाइटस, यह क्या कपड़े पहन रखे हैं?

टाइटस : मैं बौद्ध भिक्षु संघरक्षित हूँ—मौर्य सल्तनत का धर्म-महामात्र!

अंटोनिया : यह क्या होता है?

टाइटस : यह मेरी ज़िम्मेदारी है कि मैं देखूँ कि राज में सब लोग धर्म का पालन करें। मैं किसी के भी घर में, दुकान में, मदरसे में, दफ़्तर में, बिना किसी रोकटोक घुस सकता हूँ।

अंटोनिया : अजीब-से लग रहे हो देखने में। और इस चोगे के भीतर क्या पहना है? उतारो तो!

टाइटस : कपड़े उतरवाओगी! तुमको शर्म नहीं आती?

अंटोनिया : तुम्हारी बीवी हूँ कपड़े तो उतरवा ही सकती हूँ। उतारो! (**आगे बढ़कर उसका चोला उतारने की कोशिश करती है**)

टाइटस : (**रोकते हुए**) क्या करती हो! क्या करती हो? चीवर मत उतारो। मुझे शर्म आएगी।
(**अंटोनिया चोला उतार देती है। यूनानी सिपाही की पोशाक पहने टाइटस दिखाई देता है**)

अंटोनिया : यह है मेरा टाइटस! मेरा यूनानी सिपाही-टाइटस। (**गले से लगती है किन्तु अचानक स्वर बदलकर**) तुम तो भारत

आकर लखपति बन गये हो! लाखों का सोना तुमने गांधार भेजा है। उसी से मैंने वहाँ एक राजा के महल जैसा महल बनवा लिया है। क्या कहीं गड़ा हुआ ख़जाना मिल गया?

टाइटस : यह सब इस चोले का कमाल है।

अंटोनिया : हम लोग कब लौटेंगे?

टाइटस : अभी तो नहीं।

अंटोनिया : तो कब? गांधार में हम लोग अपने महल में राजा-रानी की तरह रहेंगे।

टाइटस : पहले तो हम लोगों को पाटलिपुत्र के राजमहल में राजा-रानी की तरह रहना है।

अंटोनिया : क्या कह रहे हो तुम?

टाइटस : मेरी बात ध्यान से सुनो। पाटलिपुत्र के तख़्त पर जो राजा बैठा है वह उल्लू का पट्ठा है। निहायत सनकी और बेवक़ूफ़ है। ढोंगी भी है। वह दुनिया को दिखाना चाहता है कि महाराज अशोक के बाद सिर्फ़ वही है, उनका जैसा अज़ीम, महान।

अंटोनिया : ऐसा आदमी राजा है? लोगों ने अब तक उसे उखाड़ क्यों नहीं फेंका?

टाइटस : यह भारत है। यहाँ के लोग बड़े आलसी हैं। वे हर चीज बर्दाश्त करते हैं। हर तरह का ज़ुल्म और ज्यादती बर्दाश्त करेगें, लेकिन उफ़ तक नहीं करेंगे। उसी तरह इस गधे राजा को भी बर्दाश्त करते है। बर्दाश्त ही नहीं, उसकी इबादत भी करते है।

अंटोनिया : तो तुम क्या करोगे?

टाइटस : मैं नहीं, तुम करोगी।

अंटोनिया : मैं?

टाइटस : राजा की कमज़ोरी है ख़ूबसूरती। कोई भी ख़ूबसूरत औरत उसे अपने हुस्न के जाल में फंसा सकती है। और तुमसे ज़्यादा ख़ूबसूरत बला मैंने दूसरी नहीं देखी।

अंटोनिया : तो तुम मुझे इतनी ख़ूबसूरत मानते हो?

टाइटस : बेशक।

अंटोनिया : उन सभी औरतों से ज़्यादा, जिनके आगे-पीछे तुम हमेशा भागते रहना तुम्हारी आदत है।

टाइटस : उन सब औरतों से ज़्यादा। ख़ूबसूरती की यूनानी देवी अफ़्रोडाइट से भी ज़्यादा ख़ूबसूरत।

अंटोनिया : तब समझो, तुम्हारा काम हो गया।

टाइटस : हम यूनानियों में इतनी ताक़त नहीं कि सेज्यूकस की हार का बदला मैदाने-जंग में ले सकें। लेकिन हममें अक़्ल है। हममें चालाकी है। हमने यहाँ बौद्धों और वैदिकों के बीच फूट के बीज बो दिये हैं। धीरे-धीरे इनमें अलगाव बढ़ेगा। वे एक-दूसरे पर शक करेंगे। एक-दूसरे के ख़िलाफ़ लामबंद होंगे। एक-दूसरे के दुश्मन हो जाएँगे।

अंटोनिया : क्या यह मुमकिन है?

टाइटस : क्यों नहीं? मैं देख रहा हूँ वह नज़ारा जब वैदिकों के झुंड के झुंड बौद्धों की तलाश में निकल पड़ेंगे, और जहाँ भी कोई बौद्ध दिखाई पड़ा, झपट पड़ेंगे, उस पर शिकारी कुत्तों की तरह। बौद्ध भी चुप नहीं बैठेंगे, वे भी गेरुए कपड़ों के भीतर छुरा छिपाकर निकलेंगे और वैदिक को देखते ही छुरा उसके सीने के पार कर देंगे। सड़कों पर वैदिकों और बौद्धों का मिला-जुला ख़ून बहेगा। बौद्ध और वैदिक एक दूसरे के मकान जलाएँगे। चारों तरफ मौत की कालिख होगी। मैं लाऊँगा, मैं लाऊँगा इस मुल्क में मौत की कालिख, मौत का सन्नाटा! (**पाशविक आल्हाद से**) और तब आएगी ज़ियस-प्रिय यूनानी सम्राट मिनेंडर की सेनाएँ। पाटलिपुत्र पर हमारा कब्जा होगा!

अंटोनिया : पाटलिपुत्र के तख़्त पर जब क़ब्ज़ा होगा, तब होगा। मेरे ऊपर तुम्हारा क़ब्ज़ा कब होगा?

टाइटस : अभी होगा। इसी वक्त होगा। यहीं होगा! (**अपनी पेटी उतारकर वह धीरे-धीरे अंटोनिया की तरफ बढ़ता है। अंटोनिया 'बचाओ, बचाओ!' कहती हुई नेपथ्य में भाग जाती है। पीछे-पीछे टाइटस भी जाता है।**)

(अतंराल-अधिकार)

(दृश्य समाप्त)

दृश्य-5

पात्र : टाइटस
बृहद्रथ
अंटोनिया

(ऊँचे तल पर बृहद्रथ खड़ा है। उसके हाथ में माला है, जिस पर वह जाप कर रहा है। नीचे तल पर भिक्षुवेश में टाइटस खड़ा है)

टाइटस : **(हाथ में लिए पत्र को दिखाते हुए)** यूनानी राजा मिनेंडर ने सम्राट की सेवा में यह पत्र भेजा है।

बृहद्रथ : क्या लिखा है मिनेंडर ने?

टाइटस : **(पढ़ते हुए)** भारत के चक्रवर्ती सम्राट, जिनकी कीर्ति की सुगंधित हवाएँ हमारे साम्राज्य में बह रहीं हैं, ऐसे धर्मरूप अवलोकितेश्वर को ज़ियस-प्रिय मिनेंडर का अभिवादन।

बृहद्रथ : **(माला पर जाप रोककर)** हमने अभिवादन स्वीकार किया। आगे पढ़ो।

टाइटस : जी हाँ, सम्राट। (पढ़ते हुए) आप ने प्राणिमात्र के उद्धार के लिए जन्म लिया है। अपने कर्म भोगते मनुष्यों, पशुओं और पक्षियों तक को आप अपनी करुणामयी ममता से निर्वाण की ओर आगे बढ़ा रहे हैं। आपने हमारे राज्य में अनेक चिकित्सालय खोले हैं, दरिद्रों को धन बांटा है, भूखों को भोजन दिया है। यूनानी आपकी जयजयकार कर रहे हैं। हम यूनानी आपकी मूर्ति की स्थापना यहाँ अपनी राजधानी में करना चाहते हैं। यदि आपकी अनुमति होगी तो शीघ्र ही यूनानी शिल्पकार आपकी मूर्ति का निर्माण

करने पाटलिपुत्र पहुँच जाएँगे। सब यूनानी आपके मित्र हैं। आपका मित्र ज़ियस-प्रिय मिनेंडर।

बृहद्रथ : यवन राजा मिनेंडर अपने देश में हमारी मूर्ति लगाना चाहता है?

टाइटस : यह उसका सौभाग्य है, सम्राट!

बृहद्रथ : हमारी स्वीकृति भेज दीजिए! लेकिन एक शर्त है, हमारी मूर्ति पर एक छतरी अवश्य होनी चाहिए। हम नहीं चाहते कि हमारे सिर पर पक्षीगण...

टाइटस : समझ गया...एक पत्र वाल्हीक के चिकित्सक राधागुप्त का भी है, सम्राट!

बृहद्रथ : हमारे चिकित्सालय तो वहाँ बहुत अच्छे चल रहे हैं।

टाइटस : राधागुप्त ने निवेदन किया है कि बीस हजार स्वर्णमुद्राएँ चिकित्सालय चलाए रखने के लिए तुरंत चाहिए।

बृहद्रथ : (**कुछ संशय से**) पुष्यमित्र कहता है कि हम अपना स्वर्ण यवनों पर क्यों व्यय करें? हमारे यहाँ भारत में रोगियों और दरिद्रों की कमी नहीं।

टाइटस : धर्म के काम में अपना-पराया देखना तो अधर्म है। जब सूरज उगता है तो यह नहीं देखता कि उसकी किरनें कहाँ पहुँचीं। वह तो सारी दुनिया को रोशनी देता है। वैसे ही महाभाग की करुणा पूरी मानवता के लिए है।

बृहद्रथ : (**अचानक याद करके**) अंटोनिया...यही तो नाम है आपकी बहन का?

टाइटस : हाँ, धर्मरूप।

बृहद्रथ : आपने तो कहा था, वह आज हमसे मिलने आएगी!

टाइटस : वह आई है, महाभाग। बाहर बैठी है आपकी आज्ञा की प्रतीक्षा में।

बृहद्रथ : तो बुलावाइए न उसे।

(टाइटस बाहर जाता है और कुछ ही क्षण पश्चात अंटोनिया के साथ प्रवेश करता है। अंटोनिया आते ही बृहद्रथ के सामने साष्टांग लेटकर प्रणाम करती है)

बृहद्रथ : (**हेलियोडोरस को अपने हाथ की माला देकर**) उठो अंटोनिया, उठो! पाटलिपुत्र में तुम्हारा स्वागत है।

अंटोनिया : (**घुटने के बल बैठकर, हाथ जोड़ते हुए**) मेरी वर्षों की साधना पूरी हुई। आज मैं धन्य हो गयी सम्राट के दर्शन करके। यह मेरे अनेक-अनेक जन्मों का कर्मफल है। (**घुटनों के बल बैठकर दंडवत करती है। बृहद्रथ उसको कंधों से पकड़कर उठाता है**)

अंटोनिया : महाराज, मत छुइए मुझको। मैं मामूली सांसारिक स्त्री और आप...संसार के उद्धारक। मैं तो आपकी छाया भी नहीं छू सकती।

बृहद्रथ : ऐसा मत कहो, अंटोनिया। भगवान तथागत की कृपा इस दुःखमय संसार में सबके लिए है, कोई छोटा-बड़ा नहीं है।

अंटोनिया : मैं जानती हूँ महाराज। मैंने त्रिपिटक का अध्ययन किया है। तथागत की वाणी मेरे मन में हर समय गूंजती रहती है।

बृहद्रथ : तुम पाली पढ़ लेती हो?

अंटोनिया : हाँ महाराज, और संस्कृत भी पड़ी है।

बृहद्रथ : सुंदर! भारत की नदियों के नाम जानती हो?

अंटोनिया : जी! सिंधु, गंगा, यमुना, ब्रह्मपुत्र, नर्मदा, कृष्णा, कावेरी...

बृहद्रथ : और पर्वतों के?

अंटोनिया : हिमालय, विंध्याचल, मलयाचल, मंदराचल, महेंद्रगिरि...

बृहद्रथ : आश्चर्य! अंटोनिया तुम जैसी विदुषी स्त्री हमने आज तक नहीं देखी। संघरक्षित, आप भाग्यवान हैं, जो तथागत की कृपा से आपको ऐसी मेधावी बहन प्राप्त हुई। मेधावी और उांटोनिया को कुछ देर तक देखकर) रूपवती भी!

टाइटस : तथागत की कृपा है, महाभाग।

बृहद्रथ : (**अंटोनिया के निकट जाकर**) हमारे अग्र-अमात्य का कुछ दिन पहले निधन हो गया। अभी तक हमने उसके स्थान पर किसी को नियुक्त नहीं किया।

अंटोनिया : क्यों महाराज?

बृहद्रथ : कोई ऐसा योग्य मिला ही नहीं जिसे अग्र-अमात्य नियुक्त किया जा सकता...लेकिन अब मिल गया है!

अंटोनिया : तब तो महाभाग, उसे तुरंत नियुक्त कर दीजिए। कौन है वह?

बृहद्रथ : अंटोनिया।

अंटोनिया : नहीं महाभाग। मैं इस योग्य नहीं हूँ। क्षमा करें, धर्ममूर्ति।

बृहद्रथ : हमने बहुत सोच-विचार कर तुमको अग्र-अमात्य बनाने का निर्णय लिया है।

अंटोनिया : यह आपका बड़प्पन है, सम्राट। लेकिन मुझे क्षमा करें।

टाइटस : अंटोनिया, महाभाग की इच्छा ही आदेश है। हम उनकी इच्छा की अवज्ञा नहीं कर सकते।

अंटोनिया : मुझमें साहस नहीं है आदेश की अवज्ञा का...मैं तो महाभाग के चरणों की धूल भी नहीं, केवल विनती कर सकती हूँ। कृपा करें और मुझे इस दायित्व से मुक्त करें। (**घुटनों के बल बैठते हुए**) मैं इस योग्य नहीं हूँ।

बृहद्रथ : (**तख़्त पर बैठते हुए**) ठीक है, अंटोनिया। हमने अपने आदेश से तुमको मुक्त किया। (**अंटोनिया दंडवत प्रणाम करती है**) तुमने इतना बड़ा पद त्याग दिया। अंटोनिया तुम्हें इतिहास संत अंटोनिया के नाम से जानेगा। जाओ, हमने तुम्हें मुक्त किया। (**अंटोनिया दंडवत करके खड़ी होती है, फिर हाथ जोड़कर, नमनकर बाहर के द्वार की ओर बढ़ती है। अचानक रुककर**)

अंटोनिया : महाभाग, जाने के पहले आपसे कुछ निवेदन करना चहती हूँ।

बृहद्रथ : कहो।

अंटोनिया : भारत की यात्रा पर निकलने के पूव एक सायं मैंने गांधार में विपासना में एक आभा देखी थी, और फिर। (**कहते-कहते रुक जाती है**)

बृहद्रथ : और फिर क्या?

अंटोनिया : फिर एक महान दिव्य विभूति के दर्शन हुए।

बृहद्रथ : किस विभूति के?

अंटोनिया : आज जब मैंने आपको साक्षात देखा तब ज्ञात हुआ-आप ही वह महान विभूति थे। आप ही ने मुझे दर्शन दिये थे मैरी विपासना में। मेरे ध्यान में।

टाइटस : महाराज तो अंतर्यामी हैं। सब जगह, सब कहीं, एक साथ रहते हैं। उनकी महती कृपा है तुम पर।

अंटोनिया : बस एक और कृपा की प्रार्थना है महाभाग से।

बृहद्रथ : क्या चाहिए?

अंटोनिया : मैं कैसे कहूँ! छोटे मुँह इतनी बड़ी बात...

बृहद्रथ : क्या बात है, निःसंकोच कहो।

(अंटोनिया चुप रहती है)

टाइटस : बोलती क्यों नहीं? महाभाग ने आदेश दिया है।

अंटोनिया : महाराज, मैं आपकी उपस्थिति में आपके साथ ध्यान करना चाहती हूँ जिससे आपके ध्यान से निकलने वाली तरंगें मेरे ध्यान को आशीर्वाद दें। **(हाथ जोड़कर)** यदि त्रुटि हुई हो तो क्षमा करें।

बृहद्रथ : सुंदर! हमने तुम्हारी प्रार्थना स्वीकार की। **(अंटोनिया नमन करती है। बृहद्रथ आशीर्वाद में हाथ उठाता है)**

(अंतराल-अंधकार)

दृश्य समाप्त

दृश्य-6

पात्र : अंटोनिया
बृहद्रथ

(बृहद्रथ तख़्त पर ध्यान मुद्रा में बैठा है और सामने जमीन पर, थोड़ा दाएँ अंटोनिया ध्यान में बैठी है)

अंटोनिया : **(आँख खोलकर)** महाभाग! **(बृहद्रथ आँख खोल देता है)** महाभाग आपके ध्यान की तरंगें मुझ तक पहुँच नहीं पा रही हैं। आज्ञा हो तो तनिक निकट आ जाऊँ...

बृहद्रथ : आज्ञा है।
(अंटोनिया उठकर बृहद्रथ के निकट बैठ जाती है)

अंटोनिया : **(पुनः आँख बंद करके ध्यान लगाती है, किन्तु कुछ देर बाद ही आँख खोलकर)** महाभाग!

बृहद्रथ : **(आँख खोलकर)** अब क्या है?

अंटोनिया : अब भी आपसे बहुत दूर हूँ। आपके ध्यान की तरंगें अभी भी मुझ तक नहीं पहुँच पा रही हैं।

बृहद्रथ : और निकट आ जाओ।
(अंटोनिया बृहद्रथ के और निकट जाकर ध्यान लगाती है)

अंटोनिया : महाभाग, शक्तिपात जानते हैं? यदि आप अपना दाहिना हाथ मेरे सिर पर रख दें तो शक्ति का प्रवाह अवश्य मेरे शरीर में होगा।

बृहद्रथ : ठीक है।
(अंटोनिया, तख़्त पर बैठे बृहद्रथ के सामने धरती पर बैठ जाती है और बृहद्रथ उसके सिर पर हाथ रख देता है)

अंटोनिया : **(आँख बंद किये हुए)** आह, कैसी दिव्य अनुभूति है! ऐसा

लगता है, आपके हाथों से बिजली की चिनगारियों का फव्वारा निकल रहा है। बिजली की चिनगारिया शरीर में धीरे-धीरे उतरती जा रही हैं...सिर, माथा, नाक, होठ, ठुड्डी, गला, कंधा, हाथ और, और वक्ष!! (**रुककर**) और नीचे... और नीचे...उदर और...महाभाग...यह अगन असहनीय है! मैं जल जाऊँगी...

बृहद्रथ : इस अग्नि ने हमें भी जला दिया है अंटोनिया, तुम यहाँ हमारे पास बैठ जाओ, यहाँ! (**अंटोनिया तख़्त पर, बृहद्रथ के निकट बैठ जाती है। दोनों के कंधे एक-दूसरे को छूते हैं**) हाँ, अब ठीक है। अब हमारे ध्यान की तरंगें तुम तक अवश्य पहुँचेगी। (**आँख बंद करता है**)

(**अंटोनिया भी आँख बंद कर लेती है। बृहद्रथ अचानक उठकर खड़ा हो जाता है**)

बृहद्रथ : (**खड़े होते हुए**) आक्रमण!! आक्रमण!!!

अंटोनिया : क्या हुआ?

बृहद्रथ : आक्रमण कर दिया है पाटलिपुत्र के इस राजनिवास पर।

अंटोनिया : किसने? किसने, महाभाग?

बृहद्रथ : मार ने! तथागत ने मार-विजय की थी...हम पर भी मार ने आक्रमण कर दिया है। हमें भी मार-विजय करनी है।

अंटोनिया : कहाँ है मार? (**इधर-उधर देखकर**) मुझे तो दिखाई नहीं पड़ता।

बृहद्रथ : दिखाई नहीं पड़ता, लेकिन वह है। चारों ओर है।

अंटोनिया : कैसा है मार! क्या देखने में बहुत विशालकाय, राक्षसी है? बड़े-बड़े दांत और नाखून...

बृहद्रथ : नहीं।

अंटोनिया : तो कैसा है?

बृहद्रथ : वह स्त्री रूप में है...अनेक स्त्री रूपों में। एक से बढ़कर एक, स्त्री के अनेक रूपों में। काले मेघ-सी कुंतल-राशि, झील में मचलती मछली-सी आँखें, ललित कपोलों की लाली, होठों में बंद कलियों की मुस्कान, कमलनाल-सी बाहें और...और दो भौंरे, काले...दो भौंरे...उभरे दो कमलों पर बैठे दो भौंरे। अंटोनिया, बहुत भयानक हैं मार का सौंदर्य।

(अचानक बृहद्रथ के दाहिने हाथ की हथेली और अंगुलियाँ खुलने और बंद होने लगती हैं जैसे वह कुछ पकड़ना चाहता है)

अंटोनिया : **(घबराकर)** महाभाग, आपके हाथ को क्या हो गया?

बृहद्रथ : **(अपने हाथ को देखते हुए)** पता नहीं क्या हो गया। अचानक हो गया। बहुत कोशिश करने पर भी रुक नहीं पा रहा है। **(दूसरे हाथ से दाहिने हाथ को पकड़कर)** अब ठीक है। रुक गया। **(लेकिन जैसे ही बाएँ हाथ से दाहिना हाथ छूटता है, वह फिर वैसे ही खुलने और बंद होने लगता है)** लगता है, कुछ पकड़ना चाहता है।

अंटोनिया : कुछ पकड़ना चाहता है?

बृहद्रथ : हाँ।

अंटोनिया : मैं कुछ लाती हूँ। **(इधर-उधर देखकर तलवार लाती है)** लीजिए, इसे पकड़िए, महाराज!

(बृहद्रथ तलवार पकड़ता है, लेकिन कुछ देर बाद ही उसका हाथ खुल जाता है और तलवार गिर पड़ती है)

अंटोनिया : महाभाग, मैं तो मूर्ख हूँ। आप तो अहिंसा के पुजारी हैं और मैंने आपके हाथ में तलवार दे दी। ठहरिए, कुछ और लाती हूँ। **(इधर-उधर देखकर वह एक पुस्तक लाती है)**

बृहद्रथ : **(पुस्तक पकड़ते हुए)** हाँ, यह ठीक है...शस्त्र नहीं शास्त्र।

अंटोनिया : लीजिए महाभाग, पुस्तक पकडिए। सब ठीक हो जाएगा।

(बृहद्रथ के हाथ में पुस्तक पकड़ाती है, किन्तु वह भी हाथ से छूटकर गिर जाती है।)

अंटोनिया : अब मैं क्या पकड़ाके आपके इन विकल, चंचल हाथों को? लीजिए, मेरा हाथ पकड़िए। **(अपना हाथ बृहद्रथ के हाथों में देती है। बृहद्रथ उसको पकड़ लेता है)**

बृहद्रथ : ओह! तुम्हारा हाथ पकड़ते ही मेरे हाथ का कंपन रुक गया!

अंटोनिया : अच्छा!! **(हाथ छुड़ाती है। वैसे ही बृहद्रथ का हाथ फिर खुलने और बंद होने लगता है)**

बृहद्रथ : अंटोनिया! हाथ फिर वैसा ही हो गया!

अंटोनिया : हो जाने दीजिए। अब मैं नहीं पकड़ाऊँगी अपना हाथ।

(बृहद्रथ जाकर तख़्त पर बैठ जाता है। और निराशा से अपने चंचल हाथों को देखता है)

बृहद्रथ : **(कातरता से)** अंटोनिया

अंटोनिया : बहुत जिद्दी और निर्लज्ज है आपका यह हाथ।

बृहद्रथ : **(अपने खुलते-बंद होते हाथ को देखते हुए, बेबस स्वर में)** अंटोनिया

अंटोनिया : **(एहसान जताते हुए)** क्या करूँ तुम्हारे इस हाथ को? लो, पकड़ो मेरा हाथ।

बृहद्रथ : **(अंटोनिया का हाथ पकड़कर)** तुम्हारा हाथ पकड़ते ही हाथ का कंपन फिर रुक गया!

अंटोनिया : अब होगा शक्तिपात। **(अचानक बृहद्रथ को बांहों में भरकर)** होने दो शक्तिपात!

(धीरे-धीरे अन्धकार तथा शृंगार-संगीत)

(अंतराल-अधिकार)

(दृश्य समाप्त)

दृश्य-7

पात्र : बृहद्रथ
अंटोनिया

(बृहद्रथ तथा पास में खड़ी अंटोनिया प्रकाश-वृत्त में दिखाई पड़ती है)

बृहद्रथ : **(अदृश्य सभासदों को संबोधित करते हुए)** राजपुरुषो, सभासदों, श्रद्धेय धर्म-महामात्र तथा सेनापति पुष्यमित्र शुंग! आज एक महत्वपूर्ण घोषणा के लिए हमने यह राजसभा बुलाई है। हमारे पितातुल्य अग्र-अमात्य का पिछले मास देहान्त हो गया था। वह पूर्व सम्राट शतधनुष के भी अग्र-अमात्य थे। ऐसे सुदीर्घ अनुभवी, सर्वज्ञ, सौम्य, प्रशांत, बहुगुणवान अग्र-अमात्य के स्थान पर किसे नियुक्त करें —यह हमारे लिए समस्या थी। किन्तु इस समस्या का हल तथागत की कृपा से अपने-आप हो गया जब हमारी सुश्री अंटोनिया से भेंट हुई। वह पाली और संस्कृत की ज्ञाता हैं। त्रिपिटक में निष्णात हैं। ज्योतिष, व्याकरण, नीतिशास्त्र, भूगोल, चिकित्सा, संहिता की अधिकारी विद्वान हैं। कौटिल्य के अर्थशास्त्र की मूर्द्धन्य अध्येता हैं। उनमें अनेक गुण हैं जिन्हें हमने व्यक्तिगत रूप से जाना-परखा है। हम उनको आज से मगध राज्य की अग्र-अमात्य नियुक्त करते हैं। **(एक दासी हाथ में थाल लिए प्रवेश करती है। थाल में उत्तरीय और एक मुकुट है। बृहद्रथ अंटोनिया का उत्तीय (शॉल) पहनाता है, और मुकुट लगाता है। अंटोनिया हाथ जोड़कर, चारों ओर बैठे सभासदों को, जो दर्शकों को दिखाई नहीं पड़ रहे हैं, नमस्कार करती है।)**

(अंतराल-अंधकार)

(दृश्य समाप्त)

दृश्य-8

पात्र : टाइटस
अंटोनिया
बटुक

(मंच पर आगे के दाहिने कोने पर प्रकाश-वृत्त में टाइटस खड़ा है)

टाइटस : **(नेपथ्य की ओर दोनों हाथ बढ़ाकर)** मगध साम्राज्य की अग्र-अमात्य अंटोनिया का स्वागत है। **(अंटोनिया का प्रवेश। टाइटस परिहास में उसके सम्मान में झुकने का नाटक करता है।)**

अंटोनिया : तुमने कहा था कि उल्लू के पट्ठे को अपने जाल में फंसा लो, सो मैंने फंसा लिया। बस!

टाइटस : कैसा लगा शिकार! कहीं उसके चक्कर मैं अपना दिल ही न दे बैठो।

अंटोनिया : क्या बकते हो, टाइटस!

टाइटस : अग्र-अमात्य के दिल में मगध की महारानी बनने का विचार आया तो ज़ियस की क़सम, (खंजर निकालकर) यह ख़ंजर तुम्हारे जिगर के पार होगा।

अंटोनिया : बस! जल गये अभी से। तुम कहो तो नहीं जाती वहाँ। नहीं बनना मुझे कुछ भी।

टाइटस : मेरा मतलब है

अंटोनिया : **(क्रोध से)** मैं नहीं जाऊँगी। बस, कह दिया नहीं जाऊँगी।

टाइटस : **(समझाते हुए)** ओह हो, मेरा मतलब यह नहीं था। गुस्सा थूको और मेरी बात समझो।

अंटोनिया : **(संभलते हुए)** तुम्हीं ने तो कहा था। तुम्हारे लिए ही तो वहाँ गयी थी।

टाइटस : मैंने अपने लिए नहीं कहा था। मैंने ज़ियस के लिए तुम्हें वहाँ भेजा है। यूनान के लिए तुम्हें वहाँ भेजा है। हमें सिकंदर का अधूरा सपना पूरा करना है। सेल्यूकस की हार का बदला लेना है। तुम नहीं जानतीं, तुम वहाँ जाकर यूनान की कितनी बड़ी ख़िदमत कर रही हो।

अंटोनिया : मेरे प्यारे टाइटस, मेरे तो मज़े ही मज़े हैं। उसके साथ प्यार के झूले में झूलो और लो, हो गयी यह यूनान की ख़िदमत। कौन औरत नहीं चाहेगी ऐसी वतनपरस्ती।

टाइटस : ठहरो। मैं बटुक से तुम्हें मिलाता हूँ।

(टाइटस नेपथ्य में जाकर बटुक को लेकर आता है)

टाइटस : यह बटुक है। नेपाल का रहने वाला है। अनाथ है। फ़ौज में था। सर में चोट लग गयी, तो फ़ौज से निकाल दिया गया। अब बेकार है बेचारा। आमदनी का कोई ज़रिया नहीं था इसके पास।

अंटोनिया : बेचारा **(बटुक से)** कब लगी थी चोट? कितने पहले?

(बटुक उत्तर नहीं देता)

टाइटस : यह बहरा है। सुन नहीं सकता। गूँगा भी है। सर की चोट से गूँगा-बहरा हो गया। इसे तुम्हारी हिफ़ाज़त के लिए चुना है मैंने। यह हमेशा तुम्हारे साथ रहेगा और हमारी बातें भी न सुन सकेगा।

अंटोनिया : टाइटस, तुम्हारा दिमाग़! शैतान की आँत। ''मान गयी तुमको।

टाइटस : यह पढ़ लेता है। अगर इससे कुछ कहना हो तो लिखकर दो, समझ जाएगा। यह शास्त्र चलाने में निपुण है। दिखाते हैं तुमको।

(टाइटस बटुक के पास जाकर उसको इशारे से समझाता है कि अंटोनिया के चरण छुओ)

(बटुक चरण छूता है। फिर टाइटस उसे छुरा देकर कराटे जैसा दांव दिखाने को कहता है। बटुक छुरा लेकर जूडो-कराटे जैसे दांव दिखाता है)

अंटोनिया : **(ताली बजाते हुए)** वाह! बहुत अच्छा। बटुक तो बड़ा होशियार है!

(टाइटस के इशारे पर बटुक पुनः अंटोनिया के पैर छूता है)

(अंतराल-अंधकार)

(दृश्य समाप्त)

दृश्य-9

पात्र : बृहद्रथ
पुष्यमित्र
टाइटस
अंटोनिया
वीरसेन
शीलभद्र
बटुक

(बृहद्रथ की राजसभा का दृश्य। धर्म-महामात्र संघरक्षित, अग्र-अमात्य अंटोनिया, अमात्य शीलभद्र, अमात्य वीरसेन और सेनापति पुष्यमित्र अपने-अपने आसन पर बैठे हैं। बृहद्रथ के पीछे भाला लिए बटुक खड़ा है)

बृहद्रथ : आज यह गूढ़ सभा हमने सेनापति पुष्यमित्र शुंग के आग्रह पर बुलाई है। उनके कुछ परामर्श हैं। कुछ सुझाव हैं। हम चाहते हैं कि आप उन पर विचार-विमर्श करें। सेनापति अपने विचार सभा के सम्मुख रखें।

पुष्यमित्र : **(खड़े होकर)** सभासदों, आज हम बहुत ही निर्णायक समय में हैं। हमारा एक निर्णय, उचित या अनुचित, साम्राज्य का भविष्य निर्धारित करेगा।

बृहद्रथ : सेनापति, बिना भूमिका के अपनी बात रखिए।

पुष्यमित्र : **(बटुक की ओर इशारा करके)** इसके सामने?

बृहद्रथ : यह गूँगा/बहरा है। आप अपनी बात कहिए।

पुष्यमित्र : यवन सम्राट मिनेंडर भारत पर कभी भी आक्रमण कर सकता

टाइटस : यह असंभव है।

पुष्यमित्र : धर्म-महामात्र संघरक्षित, मुझे अपनी बात पूरी कर लेने दीजिए। हमारी सेना युद्ध के लिए एकदम तैयार नहीं है।

अंटोनिया : क्यों नहीं तैयार है? मैंने राजकोष का लेखा देखा है। उनको वेतन नियमित रूप से मिल रहा है। फिर?

पुष्यमित्र : उनके पास शस्त्र नहीं हैं। उनके शस्त्र पुराने पड़ चुके हैं। खड़ग में जंग लग चुकी है। सम्राट अशोक की कलिंग-विजय के समय जो तलवारें थीं, वही अभी तक चली आ रही हैं। पिछले सवा सौ वर्षों में उनके कवच, शिरस्त्राण तक न बदले गये हैं और न ठीक किये गये हैं।

बृहद्रथ : सेनापति, तुमने अपनी बात कह ली। इस पर किसी को कुछ कहना है? आपको, अमात्य वीरसेन?

वीरसेन : सेना को सज्जित करने के लिए कितनी धनराशि चाहिए?

पुष्यमित्र : लगभग दो लाख स्वर्ण-मुद्राएँ।

अंटोनिया : दो लाख! क्या राजकोष में इतनी मुद्राएँ हैं, अमात्य शीलभद्र?

शीलभद्र : यह तो बहुत बड़ी राशि है। दो मास पूर्व ही लगभग एक लाख स्वर्ण-मुद्राएँ विदेशों में धर्म-प्रचार के लिए भेजी जा चुकी है।

अंटोनिया : जब राजकोष में इतनी मुद्राएँ नहीं हैं तो क्या किया जा सकता है! सेनापति, सेना की पुनर्सज्जा अभी स्थगित कर दी जाए।

टाइटस : वैसे भी सेना की पुनर्सज्जा की क्या आवश्यकता!!

पुष्यमित्र : (**टाइटस को अनसुना करके**) इतनी बड़ी राशि एक साथ नहीं दी जा सकती, तो कुछ चरणों में दी जा सकती है।

अंटोनिया : मतलब?

पुष्यमित्र : बीस हजार स्वर्ण-मुद्राएँ तुरंत चाहिए। शेष राशि कालांतर में दी जा सकती है।

टाइटस : (**खड़े होकर**) मेरा फिर भी प्रश्न है कि सेना को क्यों पुनर्सज्जित किया जाए?

पुष्यमित्र : क्योंकि सेना है, इसलिए।

टाइटस : सेना क्यों है?

पुष्यमित्र : क्योंकि यवन राजा मिनेंडर के पास भी सेना है।

टाइटस : क्या हम वह करेंगे, जो मिनेंडर करता है?

पुष्यमित्र : हमें वह सब करना चाहिए जो हर राजा करता है, जो करना राजा का कर्त्तव्य है।

टाइटस : हर राजा युद्ध करता है, किन्तु सम्राट अशोक ने कलिंग-विजय के बाद युद्ध नहीं किया। उनके पश्चात् किसी मौर्य राजा ने युद्ध नहीं किया। (**बृहद्रथ की ओर इशारा करके**) महाभाग ने भी युद्ध नहीं किया। फिर हमें सेना की क्यों आवश्यकता? नहीं है आवश्यकता।

पुष्यमित्र : आक्रमण के लिए नहीं, सुरक्षा के लिए आवश्यकता है सेना की।

टाइटस : किससे सुरक्षा? कैसी सुरक्षा? सेनापति! तुम अहिंसा की शक्ति नहीं जानते, तभी सेना और शस्त्रों की बात करते हो।

पुष्यमित्र : ठीक कहते हैं, महामते। मैं बेचारा सैनिक क्या जानूँ अहिंसा की शक्ति। (**व्यंग्य से**) आप तो जानते हैं?

टाइटस : जब राजा के सैनिक अंगुलिमाल को नहीं पकड़ सके, उनके सब हथियार बेकार साबित हुए, तो तथागत स्वयं गये थे—निहत्थे, अहिंसा से लैस...और अंगुलिमाल उनके चरणों में था!

पुष्यमित्र : यह पुरानी बात है। आज किसमें है तथागत जैसी शक्ति? मुझे तो कोई दिखाई नहीं पड़ता।

टाइटस : सावधान! ऐसी बात दोबारा नहीं कहना। आज भी हैं हमारे बीच, जिनकी अहिंसा की शक्ति से एक नहीं, अनेक अंगुलिमाल चरणों में गिर पड़े।

पुष्यमित्र : कौन?

टाइटस : हमारे सम्राट! महाभाग., धर्मस्वरूप, मगधपति (**झुककर बृहद्रथ को नमन करता है और अपने स्थान पर बैठ जाता है**)

(**पुष्यमित्र गर्दन नीचे कर लेता है। कुछ देर चुप रहता है**)

पुष्यमित्र : (**अनुनय के स्वर में**) यवन राजा मिनेंडर हम पर आक्रमण करने की पूरी तैयारी कर चुका है। उत्तर-पश्चिम से लगातार गूढ़पुरुष और गुप्तचर समाचार भेज रहे हैं। महाराज! जब यवन हम पर आक्रमण करेंगे तो क्या हम उनका स्वागत आरती के थाल से करेंगे!

बृहद्रथ : तुमने जो गूढ़ सूचनाएँ जानी हैं, उन पर तो तुम यही कहोगे। अग्र-अमात्य अंटोनिया ने भी समानांतर गुप्त सूचनाएँ प्राप्त करने की व्यवस्था की है। उनके अनुसार यवन राजा मिनेंडर पारसीक प्रदेश पर आक्रमण करने की योजना बना रहा है, भारत पर नहीं। सेनापति पुष्यमित्र, तुम निश्चिंत रहो। (**सेनापति विवश होकर बैठ जाता है**)

टाइटस : वह भारत पर क्यों आक्रमण करेगा? वह भारत का कृतज्ञ है। भारत ने लाखों स्वर्ण-मुद्राएँ वहाँ चिकित्सालय, धर्मशालाएँ, कुएँ आदि बनावाने और दरिद्रों के कल्याण के लिए भेजी हैं।

बृहद्रथ : मिनेंडर हमारा मित्र है। शुभकामी है।

टाइटस : (**वीरसेन से**) यवन शिल्पकारों का दल कुछ ही दिनों में पाटलिपुत्र पहुँच जाएगा। वह महाभाग की मूर्ति बनाएगा, जो गांधार के नगर चौक पर लगाई जाएँगी।

वीरसेन : यह तो बड़े गौरव की बात है...भारत के महाराज की मूर्ति, विदेशी यवनों के बीच!

टाइटस : महाराज की कीर्ति दिग्-दिगंत में अपने-आप फैल रही है। करोड़ों-करोड़ों लोगों की दुआएँ उनको लग रही हैं। बिना तलवार उठाए, बिना खून बहाए वह करोड़ों दिलों पर राज कर रहे हैं।

अंटोनिया : महाभाग, आपको याद होगा गांधार के चिकित्सक का पत्र। चिकित्सक की 20 हजार स्वर्ण मुद्राओं की माँग है। यदि आपका आदेश हो तो यह राशि उनको भेज दी जाए।

पुष्यमित्र : (**क्रोध से**) नहीं महाराज! विदेशी प्रजा का पेट अपनी प्रजा का पेट काटकर नहीं भरा जाना चाहिए। पहले सेना की पुनर्सज्जा, बाद में परोपकार। यह मेरा निश्चित मत है। (**उठकर चला जाता है**)

: (**बृहद्रथ जाते हुए पुष्यमित्र को देखता है, फिर आँख बंद कर के ध्यान मुद्रा में बैठ जाता है। दृश्य जड़ हो जाता है। धीरे-धीरे प्रकाश केवल बृहद्रथ पर रह जाता है**)

(अंतराल-अंधकार)

(दृश्य समाप्त)

दृश्य-10

पात्र : अंटोनिया
बृहद्रथ
बटुक
पुष्यमित्र
टाइटस

(बृहद्रथ छोटे तख़्त जैसे राजकीय आसन पर बैठा है; बटुक उसके गले, कंधे और हाथों को दबा रहा है।)

अंटोनिया : **(प्रवेश करके)** आपने सुना! कल रात...मध्यरात्रि में धर्म-महामात्र के घर के पास ज़ियस मंदिर में किसी ने आग लगा दी।

बृहद्रथ : हाँ, हमको ज्ञात है।

अंटोनिया : धर्म-महामात्र ने स्वयं दौड़कर आग बुझानी चाही, तो आग लगाने वाले लंपटों ने उनके सिर पर प्रहार किया। वह वहीं बेहोश होकर गिर पड़े। उनके सिर पर चोट लगी है। बहुत ख़ून बहा है।

बृहद्रथ : हमने राजवैद्य को आज प्रातः ही भिजवा दिया था। अब कैसे हैं वह? चलते-फिरते हैं?

अंटोनिया : हाँ, वह चल-फिर तो रहे हैं। लेकिन सिर पर पट्टी बंधी है। यह मत समझिएगा कि वह मेरे भाई हैं, इसलिए चिंतित हूँ। मेरे हृदय में करुणा तो किसी भी दुःखी-पीड़ित के लिए है।

बृहद्रथ : हम जानते हैं तुम्हारे हृदय को अंटोनिया। उसकी धड़कन हमने अनेक बार अनुभव की है।

अंटोनिया : यह सब अवश्य उसी सेनापति की करतूत है। उसे न तो यवन पसंद हैं और न बौद्ध। उसका बस चले तो वह हम सबको गंगा में डुबोकर वैदिक स्वर में बोलेगा—हर-हर गंगे!

बृहद्रथ : तुमने कहा कि मध्य रात्रि को दुष्टों ने ज़ियस मंदिर में आग लगाई?

अंटोनिया : जी हाँ। वहाँ के परदे जल गये। एक दरवाज़े की चौखट तक जल गयी।

बृहद्रथ : कल संध्या के समय, अर्थात् दुर्घटना के लगभग छह घंटे पूर्व सेनापति ने गूढ़पुरुषों का एक गुप्त प्रतिवेदन मुझे भेजा, जिसमें लिखा था कि अर्द्धरात्रि को कुछ यवन श्रेष्ठियों ने अपने मंदिर को आग लगाने का षड्यंत्र रचा है।

अंटोनिया : क्यों? क्यों लगाएँगे यवन स्वयं अपने मदिर में आग?

बृहद्रथ : जिससे वह सामान्य जनता की सहानुभूति प्राप्त कर सकें, और मागध सेना तथा उसके सेनापति पुष्यमित्र को बदनाम कर सकें।

अंटोनिया : महाराज, मैं समझ गयी। एक क्षण में समझ गयी। यह दिन के उजाले-सा साफ़ हो गया। यह षड्यंत्र स्वयं सेनापति ने रचा है। स्वयं छह बजे इसकी सूचना सम्राट को भेज दी, जिससे लगे कि उनको गूढ़पुरुषों से यह गुप्त सूचना पहले ही प्राप्त हो गयी। फिर मध्यरात्रि को ज़ियस मंदिर में अपने आदमियों से आग लगवा दी। सम्राट, यह सब पुष्यमित्र शुंग का ही दुष्कार्य है।

बृहद्रथ : हमने सेनापति को बुलवाया है। धर्म-महामात्र को भी। कदाचित आकर बाहर बैठे हों। उनको बुलाओ।

अंटोनिया : बटुक बाहर से सेनापति और धर्म-महामात्र को बुलाकर लाओ! **(बटुक उत्तर नहीं देता है)**

अंटोनिया : **(अपने-आपसे)** मैं तो भूल ही गयी...यह सुनता कहाँ है! मैं स्वयं ही जाती हूँ।

(अंटोनिया नेपथ्य में जाती है, और लौटती है तो उसके पीछे-पीछे सेनापति और टाइटस प्रवेश करते हैं टाइटस के सिर पर पट्टी बंधी है। अंटोनिया उसको सहारा देकर लाती है।)

बृहद्रथ : ओह भंते आपको तो बहुत चोट लगी है।

टाइटस : कोई चिंता की बात नहीं। मैंने पूर्वजन्म में किसी को कष्ट दिया होगा। यह उसी का प्रतिफल है।

बृहद्रथ : भंते, समझ में नहीं आता कि ज़ियस मंदिर कोई क्यों जलाएगा? यवन तो इतने शांत नागरिक हैं।

टाइटस : तथागत के चार आर्य सत्यों में पहला है—यह जीवन दुखमय है। यह अबोध, भटके हुए लोगों का काम है। उन्हें क्षमा कर देना चाहिए।

बृहद्रथ : किसे क्षमा करे दें? पहले यह तो पता लगे कि अपराधी कौन है, जिससे उसे क्षमा कर सकें।

टाइटस : जो कोई भी हो, मैंने उसे क्षमा कर दिया।

पुश्यमित्र : किन्तु मैंने क्षमा नहीं किया। उसे दंड मिलना चाहिए।

टाइटस : दंड भी हिंसा है। हम अहिंसक बौद्ध भिक्षु तो क्षमा और अहिंसा ही जानते हैं।

पुश्यमित्र : मेरे गूढ़पुरुषों ने पहले ही गुप्त सूचना दे दी थी कि यवन स्वयं अपने मंदिर में आधी रात को आग लगाएँगे।

बृहद्रथ : यह भी तो संभव है, सेनापति कि तुमने ही यह आग लगवाई हो, किन्तु अपना अपराध यवनों पर डालने के लिए वह प्रतिवेदन मुझको पहले भेज दिया!

पुष्यमित्र : ऐसा संभव है, सम्राट्। इसका अन्वेषण होना चाहिए। मैं प्रस्तुत हूँ।

बृहद्रथ : भंते, आपको क्या कहना है?

टाइटस : मैंने सबको क्षमा कर दिया। मेरा मन तथागत के चरणों में है। मुझे वहीं रहने दीजिए।

पुष्यमित्र : अगर मेरे लोगों ने यवन मंदिर में आग लगाई है, तो भंते के सिर पर अवश्य चोट लगी होगी और अगर स्वयं यवनों ने आग लगाई होगी तो भंते को कोई चोट नहीं लगी होगी।

अंटोनिया : इसका निर्णय कैसें हो सकता है?

पुष्यमित्र : भंते के सिर की चोट पर बंधी पट्टी को खोलकर।

बृहद्रथ : (**टाइटस से**) मंते, आप सहमत हैं?

अंटोनिया : मैं सहमत नहीं हूँ।

पुष्यमित्र : अग्र-अमात्य आप? आपको क्या आपत्ति हो सकती है?

अंटोनिया : यह सम्राट का अपमान हैं। सम्राट इसकी आज्ञा नहीं दे सकते।

पुष्यमित्र : क्यों नहीं?

अंटोनिया : भंते धर्म-महामात्र हैं। वह पूरे साम्राज्य में धर्म की गति के नियंत्रक हैं।

पुष्यमित्र : तब फिर पट्टी खोलने पर आपत्ति क्यों?

अंटोनिया : सम्राट यदि पट्टी खोलने का आदेश धर्म-महामात्र को देते हैं, तो इसका अर्थ है कि वह उन पर अविश्वास करते हैं। और यदि ऐसा है तो महाराज ने ऐसे अविश्वासी व्यक्ति को धर्म-महामात्र क्यों नियुक्त किया? यह सम्राट के विवेक पर प्रश्न लगाता है। प्रजाजनों तक बात पहुँची तो उनमें सम्राट के प्रति श्रद्धा और निष्ठा कम होगी।

पुष्यमित्र : अग्र-अमात्य, आप बहुत बुद्धिमान हैं! किन्तु मुझे तो सम्राट के आदेश की प्रतीक्षा है।

बृहद्रथ : **(बैठते हुए)** सेनापति और भंते, दोनों के बीच कौन सत्य है और कौन असत्य, इसका निर्णय करने वाला मैं कौन हूँ? सत्य तो सूर्य के समान पूरे जगत को चकाचौंध कर देता है। सूर्य के निकलते ही अन्धकार गिरि-कंदराओं में छिप जाता है। किन्तु एक दिन सत्य अवश्य चमकेगा—सूर्य-सा। तब तक हम सब प्रतीक्षा करें। **(पद्मासन में बैठकर ध्यान लगाता है)**

(अंतराल-अंधकार)

(दृश्य समाप्त)

दृश्य-11

पात्र : बटुक
टाइटस
अंटोनिया

(मंच के अग्र भाग के दाहिने कोने पर एक प्रकाश-वृत्त में यह दृश्य रूपायित होता है–बटुक के दोनों हाथ रस्सी में बंधे हैं। एक हाथ में हंटर लिए तथा दूसरे हाथ में शराब का प्याला लिए यूनानी सेनापति की पोशाक में टाइटस मौजूद है। उसके सर पर चोट की पट्टी नहीं है)

टाइटस : बटुक, मैं आखिरी बार तुमसे पूछता हूँ—क्या तुम पुष्यमित्र से मिले हुए हो? **(बटुक को कुछ सुनाई नहीं पड़ता है। टाइटस खड़िया से तख़्ती पर लिखा हुआ दिखाता है)** बटुक इसे एक बार फिर पढ़ो और बताओ, क्या तुम पुष्यमित्र से मिले हो? **(बटुक नहीं में सिर हिलाता है)**

टाइटस : झूठ। एकदम झूठ। **(तीन-चार हंटर उसकी पीठ पर मारता है। बटुक तड़पकर रह जाता है)**

टाइटस : सच उगलवाना मैं जानता हूँ। मैं तेरी जान ले लूँगा। तेरे जिस्म की बोटी-बोटी काटकर कुत्तों को खिला दूँगा, तब तो सच बोलेगा तू। **(हंटर मारते हुए)** हरामी की औलाद। **(अंटोनिया का प्रवेश)**

अंटोनिया : इसने कबूला कुछ?

टाइटस : कुत्ता अभी तक चुप है। भौंकता ही नहीं।

अंटोनियां : अगर इसने ज़ियस मंदिर जलाने की बात सेनापति को नहीं बताई तो और कौन बता सकता है?

टाइटस : और किसी ने नहीं, इसी हरामज़ादे ने बताया होगा।

अंटोनिया : जब हम लोगों ने मंदिर में आग लगाने की योजना बनाई थी, तो वहाँ सिर्फ़ यही मौजूद था। दूसरा कोई नहीं था। लेकिन यह तो सुन नहीं सकता?

टाइटस : ज़रूर सुन सकता है। अगर न सुन पाता तो हमारी बात बाहर कैसे जाती? यह ढोंगी है। गूँगे-बहरे का नाटक कर रहा है। निकाल दूँगा इसका नाटक अभी। (**हंटर मारता है**)

अंटोनिया : टाइटस तुम बाहर जाओ। मैं इससे पूछती हूँ। तुम बाहर जाओ!

टाइटस : ठीक है। तुम भी कोशिश करके देख लो। (**बाहर जाता है**)

अंटोनिया : हाय-हाय!! तुम्हारी तो पीठ ही छील दी इस ज़ालिम ने। देखो बटुक, यह टाइटस बहुत ही बुरा और ख़तरनाक आदमी है। मैं तुम्हें बचा सकती हूँ इससे। सच, मेरा विश्वास करो। मैं तुम्हें बचाऊँगी। तुमको देखकर मुझे अपने छोटे भाई की याद आती है। मैं तुम्हारी बड़ी बहन जैसी हूँ। मैं बचाऊँगी, अपने छोटे भाई को। सच, मैं बचाऊँगी।

(**बटुक उत्तर नहीं देता**)

अंटोनिया : मैं यह मानने को तैयार नहीं हूँ कि तुम बहरे हो। बहरे होते तो जो तरकीब मैंने और टाइटस ने मिलकर बनाई थी, वह किसी तीसरे आदमी तक कैसे पहुँचती? सुन तो तुम रहे हो। आखिरी बार कहती हूँ—अगर तुम सच-सच बता दो तो हम तुम्हें माफ़ कर देंगे। हम यूनानी भी माफ़ करना जानते हैं। सच, हम तुम्हें माफ़ कर देंगे। बस, एक बार सच-सच बता दो। (**अचानक पैर पटकते हुए**) सच बताओ, नहीं तो मौत के लिए तैयार हो जाओ। (**पुकारते हुए**) टाइटस!

(**टाइटस का प्रवेश**)

अंटोनिया : मैं हार गयी। यह कुछ नहीं बोलता। यह अब तुम्हारे हवाले है।

टाइटस : मार दिया जाए या...

अंटोनिया : मार दिया जाए।

टाइटस : ये भारती है और वैदिक भी।

अंटोनिया : मैंने बचपन में एक कहावत सुनी थी—अगर रास्ते में एक सांप मिले और वैदिक भारती, तो सांप को नहीं, वैदिक भारती को पहले मार देना चाहिए।

टाइटस : इसने हम लोगों को दग़ा दी है। इस धोखेबाज़ की मैं ज़ियस के नाम पर बलि चढ़ाऊँगा।

अंटोनिया : नहीं टाइटस! यह कुरबानी मेरी तरफ से। लाओ, अपना ख़ंजर मुझे दो।

(टाइटस अंटोनिया को खंजर देता है)

अंटोनिया : **(खंजर लेकर)** ज़ियस के नाम पर...**(खंजर उठाए बटुक को मारने बढ़ती है)**

बटुक : ठहरो...

टाइटस : तो गूंगा भी बोल उठा मौत के आगे!

अंटोनिया : डर गया बेचारा। अब सच बोलेगा। जान तो सबको प्यारी होती है।

बटुक : मैं अपनी जान बचाना नहीं चाहता।

अंटोनिया : तो?

बटुक : मरने के पहले मैं तुम लोगों को यह बताना चाहता है कि तुम लोग कभी अपने उद्देश्य में सफल नहीं होंगे।

टाइटस : **(व्यंग्य से)** अच्छा!!

बटुक : सिकंदर का सपना कभी पूरा नहीं होगा। सेल्यूकस की पराजय का बदला भी नहीं ले पाओगे।

टाइटस : क्यों?

बटुक : मेरे जैसे लाखों-लाखों नवयुवक अपनी मातृभूमि की रक्षा के लिए अपने प्राण निछावर करने का प्रण ले चुके हैं।

टाइटस : इस मुल्क की मिट्टी को तुम लोग अपनी माता कहते हो? अपनी जान निछावर करना चाहते हो, अपनी मातृभूमि के लिए? तो लो **(अंटोनिया के हाथ से खंजर लेकर)** अभी हम तुम्हारी इच्छा पूरी किये देते हैं, बटुक।

बटुक : मेरा नाम बटुक नहीं है। मेरा नाम बुद्धप्रिय है।

अंटोनिया : क्या?

टाइटस : तुम बौद्ध हो?

बटुक : हाँ।

टाइटस : मैं भी बौद्ध हूँ। हम लोग तो बौद्धों के मित्र हैं। हमारा उनसे कोई झगड़ा नहीं। हमारा झगडा तो वैदिक लोगों से है। बौद्ध तो हमारे मित्र हैं। बौद्ध होकर भी तुम हमारे विरुद्ध हो? मैं बौद्ध हूँ इसीलिए तुम्हारे विरुद्ध हूँ।

टाइटस : हम लोगों ने ऐसा क्या किया?

बटुक : तुम लोगों ने जो किया, उससे अधिक निकृष्ट और घृणित कुछ नहीं हो सकता। तुम लोग भगवान तथागत के पवित्र, उज्ज्वल नाम को धूमिल कर रहे हो। उनका नाम लेकर प्रवंचना, षड्यंत्र और हत्याएँ कर रहे हो। अपने कलुष से बौद्ध धर्म को काला कर रहे हो।

अंटोनिया : बहुत ज़हर है इसमें।

बटुक : टाइटस, हम चाहे बौद्ध हों या वैदिक, हम सब भारती हैं। यह धरती हम सबकी माता है। कोई विदेशी हमारी माता को पददलित नहीं कर सकता। हम सब तैयार हैं। जो आँख हमें शत्रुता से देखेगी, वह आँख नोच ली जाएगी। जो हाथ, हम पर आक्रमण करेंगे वह काट दिये जाएँगे। शत्रु के हमारी तरफ बढ़ते पैर तोड़ दिये जाएँगे।

अंटोनिया : बस, बहुत हो गया। **(टाइटस के हाथ से खंजर छीनकर बटुक की ओर दौड़ती है और पेट में भोंक देती है। प्रकाश-वृत्त लाल हो जाता है)**

अंटोनिया : **(खंजर हाथ में ऊपर उठाकर उसे देखते हुए वहशी आनंद से)** ज़ियस ज़िंदाबाद!

टाइटस : सिकंदर ज़िंदाबाद! सेज्यूकस ज़िंदाबाद!

(अंतराल-अंधकार)

(दृश्य समाप्त)

दृश्य-12

पात्र : पुष्यमित्र
सैनिक-1
सैनिक-2

(मंच के अग्रभाग में बाएँ कोने पर प्रकाश-वृत्त में कपड़े से ढकी बटुक की अर्थी लाकर दो सैनिक रखते हैं। फिर सैनिक झुककर नमन करता है। पुष्य मित्र प्रवेश करता है। पुष्यमित्र लाश के सिर से कपड़ा उठाता है, फिर ढक देता है। खड़े होकर आँखें बंद करके अपने दुःख को प्रकट होने से रोकता है)

पुष्यमित्र : मेरा सब से अधिक विश्वासपात्र, सबसे अधिक निष्ठावान गूढ़पुरुष चला गया। **(सैनिक से)** इसका शव कहाँ मिला?

सैनिक : गंगातट के निकट।

पुष्यमित्र : **(झुंझलाकर)** गंगातट पर कहाँ? गंगातट तो बहुत बड़ा है। पूरा पाटलिपुत्र ही गंगातट पर है।

सैनिक : **(घबराकर)** मेरा तात्पर्य है कि...

पुष्यमित्र : ज़ियस मंदिर से कितनी दूर? कितने पास?

सैनिक : ज़ियस मंदिर से ज़्यादा दूर नहीं। बस, लगभग आधा कोस दूर।

पुष्यमित्र : गंगातट पर? बालू में? नदी की धारा के पास?

सैनिक : नहीं। धारा से थोड़ा हटकर, वृक्षों के झुरमुट के बीच।

पुष्यमित्र : हत्यारे जब शव को गंगातट तक ले गये तो उसे नदी में क्यों नहीं प्रवाहित कर दिया?

सैनिक : प्रवाहित नहीं कर सके, सेनापतिश्रेष्ठ।

पुष्यमित्र : क्यों नहीं?

सैनिक : आज गंगा-स्नान पर्व है। ब्रह्ममुहूर्त के पूर्व ही स्नानार्थियों

की भीड़ वहाँ जमा हो गयी थी। इस कारण हत्यारे शव को गंगा में नहीं बहा सके। तट के पास झुरमुट में ही छोड़कर भाग गये—ऐसा प्रतीत होता है, स्वामी।

पुष्यमित्र : मैं जानता हूँ कौन थे वे हत्यारे? किसने की है बुद्धप्रिय की हत्या। जन्मभूमि के लिए बुद्धप्रिय का बलिदान अकारथ नहीं जाएगा। बुद्धप्रिय के हत्यारों के विनाश के लिए मैं पवित्र गंगाजल की सौगंध लेता हूँ।

(अंतराल-अंधकार)

(दृश्य समाप्त)

दृश्य-13

पात्र : बृहद्रथ
अंटोनिया

(बृहद्रथ का शयनकक्ष। बीच में पड़े पलंग के दोनों ओर रखे पीतल के मणिदीप के प्रकाश में बृहद्रथ तकियों के सहारे लेटा दिखाई पड़ता है। अंटोनिया उसका पैर दबा रही है।)

बृहद्रथ : तुम्हारे रूप के इंद्रजाल और तुम्हारी सेवा ने हमें तुम्हारा क्रीतदास बना दिया है।

अंटोनिया : क्रीतदास तुम नहीं, मैं हूँ तुम्हारी क्रीतदासी। तभी तो दासी की तरह तुम्हारा पैर दबा रही हूँ।

बृहद्रथ : हमने तो नहीं कहा था। तुम अपने-आप ही दबा रही हो। **(अंटोनिया बृहद्रथ के पैर को एक ओर झटककर अलग करते हुए उठ खड़ी होती है)**

बृहद्रथ : क्या हुआ?

अंटोनिया : मैं अब क्रीतदासी नहीं हूँ।

बृहद्रथ : तुम तो हमारी परम प्रिय सेजसंगिनी हो!

अंटोनिया : कुछ क्षण पहले मैं तुम्हारी सेजसंगिनी थी, लेकिन अब मैं सेजसंगिनी नहीं है,। अब मैं मौर्य सम्राज्य की अग्र-अमात्य हूँ। **(पलंग पर दर्शकों की तरफ मुख करके बैठती है)**

बृहद्रथ : हमारी सेजसंगिनी भी और अग्र-अमात्य भी!

अंटोनिया : हाँ।

बृहद्रथ : एक स्त्री एक साथ दो कैसे हो सकती है?

अंटोनिया : क्यों नहीं?

बृहद्रथ : कैसे?

अंटोनिया : देखो ऐसे समझो। जब मैं तुम्हारी सेजसंगिनी होती हूँ तो अग्र-अमात्य नहीं होती और जब अग्र-अमात्य होती हूँ तो सेजसंगिनी नहीं। अब इस समय मैं अग्र-अमात्य हूँ समझे!

बृहद्रथ : समझ गया। लेकिन यह कैसे पता लगेगा हमें कि कब सुंदर-सुंदर अंटोनिया हमारी सेजसंगिनी है और कब अग्र-अमात्य?

अंटोनिया : यह तो तुम जान जाओगे। तुमने मुझे इतना देखा है, खोजा है, जाना है। तुम नहीं जानोगे तो और कौन जान सकता है?

बृहद्रथ : जान गया। आप इस समय अग्र-अमात्य हैं। बताइए, क्या आज्ञा है बेचारे इस राजा को?

अंटोनिया : अग्र-अमात्य राजा को आज्ञा नहीं देता, परामर्श देता है।

बृहद्रथ : तो क्या परामर्श है राजा को?

अंटोनिया : (**गंभीरता का अभिनटन करते हुए**) अग्र-अमात्य को यह देखकर दुःख होता है कि सेनापति अपने राजा का अपमान करता है।

बृहद्रथ : नहीं तो।

अंटोनिया : अपमान नहीं तो अवज्ञा करता है! वह अहंकार से भरा रहता है। महाराज से विवाद की धृष्टता करता है।

बृहद्रथ : वह हमारा बालसखा भी है। उसके पिता भी सेनापति थे हमारे पिता सम्राट के। वह वीरता और युद्ध-कौशल में अद्वितीय है। फिर सैनिक तो व्यवहार में कठोर होते ही हैं।

अंटोनिया : कभी तो वह तुम्हारी आज्ञा का पालन करे। गांधार और वाल्हीक के चिकित्सालय के लिए बीस सहस्र स्वर्ण-मुद्राएँ भेजी जानी हैं, किन्तु अब तक नहीं भेजी गयी, क्योंकि सेनापति को आपत्ति है।

बृहद्रथ : हमने स्वयं ही आदेश नहीं दिया था अब तक। यदि हम एक बार आदेश दे देंगे तो सेनापति अनुपालन करेगा। हम जानते हैं।

अंटोनिया : तो आदेश दीजिए। अग्र-अमात्य को ज्ञात होना चाहिए कि सेनापति की अपने सम्राट में निष्ठा है।

बृहद्रथ : लो, हमने आदेश दे दिया। (**अंटोनिया के कान के बुंदे को उंगलियों में लेते हुए**) तुम्हारे यह कर्णफूल बहुत सुंदर हैं। तुम्हारे कपोलों की लाली, कर्णफूल की स्वर्ण-आभा में चमकती है, तो मुहावरा याद आ जाता है—सोने में सुहागा!

अंटोनिया : (**अचानक आई चंचलता से**) तुम बड़े कुटिल हो। धत् (**धीरे से बृहद्रथ के सीने पर घूंसे मारती है**)

बृहद्रथ : क्या हुआ?

अंटोनिया : तुमने कहा था कि कर्णफूल से मेल खाता हाथ का कंगन और गले की माला मैसूर से मंगवाओगे।

बृहद्रथ : आ जाएँगे।

अंटोनिया : (**बनावटी क्रोध से**) कब आएँगे? जब मैं वृद्धा हो जाऊँगी। (**वृद्धा की नकल करते हुए**) लकड़ी टेक-टेककर चलूँगी।

बृहद्रथ : हमारी अंटोनिया कभी वृद्धा नहीं होगी। समय के साथ जैसे मदिरा की मादकता बढ़ती है, वैसे ही अंटोनिया की धारदार सुंदरता और तीखी होगी।

अंटोनिया : (**अचानक**) यह क्या हुआ। अभी-अभी तो यहाँ अग्र-अमात्य थीं—मौर्य साम्राज्य की अग्र-अमात्य। फिर अचानक महाराज की सेजसंगिनी कहाँ से आ गयी?

बृहद्रथ : हमने नहीं बुलाया था।

अंटोनिया : बड़ी निर्लज्ज है आपकी सेजसगिनी। अपने-आप ही आ जाती है। अभी तो अग्र-अमात्य को आपसे और चर्चा करनी है।

बृहद्रथ : हमारी सेजसंगिनी, जाओ यहाँ से। जब बुलाएँ, तब आना। आइए, अग्र-अमात्य! मौर्य सम्राज्य की अग्र-अमात्य।

अंटोनिया : हम आ गये।

बृहद्रथ : आज्ञा, अग्र-अमात्य।

अंटोनिया : (**अचानक गंभीर होकर**) यह परिहास का समय नहीं है। मेरी बात ध्यान से सुनो। पूरे विश्व में मौर्य साम्राज्य के यश की पताका फहरा रही है। जानते हो क्यों?

बृहद्रथ : तुम बताओ।

अंटोनिया : क्योंकि मौर्य साम्राज्य का कोई शत्रु नहीं है। दूर-दूर के देशों तक मौर्य साम्राज्य द्वारा स्थापित बौद्ध विहार

दीन-दुखियों, रोगियों की सेवा कर रहे हैं। दूर-दूर के देशों के राजा तुमको भगवान बुद्ध का अवतार मानते हैं। जो देश तुम्हारी कृतज्ञता के भार से दबे हैं, वे क्या कभी तुम पर आक्रमण करेंगे?

बृहद्रथ : कभी नहीं।

अंटोनिया : तो फिर सेना की सज्जा के लिए धन का अपव्यय क्यों किया जाए? यदि यह धन प्रजा के हित में व्यय हो तो उसका पूरा पुण्य राजा को प्राप्त होगा।

बृहद्रथ : **(सोचते हुए)** किन्तु...

अंटोनिया : महाराज अशोक ने क्यों घोषणा की थी—भविष्य में युद्ध न करने की? क्यों उन्होंने भेरीघोष न करके धम्मघोष किया? इसी पुण्य के लिए। फिर तुम क्यों पीछे हटते हो, इस धर्मकार्य से? केवल एक सेनापति के कारण?

बृहद्रथ : उसके पास सेना है। वह सेना का नायक है।

अंटोनिया : लेकिन सेना तुम्हारे साथ है। वह अपने राजा की भक्त है। सिर्फ़ एक बार, एक बार साहस करके कह दो राजसभा में, जब हमारा कोई शत्रु नहीं, तो सेना का क्या काम... और एक चौथाई सेना कम कर दो। मैं राजसभा के सब सदस्यों को संभाल लूँगी।

बृहद्रथ : तुम संभाल लोगी तब ठीक है। हम घोषणा कर देंगे।

अंटोनिया : अग्र-अमात्य गयी। लो, तुम्हारी सेजसंगिनी फिर वापस आ गयी।

बृहद्रथ : **(दोनों हाथ बढ़ाकर)** सेजसंगिनी

(अंटोनिया दौड़कर बृहद्रथ के गले में झूल जाती है और दोनों लड़खड़ाकर पलंग पर गिर पड़ते हैं)

(अंतराल-अंधकार)

(दृश्य समाप्त)

दृश्य-14

पात्र : पतंजलि
पुष्यमित्र

(मंचाग्र पर बाएँ कोनें में प्रकाश के वृत्त में एक तख़्त पर पतंजलि बैठे दिखाई देते हैं। श्वेत धोती और श्वेत उत्तरीय धारण किये, शस्त्रहीन पुष्यमित्र का प्रवेश।)

पुष्यमित्र : **(प्रवेश करके)** गुरुदेव के चरणों में सेनापति का नमन।

पतंजलि : विजयी भव। कैसे आए?

पुष्यमित्र : आपके दर्शन की बलवती इच्छा खींच लाई।

पतंजलि : अकारण गुरु के दर्शन के लिए? इसके लिए सेनापति के पास समय है?

पुष्यमित्र : सेनापति के पास अब समय ही समय है। वह आचार्य पतंजलि के चरणों में बैठकर अपनी योग की साधना पूरी करेगा। ध्यान की अगली सीढ़ी चढ़कर समाधि में लीन होगा।

पतंजलि : मैं क्या सुन रहा हूँ? पुष्यमित्र देश और राष्ट्र से विमुख होकर .समाधि का आकांक्षी है?

पुष्यमित्र : मोक्ष तो हर व्यक्ति का अभीष्ट है—मेरा भी।

पतंजलि : नहीं! मोक्ष तुम्हारा अभीष्ट नहीं है। तुम व्यक्ति नहीं हो। तुम समष्टि हो। तुम्हारे ऊपर कोटि-कोटि भारतीजन के मोक्ष का दायित्व है।

पुष्यमित्र : मैं क्या कर सकता हूँ? मैं विवश हूँ। मुझे गुप्तचरों से सूचना मिली है कि अंटोनिया और टाइटस एक चौथाई मौर्य सेना भंग करने का षड्यंत्र रच रहे हैं। षड्यंत्र में उन्होंने शेष अमात्यों और प्रजामुखों को भी सम्मलित कर लिया है।

पतंजलि : यह कैसे संभव है?

पुष्यमित्र : वह क्रय कर लिए गये हैं। उनके घरों पर स्वर्ण-मुद्राओं की थैलियाँ पहुँचा दी गयी हैं।

पतंजलि : और राजा?

पुष्यमित्र : राजा बृहद्रथ पर तो अंटोनिया और टाइटस का जादू चढ़कर बोलता है। राजा स्वयं अपने-आपको अर्ध-यवन मानते हैं। उनका कहना है कि उनमें महाराज चंद्रगुप्त और सेज्यूकस की पुत्री का रक्त है। यवन उनके रक्त-संबंधी हैं। इसलिए वह यह मानने को तैयार ही नहीं हैं कि यवन कभी भी उन पर आक्रमण कर सकते हैं।

पतंजलि : सेनापति का क्या निर्णय है?

पुष्यमित्र : मनोबलहीन मौर्य सेना अपने पुराने, ज़ंग-लगे अस्त्र-शस्त्रों से यवनों का आक्रमण नहीं रोक पाएगी। हज़ारों सैनिक यवनों द्वारा युद्धभूमि में पराजित होकर वीरगति प्राप्त करेंगे। शेष सैनिक अपने प्राणों की रक्षा के लिए युद्धभूमि से पलायन करेंगे।

पतंजलि : सेनापति की क्या भूमिका है इसमें?

पुष्यमित्र : मैं देख रहा हूँ. .भीषण रक्तपात! रक्तपिपासु यवन सैनिकों की तलवारें बिजली सी भारती गर्दनों पर चमक रही हैं पुरुष-स्त्री, बालक-वृद्ध कोई भी नहीं बच पा रहा है। तलवार की धार से कटी हुई खोपड़िया इधर-उधर बिखरी हैं। रक्त और मिट्टी की कीचड़ से सने यवन सैनिकों के जूते भारतभूमि पर लगातार बढ़ रहे हैं। बढ़ते जा रहे हैं, उसे दारुण दासता की बेड़ियों में जकड़ने। भारती घरों में यवन सैनिक आग लगा रहे हैं। जलते घरों से भागते युवकों, पुरुषों, की जीवनलीला समाप्त करती यवनों की कटारें चमक रही हैं। बर्बर, क्रूर यवन सैनिकों की हिंसक वासना की शिकार भारती बालाएँ...उनकी करुण हृदय-विदारक चीत्कार सुनने वाला कोई नहीं है।

पतंजलि : (**क्रोध से**) सेनापति क्या कर रहा है उस समय? कहाँ है सेनापति?

पुष्यमित्र : सेनापति? वह तो दूर, इस सबसे दूर, अनजान, सुदूर किसी पर्वत की कंदरा में बैठा है–निर्विकल्प समाधि में।

पतंजलि : पतंजलि को अपने शिष्य पर लज्जा अनुभव हो रही है।

पुष्यमित्र : (**तैश में**) क्या राजा की आज्ञा का पालन करना उसका धर्म नहीं है?

पतंजलि : कैसा धर्म?

पुष्यमित्र : राजधर्म। वही धर्म, जिसमें भीष्म बंधे थे। द्रोणाचार्य और कृपाचार्य बंधे थे।

पतंजलि : यह राजधर्म नहीं है। यह व्यक्तिधर्म है। स्वामी के प्रति सेवक की निष्ठा व्यक्तिधर्म है।

पुष्यमित्र : तो राजधर्म क्या है?

पतंजलि : राजधर्म है राज्य की सुरक्षा! जिसमें राज्य की प्रजा का सुख और सुरक्षा हो, वही राजधर्म है।

पुष्यमित्र : क्या भीष्मपितामह, गुरु द्रोणाचार्य और कृपाचार्य...?

पतंजलि : वे राजधर्म नहीं जानते थे।

पुष्यमित्र : मैं राजा की आज्ञा पालन करने की सौगंध से बंधा हूँ। मैं क्या करूँ?

पतंजलि : तुम्हें अपना मार्ग स्वयं खोजना होगा। व्यक्तिधर्म से बड़ा है राजधर्म। राजधर्म से बड़ा है राष्ट्रधर्म।

पुष्यमित्र : कैसे पालन होगा राष्ट्रधर्म, जब एक चौथाई सेना-भंग की जा चुकी होगी? सज्जाविहीन शस्त्रविहीन शेष सेना कैसे रक्षा करेगी इस देश की? इस राष्ट्र की? कैसे पालन होगा राष्ट्रधर्म!

पतंजलि : इसका उत्तर मैं नहीं दूँगा। इसका उत्तर तुमको खोजना होगा। (**तख़्त पर बैठ जाता है, और ध्यान में आँख बंद कर लेता है**)

(**पुष्यमित्र किंकर्तव्यविमूढ़-सा खड़ा रहता है**)

पुष्यमित्र : क्या मैं राजा के प्रति निष्ठा की सौगंध तोड़ दूँ? राजा के विरुद्ध विरोध की पताका फहरा दूँ? अंटोनिया और टाइटस को बंदी बना लूँ? प्रजा को उनके विरुद्ध भड़काकर राज्य में अराजकता फैला दूँ? राजा की आज्ञा की अवहेलना कर यवन राजा मिनेंडर पर आक्रमण कर दूँ? (**म्यान से**

तलवार निकालकर) आकाश के देवता साक्षी हैं, आपका यह शिष्य देश के शत्रुओं के रक्त से गंगा को लाल कर सकता है। (**रुककर**) गुरुदेव! (पतंजलि उत्तर नहीं देता) गुरुदेव, आज्ञा दीजिए।

पतंजलि : (**आँख खोलकर**) कर्म करने का कौशल ही योग है—योगः कर्मसु कौशलम्। तुम्हें अपना मार्ग स्वयं खोजना है। (**पुनः आँख बंद कर लेता है**)

(**पुष्यमित्र घुटनों के बल बैठ कर नमन करता है**)

(अंतराल-अंधकार)

(दृश्य **समाप्त**)

दृश्य-15

पात्र : अंटोनिया
टाइटस
प्रजामुख-1
प्रजामुख-2
वीरसेन
हेलियोडोरस
पुष्यमित्र
बृहद्रथ

(बृहद्रथ के राजदरबार का दृश्य। सिंहासन के पास अंटोनिया खड़ी है। उसके पीछे यूनानी अंगरक्षक हेलियोडोरस भाला लिए खड़ा है)

(टाइटस का बौद्ध भिक्षु के वेश में प्रवेश)

अंटोनिया : भंते **(निकट जाकर, उसकी बांह पकड़कर एक ओर मंचाग्र पर ले जाती है)** टाइटस, सब ठीक है न?

टाइटस : तुम चिंता न करो। हमने प्रजामुखों को पहले से ही पटा लिया है। वे वही करेंगे, जो हम चाहेंगे।

अंटोनिया : **(अविश्वास से)** पट गये? कैसे पटाया?

टाइटस : जैसे पटाया जाता है। ये भारती वैदिक लोग बड़ी आसानी से बिक जाते हैं। बस, स्वर्ण-मुद्राएँ!!

अंटोनिया : सेनापति तो नहीं बिका! उसको क्यों नहीं खरीद पाए?

टाइटस : बस वही हाथ नहीं आ पाया...सीधे नहीं, तो टेढ़े आएगा। तुम देखती चलो।

(दो प्रजामुखों का प्रवेश)

अंटोनिया : **(प्रजामुखों को हाथ जोड़कर नमस्कार करते हुए, टाइटस**

से) आप इनको बैठाएँ। मैं सम्राट को लेकर सभा में आती हूँ। (**प्रस्थान**)

टाइटस : आइए सम्मानित प्रजामुखो आइए। विराजिए। (**दोनों सभासदों को बैठाता है**) तीसरे प्रजामुख चंद्रकेतु अभी तक नहीं आए?

प्रजामुख-1 : वे अस्वस्थ हैं। वे प्रातः मिले थे। सम्राट का निमंत्रण हो तो कौन नहीं आएगा?

प्रजामुख-2 : फिर आपका भी तो आग्रह था, भंते।

टाइटस : अमात्य भी नहीं आए। उनको तो पहले ही आना चाहिए।

वीरसेन : (**प्रवेश करते हुए**) हम भी आ गये, धर्म-महामात्र। जैसे सम्राट भंते के भक्त हैं, वैसे ही भक्त हम भी हैं। जो भंते चाहेंगे, वही हम लोगों का परामर्श होगा। क्यों ठीक कहा न, भंते?

टाइटस : नहीं अमात्य! आपने ठीक नहीं कहा। हम सब धर्म से बंधे हैं। हमारा परामर्श भी धर्म-आधारित होगा। निर्णय सम्राट का होगा। (**अचानक द्वार की ओर देखकर**) सेनापति आ गये हैं।

(**सेनापति का प्रवेश। हेलियोडोरस को टाइटस इशारा करता है**)

हेलियोडोरस : ठहरिए, सेनापति। (**निकट जाकर**) स्वामी, आज राजसभा में शस्त्र लाना निषिद्ध है।

पुष्यमित्र : निषिद्ध है, लेकिन सेनापति के लिए नहीं। तुम नये अंगरक्षक हो। यवन हो। राजसभा की व्यवस्था नहीं जानते। सेनापति का राजसभा में शस्त्रधारण का विशेष अधिकार होता है।

हेलियोडोरस : सत्य है, स्वामी। किन्तु आज की राजसभा में विशेष व्यवस्था दी हे।

पुष्यमित्र : (**जोर से**) किसने?

हेलियोडोरस : स्वयं सम्राट ने। आज विशेष सभा है। इसमें सेनापति भी शस्त्रधारण नहीं करेंगे।

पुष्यमित्र : (**चेहरे पर क्रोध, किन्तु संभलकर**) राजाज्ञा का पालन मेरा कर्त्तव्य है। (**वह अपने सब शस्त्र हेलियोडोरस को देता है**)

(सेनापति के शस्त्र लेकर हेलियोडोरस नेपथ्य में चला जाता है)

टाइटस : सेनापति पुष्यमित्र शुंग, अपना आसन ग्रहण कीजिए।

(हेलियोडोरस का प्रवेश)

हेलियोडोरस : **(घोषणा करते हुए)** सावधान! मौर्याधिपति, महासम्राट, धर्मसूर्य महाराज बृहद्रथ पधार रहे हैं।

(बृहद्रथ और अंटोनिया का प्रवेश। सब सभासद खड़े हो जाते हैं। बृहद्रथ प्रजामुखों के पास जाकर, उनको नमन करता है, फिर आकर सिंहासन पर बैठता है।)

बृहद्रथ : विराजिए। आज प्रजामुखों को विशेष परामर्श के लिए हमने आमंत्रित किया है। आपका स्वागत है। **(दरबार की कार्यवाही बढ़ाने के लिए इशारा करते हुए)** अग्र-अमात्य!

अंटोनिया : हमारे सम्राट की कीर्ति पूरे विश्व में व्याप्त है। वह प्राणिमात्र के कल्याण के लिए ही पाटलिपुत्र के सिंहासन पर आरूढ़ हैं, अन्यथा उनका हृदय तो विरागी है। वह कुछ दिनों में ही वर्षावास के लिए राजगृह विहार में प्रवेश करेंगे। इन चार महीनों में वह किसी से नहीं मिलेंगे। केवल विपासना और साधना करेंगे।

बृहद्रथ : हमारी अनुपस्थिति में अग्र-अमात्य सौभाग्या अंटोनिया राजकार्य देखेंगी। उनका आग्रह है कि कुछ महत्त्वपूर्ण विषयों पर निर्णय लेने के बाद ही हम राजगृह विहार जाएँ। उन्हीं विषयों पर आप सबका परामर्श चाहिए। अग्र-अमात्य, विषय का प्रवर्तन करे!

अंटोनिया : परम सम्राट के चरणों में श्रीवंदन एवं सम्मानित सभासदो, आप सब जानते हैं कि इस संसार में मगध का कोई शत्रु नहीं है। दूर-दूर तक के देशों में सम्राट की करुणा और प्रेम का संदेश पहुँच चुका है।

वीरसेन : सत्य है।

अंटोनिया : सेना होती है शत्रुओं से सुरक्षा के लिए। जब हमारा कोई शत्रु ही नहीं, तो किससे सुरक्षा के लिए मगध को सेना चाहिए?

वीरसेन : आप ठीक कहती हैं, अग्र-अमात्य।

अंटोनिया : इसीलिए धर्म-महामात्र भंते संघरक्षित का प्रस्ताव है कि सेना भंग कर दी जाए और इस पर होने वाला व्यय लोक-कल्याण में लगाया जाए।

बृहद्रथ : किसी को इस पर कुछ कहना है? लगता है, सब सहमत हैं?

पुष्यमित्र : सम्राट, मैं कुछ निवेदन करना चाहूँगा।

बृहद्रथ : कहो, सेनापति।

पुष्यमित्र : राजनीति में शत्रु और मित्र तो बनते-बिगड़ते रहते हैं। जो आज मित्र हैं, वह कल शत्रु बन सकते हैं। हम केवल आज के आधार पर कल की सुरक्षा दांव पर नहीं लगा सकते।

टाइटस : हमें इसी सोच को तो बदलना है। जिस क्षण हम सोचते हैं कि हमारा मित्र शत्रु बन सकता है, हमारे हृदय में उस मित्र के प्रति संशय की रेखा खिंच जाती है। यह संशय ही उसे हमारा शत्रु बना देता है। नहीं, नहीं, सेनापति, हमें अपनी सोच बदलनी होगी।

बृहद्रथ : भन्ते, आपने ठीक कहा। हम मित्र की आँखों से संसार देखें, तो हमें चारों ओर मित्र ही मित्र मिलेंगे। और शत्रु खोजेंगे तो शत्रु मिलेंगे। हम स्वयं ही अपने मित्र और शत्रु पैदा करते हैं।

टाइटस : महावाक्य है! हम ही अपना शत्रु पैदा करते है...यह महावाक्य!

पुष्यमित्र : तो भंते, ज़ियस मंदिर में आग लगाने वाला शत्रु क्या स्वयं आपने पैदा किया था?

अंटोनिया : हम ज़ियस मंदिर की नहीं, दर्शन की बात कर रहे हैं। मानवता और विश्व की चर्चा कर रहे हैं।

पुष्यमित्र : मानवता छोटे-छोटे एक-एक मनुष्य की समष्टि का ही नाम है। ज़ियस मंदिर जैसी छोटी-छोटी आग पूरे विश्व को जला सकती है।

बृहद्रथ : सेनापति पुष्यमित्र, तुम्हारे हृदय में बहुत हिंसा है। सैनिक हो न! अहिंसा की शक्ति देखने के लिए हिंसा की परिधि के बाहर आना पड़ेगा।

अंटोनिया : सम्राट अशोक की सेना ने हिंसा से कलिंग-विजय तो कर ली, किन्तु अन्ततः सम्राट की अहिंसा ही कलिंगवासियों का हृदय जीत सकी।

पुष्यमित्र : किन्तु सम्राट अशोक ने तब भी अपनी सेना भंग नहीं की थी!

टाइटस : हमारे मन में अहिंसा होगी तो शत्रु के मन में भी अहिंसा स्वयंः जागृत हो जाएगी।

पुष्यमित्र : अगर यवन राजा मिनेंडर हम पर आक्रमण कर दें तो हम क्या करेंगे?

टाइटस : वह हम पर आक्रमण नहीं करेंगे।

पुष्यमित्र : क्या हम उनका स्वागत करेंगे?

टाइटस : यूनानी हम पर क्यों आक्रमण करेंगे? वे हमारे मित्र हैं। सम्राट के भक्त हैं। सम्राट की मूर्ति गांधार और वाल्हीक नगरों में लगाना चाहते हैं।

अंटोनिया : अहिंसा की शक्ति के आगे तो बड़ी-बड़ी सेनाएँ पराजित हो जाती हैं।

टाइटस : आक्रमणकारी हमारी हत्या करने आए और वह जब देखेगा कि उसके लिए हमारा हृदय प्रेम से लबालब भरा है, तो वह कैसे उठाएगा हमारे ऊपर हथियार?

पुष्यमित्र : (**सम्राट से**) अगर इतनी बड़ी सेना भंग कर दी गयी तो हाहाकार मच जाएगा। लाखों लोगों के घरों में चूल्हा नहीं जलेगा। उनके परिवार का पोषण कैसे होगा?

बृहद्रथ : ठीक है। सेनापति की इस आपत्ति पर भी प्रजामुख विचार करके अपना परामर्श देंगे।

अंटोनिया : बहुत कुछ है करने को। हज़ारों योजन भूमि बंजर पड़ी है। उसे पूर्व-सैनिक खेती योग्य बनाकर खेती कर सकते हैं। विश्व के दरिद्र देशों के लिए अन्न उपजा सकते हैं।

बृहद्रथ : प्रयाग में कुंभ होने जा रहा है। वहाँ लाखों तीर्थ-यात्री आते हैं। सैनिक वहाँ की शांति-व्यवस्था कर सकते हैं। मार्ग की सफाई कर सकते हैं, शौचालय की सफाई कर सकते हैं।

(**सब चुप हो जाते हैं**)

बृहद्रथ : हमारे अमात्य एकदम चुप हैं। हम उनकी मंत्रणा चाहेंगे।

वीरसेन : सम्राट, सेनापति का कथन सही है। अगर सेना अचानक भंग कर दी गयी, तो हाहाकर मच जाएगा। यह भी संभावना है कि सैनिक विद्रोह कर दें और क्रोध में लूट-मार पर उतर आएँ।

बृहद्रथ : तो क्या सेना भंग न की जाए?

वीरसेन : सम्राट! एक साथ पूरी सेना को भंग करना उचित नहीं। पहले एक चौथाई सेना भंग की जाए। बाद में एक-एक चौथाई सेना...कुल चार चरणों में भंग की जाए।

पुष्यमित्र : (**वीरसेन से**) एक चौथाई सेना भंग करने के पश्चात जो सेना बचे, उसको तो शस्त्रों से पुनर्सज्जित किया जाए?

टाइटस : जब सेना को एक दिन भंग करना ही है, तो उसके शस्त्रों पर व्यय क्यों किया जाए। जैसे अब तक जीर्ण शस्त्रों से काम चलाते हैं, आगे भी चलाते रहेंगे।

वीरसेन : धर्म-महामात्र का विचार समुचित है।

बृहद्रथ : सम्मानित प्रजामुखो, आपने अग्र-अमात्य और धर्म-महामात्र के प्रस्ताव सुने। उन पर सेनापति की आपत्ति भी सुनी। आप हमारी प्रजा के प्रतिनिधि हैं। हमारी प्रजा की भावना के स्वर हैं। आपके परामर्श की हमें प्रतीक्षा है।

(दोनों प्रजामुख एक-दूसरे से सलाह करते हैं फिर प्रजामुख-1 उठकर खड़ा होता है)

प्रजामुख-1 : परम तेजस्वी मगधपति सम्राट बृहद्रथ के चरणों में वंदना। (**बृहद्रथ हाथ उठाकर आशीर्वाद देता है**) हम लोगों ने बड़े ध्यान से अग्र-अमात्य और धर्म-महामात्र के प्रस्ताव को सुना। उस पर सेनापति के प्रतिवाद और आपत्ति पर भी मनन किया। अमात्य के भी विचार सुने। हम प्रजा-प्रतिनिधि सभासदों का एकमत से परामर्श है कि मगध जैसे शत्रुहीन विश्वमित्र साम्राज्य के लिए सेना की कोई आवश्यकता नहीं हे, अतएव सेना भंग की जा सकती है। किन्तु व्यवस्था की दृष्टि से अभी केवल एक चौथाई सेना भंग की जानी चाहिए। शेष कालांतर में।

प्रजामुख-2 : (**खड़े होकर**) महास्वामी सम्राट! हम लोगों का यह भी

परामर्श है कि शेष सेना के शस्त्रों के नवीनीकरण की कोई आवश्यकता नहीं।

प्रजामुख-1 : **(खड़े होकर)** तेजस्वी महिमामय सम्राट, सेना के पास कोई कार्य नहीं है। अतएव सेना को जंगल काटने, धरती को खेती योग्य बनाने, अन्न उपजाने, नगरों की सफाई और विशेष रूप से कुंभ जैसे बड़े मेलों में सड़कों और शौचालयों की सफाई के भी कार्य करने चाहिए।
(दोनों हाथ जोड़कर नमन करते हैं और अपनी जगह बैठ जाते है)

पुष्यमित्र : महासम्राट मैं प्रजामुखों के परामर्श से सहमत हूँ। अपनी सारी आपत्तियाँ वापस लेता हूँ। अब प्रजा-हृदय सम्राट का निर्णय मेरे लिए आदेश होगा।

बृहद्रथ : **(ऊपर देखते हुए जैसे ईश्वर से बात कर रहा हो)** तथागत ने कहा था—यह जीवन दुःखमय है। मनुष्य इस दुःखमय जीवन को अपने मन की हिंसा से और अधिक दुःखमय बना रहा है। हमें दुःख से छुटकारा पाना है तो अहिंसा की शरण में जाना होगा। **(खड़े होकर आगे आते हुए)**
अहिंसा परम धर्म है।
अहिंसा अपराजेय है।
अहिंसा की शक्ति अभेद्य है।
अहिंसा का कोई शत्रु नहीं होता।
अहिंसा कभी असफल नहीं होती।
अहिंसा वीरों का भूषण है।
अहिंसा में मरना वीरता है, हिंसा में मारना कायरता है।
अहिंसा की शक्ति के सम्मुख शक्तिशाली सेनाएँ भी टिक नहीं सकतीं।

अंटोनिया : ये महावाक्य हैं! **(हाथ जोड़कर)** त्वं शरणं गच्छामि।

बृहद्रथ : भारत की धरती, धन, संपदा, ग्राम और नगरों पर आधिपत्य के लिए यदि यवन राजा आक्रमण करता है, तो हम स्वयं उसको अपनी धरती, धन-संपदा, गाँव, नगर, सब उसे सौंप देंगे। यवन राजा लज्जित होकर वापस चला जाएगा। अहिंसा हृदय जीतती है। हृदय-परिवर्तन करती है। **अगर**

कोई आततायी हमारी हत्या करने देश में घुस आए, तो हम तलवार खींचकर उससे युद्ध नहीं करेंगे। हम हिंसा का सामना अहिंसा से करेंगे। वह हमारी हत्या करेगा, तो हम मर जाएँगे। इस तरह मरकर हम अमर हो जाएँगे।

टाइटस : (**घुटनों के बल बैठकर नमन करता है**) महावाक्य है। महावाक्य है। धन्य हैं!

बृहद्रथ : (**वापस सिंहासन पर बैठते हुए**) हम प्रजामुखों के परामर्श से सहमत हैं। एक चौथाई सेना भंग कर दी जाए। शेष सेना सामाजिक कार्य करेगी। (**स्वर बदलकर**) अगली पूर्णमासी को हम चार महीने के वर्षावास के लिए राजगृह संघाराम जा रहे हैं। उस अवधि में हमारे स्थान पर राजकाज स्वयं अग्र-अमात्य देखेंगी।

पुष्यमित्र : महाराज, एक निवेदन है। अगली पूर्णमासी को भंग की जाने वाली एक चौथाई सेना अंतिम बार महाराज का श्रीदर्शन करेगी। वह अहिंसा के मार्ग पर प्रथम पग बढ़ाने के पूर्व, अपने खड्ग महासम्राट के श्रीचरणों में प्रस्तुत कर नवजीवन के लिए उनका आशीर्वाद माँगेगी।

(**बृहद्रथ अंटोनिया की ओर सम्मति के लिए देखता है**)

अंटोनिया : सेनापति का निवेदन उचित है।

बृहद्रथ : (**सेनापति की ओर आशीर्वाद में हाथ उठाकर**) एवमस्तु। (पद्मासन में बैठकर ध्यान में चला जाता है)।

(**अंटोनिया सबको जाने का इशारा करती है। अमात्य और दोनों प्रजामुख अंटोनिया के निकट जाकर नमस्कार करके बाहर जाते हैं। धर्म-महामात्र अंटोनिया के पास जाकर खड़ा हो जाता है**)

पुष्यमित्र : (**जाते-जाते रुककर अंटोनिया से**) मैं तो निश्चय करके आया था कि सेना को किसी भी हालत में भंग नहीं होने दूँगा, किन्तु..?

अंटोनिया : किन्तु क्या, सेनापति?

पुष्यमित्र : महासम्राट के स्वर में ऐसा कुछ है कि मैं मंत्रमुग्ध हो गया। विभोर हो गया उसमें। अपनी सुध-बुध खो बैठा। और मुझे लगा, सामने सम्राट नहीं, कोई दिव्य पुरुष है—आकाश से

अवतरित देवता। उनके आभा-मंडल से निकलती ज्योति की किरणों से मैं चकाचौंध हो गया। हृदय ने कहा—मूर्ख पुष्यमित्र, तू अन्धा है क्या? पहचान नहीं सकता परम तेज को...और मैं उनकी शरण में नत हो गया।

टाइटस : अंततः सद्बुद्धि आ गयी। भगवान शरणागत की रक्षा करते हैं।

पुष्यमित्र : महासम्राट के प्रति श्रद्धा और समर्पण के लिए आप दोनों अनुकरणीय हैं। मैं आप दोनों को भी नमन करता हूँ। **(अंटोनिया और टाइटस के आगे हाथ-जोड़कर नमन करता है। अंटोनिया और टाइटस के मुखों पर विजय की मुस्कान)**

(अंतराल-अधिकार)

(दृश्य समाप्त)

दृश्य-16

पात्र : पुष्यमित्र
सैनिक-1
सैनिक-2
सैनिक-3
सैनिक-4

(रात्रि में जंगल के एक एकांत खंड का दृश्य। पुष्यमित्र शुंग का प्रवेश। वहाँ पहुँचकर पुष्यमित्र ताली बजाता है। थोड़ी देर में चारों ओर से चार और सैनिक वहाँ प्रवेश करते हैं और सेनापति के सामने नमन करके कहते हैं–'जय सेनापति')

पुष्यमित्र : तुम लोग आ गये। क्या सूचना है?

सैनिक-3 : वीरश्रेष्ठ! जब से सेना के भंग किये जाने का समाचार मिला है—सारे सैनिक हताशा और क्रोध में डूबे हैं।

सैनिक-2 : हम लोग तलवार चलाने वाले हैं, झाड़ू चलाने वाले नहीं। शौचालय साफ करने के पहले हम आत्महत्या कर लेंगे।

सैनिक-3 : आत्महत्या करेंगे धर्म-महामात्र और अग्र-अमात्य, हम नहीं! हम मारना जानते हैं। हमने तो केवल यही सीखा है—तलवार के एक वार से सर काटना।

सैनिक-4 : यह सब यवनों की चाल है। वह धीरे-धीरे छल-बल से राजसत्ता पर क़ब्ज़ा कर रहे हैं।

सैनिक-3 : क़ब्ज़ा कर चुके हैं। महाराज के संघाराम में जाने के बाद अंटोनिया हम पर शासन करेगी!

सैनिक-1 : महासम्राट तो साधू हैं। धर्मभीरु हैं। वह नहीं समझ पाते इन गोरी चमड़ी वालों को।

सैनिक-3 : सब समझते हैं, किन्तु विवश हैं। वह आसक्त हैं उस पर।

सैनिक-2 : वह विषकन्या है।

सैनिक-3 : हम विषकन्या का विष पी लेंगे, और उसका रक्त भी।

पुष्यमित्र : अनर्गल क्रोध से कुछ नहीं होगा। सोचना है कि क्या किया जाए। सैनिक क्या चाहते हैं?

सैनिक2 : वह विद्रोह करना चाहते हैं। वह राजमहल में आग लगा देना चाहते हैं?

पुष्यमित्र : केवल राजमहल में?

सैनिक-2 : **(हकलाता-सा)** जी, केवल राजमहल में।

पुष्यमित्र : मेरे गुप्तचरों ने बताया है कि कुछ सैनिक मेरे शिविर में भी आग लगा देना चाहते हैं।

(सैनिक-2 चुप रहता है)

पुष्यमित्र : उत्तर दो! तुम्हारा सेनापति तुमसे कुछ पूछ रहा है। तुमको अभयदान देता है। केवल सत्य जानना चाहता है।

सैनिक-2 : सेनापतिश्रेष्ठ, सब नहीं, केवल कुछ सैनिक ही ऐसा...

पुष्यमित्र : उन सैनिकों के दल का नेतृत्व तुम रहे थे, मलयकेतु! **(सैनिक-2 उत्तर नहीं देता)** उत्तर दो।

सैनिक-2 : स्वामी, वह आवेश का क्षण था। क्षमा करें।

पुष्यमित्र : तुम पांचों मेरे प्रिय शिष्य हो। दुर्घर्ष योद्धा हो। तुम मेरी शक्ति हो। तुम मेरी भुजा हो...और मैं तुम्हीं लोंगों का विश्वास खो बैठा।

सैनिक-2 : स्वामी, क्षमा!

पुष्यमित्र : यवन सम्राट मिनेंडर कभी भी हम पर आक्रमण कर सकता है। लाखों यवन जो पिछले डेढ़ सौ वर्षों में भारत में आकर बस गये हैं, मिनेंडर के भेदिए हैं। छल-बल और सूझ-बूझ से मौर्य सम्राट को अपनी मुट्ठी में ले चुके हैं। अब जैसे ही सेना भंग होगी, या सेना विद्रोह करेगी, यवन सेना भारत पर आक्रमण कर देगी।

सैनिक-1 : हम जानते हैं, सेनापति।

पुष्यमित्र : यह निर्णायक काल है। आज इतिहास लिखा जाएगा—भारत ने अपनी स्वतंत्रता अक्षुण्ण रखी या यवनों का पराधीन हो गया? इतिहास रचने का दायित्व है सेनापति पर और उसके विश्वासी अदम्य वीर पांच शिष्यों पर।

सैनिक-3 : स्वाधीनता का इतिहास हम पांचों को ही लिखना होगा।

पुष्यमित्र : और सेनापति को नहीं?

सैनिक-3 : क्षमा करें! हम लोगों को सूचना मिली है कि हमारे सेनापति ने धर्म-महामात्र और अग्र-अमात्य के आगे घुटने टेक दिये और आत्मसमर्पण करके सौदा कर लिया।

पुष्यमित्र : सौदा कर लिया सेनापति ने! सौदा कर लिया सेनापति ने अपने देश का, अपनी जन्मभूमि का? कोटि-कोटि भारतीयजन की स्वाधीनता का? (**सब चुप रहते हैं। विचलित कोध से**) उत्तर क्यों नहीं देते? चुप क्यों हो? तुम्हारा सेनापति देशद्रोही है? देशद्रोह का दंड है मृत्यु। देशद्रोही को मृत्युदंड देना तुम्हारा कर्त्तव्य है। लो, मैं तुम्हें देता हूँ अपना खड़ग (**अपनी तलवार सैनिक-3 को देता है**) मंगलसेन लो! अंत कर दो देशद्रोही सेनापति का।

(**ससैनिक-3 हाथ में तलवार लेकर कुछ देर सोचता है, फिर उसे सेनापति के सीने के सामने तानता है। सेनापति सीना तान देता है**)

पुष्यमित्र : उतार दो यह तलवार मेरे सीने में!

सैनिक-3 : (**अचानक**) मुझसे नहीं होगा।

पुष्यमित्र : क्यों नहीं होगा? जन्मभूमि के लिए तुम इतना भी नहीं कर सकते? देशद्रोही को दंड देना तुम्हारा कर्तव्य है।

सैनिक-3 : आप देशद्रोही नहीं हैं।

पुष्यमित्र : मंगलसेन, तुम भावुक हो गये हो। गुरु के प्रति तुम्हारी ममता जाग गयी है। ठीक है, तलवार अपने साथी को दे दो।

(**मंगलसेन तलवार सैनिक-2 को देता है**)

पुष्यमित्र : अब तुम अंत कर दो देशद्रोही का! मैं तुम्हें आदेश देता हूँ।

(**वह सैनिक भी तलवार तीसरे साथी को और तीसरा चौथे को देता है। चौथा सैनिक जाकर वह तलवार सेनापति के पैरों में रख देता है**)

सैनिक-3 : सेनापति श्रेष्ठ, मैं क्षमा चाहता हूँ।

पुष्यमित्र : देशद्रोही को दंड नहीं दोगे।?

सैनिक-4 : आप देशद्रोही नहीं हें। मैंने आपकी आँखों में देखा है। मेरे अंतर की वाणी ने कहा, आप देशद्रोही नहीं हैं। (**घुटने के बल सिर झुकाकर बैठ जाता है। बाकी सैनिक भी वैसे ही सिर झुकाकर बैठ जाते हैं**)

पुष्यमित्र : उठो, मेरे वीर सैनिको! अंततः वीरता ही सब कुछ नहीं, नीति भी आवश्यक हैं। भगवान कृष्ण के जीवन का संदेश भूल गये थे तुम लोग। उठो। (**तलवार उठाकर**) आओ, इस तलवार पर हाथ रखकर हम सब शपथ लें। देश के शत्रुओं का विनाश ही हमारे जीवित रहने का उद्देश्य है।

सब : (**तलवार पर हाथ रखकर**) देश के शत्रुओं का विनाश ही हमारे जीवित रहने का उद्देश्य है।

(अंतराल-अंधकार)

(दृश्य समाप्त)

दृश्य-17

पात्र : अंटोनिया
टाइटस
पुष्यमित्र
सब सैनिक
दो नर्त्तकियाँ
छत्रवाहक
तीन वादक
हेलियोडोरस
प्रजामुख (दोनों)
वीरसेन
तथा अन्य

(पीछे गगनिका पर आकाश की नीली आभा है। उसके सामने एक ऊँचे मंच पर यह दृश्य अभिनीत होता है। मंच पर गगनिका की तरफ फूलों तथा झंडियों से सज्जित बल्लियों और रस्सियों की बाड़ (मुंडेर) बनी है। उस बाड़ के नीचे झांकने पर हज़ारों सैनिक खड़े दिखाई पड़ेगें –ऐसा मंच के विधान से इंगित होना चाहिए। बाड़ के निकट भाला लिए हेलियोडोरस खड़ा है। पास ही मंचाग्र पर अंटोनिया और टाइटस बात कर रहे हैं)

अंटोनिया : आज का दिन बहुत शुभ है। आज सेना भंग कर दी जाएगी।

टाइटस : और आज के दिन राजसत्ता अंटोनिया के हाथ में होगी।

अंटोनिया : सिर्फ़ चार महीनों के लिए।

टाइटस : यह भी हो सकता है वहाँ से सम्राट कभी लौटे ही न। अचानक कुछ भी हो सकता है!

अंटोनिया : हाँ, कुछ भी हो सकता है!

(सेनापति पुष्यमित्र का प्रदेश)

पुष्यमित्र : भंते सेना भंग होने के पूर्व सैनिक अपने देवतुल्य राजा का दर्शन करने को उतावले हो रहे हैं।

अंटोनिया : संदेह था कि सैनिक विद्रोह कर देंगे?

टाइटस : कैसे करते विद्रोह! सम्राट अशोक के समय से हमारी प्रजा में धर्म, संघ, बुद्ध का प्रचार है। वे जानते हैं अहिंसा की शक्ति।

पुष्यमित्र : उनकी महासम्राट में अटूट श्रद्धा हैं। जैसे पिता अपने पुत्र का अहित नहीं करता वैसे ही महासम्राट भी अपनी प्रजा का कभी आहित नहीं करेंगे। सैनिक जानते हैं कि सम्राट का सेना भंग करने का आदेश अंततः उनके हित में है।

अंटोनिया : मैंने ऊपर से देखा, सारे सैनिक बहुत प्रसन्न दिखाई पड़ रहे हैं, जैसे किसी मंगल त्योहार में आए हों।

पुष्यमित्र : सैनिक आतुर हो रहे हैं सम्राट के दर्शनों को। सम्राट सैनिकों को दर्शन देंगे, उसके पश्चात् सब सैनिकों की ओर से मैं अपनी तलवार सम्राट के चरणों में रखूँगा। फिर सारे सैनिक अपनी तलवारें अपने सामने धरती पर रखकर सेना से विमुक्त हो जाएँगे।

(नीचे सैनिकों के शोर की आवाज-महाराजा बृहद्रथ की जय, महाराजा बृहद्रथ की जय)

पुष्यमित्र : सैनिक सम्राट के दर्शन को उतावले हो रहे हैं। **(पुष्यमित्र बाड़ के पास जाता है)**

टाइसन : कैसा संयोग है! आज सम्राट संघ की शरण में जा रहे हैं, और आज ही अहिंसा से प्रेरित सैनिक शस्त्र-समर्पण कर रहे हैं।

(टाइटस और अंटोनिया भी पुष्यमित्र के पास जाते हैं। सेनापति नीचे खड़े सैनिकों को संबोधित करता है)

पुष्यमित्र : सैनिको! मैं आपका सेनापति पुष्यमित्र था...शांत हो जाइए। अभी कुछ ही क्षणों में हमारे आराध्य, पूज्य, परम देवता, महासम्राट बृहद्रथ मौर्य आपको दर्शन देंगे। यहाँ राजमंच

पर अग्र-अमात्य अंटोनिया और धर्म-महामात्र संघरक्षित भी हैं। वे आपको आशीर्वाद दे रहे हैं।

(सैनिकों की जयजयकार का शोर। ऐसा प्रतीत होता है, सैनिक मंच के चारों ओर हैं)

(अंटोनिया और टाइटस सैनिकों को हाथ उठाकर आशीर्वाद देते है)

पुष्यमित्र : (**बाड़ के नीचे खड़े सैनिकों को संबोधित करते हुए**) सैनिको! आप पुण्यभाग हैं, क्योंकि आज सेना से विमुक्त होकर अहिंसक सैनिक बनने जा रहे हैं। हमारे धर्मरूप महासम्राट ने हमें बताया कि अहिंसा की शक्ति के आगे पूरी की पूरी सेनाएँ निरर्थक हैं। (**मंचाग्र के दाहिने कोने पर आकर एक प्रकाश-वृत्त में खड़े होकर**) आज से हज़ारों वर्ष पूर्व रावण ने सीता का हरण कर लिया था। राम ने इस राष्ट्रीय अपमान का प्रतिशोध रावण का वध करके लिया। उन्हें अहिंसा की शक्ति का ज्ञान नहीं था, इसीलिए उन्होंने हिंसा द्वारा रावण का अंत किया! (**मंचाग्र पर बीच में, प्रकाश के स्पॉट में आकर**) जब अर्जुन ने महाभारत युद्ध में लड़ने से मना कर दिया तो भगवान कृष्ण ने अर्जुन को कायर और नपुंसक कहा और शस्त्र उठाने को कहा। अज्ञानी थे श्रीकृष्ण भी। तभी तो उन्होंने कंस के उद्धार के लिए हिंसा का सहारा लिया। अहिंसा का पालन हम सब व्यक्तिगत और सामाजिक जीवन में करते हैं। परंतु महाप्रभु धर्म-महामात्र संघरक्षित ने हमें बताया कि अहिंसा की कोई सीमा नहीं है! यवन पश्चिमोत्तर सीमा के पार से हम पर आक्रमण करने को उद्यत हैं। जब वह आक्रमण करेंगे तो धर्म-महामात्र भिक्षुओं के दल को लेकर सीमा पर जाएंगे। उनकी अहिंसा की शक्ति से यवन आक्रमणकारी पराजित हो कर लौट जाएँगे। (**मंचाग्र पर बाएँ कोने से**) जब दहाड़ते, चिंघाड़ते यूनानी सैनिक हाथों में नंगी तलवारें लिए हम पर आक्रमण करेंगे, तो हम स्वतः ही अपनी गर्दन बढ़ा देंगे। जब वे बर्बरता और क्रूरता में हमारी स्त्रियों के साथ बलात्कार करेंगे, जब वे हमारे घरों में आग लगा देंगे,

हमारे मंदिरों और देवताओं को खंड-खंड...विखंडित कर देंगे, तब भी हमारे हृदयों में उनके लिए प्रेम होगा। हम प्रतिशोध में भी हिंसा नहीं करेंगे। (**पुनः पीछे साइक्तोरामा के निकट, बाड़ के पास जाकर**) यवन राजा मिनेंडर के सैनिक हाथों में तलवार लेकर आएँ, तो उनके सामने हम अपनी गर्दन बढ़ा दें...अहिंसा में मरकर अमर होने के लिए!

(तभी नेपथ्य से शंख की ध्वनि। ढोल-तासों की आवाज के बीच मंच पर बृहद्रथ का प्रवेश। सब लगातार महाराज बृहद्रथ की साय के नारे लगाते रहते हैं। उसके दाएँ-बाएँ अंगरक्षक हैं। एक छत्रवाहक बृहद्रथ के ऊपर छत्र ताने हुए है। उसके आगे नृत्य करती युवती है। कुछ सैनिक ढोल की आवाज पर नाचते हुए साथ में हैं। प्रजामुख, अमात्य तथा अनेक सामंत आदि भी जुलूस में हैं। बृहद्रथ मंचाग्र पर खड़ा होता है। वह सबको को आशीर्वाद देता है। इस दौरान वादक ढोल-तासे आदि बजाते हुए उत्सवी वातावरण बनाते हैं। नर्त्तकी राजा की आरती उतारती है। ढोल-तासे बजते रहते हैं। बृहद्रथ बाड़ के पास नीचे खड़े अहश्य सैनिकों को आशीर्वाद देता है। पुष्यमित्र सैनिकों को तलवार दिखाकर राजा को नमन करता है। फिर तलबार उसके पेट में भोंक देता है। संगीत तथा नारे अचानक बंद हो जाता है। कुछ क्षणों के लिए सब कुछ मौन हो जाता है। राजा लड़खड़ाता हुआ चलता है, किन्तु चार क़दम चलकर बीच मंच पर गिर जाता है। टाइटस कपड़ों में छिपी कटार निकालता है। तभी बृहद्रथ का एक अंगरक्षक उसकी पीठ पर तलवार रख देता है। उसके हाथ की कटार गिर पड़ती है। दूसरा अंगरक्षक अंटोनिया की पीठ पर तलवार रखता है। दृश्य जड़ हो जाता है। कुछ क्षणों के पश्चात् दुर्गा-सप्तशती का रौद्र मंत्रोच्चारण सुनाई पड़ता है। उसके साथ ही पुष्यमित्र मंचाग्र की ओर बढ़ता है। मंचाग्र पर पहुँचते ही मंत्रोच्चारण बंद हो जाता है। प्रकाश-वृत्त में केवल पुष्यमित्र दिखाई पड़ता है)

पुष्यमित्र : माँ! जब-जब विदेशी आक्रांता इस भूमि को मलिन दृष्टि

से देखेगा, तब-तब कोई न कोई पुष्यमित्र तुम्हारे चरणों में उसकी बलि बढ़ाने जन्म लेता रहेगा। **(तलवार की मूठ दोनों हाथों से पकड़कर अपने माथे से लगाता है। तभी पटाक्षेप होता है। किन्तु उसके अंतिम वाक्य की प्रतिध्वनि बार-बार सुनाई पड़ती है, जिसकी अनुगूंज प्रेक्षागृह को भर देती है।)**

(इति)

परिशिष्ट

रक्त-अभिषेक : ऐतिहासिक साक्ष्य

यह सर्वमान्य एतिहासिक तथ्य है कि सेनापति पुष्यमित्र शुंग ने अंतिम मौर्य राजा बृहद्रथ का सेना के सामने वध उस समय किया, जब वाल्हीक (अफगानिस्तान) के यवन भारत पर आक्रमण कर रहे थे, और उनकी सेनाएँ मथुरा और अयोध्या तक बढ़ आई थीं। सेनापति पुष्यमित्र ने यवनों को पराजित करके दो बार अश्वमेघ यज्ञ किया। पुष्यमित्र के कारण ही यवन अपना आधिपत्य भारत पर नहीं जमा सके।

कुछ-एक मार्क्सवादी इतिहासकारों का मत है कि सेनापति पुष्यमित्र ब्राह्मण था और बौद्ध-विरोधी। राजा बृहद्रथ की हत्या उसने इसलिए की क्योंकि वह बौद्ध धर्मानुयायी था। वे इसमें ब्राह्मण और बौद्ध संघर्ष देखते हैं। अधिकांश इतिहासकार उपरोक्त मत को अस्वीकार करते हैं।

मौर्य राजाओं के शासन काल में ब्राह्मणों वैदिको) और बौद्धों के बीच कोई संघर्ष नहीं था। यद्यपि अशोक ने बौद्ध धर्म स्वीकार कर लिया था, किन्तु उसने कभी वैदिकों और बौद्धों के बीच विभेद नहीं किया। अशोक अपने एक शिलालेख में कहता है कि 'अपने माता-पिता और संबंधियों के प्रति 'आज्ञाकारी तथा ब्राह्मणों और श्रमणो के प्रति उदार होना चाहिए।'

अपने शिला-लेखों में अशोक ब्राह्मणों (वैदिकों और श्रमणों (बौद्धों) को बराबर का सम्मान देता है।

जब मौर्यराजा बौद्ध होते हुए भी वैदिकों, आजीवकों (जैनियो) आदि के प्रति सहिष्णु था, तो किसी समुदाय द्वारा उनसे बदला लेने का प्रश्न ही नहीं उठता।

केवल एक बौद्ध ग्रंथ 'दिव्यावदान' में पुष्यमित्र द्वारा बौद्धों पर अत्याचार का उल्लेख है। इस संबंध में उल्लेखनीय है कि कुछ बौद्ध ग्रंथों के अनुसार सम्राट अशोक बौद्ध धर्म ग्रहण करने के पूर्व बहुत ही कूर और अत्याचारी था। बौद्ध ग्रंथ 'महावंस' के अनुसार, अपने 99 भाइयों की हत्या करके अशोक राजा बना था। तिब्बती लामा तारानाथ ने लिखा है कि अशोक का आरंभिक जीवन विलासिता और कामुकता से भरा था, इसलिए उसे कामाशोक' कहते थे। बाद

में उसके जीवन में क्रूरता प्रकटहुई। तब उसने अपने 'हरम' की 500 स्त्रियों को स्वयं जला दिया था। इस पर उसके मंत्री राधागुप्त ने परामर्श दिया कि अशोक राजा है, उसे ऐसे क्रूर काम स्वयं नहीं करने चाहिए, अपितु इस कार्य के लिए कर्मचारी नियुक्त करने चाहिए। इस परामर्श के अनुसार अशोक ने एक 'नरक' (यातना-गृह) बनवाया, जिसमें निरपराधियों और बौद्ध भिक्षुओं को यातना दी जाती थी, इसलिए उसका नाम चण्डाशोक' पड़ गया। बाद में जब अशोक ने बौद्ध धर्म स्वीकार किया तो उसका नाम धम्माशौक' होगया। मार्क्सवादी इतिहासकार रोमिला थापर के अनुसार, एक घोर क्रूर अशोक का अचानक धर्मनिष्ठ रूप में चित्रण बौद्ध लेखकों की जालसाजी और छल-रचना लगती है। बौद्ध धर्म की करुणा और महानता स्वतः सिद्ध हो जाती है, अगर यह दिखाया जाता है कि बौद्ध धर्म में अपनाने के पूर्व अशोक कितना अधिक क्रूर और दुष्ट था। अतएव अशोक के संदर्भ में ये बौद्ध साक्ष्य इतिहासकारों को स्वीकार नहीं है।

योगाचार्य पतंजलि के महाभाष्य के अनुसार, यवन (यूनानी) राजा की आक्रमणकारी सेनाएँ अयोध्या तक बढ़ आई थीं, तब सेनापति पुष्यमित्र ने उनको परास्त करके दो बार अश्ववमेघ यज्ञ किया। यवन राजा मिनेंडर ने बौद्ध धर्म ग्रहण कर लिया था। इसलिए स्वाभाविक है कि बौद्ध लेखक बौद्ध यूनानी राजा को पराजित करने वाले पुष्यमित्र की निंदा करें। केवल एक बौद्ध ग्रंथ 'दिव्यावदान' में उल्लेख है कि पुष्यमित्र ने बौद्ध मठों को तोड़ा और घोषित किया कि जो मुझे एक बौद्ध भिक्षु का सिर देगा उसे सौ दीनार दूँगा। किसी अन्य स्वतंत्र या बौद्ध प्रमाण के द्वारा 'दिव्यावदान' में उल्लिखित इस तथ्य की पुष्टि नहीं होती। अतएव यह उसी प्रकार विश्वसनीय नहीं हैं, जिस प्रकार अशोक द्वारा अपने सौ भाइयों की हत्या, हरम की 500 स्त्रियों को जलाने और एक नरक (यातना-गृह) बनाए जाने के बौद्ध साक्ष्य अविश्वसनीय हैं। इसके विपरीत, अन्य स्रोतों और विशेषकर पुरातत्त्व के साक्ष्य द्वारा इस तथ्य की पुष्टि होती है कि पुष्यमित्र शुंग बौद्धों के प्रति सहिष्णु था।

इस संबध में इतिहासकार राधा कुमुद मुकर्जी का मत (The age of imperial unity: Ed:R. C. Majumdar, Bhartiya Vidya Bhawan, page 95 to 100) उल्लेखनीय है :

"This (Greek) invasion might have taken place while Pushyamitra was yet a general of the Mauryan, and it not unlikly that his success against Yavans gave him a position, status and power which enabled him to make a successful bid for the throne.

"But though the Shungas were strong adherents of Bhrahmanical religion, there is no independent evidence to show they were intolerant of Budhism. It is interesting to note in this connection that the great Buddhist Stupa at Bharhut was erected during the reign of the Shungas.

"They (Shungas) were responsible for the fine gateway railings which surround the Sanchi Stupas, built by Ashoka.

"The immediate cause that brought about the end of Maurya dynasty was no doubt the invasion of the Bactrian Greeks...and the assassination of king Brihdrath by Pushyamitra. It is not unlikely that this coup d'etat was helped if not prompted by the foreign invasion... it is not necessary to postulate that the pacific policy of Ashoka was responsible for this catastrophe though it cannot altogether be ignored as a possible factor.

"It has been pointed out that there is no adequate ground to believe that Ashoka ill-teated Brahmans, and there is also no evidence that Brahmans as body rose against, far less fought with successors of Ashoka. It is true that Pushyamitra who led the revolution was himself a Brahman; but he was also the commander-in-chief of the Maurya army. His successful revolution can be much better accounted for by his hold over the army than his headship of a band of discontented Brahmans. Besides, the fact remains that the dynasty founded by Pushyamitra was ousted by a successful rebellion of a Brahman minister of the last king. Here we have an exact parallel to the earlier revolution, which shows what little ground there is to ascribe it to Brahamanical influence from the fact that its leader belonged to that caste'.

निष्कर्ष

यवन राजा मिनेंडर ने अपने जीवन के उत्तर काल में बौद्ध धर्म ग्रहण कर लिया था। अन्य कुछ यवन राजाओं की भी बौद्ध धर्म के प्रति सद्भावना और निकटता थी। इसी कारण बौद्ध परंपरा में यवनों के कट्टर शत्रु और उनको पराजित करने वाले पुष्यमित्र के विरुद्ध पक्षपात और दुर्भावना स्वाभाविक है। मात्र एक बौद्ध ग्रंथ में पुष्यमित्र द्वारा बौद्धों पर अत्याचार का उल्लेख है। यह विश्वसनीय नहीं है।

पुष्यमित्र ने यूनानियों को पराजित करके दो बार अश्वमेध यज्ञ किया। स्पष्ट है कि पुष्यमित्र ने राजा बृहद्रथ का वध यूनानी आक्रमणों के संदर्भ में किया था। इस काम में वह अकेला नहीं था, पूरी सेना उसके साथ थी, क्योंकि वह विदेशी आक्रमणकारियों से देश की सुरक्षा की पावन भावना से प्रेरित था।

सम्राट अशोक
(2014)

ज्ञानदादा, रेवत प्रकाश
और
सीतेश आलोक के लिए

पुरोवाक्

'सम्राट अशोक' के पढ़ने, सुनने और देखने के बाद

इतिहास और मिथक पर आधारित 'कथा एक कंस की', 'सीढ़ियाँ', 'इतिहास-चक्र', और 'रक्त-अभिषेक' के बाद इसी कड़ी में दया प्रकाश सिन्हा 'सम्राट अशोक' लेकर उपस्थित हुए हैं। ऐसा नहीं है कि उनके यहाँ इससे अलग तेवर और आस्वाद के नाटक नहीं हैं। इस दृष्टि से 'अपने अपने दाँव' और 'मेरे भाई : मेरे दोस्त' का सहज ही उल्लेख किया जा सकता है। लेकिन उनका मन इतिहास में ही ज्यादा रमता है। शायद इसका यह कारण हो कि एम. ए. में उनका विषय प्राचीन भारतीय इतिहास रहा है। लेकिन मुझे लगता है कि उनको इतिहास और मिथक इसलिए ज्यादा आकर्षित करते रहे हैं जिससे कि जाने पहचाने चरित्रों की पृष्ठभूमि, किंवदंतियों और मिथ को भेदकर उनके आन्तरिक अन्तर्विरोध, अन्तर्द्वन्द्व, और अन्तःसंघर्ष को सामने लाया जा सके। इसका संकेत उन्होंने काफी पहले 'कथा एक कंस की' में ही दे दिया था, और मानो उसी की परिणति के रूप में प्रस्तुत है 'सम्राट अशोक'। भारतीय इतिहास का एक ऐसा चरित्र है अशोक, जिस पर आज तक न जाने कितने उपन्यास, कहानियाँ, एकांकी, नाटक लिखे जा चुके हैं, और फिल्में बन चुकी हैं। इनमें अज्ञेय का 'उत्तर प्रियदर्शी', रामेश्वर प्रेम का 'अन्तरंग', और शाहरुख खान की फिल्म 'अशोक' के नाम लिए जा सकते हैं। अज्ञेय का 'उत्तर प्रियदर्शी' अपने शीर्षक के अनुरूप अशोक के उत्तरार्ध, अर्थात् कलिंग युद्ध के बाद हुए हृदय परिवर्तन पर आधारित है। रामेश्वर प्रेम का नाटक 'अन्तरंग' मुख्यतः तिष्यरक्षिता और कुणाल के प्रेम प्रसंग से सम्बद्ध है। फिल्म 'अशोक' इतिहास का बम्बइया संस्करण है, जिसके बारे में अलग से क्या टिप्पणी की जा सकती है।

इस तथ्य से इनकार नहीं किया जा सकता कि 'सम्राट अशोक' अब तक इस चरित्र पर लिखी गयी सभी रचनाओं से बिल्कुल अलग है— न तो यहाँ कलिंग युद्ध को रेखांकित किया गया है, न अशोक और तिष्यरक्षिता अथवा कुणाल और तिष्यरक्षिता प्रसंग को अहमियत दी गयी है, और न ही अशोक द्वारा बौद्धधर्म को स्वीकार लेने की घटना को ही मुखरित किया गया है। यह शायद पहला नाटक है, जिसमें अशोक के सिंहासन पर बैठने से लेकर उसके अन्तिम दिनों के उन क्षणों तक को समेटने की कोशिश की गयी है, जब वह तुगलक और शाहजहाँ की भाँति अपने ही कारागार में नितान्त अकेला होता जाता है। इस पूरे कार्य-व्यापार को नाटककार ने छोटे-बड़े बीस दृश्यों में संयोजित किया है। यहाँ परम्परागत अंक-विभाजन के बजाय दृश्यों की परिकल्पना शायद इसलिए की गयी है, क्योंकि नाटक की शुरुआत बिना किसी पृष्ठभूमि और पूर्व-तैयारी के सीधे कार्य-व्यापार से होती है, और उसके बाद सारी घटनाएँ तेजी से घटित होती चली जाती हैं। ऐसे में दृश्य दस, चौदह और सोलह बहुत छोटे रह गये हैं। दरअसल यह शिल्प और संरचना काफी दूर तक फिल्म और दूरदर्शन माध्यम से प्रभावित है। इसके बावजूद अशोक और तिष्यरक्षिता की पहली भेंट, अन्तिम भेंट और नाटक का अन्तिम दृश्य अत्यन्त गहरे और मार्मिक बन पड़े हैं। नाटक का सबसे सशक्त पक्ष है इसके संवाद। ऐतिहासिक नाटक प्रायः लम्बे-लम्बे संवादों और एकालापों से भरे रहते हैं, लेकिन 'सम्राट अशोक' इस दृष्टि से एकदम अलग पहचान बनाता है। संवाद इतने सहज, सरल और संक्षिप्त हैं, कि कार्य-व्यापार कहीं भी धीमा और शिथिल नहीं होता, और नाटक की क्षिप्र-गति बनी रहती है। पहली बार नाटक के अन्तिम दृश्य में हम अशोक के कुछ एकालापों से रूबरू होते हैं। इसमें कोई दो राय नहीं कि जिस तरह की मनःस्थिति में अशोक पहुँच चुका है, वहाँ ऐसे एकालापों का न होना अवश्य अखरता।

'सम्राट अशोक' जैसे नाटकों का महत्त्व इसलिए और बढ़ जाता है क्योंकि यहाँ अशोक महान जैसे शासक का कीर्तिगान नहीं किया गया है, अपितु उस चरित्र को अपनी तमाम कमजोरियों, षड्यंत्रों, और कूटनीति के साथ—और साथ ही उसकी सारी अच्छाइयों के साथ प्रस्तुत किया गया है। यदि एक ओर वह कुशल शासक है, तो दूसरी ओर निहायत निश्छल, भावुक, सहृदय पिता भी है, जो अपने पुत्र महिन्द के सामने फूट-फूट

कर रोता है। अशोक के चरित्र की यह बहुआयामिता इस नाटक का एक ऐसा पक्ष है जो इसे उच्चतर धरातल पर प्रतिष्ठित कर देता है। मात्र इतना ही नहीं, नाटककार ने सम्राट अशोक को ऐसे रूप-रंग और छवियों में उकेरा है कि वह सुदूर अतीत क़ा अशोक न हो कर आज के किसी भी राजनीतिज्ञ, प्रशासक, अथवा शासक का सहज ही प्रतिबिम्ब जान पड़ने लगता है,– इस दृष्टि से यह नाटक सर्वथा सार्थक, सामयिक और सर्वकालीन रहेगा।

भविष्य में किसी नये नाटक की रचना की प्रतीक्षा के साथ दया प्रकाश सिन्हा जी को 'सम्राट अशोक' के लिए बहुत बहुत बधाई।

17.6.2014

देवेन्द्र राज अंकुर

पूर्व निदेशक,

राष्ट्रीय नाट्य विद्यालय,

नयी दिल्ली

भूमिका

सम्राट अशोक पर हिन्दी में बहुत लिखा गया है, किन्तु प्रायः रटंत, मनगढ़ंत, और सुनी-सुनाई घटनाओं को दोहराते हुए।

इस नाटक में पहली बार प्रामाणिक इतिहास का सहारा लिया गया है, और प्रथम बार चरित्रों का विश्वस्त मनोविश्लेषण हुआ है।

नाटककार ने भूमिका में देशी-विदेशी इतिहासकारों के तर्क प्रस्तुत किये हैं; अशोकावदान, दिव्यावदान, महावंस, दीपवंस आदि प्राचीन ग्रन्थों को सन्दर्भित किया है। साथ ही अशोक के शिलालेखों में उत्कीर्ण कथनों की पड़ताल की है।

इस नाटक की प्रमुख स्थापनाएं हैं—1. अशोक बिन्दुसार का पुत्र था। उसकी माँ उपेक्षिता थी। इस पुत्र के जन्म से वह स्वीकार्य (शोक-मुक्त) हुई, इसलिए उसने पुत्र का नाम 'अशोक' रखा। 2. जन्मना अशोक कुरूप था, किन्तु वीर था। अतः पिता ने उसे पश्तून (पठान) विद्रोहियों के दमन हेतु भेजा था। उसे सफलता मिली, फलतः उसे उज्जयिनी का शासक बना दिया गया। 3. बिन्दुसार से उसने जबरन राज्याधिकार प्राप्त किया था। उस आघात से बिन्दुसार की मृत्यु हो गयी थी। राज-सिंहासन के लिए उसकी लड़ाई बड़े भाई सुसीम के साथ हुई यी। भाई हत्या करके उसने सत्ता हथियाई। अतएव उसे पितृहन्ता और भ्रातृहन्ता के साथ 'चंडाशोक' भी कहा गया। 4. अशोक पहले बौद्धमत के विरुद्ध था, किन्तु कारागार में बन्द एक बौद्ध भिक्षु के चमत्कारों से प्रभावित हो कर वह बौद्धधर्म में दीक्षित हो गया था। उसका यह धर्म परिवर्तन कलिंग युद्ध के पूर्व हो चुका था। 5. अशोक एक अत्यन्त कामुक व्यक्ति था। उसे 'कामाशोक' भी कहा गया है। उसके अन्तःपुर में 500 स्त्रियाँ थीं। उसकी कुरूपता से क्षुब्ध हो कर जो स्त्रियाँ विरत हो गयी थीं, उन्हें क्रूरतापूर्वक उसने जलवा दिया था। अपनी कुरूपता की हीनग्रन्थि से बचने के लिए उसने एक नया नाम 'पियदस्सी' (प्रियदर्शी)

धारण किया था। 6. उसके शिलालेख इस तथ्य के संवाहक हैं कि वह बड़ा उदार, धर्म-निरपेक्ष और न्यायप्रिय शासक था। उसे 'धम्माशोक' भी कहा गया है। 7. प्रौढ़ावस्था में उसने तिष्यरक्षिता से विवाह किया था, जो एक षड्यन्त्र के अन्तर्गत, बदले की भावना से उसके जीवन में आई थी। अशोक के एक दुःसाध्य रोग का उपचार करके उसने राजा को सम्मोहित कर लिया था। उसका उद्देश्य था राजा को दुखी करना। इसलिए उसने विषलेपन करके बोधिवृक्ष को नष्ट करने का प्रयास किया, और कुणाल को मरवाने का भी। नाटककार सिन्हा ने उसे वैदिक-ब्राह्मण और बौद्ध-श्रमण के संघर्ष की उपज नहीं माना है। उसे एक कलिंग-षड्यन्त्र के रूप में प्रस्तुत किया है। अशोक द्वारा उस गिरोह का दमन इतिहास सम्मत है। 8. ऐतिहासिक तथ्यों के आधार पर नाटककार ने दर्शाया है कि जीवन के अन्तिम चरण में बौद्धधर्म में अतिशय श्रद्धा से अभिभूत हो कर वह एक प्रकार के धर्मोन्माद से ग्रसित हो गया था, और उसने पूरा-पूरा राज्यकोष लुटा दिया था, जिसके कारण वह अपदस्थ कर दिया गया।

अशोक के जीवन के सात दशकों में केन्द्रित यह नाटक एक सफल 'बायोपिक' है। ऐतिहासिक नाटकों में बोध की आवश्यकता होती है। केवल कल्पना से काम नहीं चलता। हिन्दी लेखकों ने इस प्रकरण को कई अपुष्ट, असंगत और अतर्क्य अनुमानों से भर दिया है। उन सब का शोधन करने में नाटककार ने जो श्रम किया है वह सर्वथा सराहनीय है।

यह कृति रंगमंचीय विधान की दृष्टि से बहुत व्यावहारिक है। इसके दृश्यों में न अधिक देश-काल का विस्तार है, न नारी पात्रों की भरमार। नाट्य-भाषा सर्वथा सम्प्रेषणीय है तथा पात्रानुकूल है। दया प्रकाश सिन्हा नाटककार होने के साथ एक सफल नाट्य निर्देशक भी हैं। अतएव उनके सभी पिछले नाटकों के समान 'सम्राट अशोक' भी नाटकीय तत्त्वों और द्वन्द्व से भरपूर है, जो उसे सर्वथा मंचसिद्ध बनाता है।

'सम्राट अशोक', अशोक के जीवन की घटनाओं का मात्र संकलन नहीं है। नाटककार ने अशोक के माध्यम से जीवन की निरर्थकता और असंगतता को रेखांकित किया है, जो अन्ततः एक सार्वभौमिक सत्य है; और जिसने सिद्धार्थ नामक एक राजकुमार को बुद्ध बनाया

था। इस परिप्रेक्ष्य में, नाटक साहित्यगत मूल्यों से भरपूर एक उत्कृष्ट रचना है, जो हर दृष्टि से एक सफल नाट्यकृति है। मैं नाटककार को हार्दिक बधाई देता हूँ।

डॉ. सूर्य प्रसाद दीक्षित
पूर्व हिन्दी विभागाध्यक्ष,
लखनऊ विश्वविद्यालय

नाटककारीय : यह नाटक 'सम्राट अशोक'

इतिहास और मिथक पर आधारित अपने पिछले नाटकों—'कथा एक कंस की,' 'रक्त-अभिषेक', 'सीढ़ियाँ', 'इतिहास-चक्र', तथा 'इतिहास' (गाथा) की शृंखला में एक और नाटक। यह नाटक 'सम्राट अशोक'।

अशोक अपने प्रायः सब शिलालेखों में अपने आपको 'देवानांपिय राजा पियदस्सी' कहता है। 'देवानांपिय' क्यों? 'देवानांप्रिय' क्यों नहीं? 'पियदस्सी' क्यों? 'प्रियदर्शी' क्यों नहीं? प्रतीत होता है कि उस काल तक पाणिनि एवं अन्य व्याकरणाचार्यों द्वारा रचित संस्कृत भाषा का पर्याप्त प्रचार नहीं हुआ था। इसी कारण बौद्ध धार्मिक ग्रन्थ 'त्रिपिटक' की रचना जनभाषा पाली में हुई, संस्कृत में नहीं। प्रसिद्ध बौद्ध-मन्त्र 'बुद्धम सरनम गच्छामी। धम्मम सरनम गच्छामी। संघम सरनम गच्छामी।' जनभाषा में है। जनभाषा में 'धर्म' को 'धम्मम' कहते हैं, और 'शरणम्' को 'सरनम' कहते हैं। मौर्य राजा (तीसरी शताब्दी ईसा पूर्व में) अपनी प्रजा के समान ही तत्कालीन प्राकृत (जनभाषा) बोलते थे। अशोक के शासन के पश्चात, अगले आठ सौ वर्षों में धीरे-धीरे संस्कृत का प्रचार बढ़ा, और बढ़ता ही गया। कालिदास (पाँचवीं शती) के समय तक राजा और विद्वान् और उच्च श्रेणी के पुरुष संस्कृत बोलने और समझने लगे थे, किन्तु सामान्यवर्ग और उच्चवर्ग की स्त्रियाँ अभी भी पहले के समान ही प्राकृत (जनभाषा) बोलती थीं। इसके समर्थन में कालिदास के नाटक 'अभिज्ञान शाकुतलम' से स्त्रियों द्वारा बोले गये दो संवाद उद्धृत हैं, जो जनभाषा में हैं। इनके सामने कोष्ठक में, इनके संस्कृत अनुवाद भी दिये गये हैं—

शकुन्तला : अठासुए! गमिस्स अहं। (अनसूये! गमिष्याम्यहं।)

अनुसूया : किणिमित्तं? (किं निमित्तं?)

हिन्दी में इसका अनुवाद नीचे दिया जा रहा है—

शकुन्तला : अनसूया! अब मैं जाऊँगी।

अनुस्सूया : किस कारण से?

मैं नाटक से भाषाविज्ञान में भटक गया। पुनः नाटक पर वापस आता हूँ। नाटक में जहाँ तक सम्भव हो सका, मैंने चरित्रों के मूल प्राकृत नाम ही रखे हैं। अशोक के छोटे भाई का नाम तिस्स रखा है; इसका शुद्ध संस्कृत नाम तिष्य नहीं। महास्थविर मोगलिपुत्त, मोगलिपुत्त ही हैं। मोगलिपुत्र नहीं। अशोक का पुत्र महिन्द है, महेंद्र नहीं। इसमें अपवाद है रानी तिस्सरक्खा का नाम। तिस्सरक्खा उच्चारण में रामरक्खा या अल्लारक्खा जैसा ध्वनित होता है। अतएव सौन्दर्यबोध से प्रेरित होकर मैंने इसका संस्कृत नाम तिष्यरक्षिता ही नाटक के लिए चुना। 'देवानांपिय' और 'पियदस्सी' के स्थान पर भी इन शब्दों के संस्कृत संस्करण 'देवानांप्रिय' और 'प्रियदर्शी' का नाटक में प्रयोग, दर्शकों के साथ प्रभावी संचार की दृष्टि से किया है।

अशोक को केन्द्र में रख कर, हिन्दी के अनेक साहित्यकारों ने कविता, कहानी, उपन्यास, एकांकी, नाटक आदि की रचनाएँ की हैं। इसमें सर्वाधिक महत्त्वपूर्ण है अज्ञेय द्वारा लिखा नाटक उत्तर प्रियदर्शी। किन्तु प्रायः सभी के कथानक अशोक की कलिंग विजय, कलिंग युद्ध में हुए रक्तपात से जनित अशोक का पश्चात्ताप तथा अन्ततः बुद्ध की शरण तक ही सीमित रहे हैं। किन्तु व्यंग्य यह है कि अशोक के जीवन में कलिंग युद्ध का इतना महत्त्व नहीं था, जितना हिन्दी रचनाओं में दिखाई पड़ता है। 'अशोकावदान' में तो कलिंग युद्ध का उल्लेख ही नहीं है। इसका भी कोई प्रमाण नहीं है कि कलिंग युद्ध के बाद अशोक बौद्धधर्म में परावर्तित हो गया। अगर ऐसा होता तो इसका उल्लेख अशोक के 'वृहत् शिलालेख संख्या 13' में अवश्य होता जिसमें अशोक ने कलिंग में अपने द्वारा किये गये नरसंहार के लिए दुःख प्रकट करते हुए कहा है—'अब देवानांपिय कलिंग विजय के लिए घोर पश्चात्ताप अनुभव करते हैं।'

ऐसा प्रतीत होता है कि जयशंकर प्रसाद के बाद के हिन्दी नाटककारों ने मिथक/इतिहास आधारित विषयों पर नाटक लिखने के पहले शोध की आवश्यकता ही नहीं समझी। केवल ऐतिहासिक और चरित्रों के नाम से, काल्पनिक घटनाओं के आधार पर नाटक लिख दिये, जैसे मोहन राकेश के नाटक 'आषाढ़ का एक दिन' और 'लहरों के राजहंस' तथा डॉ. लक्ष्मीनारायण लाल का 'सूर्यमुख'। मैंने अपने नाटकों द्वारा

जयशंकर प्रसाद द्वारा बनाए गये शोध मार्ग का अनुसरण किया है।

अशोक : ऐतिहासिक स्रोत

अशोक की जीवनी के मूल स्रोत दो बौद्धग्रन्थ–महावंस और 'दीपवंस' तथा भारत में उपलब्ध संस्कृत ग्रन्थ–'अशोकावदान' तथा 'दिव्यावदान' हैं। चीनी यात्री फाहियान तथा हुएनसांग के यात्रा विवरण भी महत्त्वपूर्ण हैं। अशोक के शिलालेख जो पूरे भारत में, तथा अफगानिस्तान में विस्तृत हैं, अशोक के जीवन के प्रामाणिक दस्तावेज हैं। इन स्रोत ग्रन्थों पर आधारित आर. जी. भंडारकर (1925), राधा कुमुद मुकर्जी (1928), रोमिला थापर (1961) तथा चार्ल्स एलेन (2012) की अशोक पर लिखी पुस्तकें इस सन्दर्भ में उल्लेखनीय हैं। नाटक 'सम्राट अशोक' में इन ग्रन्थों से सहायता ली गयी है।

नाटक के प्रकाशन के पूर्व, नाटक पर प्रतिक्रिया जानने के लिए, रंगकर्मियों की कुछ संगोष्ठियों में मैंने नाट्यपाठ किये। कुछ वरिष्ठ समीक्षकों को पढ़ने को भी दिया। प्रायः सर्वत्र ही सकारात्मक अभिमत प्राप्त हुए। मेरे एक वरिष्ठ शुभकामी ने मुझे सचेत करते हुए कहा कि यह नाटक अशोक की प्रचलित एवं सर्वमान्य छवि के विपरीत है। अतः यह स्वीकार नहीं होगा। उनको अशोक के चरित्र के विषम पक्षों की सत्यता पर भी सन्देह प्रतीत हुआ। मुझे लगा कि सम्भव है पाठक-दर्शक-समीक्षक-त्रय इन विषम पक्षों को नाटककार की कल्पना समझ कर नकार दें। अशोक की जनमानस में एक महान शांतिकामी शासक की छवि है, जिसने सदा के लिए युद्ध त्याग दिया था और जिसने भेरीघोष के स्थान पर धम्मघोष किया था! इसके विपरीत, यह नाटक सामान्य मनुष्य के समान अशोक के जीवन के शुक्ल और कृष्ण पक्षों को रूपायित कर के उसकी महानता की मूर्ति को खंडित करता है। ऐसा करने के लिए अकाट्य कारण होने चाहिए। इस परिप्रेक्ष्य में भूमिका में नाटक के समर्थन में साक्ष्य देना आवश्यक प्रतीत होता है।

अशोक : रेखांकन

श्रीलंका की बौद्ध परम्परा के अनुसार मगध के मौर्यराजा चन्द्रगुप्त के पौत्र तथा बिन्दुसार के पुत्र अशोक की माता का नाम धर्मा था। वह जनसेन नामक एक आजीवक की पुत्री थी। अशोक के जन्म पर

पिंगलवत्स नामक एक आजीवक ने भविष्यवाणी की थी कि अशोक एक दिन राजा बनेगा। ऐसा प्रतीत होता है कि उस काल में आजीवक नाम का कोई सम्प्रदाय या धर्म प्रचलित था, जो कालांतर में विलुप्त हो गया। अशोक के जन्म के पूर्व महाराज बिन्दुसार ने किसी बात से क्रुद्ध हो कर उसकी माता को निष्कासित कर के एकान्तवास दे दिया था। जब अशोक का जन्म हुआ, उस समय पिता ने उसकी माता को पुनः स्वीकार कर लिया था। अशोक के जन्म के साथ उसकी माता के शोक का अन्त हो गया था, इसलिए उसकी माता ने अपने नवजात पुत्र का नाम रखा था—अशोक। दक्षिणी बौद्ध परम्परा के अनुसार माता धर्मा ने अपने छोटे पुत्र का नाम रखा तिस्स। उत्तरी परम्परा में अशोक के छोटे भाई का नाम वीताशोक है। नाटक में अशोक और वीताशोक नामों की समानता के कारण विभ्रम सम्भव हो सकता था, इसलिए मैंने तिस्स नाम का प्रयोग किया है।

अशोक जन्म से ही कुरूप था। उसके चेहरे की त्वचा खुरदुरी और विकारयुक्त थी। इसलिए पिता बिन्दुसार उसको नापसन्द करते थे। किन्तु वह शौर्य और शस्त्र-संचालन में अद्वितीय था। इससे प्रभावित होकर उन्होंने उस समय उसे गान्धार का शासक बना कर भेजा, जब वहाँ के निवासी पश्तून (पठान) विद्रोह कर रहे थे। अशोक विद्रोह को शान्त करने में पूरी तरह सफल सिद्ध हुआ। इससे प्रसन्न हो कर पिता बिन्दुसार ने अशोक को उज्जयिनी का शासक नियुक्त किया। (रोमिला थापर : अशोक; पृष्ठ 21)। उत्तरी और दक्षिणी—दोनों बौद्ध परम्पराओं के अनुसार, वहाँ, विदिशा में, उसकी भेंट एक स्थानीय व्यापारी की पुत्री, देवी से हुई। वह बुद्ध की अनुयायी थी। उपलब्ध साक्ष्यों से यह ज्ञात नहीं होता कि उनका विवाह हुआ था या नहीं, किन्तु उनकी दो सन्तानों—महिन्द और संघमित्ता का प्रचुर उल्लेख बौद्धग्रन्थों में मिलता है।

बिन्दुसार के पश्चात अशोक को राजा बनने का अधिकार नहीं था। उत्तराधिकार अशोक के सौतेले भाई सुसीम का था, जो आयु में अशोक से बड़ा था, और परम्परा के अनुसार राजा बनने का अधिकारी था। जब बिन्दुसार गम्भीर रूप से रोगग्रस्त हुआ तो वह सुसीम को बुलाकर राजा बनाना चाहता था, किन्तु महामंत्री राधागुप्त ने षड्यन्त्र करके सुसीम को बिन्दुसार की व्याधि की सूचना न देकर अशोक को पाटलिपुत्र बुलवाया। अशोक पाटलिपुत्र अकेला ही गया, क्योंकि

महावंस के अनुसार देवी ने उसके साथ पाटलिपुत्र जाना अस्वीकार कर दिया था। पाटलिपुत्र आ कर अशोक ने रोगग्रस्त महाराज से अपने को राजा बनाने की माँग रखी, जिसके आघात से उनकी मृत्यु हो गयी। अशोक ने सत्ता पर बलात् कब्जा कर लिया। इसके फलस्वरूप अशोक और सुसीम में चार साल तक युद्ध चला। अन्त में सुसीम मारा गया। महावंस में तो यह भी उल्लेख है कि उसने अपने निन्यानबे भाइयों की हत्या की थी। किन्तु यह कथन इतिहासकारों द्वारा अमान्य है। सत्ता हथियाने के चार साल बाद ही अशोक का राजतिलक हुआ।

चन्द्रगुप्त मौर्य की राजसी उपाधि देवानांपिय थी। अशोक ने अपने पितामह की उपाधि अपने लिए राजा बनने पर स्वीकार की। साथ ही अपने लिए एक नया राजसी नाम भी चुना—पियदस्सी। वह देवानांपिय राजा पियदस्सी के नाम से विख्यात हुआ। अपने प्रायः सभी शिललेखों में उसने अपने राजसी नाम पियदस्सी का ही प्रयोग किया है, अशोक का नहीं।

राजा बनने के पश्चात अशोक अपने असली रंग में दिखाई पड़ता है। 'अशोकावदान' के अनुसार उसके अन्तःपुर में पाँच सौ स्त्रियाँ थीं। जब उनमें से कुछ ने उसे कुरूप कहा और उसकी विकारयुक्त त्वचा को स्पर्श करने में जुगुप्सा दिखाई, तो उसने उन सब पाँच सौ स्त्रियों को जलवा दिया।

'दिव्यावदान' और चीनी यात्री हुएनसांग के अनुसार अशोक ने अपनी क्रूरता से प्रेरित हो कर पाटलिपुत्र में एक 'नरक' (यन्त्रणाघर) बनवाया था, जो बाहर से बहुत सुन्दर लगता था। इसमें वह बौद्ध भिक्षुओं को यन्त्रणा दिया करता था। वहाँ एक बार समुद्र नामक बौद्ध भिक्षु भटकता हुआ भिक्षा माँगने पहुँच गया। वहाँ सब तरह की यन्त्रणाओं को सहते हुए भी वह अविचल रहा। जब उसे बंदीगृह में बंद कर दिया गया, तो वह वहाँ से अपनी चमत्कारी शक्ति से मुक्त हो गया। जब अशोक को यह पता लगा तो वह भिक्षु समुद्र से मिलने गया। उसके चमत्कारों से प्रभावित हो कर अशोक बौद्धधर्म का अनुयायी बन गया।

अशोक के बौद्धधर्म के प्रति आस्था और भक्ति के उदय का श्रेय, महावंस अशोक के मृत सौतेले भाई सुसीम के पुत्र निग्रोध को देता है। निग्रोध अपने पिता की मृत्यु के बाद बौद्ध भिक्षु बन गया था। उसके प्रवचनों से प्रभावित हो कर अशोक बौद्ध 'उपासक' बन गया।

कलिंग युद्ध के पूर्व ही अशोक बौद्धधर्म का उपासक बन चुका था। इसकी पुष्टि अशोक के 'लघु शिलालेखों' से होती है (चार्ल्स एलेन : अशोक; पृष्ठ 379)। कलिंग युद्ध एक अकेला कारण नहीं था, अशोक के बौद्धधर्म अपनाने का। अशोक के बौद्धधर्म के प्रति झुकाव में देवी, भिक्खु समुद्र, भिक्खु निग्रोध, महास्थविर मोगालिपुत्त, तिस्स तथा स्थविर उपगुप्त की भूमिकाएँ भी थीं। कलिंग-युद्ध अशोक के जीवन की एक ऐसी घटना थी, जिसने उसके जीवन को एक निश्चित मोड़ दिया। कलिंग-युद्ध ने बुद्ध के प्रति अशोक की भावना को घनीभूत किया।

अपने राज्याभिषेक के आठ वर्ष पश्चात अशोक ने कलिंग विजय की। राज्याभिषेक के दस वर्ष बाद अशोक पहली बार आखेट पर न जा कर, तीर्थयात्रा पर बोधिवृक्ष (संबोधि) के दर्शन के लिए गया। (वृहत् शिलालेख संख्या 8)। राज्याभिषेक के बारह वर्षों के बाद, प्रजा में धर्म के प्रचार के लिए पहली बार उसने शिलालेखों को उत्कीर्ण करवाना प्रारम्भ किया (वृहत् शिलालेख संख्या 4)। राज्याभिषेक के बारह वर्षों बाद ही उसने युक्त, रज्जुक एवं प्रादेशिक नामक मौर्य राज्य के अधिकारिओं को आदेश दिया कि वे हर पाँच वर्ष में अपने कार्यों के साथ धम्म की शिक्षा के लिए दौरे पर जाएँ (वृहत् शिलालेख संख्या 3)। राज्याभिषेक के तेरह वर्ष पश्चात अशोक ने धर्ममहामात्र नामक नये अधिकारी नियुक्त किये, जिनका काम धम्म की शिक्षाओं का प्रसार, उनका प्रजा द्वारा पालन सुनिश्चित करना, तथा दीन, दरिद्र, और दुखियों का कल्याण था। उनका दायित्व विभिन्न सम्प्रदायों के साथ सम्पर्क रख कर उनको राजसंरक्षण भी देना था।

प्रारम्भ में अशोक बौद्धधर्म के प्रति बहुत गम्भीर नहीं था। इसका प्रमाण 'वृहत् शिलालेख संख्या-1' है, जिसमें अशोक कहता है—
'पहले देवानांपिय राजा पियदस्सी की रसोई में प्रतिदिन लाखों पशु मारे जाते थे। किन्तु अब, धम्म के इस शिलालेख के लिखे जाते समय, केवल तीन पशु मारे जाते हैं। दो मोर और एक हिरन। ये तीन पशु भी भविष्य में नहीं मारे जायेंगे।'

उपरोक्त शिलालेख में अशोक की आत्मविश्वास से पूर्ण, एक ऐसे शासक की छवि उभर कर आती है, जो प्रजा में अपनी छवि सँवारने के लिए झूठ का सहारा नहीं लेता। कालान्तर में अशोक की धम्म के प्रति आस्था बढ़ी। वह धम्म ही नहीं, संघ के कार्यकलापों में भी संलग्न हो

गया। बौद्धसंघ ने इसका स्वागत किया होगा, और प्रोत्साहित भी किया होगा। बौद्धसंघ से राजा के जुड़ाव का अर्थ था समाज में सम्मान और आर्थिक सम्पन्नता। पाटलिपुत्र में कुक्कुटाराम नामक बौद्ध विहार पहले से ही था। अशोक के संरक्षण में वहाँ एक और विहार बनवाया गया। नाम रखा गया अशोकाराम। अब तक बौद्ध विहारों में केवल बौद्ध भिक्षु और भिक्षुणी रहते थे। उदारमना अशोक के आदेश से उसमें आजीवक, जैन, निर्ग्रन्थ आदि अन्य सम्प्रदायों के श्रमण भी रहने लगे। और अशोक के राज्याभिषेक के सत्रह वर्षों बाद, जब इन सम्प्रदायों के बीच का वैचारिक विवाद हिंसक संघर्ष हो गया, तो अशोक के अन्दर का राजा जाग उठा। उसने आदेश दिया कि इन विहारों में रहने वाले सभी निर्ग्रंथियों को मार दिया जाए (रोमिला थापर; अशोक : पृष्ठ 28)। उसके बाद अशोक ने कोसाम्बी और पाटलिपुत्र के राज्याधिकारियों को आदेश दिया कि वे सुनिश्चित करें कि किसी को संघ की एकता भंग न करने दिया जाए। बौद्ध भिक्षु और भिक्षुणियों में से जो भी संघ की एकता में फूट डाले, उसे श्वेत वस्त्र पहना कर विहार से निकाल दिया जाए। (विभाजन राजाज्ञा (शिज्म एडिक्ट) : रोमिला थापर : अशोक; पृष्ठ 262)। अशोक ने इस आदेश को शिलाओं पर उत्कीर्ण करवा कर भी प्रचारित किया। ऐसा प्रतीत होता है कि अशोक ने बौद्धसंघ के 'प्रधान' का दायित्व भी स्वीकार कर लिया था। बौद्धसंघ के प्रधान की हैसियत से ही उसने भिक्षु और भिक्षुणियों को अनुशासन भंग करने पर संघ से निष्कासित करने की धमकी दी थी। बौद्धसंघ के प्रधान के रूप में ही उसने अन्तरराष्ट्रीय बौद्ध समवाय में भाग लेने आये देशी-विदेशी भिक्षुओं का स्वागत सन्देश शिलालेख पर उत्कीर्ण करवाया था।

उस समय बौद्ध और अबौद्ध श्रमणों के वैचारिक विभेद के अतिरिक्त बौद्धों में आन्तरिक विभेद भी चल रहा था। बौद्धसंघ विभज्जवादियों (थेरवादी) और सर्वस्तिवादियों के बीच विभाजित था। थेरवादियों के नेता थे मोगालिपुत्त तिस्स, और सर्वस्तवादियों के उपगुप्त। अशोक के राज्याभिषेक के अठारह वर्ष पश्चात, अशोक के संरक्षण में, और मोगालिपुत्त तिस्स की अध्यक्षता में तीसरा बौद्ध महासम्मलेन आयोजित किया गया। इसमें भाग लेने हजारों बौद्ध भिक्षु विदेशों से भी आये। सम्मेलन में थेरवाद को स्वीकार किया गया और सर्वस्तिवाद को अस्वीकृत। इसमें अनेक भिक्षुओं को बौद्धधर्म के प्रचार के लिए विदेशों

में भेजे जाने का निर्णय लिया गया। इसमें ही अशोक के पुत्र महिन्द को धम्म प्रचार के लिए श्रीलंका भेजे जाने का निर्णय लिया गया। सम्मलेन के अन्त में हजारों भिक्षुओं ने अशोक को साधुवाद के साथ 'धम्माशोक' की उपाधि दी (महावंस एवं दीपवंस)। अशोक ने अपने राज्याभिषेक के छब्बीस-सत्ताईस वर्ष पूरे होने पर अपनी आज्ञाओं के दो अन्तिम शिलालेख स्थापित करवाये।

अशोक के सब शिलालेख धर्म से सम्बन्धित हैं। अपने शिलालेखों में अशोक धर्म के लिए 'धम्म' शब्द का प्रयोग करता है, इसलिए अशोक के सन्दर्भ में यहाँ भी 'धम्म' का प्रयोग किया जा रहा है। अपने शिलालेखों के माध्यम से अशोक चाहता था कि उसकी प्रजा धम्म का पालन करे। क्या था धम्म? अशोक के शब्दों में :

"देवानांपिय राजा पियदस्सी ऐसा कहते : धम्म जैसा कोई उपहार नहीं है, धम्म से परिचय जैसा कोई परिचय नहीं है, धम्म जैसा कोई दान नहीं है, और धम्म जैसा कोई सम्बन्धी नहीं है। धम्म है–परिचरों तथा कर्मचारिओं के प्रति उचित व्यवहार, माता-पिता के प्रति सम्मान, मित्रों, साथियों, सम्बन्धियों, ब्राह्मणों और श्रमणों के प्रति उदारता तथा जीवित प्राणियों की हत्या न करना।" (वृहत् शिलालेख संख्या-11)

"...सेवकों और कार्मिकों के प्रति उचित व्यवहार, शिक्षकों के प्रति सम्मान, सब प्राणियों के लिए करुणा, तथा श्रमणों एवं ब्राह्मणों के लिए उदारता। ये धम्म के अंग हैं।" (वृहत् शिलालेख संख्या-9)

"धम्म श्रेष्ठ है। किन्तु धम्म क्या है? दुष्कर्म नहीं, अधिक सत्कर्म, दयालुता, उदारता, सत्यता, तथा दुर्गुणहीनता।" (स्तम्भ शिलालेख संख्या-2)

"माता तथा पिता के प्रति आदर, वृद्धजनों के प्रति शिष्टाचार, और ब्राह्मण एवं श्रमण तथा दरिद्र, दुखी, सेवक और कार्मिकों तक के प्रति उचित व्यवहार।" (स्तम्भ शिलालेख संख्या-7)

अशोक के सब शिलालेख उसके अभिषेक के तेरहवें वर्ष से अट्ठाईसवें वर्ष के बीच उत्कीर्ण किये गये थे। इसमें अशोक ने जो धम्म की परिभाषा दी है, उसको किसी धर्म विशेष से नहीं जोड़ा जा सकता। उसका धम्म सब धर्मों का सार, अथवा मानवीय नैतिक मूल्यों का संग्रह कहा जा सकता है। इस अवधि में यद्यपि अशोक की बौद्ध धर्म के प्रति आस्था सघन हुई, और वह बौद्ध उपासक भी दीक्षित

हुआ, किन्तु उसने प्रजा में बौद्धधर्म का प्रचार नहीं किया; उसमें उसने केवल वैश्विकरूप से स्वीकृत नैतिक मूल्यों और सर्वधर्म समभाव तथा सर्वधर्म सम्मान के सिद्धान्त का अनुपालन किया :

"देवानांपिय राजा पियदस्सी चाहते हैं कि सब सम्प्रदाय सर्वत्र हों, क्योंकि वे सब आत्म-संयम तथा हृदय की शुद्धता चाहते हैं।" (वृहत् शिलालेख संख्या-7)

देवानांपिय राजा पियदस्सी ...की दृष्टि में इसका बड़ा मूल्य है कि सब सम्प्रदायों के आधारभूत तत्त्वों की वृद्धि हो। ...इसके मूल में है वाणी पर संयम : केवल अपने सम्प्रदाय की प्रशंसा अथवा दूसरे के सम्प्रदाय की अकारण भर्त्सना न करना । यदि आलोचना का कारण हो तो उसे सौम्यता से करना चाहिए।..." (वृहत् शिलालेख संख्या-12)

अशोक की साम्प्रदायिक उदारता, उसके अपने मौलिक चिंतन का आविष्कार था। इसीलिए बौद्ध उपासक होते हुए भी उसने आजीवकों को दो गुफाएँ दान में दी थीं। उसने धर्ममहामात्रों को यह आदेश दिया था कि वे सब सम्प्रदायों की वृद्धि के लिए कार्य करें (वृहत् शिलालेख संख्या-12')। निर्ग्रंथों के दमन के पश्चात भी उनके कल्याण के लिए अशोक ने धर्ममहामात्रों को आदेश दिये (वृहत् शिलालेख संख्या-7)।

अशोक का अन्तिम शिलालेख उसके राज्याभिषेक के सत्ताईस वर्ष के बाद का है। राज्याभिषेक के सैंतीसवें वर्ष में उसकी मृयु हो गयी। जीवन के अन्तिम दस वर्षों में अशोक ने प्रजा में नैतिक मूल्यों के प्रचार का एक भी शिलालेख नहीं प्रकाशित किया। इन दस वर्षों में अशोक का बौद्धधर्म के प्रति समर्पण इतना प्रगाढ़ हो गया कि उसका प्रजा में नैतिक मूल्यों, सर्व सम्प्रदाय समभाव एवं सर्व सम्प्रदाय सम्मान का अभियान शिथिल हो गया। वह अब प्राणपण से बौद्धधर्म के प्रचार में संलग्न हो गया। उसने 84000 स्तूपों के निर्माण का बीड़ा उठा लिया। इसी अवधि में जब वह लगभग पैंसठ वर्ष का था, उसके जीवन में तिष्यरक्षिता का प्रवेश हुआ।

अशोक ने तिष्यरक्षिता से विवाह करके उसे अपनी पटरानी बनाया। 'अशोकावदान' में उल्लेख है कि अशोक ऐसे किसी गम्भीर रोग से ग्रस्त हो गया, जिसका उपचार उपलब्ध नहीं था। तिष्यरक्षिता ने अपनी बुद्धि और आयुर्वेदिक प्रयोग से उस रोग का उपचार ढूंढ़ा, और अशोक को रोगमुक्त किया। इसके कारण उसका जादू अशोक

पर पूरी तरह छा गया। इसका लाभ उठाते हुए तिष्यरक्षिता ने अशोक के कुणाल नामक पुत्र के वध का षड्यंत्र रचा, जब उसने तिष्यरक्षिता के प्रेम-प्रस्ताव को अस्वीकार कर दिया।

'महावंस' के अनुसार तिष्यरक्षिता ने बोधिवृक्ष में विषलेपित अपना केश-काँटा चुभा दिया, जिससे वह सूख गया। अशोक को इससे अपार दुःख हुआ। वह बड़ी कठिनाई से बोधिवृक्ष को पुनर्जीवित कर सका। इन अपराधों के लिए अशोक ने तिष्यरक्षिता को जीवित ही जलवा दिया।

जीवन के अन्तिम वर्षों में अशोक की बौद्धधर्म के प्रति आस्था बहुत सघन हो गयी थी। जैसे किसी उन्माद ने उसे जकड़ लिया हो। 'अशोकावदान' के शब्दों में—

''अशोक ने 84000 स्तूपों में से प्रत्येक को एक लाख स्वर्ण मुद्राएँ दीं। उसने बुद्ध के जन्मस्थल, बोधिवृक्ष, जहाँ धर्मचक्र का तथागत ने प्रवर्तन किया था, और जहाँ उनका परिनिर्वाण हुआ था। उन सबको एक एक लाख-हजार स्वर्ण मुद्राएँ दीं। फिर पंचवर्षीय उत्सव में 30000 भिक्खुओं के स्वागत में 400,000 स्वर्ण मुद्राएँ व्यय कीं।...उसने आर्य संघ को भी चार लाख स्वर्ण मुद्राएँ भेंट कीं।...इस प्रकार शाक्यमुनि की शिक्षाओं के लिए कुल भेंटराशि 96 कोटि होती है।...''

अशोक की अतिशय दानशीलता ने मगध के राजकोष को रिक्त कर दिया। प्रतिक्रिया में मंत्रियों ने अशोक को सिंहासन से हटा दिया। अशोक के अन्तिम दिनों की एक करुणकथा 'अशोकावदान' में मिलती है। जब एक बौद्धभिक्षु अशोक के पास भिक्षा के लिए आया, तो उसके पास भिक्षा देने के लिए कुछ नहीं था, सिवाये एक फल के। ऐसा अन्त था देवताओं के प्रिय, और प्रियदर्शी मगध सम्राट का, जिसका साम्राज्य आसेतु हिमालय एवं पूर्वी सागर से पश्चिमी सागर तक विस्तृत था, और जिसका धम्म-सन्देश पश्चिमी एशिया, मिस्र और यूनान के राजाओं—'एन्तिओकस', 'टोलेमी', 'एन्तिगोंनस', 'मागास' तथा 'अलिकसुन्दल' के साम्राज्यों में गूँजता था।

कामाशोक : चंडाशोक : धम्माशोक

तिब्बती बौद्ध इतिहासकार तारानाथ लिखता है कि अपनी नवायु में अशोक विलासी और कामुक था, इसलिए लोगों ने उसका नाम कामाशोक रख दिया था। राजा बन कर वह अपनी क्रूरता के लिए

कुख्यात था, इसलिए चंडाशोक नाम से जाना जाने लगा। किन्तु बुद्ध की शरण में जा कर, अपनी करुणा के लिए वह लोक में धम्माशोक के नाम से विख्यात हुआ।

अशोक पर नाटक लिखने के लिए जब उसके जीवन का अध्ययन किया, तब मुझे लगा कि उसका जीवन इतना सरल नहीं था, जितना तारानाथ ने लिखा है। वह एक सीधी रेखा नहीं है। उसमें अनेक मोड़ और उलझाव हैं। अशोक अन्ततः एक मनुष्य था, देवता नहीं। मनुष्य की सब दुर्बलताएँ उसमें थीं। उसके जीवन में कामाशोक, चंडाशोक और धम्माशोक एक के बाद एक नहीं आये। वे तीनों, उसके शरीर में एक साथ, लगातार, जीवनपर्यन्त जीवित रहे। वह कामाशोक केवल नवायु में ही नहीं था। देवी के बाद उसके अन्तःपुर में पांच सौ स्त्रियाँ, फिर उसकी घोषित पत्नियाँ—असंधमित्ता, पद्मावती और कारुवाकी! फिर वृद्धावस्था में तिष्यरक्षिता! वह आजीवन काम से मुक्ति नहीं पा सका।

पितृहन्ता अशोक! भ्रातृहन्ता अशोक! पूरे अन्तःपुर का अग्निदाह करने वाला अशोक, कलिंग में नरसंहार करनेवाला अशोक! सैनिकों को निर्ग्रन्थ श्रमणों की हत्या का आदेश देनेवाला अशोक! तिष्यरक्षिता को जीवित जला देनेवाला अशोक! उसके भीतर सदा ही चंडाशोक जीवित रहा।

साथ ही उसमें धम्माशोक भी सजीव था, जो सतत संघर्षरत था—कामाशोक और चंडाशोक के विरुद्ध। इसके प्रमाण है अशोक के शिलालेख जो आज भी उसकी सदाशयता के साक्षी हैं। वह विश्व इतिहास का पहला शांतिकामी राजा था जिसने युद्ध न करने की घोषणा की थी। दीन, दुखियों, दरिद्रों, वृद्धों, मूक पशुओं तक के प्रति करुणा से प्रेरित होकर, अशोक ने उनके कल्याण के लिए राज्याधिकारी नियुक्त किये। अपनी दुर्बलताओं के होते हुए भी अशोक विश्व के महान शासकों में से एक था।

अशोक के चरित्र की जटिलता और विरोधाभास इतने नाटकीय हैं कि मैं उन पर नाटक लिखने के लिए प्रेरित हुआ। लगभग 35 वर्ष पूर्व मैं फीजी द्वीप में भारतीय सांस्कृतिक केन्द्र के निदेशक पद पर कार्यरत था। संयोग से, किसी दूसरे सन्दर्भ में मैंने वहाँ के पुस्तकालय से रोमिला थापर द्वारा रचित 'अशोक' निकलवाई। उसको पढ़ते हुए मैंने निश्चय किया कि अशोक पर नाटक लिखूँगा। पैंतीस वर्ष पूर्व

पड़ा बीज आज पल्लवित हो रहा है। फारसी में एक कहावत है—'देर आयद, दुरुस्त आयद'!

रचनात्मक हस्तक्षेप

प्रायः हीनग्रंथि से युक्त व्यक्ति अपनी हीनता छिपाने के लिए कुछ ऐसा करना चाहते हैं जिससे सिद्ध कर सके कि वे किसी से कम या हीन नहीं हैं। अपनी हीनता छिपाने का उनका प्रयत्न प्रायः अतिकामुकता, अतिवीरता, अतिक्रूरता अथवा अतिधार्मिकता में अभिव्यक्त होता है। वे अपनी हीनता ढँकने लिए सदा आवरण खोजते हैं या आविष्कार करते हैं। मैंने नाटक में इस बात का प्रयत्न किया है कि नाटक उपलब्ध ऐतिहासिक साक्ष्यों और तथ्यों तक सीमित रहे। अशोक कुरूप था। उसने अपनी कुरूपता छिपाने के लिए अपना राजसी नाम रखा—पियदस्सी, अर्थात् प्रियदर्शी (देखने में सुन्दर)। इस तथ्य का विवेचन करने के लिए किसी बहुत बड़े मनोवैज्ञानिक की आवश्यकता नहीं है। स्पष्ट ही अशोक अपनी कुरूपता के कारण हीनता से ग्रस्त था, इसलिए उस पर आवरण डालने के लिए उसने अपना नाम रखा पियदस्सी। अशोक ने अपने प्रायः सभी शिलालेख 'पियदस्सी' नाम से जारी करवाये हैं। हीनग्रंथि से पीड़ित व्यक्ति सहानुभूति का भी पात्र होता है। कोई कुरूप है, यह उसका दोष तो नहीं। फिर भी वह जाने-अनजाने, बिना चाहे प्रताड़ित और अवहेलित होता है। उसकी वेदना का चित्रण किसी भी नाटककार के लिए चुनौती होगा। मैंने नाटक में अशोक के चरित्र का शिल्पांकन सहानुभूति से किया है।

सभी बौद्धग्रन्थों में तिष्यरक्षिता का चित्रण बौद्धधर्म विरोधी खलनायिका के रूप में किया गया है। उनमें इसका कोई संकेत नहीं है कि वह बौद्धधर्म विरोधी क्यों थी? प्रायः पश्चिमी इतिहासकारों ने, जो योरप में रोमन कैथोलिक और प्रोटेस्टेंट द्वन्द्व से परिचित थे, इसे भी धार्मिक संघर्ष के चश्मे से देखा है। उन्होंने यह माना है कि अशोक के बौद्धधर्म के प्रति पक्षपात के विरुद्ध तिष्यरक्षिता ब्राह्मण प्रतिरोध की प्रतीक थी। मेरी दृष्टि में तथ्यों का ऐसा निरूपण दोषपूर्ण है। किसी प्राचीन ग्रन्थ में ऐसा कोई संकेत नहीं है, जिससे यह निष्कर्ष निकाला जा सके कि उस समय ब्राह्मण (वैदिकजन) और श्रमण संघर्षरत थे। अशोक अपने प्रायः हर शिलालेख में अपनी प्रजा को

ब्राह्मणों और श्रमणों का बराबर से सम्मान करने का आदेश देता है। अपनी यात्राओं में भी वह दोनों को बराबर से स्वर्णदान करता है। अतएव ब्राह्मणों के अशोक के विरुद्ध होने या उसके विरुद्ध षड्यन्त्र रचने का कोई तर्कसंगत कारण नहीं प्रतीत होता। अशोक उदारमना था। बौद्धधर्म स्वीकार करने के बाद भी उसने आजीवकों को संरक्षण देना बन्द नहीं किया। उनको दो गुफाएँ दान में देने के शिलालेख साक्ष्यरूप में उपलब्ध हैं। पाटलिपुत्र के कुक्कुटाराम विहार में उसने बौद्ध श्रमणों के साथ आजीवक, जैन, निर्ग्रन्थ आदि श्रमणों के रहने की आज्ञा दी थी, जो उसकी धार्मिक सहिष्णुता का परिचायक है। जो राजा सब सम्प्रदायों को एक-दूसरे का सम्मान करने को कहे, उसमें कठमुल्लापन हो ही नहीं सकता। इसका भी कोई प्रमाण नहीं है कि अशोक ने कभी ब्राह्मणों का अपमान किया हो या उन पर अत्याचार किया हो। अतएव ब्राह्मण-विद्रोह की प्रस्तावना स्वीकार योग्य नहीं है। इस परिप्रेक्ष्य में मैंने नाटक में तिष्यरक्षिता को, अशोक के विरुद्ध, किसी ब्राह्मण (वैदिक) प्रतिरोध से सम्बद्ध नहीं दर्शाया है।

तिष्यरक्षिता ने अशोक के रोग का सफल उपचार किया था। इस आधार पर, मैंने नाटककार की रचनात्मक स्वायत्तता का लाभ लेते हुए, तिष्यरक्षिता को, एक वैद्य के रूप में दर्शाया है। यह मेरी परिकल्पना है कि वह एक कलिंगकन्या भी थी, जो कलिंग पर अशोक द्वारा किये गये नरसंहार का प्रतिशोध लेने, एक षड्यन्त्र के अन्तर्गत, पैंसठ वर्षीय वृद्ध अशोक से विवाह करके मगध के राजमहल में प्रवेश करती है। अशोक को क्लेश देने के लिए वह बोधिवृक्ष को आहत करती है, और उसके पुत्र कुणाल (मगध के भावी उत्तराधिकारी) का वध करने का षड्यन्त्र करती है। हुएनसांग के अनुसार "तिष्यरक्षिता को मृत्युदंड देकर अशोक ने अपने दरबार के अनेक सामन्तों को मृत्युदंड दिया, कुछ को राज से निष्कासित किया और कुछ को परिवार सहित मरुस्थल या हिम प्रदेशों में भेज दिया।" (चार्ल्स एलेन : अशोक; पृष्ठ 392) स्पष्ट ही तिष्यरक्षिता अकेली नहीं होगी अपने अभियान में। तभी अशोक ने केवल तिष्यरक्षिता को ही मृत्युदंड नहीं दिया, अपितु राज्य के अनेक सामन्तो आदि को मृत्युदंड एवं निष्कासन का दंड दिया।

अशोक भ्रातृहन्ता था, और पितृहन्ता भी। फिर भी वह अपने शिलालेखों में माता-पिता के सम्मान और सम्बन्धियों के प्रति उदारता

की शिक्षा अपनी प्रजा को देता है। अशोक के जीवन की जटिलता को समझ पाना कठिन लगता है। बौद्धग्रन्थों के अनुसार अशोक पहले एक दानव था, जो बुद्ध की शरण में आ कर देवता बन गया। इसके पीछे बौद्धधर्म को महिमामंडित करने की भावना अधिक प्रतीत होती है, जिसने अशोक जैसे दानव को देवता बना दिया। मेरी दृष्टि में अशोक न दानव था, न देवता। वह मनुष्य था, विशुद्ध मनुष्य। हम सबकी तरह आधा काला, आधा सफेद। जिसके पग सदैव धरती पर रहते हैं, किन्तु शिर सदा आकाश की तरफ। इस सन्दर्भ में मुझे अपने एक नाटक 'कथा एक कंस की' के कुछ संवाद याद आ रहे हैं :

देवकी : तुम क्या हो?
कंस : तुम स्वयं देख रही हो।
देवकी : पहेली?
कंस : नहीं मनुष्य।
देवकी : मनुष्य ऐसा होता है?
कंस : हाँ, ऐसा ही।
देवकी : दानव सा?
कंस : हाँ दानव सा, और देवता सा भी। मनुष्य की यही तो विडम्बना है... देवता और दानव में बँटा... आधा-आधा...।

मैंने अशोक के माध्यम से सामन्य मनुष्य की, देवत्व को स्पर्श करने की ललक को रूपायित करने का प्रयत्न किया है। उसकी जीवन-यात्रा के माध्यम से मैंने जीवन की अन्ततः असंगता और निस्सारिता को रेखांकित किया है।

नाट्य अध्येताओं से

समकालीन भारत में अंग्रेजी का इतना प्रभाव है कि हिन्दी नाटक का भी, प्रायः मोटा-मोटा वर्गीकरण 'ट्रेजेडी' या कॉमेडी' में किया जाता है। कुछ आगे बढ़ें, तो 'हिस्टोरिकल', 'फार्स', 'मेलोड्रामा', 'म्यूजिकल' आदि के साँचे में फिट किया जाता है। भरत नाट्यशास्त्र में वर्णित नाटकों का वर्गीकरण आधुनिक नाटकों पर लागू नहीं होता। तो नाटक 'सम्राट अशोक' का पश्चिमी नाटकों के वर्गीकरण में कहाँ स्थान है? शायद इसे 'बायोपिक' कहा जा सकता है। 'बायोपिक' शब्द का अर्थ है–जीवनी आधारित पिक्चर। पश्चिमी जगत में फिल्म के माध्यम

से यह शब्द नाटक के क्षेत्र में आया है। अतएव इस नाटक को भी कदाचित 'बायोपिक' (जीवनी आधारित नाटक) कहा जा सकता है।

मैंने लगभग सवा दो घंटे कि अवधि में अशोक के जीवन के लगभग अड़सठ-सत्तर वर्ष समेटने के कोशिश की है। अशोक के जीवन की प्रमुख घटनाओं को, जिनसे उसके जीवन की दिशाओं के संकेत मिलते हैं, रूपायित किया है। मैंने अशोक के जीवन को उन घटनाओं पर केन्द्रित किया है, जिन्होंने अशोक को अशोक बनाया, जो वह अन्ततः था।

एक अशोक ही नहीं, हर व्यक्ति दो स्तर पर जीवन जीता है। एक स्तर है अन्तरंग, जहाँ माता-पिता, बन्धु-बान्धव, सहचरी और सन्तान की ऊष्मा और पारस्परिक विश्वास जीवन को अर्थ देते हैं। दूसरा स्तर है बहिरंग, जिसमें दूसरे से आगे बढ़ कर, पर्वत के उत्तुंग शिखर पर चढ़कर, नीचे खड़े, हारे हुए लोगों से जयजयकार सुनने की ललक है, जो अन्ततः निरर्थक सिद्ध होती है। अशोक के जीवन के माध्यम से मानव जीवन के विरोधाभासों तथा उससे उपजी त्रासदी का ताना-बाना रंगमंच के लिए बुना है। इस परिप्रेक्ष्य में यह नाटक केवल अशोक की कहानी नहीं है। यह तेरी-मेरी हम सबकी कहानी है।

नाटक के प्रकाशन के पूर्व, पाण्डुलिपि पढ़कर, विख्यात नाट्य-समीक्षक जयदेव तनेजा तथा प्रसिद्ध नाट्य-निर्देशक देवेंद्र राज अंकुर ने मुझसे कहा कि नाटक का अन्तिम दृश्य सर्वश्रेष्ठ है, और उसने उनको सर्वाधिक प्रभावित किया। इसने मुझे नाटक की रचना के प्रति आश्वस्त किया। आज से लगभग पचास वर्ष पूर्व अंग्रेजी भाषा के प्रसिद्ध नाटककार जे बी प्रीस्टले का नाटक-विधा पर एक व्याख्यान सुना था। उन्होंने कहा था—"जिस तरह उपन्यास की सफलता के लिए उसकी शुरुआत रुचिकर होनी चाहिए, उसी तरह नाटक का अन्त प्रभावी होना चाहिए। अगर उपन्यास का आरम्भ रुचिकर नहीं होगा, तो पाठक शेष उपन्यास नहीं पढ़ेगा। वह आरम्भिक अंश पढ़कर ही उपन्यास फेंक देगा। इसी तरह नाटक का आरम्भ, चाहे कितना ही धीरे-धीरे गति पकड़ने वाला हो, उसका अन्त इतना प्रभावी होना चाहिए कि दर्शक उसकी याद लेता हुआ घर जाये। नाटक का अन्त ही नाटक को परखने की कसौटी होता है।" मैं आश्वस्त हूँ कि जयदेव तनेजा और देवेंद्र राज अंकुर ने इस कसौटी पर नाटक को खरा पाया।

रंगकर्मी बिरादरी से

अब अपनी रंगकर्मियों की बिरादरी से दो-चार बातें। मैं नाटक को द्विज कहता रहा हूँ, क्योंकि नाटक ऐसी विधा है जो दो बार जन्म लेती है। एक बार नाटककार के मन-मस्तिष्क में, तथा दूसरी बार जब कोई निर्देशक उसे मंच पर प्रस्तुत करता है। इधर मैंने अनुभव किया नाटक को अलग-अलग निर्देशक अलग-अलग जन्म देते हैं। इस प्रकार नाटक के कितने ही जन्म हो जाते हैं। इस दृष्टि से नाटक को द्विज नहीं, बहुजन्मी कहना उचित होगा। साथ ही नाटक द्विआयामी भी होता है। वह साहित्य भी है, और कला भी। जब वह लिखा जाता है, और साहित्य की अन्य विधाओं, जैसे कहानी, कविता, उपन्यास आदि के समान पाठकों द्वारा पढ़ा और सराहा जाता है, तब वह साहित्य है। उसका साहित्य की अन्य विधाओं के समान परीक्षण किया जा सकता है। यह नाटक का एक आयाम है। और जब वह रंगमंच पर प्रस्तुत होता है, तब वह कला की श्रेणी में होता है—किसी भी अन्य रंगमंचीय कला जैसे संगीत, नृत्य, कठपुतली कला आदि के समान। यह नाटक का दूसरा आयाम है। हम सब जानते हैं ऐसे बहुत से नाटक हिन्दी में लिखे गये हैं और अभी भी लिखे जा रहे हैं, जो पढ़ने में बहुत आनन्द देते हैं और साहित्यिक मूल्यों से भरपूर हैं, किन्तु रंगमंच पर सफल नहीं होते, अथवा अपनी शिल्पगत त्रुटियों के कारण जिनका मंचन सम्भव ही नहीं है। इसके विपरीत ऐसे भी नाटक लिखे जाते हैं, जो रंगमंच पर बड़ी सफलता से खेले जाते हैं। वे प्रायः हँसी-मजाक से भरे चुटकुलों की लड़ी को मंच पर प्रस्तुत कर या सस्ते गीत-संगीत और मंचीय ध्वनि-प्रकाश के चमत्कार के सहारे दर्शकों को रिझाने में सफल हो जाते हैं। किन्तु ऐसी प्रस्तुतियों के आलेख साहित्यगत मूल्यों में शून्य होते हैं। प्रश्न यह है इन दोनों श्रेणियों के नाटकों में श्रेष्ठ कौन है? मेरी दृष्टि में श्रेष्ठ नाटक वही है जो लिखित नाटक के रूप में साहित्यगत कसौटी पर खरा उतरे, और साथ ही मंच पर भी उतना ही सफल सिद्ध हो। इन दोनों कसौटियों पर जो नाटक खरा सिद्ध हो, वही नाटक कालजयी होगा, जैसे शेक्सपियर के नाटक। मैं इस तथ्य के प्रति सजग हूँ, इसलिए मैं अपनी तरफ से नाटक के दोनों आयामों को सँवारने का प्रयास करता हूँ। इसमें कहाँ तक सफल हुआ, यह तो

समीक्षक ही निश्चित करेंगे, या इस लिखित नाटक को दूसरा जन्म देने वाले निर्देशक।

नाटक लिखना अत्यन्त कठिन कार्य है, इसीलिए बहुत कम साहित्यकार नाटक लिखते हैं। कहानी, कविता, उपन्यास आदि का लेखन एक नदी के बहाव की तरह, ढलान के साथ साथ एक दिशा में होता है। इसके विपरीत नाट्यलेखन में नदी की सीधी धारा पर अनेक बाँध बनाने पड़ते हैं, बहाव को रोककर विपरीत दिशा में बहाना पड़ता है। नाट्यालेखन मंच की सीमाओं से बंधा होता है। उदाहरण के लिए, नाटक के पहले आलेख में तिष्यरक्षिता एक दृश्य में वैद्य के रूप में है। उसके ठीक अगले दृश्य में वह रानी के रूप में आती है। नाटक लिखने के बाद अचानक मैंने महसूस किया कि पहले दृश्य में वैद्य के कपड़े पहनी हुई तिष्यरक्षिता को अगले दृश्य के लिए रानी के कपड़े पहनने के लिए समय चाहिए। अतएव मुझे इन दोनों दृश्यों को पुनः लिखना पड़ा, जिससे अभिनेत्री को अपनी भूमिका के अनुसार वेश-परिवर्तन हेतु समय मिल सके। उपन्यासकार को सुविधा है कि अपनी बात कहने के लिए उस पर किसी प्रकार का अवरोध नहीं है। उपन्यास दो सौ पृष्ठों का भी हो सकता है, और बारह सौ पृष्ठों का भी। लेकिन नाटक लेखन में बन्धन ही बन्धन! प्रस्तुति अवधि किसी भी हालत में दो घंटे से अधिक नहीं होनी चाहिए। इतनी देर कौन बैठेगा? दर्शक 'बोर' हो जायेंगे। इस आशंका से ग्रसित होकर मैंने भिक्खु निग्रोध पर केन्द्रित दृश्य, नाटक के अन्तिम आलेख्य से हटा दिया। फिर नाटक के निर्देशक की सम्भावित कठिनाइयाँ भी तो नाटक की रचना को प्रभावित करती हैं। नाटक में अधिक पात्र नहीं होने चाहिए! अधिक दृश्य नहीं होने चाहिए! सीधे सपाट मंच पर, बिना 'सेट्स' के नाटक हो जाए तो सबसे अच्छा!...क्योंकि महँगी प्रस्तुति अधिकाँश नाट्य दलों की हैसियत के बाहर होती है। और महिला-पात्र! उनकी कमी तो सदा ही रहती है। महिला-पात्र जितने कम हों, उतना अच्छा। रंगमंच की यही चुनौतियाँ रंगकर्मियों को आकर्षित करती हैं। नाटककार और निर्देशक को पूरे विश्व के कार्यकलाप और समय के निस्सीम विस्तार को रंगमंच के सीमित दायरे में अल्पावधि में समेटना पड़ता है। यह सही है कि आधुनिक टेक्नोलोजी ने मंच की सीमाओं का विस्तार किया है। किन्तु आज

के भारत में, जहाँ प्रायः सम्पूर्ण थियेटर अभी भी शौकिया क्षेत्र में है, टेक्नोलोजी रंगकर्मियों की पहुँच के बाहर है। ऐसे में नाटक की अभिनेयता अक्षुण्ण रखना और उसे मंचसिद्ध करना कठिन और दुरूह होता है। सौभाग्य से नाट्य-मंचन और निर्देशन से मैं एक लम्बे अरसे से सम्बद्ध रहा हूँ, इसलिए इन कठिनाइयों के बावजूद नाटक लिखने का हठ करता रहा हूँ। यह एक और हठ।

अन्त में

राम और कृष्ण हमारे महानायक हैं। हमारे आदर्श, हमारे चिन्तन, हमारी आकांक्षा, हमारी संस्कृति; और हमारी परम्परा के पर्यायवाची हैं। और जब, ऐसे महापुरुषों के जीवन हमारे मनीषी, वाल्मीकि और वेदव्यास रचते हैं, तो उनके अन्त की त्रासदी विलोपित नहीं करते। वे जीवन को समग्रता से देखते हैं। वे जानते हैं कि जन्म ही मृत्यु का दूसरा नाम है। बिना जन्म के मृत्यु नहीं। सुख-दुःख, जय-पराजय, यश-अपयश, प्रेम-घृणा, राग-विराग की कड़ियों से ही बनती है— जीवन की शृंखला। मैंने भी इसी दृष्टि से अशोक के जीवन के श्याम-श्वेत रंगों को उकेरा है। अशोक अन्ततः जीवन की निस्सारिता का साक्षात्कार करता है। यह मेरे लिए कठिन नहीं है, क्योंकि आज, जीवन के अन्तिम चरण में, जब मैं पीछे मुड़कर देखता हूँ, तब यात्रा का कहीं न पहुँच पाने वाला आदि नहीं, अन्त देख रहा हूँ। कहीं अपना यही अन्त तो मैंने 'देवानांपिय राजा पियदस्सी' की जीवनयात्रा के अन्त में नहीं देख लिया?

—दया प्रकाश सिन्हा

पात्र-परिचय

देवी	:	अशोक की प्रेमिका/पत्नी
तिष्यरक्षिता	:	अशोक की पटरानी
नन्दिता	:	राजभवन की दासी
दासी	:	देवी की दासी
अशोक	:	मगध का राजा
तिस्स	:	अशोक का अनुज
राधागुप्त	:	मगध का महामंत्री
उपगुप्त	:	कुक्कुटाराम विहार का स्थविर
सागरमते	:	बौद्ध भिक्खु
बिन्दुसार	:	अशोक का पिता
कुणाल	:	अशोक का पुत्र
महिन्द	:	अशोक का पुत्र
कात्यायन	:	बौद्ध भिक्खु
समुद्र	:	बौद्ध भिक्खु
चक्रपाणि	:	वैद्य
शब्दकार	:	शिलालेख लिखने वाला
रूपकार	:	रूपसज्जा करने वाला
तीन सैनिक	:	राजा के सैनिक

टीप : *भिक्खु समुद्र, भिक्खु कात्यायन, वैद्य चक्रपाणि, शब्दकार, रूपकार, कुणाल, महिन्द, बिन्दुसार तथा सैनिक त्रय की भूमिकाएँ संक्षिप्त तथा एक-दृश्यीय हैं।*

प्रथम प्रस्तुति

रंगभूमि द्वारा नाटक 'सम्राट अशोक' की प्रथम प्रस्तुति दिनांक 27 नवम्बर 2013 को श्रीराम ऑडिटोरियम, मण्डी हाउस, नयी दिल्ली में सम्पन्न हुई जिसमें निम्नलिखित कलाकारों ने भाग लिया :

मंच पर

अशोक	:	जे.पी. सिंह
देवी	:	चित्रा सिंह
राधागुप्त	:	मदन डोगरा
दासी	:	डिम्पल कल्शन
बिन्दुसार	:	प्रवीण जैन
नन्दिता	:	निशा भटनागर
तिस्स	:	दीपक कुमार
सभासद-1	:	शिरीष पाण्डा
सभासद-2	:	भानु प्रताप सिंह
रूपकार	:	अविनाश तोमर
भिक्खु समुद्र	:	जितेन्द्र चौहान
सागरमते	:	रोहित त्रिपाठी
शब्दकार	:	भानु प्रताप सिंह
उपगुप्त	:	अरुण सोदे
चक्रपाणी	:	प्रवीण जैन
तिष्यरक्षिता	:	सरिता राणा
कात्यायन	:	राकेश शर्मा
कुणाल	:	योगेश कुमार
महिन्द	:	आशीष शर्मा

निर्देशक : दया प्रकाश सिन्हा

सैनिक	:	अनूप सग्गड़, जितेन्द्र चौहान, जितेन्द्र कुमार
बौद्ध भिक्खु	:	योगेश कुमार, राकेश शर्मा, आशीष शर्मा, अविनाश तोमर, शिरीष पाण्डा, सुरजीत सिंह रवि

<u>मंच परे</u>

प्रकाश	:	आर. के. ढींगरा
दृश्यबंध	:	वेद पाहूजा
संगीत संकलन	:	आख्या जयवर्धन
संगीत संचालन	:	राजीव लोचन
वेशभूषा	:	डालचन्द
रूपसज्जा	:	हरि सिंह खोलिया

निर्देशक : दया प्रकाश सिन्हा

दृश्य-1

पात्र : *अशोक, देवी।*

स्थान : *उज्जयिनी के शासक अशोक के निवास का एक कक्ष।*

(कक्ष में एक छोटी मेज़ पर गौतम बुद्ध की मूर्ति। उसके सामने पूजा की सामग्री जैसे धूपदानी, दीपक तथा थाली में फूल आदि रखे हैं। कुछ दूर पर एक कुर्सी रखी है। पर्दा खुलने पर कुर्सी पर बैठा अशोक पत्र पढ़ रहा है। अशोक के बायें गाल पर एक रुपये बराबर एक काला दाग़ है। देवी का प्रवेश। उसके हाथ में पूजा का थाल है।)

अशोक : **(प्रसन्न होकर)** ओह देवी! तुम आ गयीं! हम तुम्हारी प्रतीक्षा कर रहे थे।

देवी : सुनकर अच्छा लगता है।

अशोक : क्या?

देवी : यही कि तुम मेरी प्रतीक्षा कर रहे थे।

अशोक : ऐसा क्यों कहती हो?

देवी : सच ही तो कहती हूँ। तुम अशोक! उज्जयिनी के शासक। तुम्हारे न दिन का पता, न रात का। काम, बस काम। दिन-रात काम में व्यस्त रहते हो। तुम्हारे पास इतना समय भी नहीं कि स्मरण कर सको—कोई देवी नाम की स्त्री है, जो बेचारी दिन-रात घर पर अकेली रहती है—प्रतीक्षारत।

अशोक : वह बेचारी इतनी बेचारी है कि उज्जयिनी के शासक अशोक पर शासन करती है। आज उससे मिलने के

लिए उज्जयिनी का शासक दो घंटे से बैठा है। कहाँ गयी थीं?

देवी : आज बुद्ध पूर्णिमा है। नव विहार में विशाल उत्सव है। वहीं गयी थी। **(पूजा की थाली बुद्ध के सामने रखती है।)**

अशोक : बच्चे? महिन्द और संघमित्ता भी वहाँ गये थे?

देवी : हाँ।

अशोक : तो तुम्हारे साथ वापस क्यों नहीं आये?

देवी : वह वहीं रुक गये।

अशोक : क्यों?

देवी : उनकी आयु के बहुत से साथी वहाँ मिल गये। उनके साथ खेल रहे हैं। थोड़ी देर बाद आयेंगे।

अशोक : वह सुरक्षित हैं?

देवी : हाँ बाबा! एकदम सुरक्षित हैं। तुम बहुत चिन्ता करते हो बच्चों की। सुरक्षाकर्मी उनके साथ हैं।

अशोक : क्या करूँ। पिता हूँ न। **(स्वर बदलकर)** एक शुभ समाचार है।

देवी : शुभ समाचार। आज सब कुछ शुभ होगा। आज शुभ दिन है न। बुद्धपूर्णिमा।

अशोक : पाटलिपुत्र से महामन्त्री राधागुप्त का पत्र आया है।

देवी : शुभ समाचार बाद में सुनूँगी। पहले तथागत के चरणों में नमन करके उनका आशीर्वाद लो।

अशोक : देवी तुम जानती हो, हम आजीवक हैं। शाक्यमुनि के उपासक नहीं। फिर भी, तुम्हारी आज्ञा का पालन तो करना ही होगा। **(गौतम बुद्ध की मूर्ति के सामने भूमि पर बैठकर नमन करता है।)**

(देवी जलती अगरबत्ती अशोक के चेहरे के सामने आरती की तरह घुमाती है, तथा अशोक को फूल देती है। अशोक फूल लेकर अपने माथे से लगाता है। फिर देवी और अशोक एक साथ हाथ जोड़कर बुद्ध की मूर्ति के समक्ष नमन करते हैं।)

देवी : अब बताओ क्या है शुभ समाचार?

अशोक : महामन्त्री राधागुप्त का पत्र आया है। पिता महाराज रोगग्रस्त हैं। उनकी दशा बहुत गम्भीर है। वैद्यों ने हाथ खड़े कर दिये हैं।

देवी : पिता महाराज रोगग्रस्त हैं?

अशोक : हाँ। कदाचित उनके जीवन का अन्त निकट है।

देवी : उनकी दशा गम्भीर है?

अशोक : हाँ।

देवी : तुम्हारे लिए यह शुभ समाचार है?

अशोक : **(लड़खड़ाते शब्दों में)** न...न...नहीं। हमारा तात्पर्य यह नहीं था।

देवी : तो क्या है तुम्हारा तात्पर्य?

अशोक : यही कि...

देवी : **(कठोरता से)** क्या है तुम्हारा तात्पर्य? तुम्हीं ने कहा कि शुभ समाचार है। पिता का अन्त निकट है।

अशोक : **(अचानक क्रोध से)** हमारे कहे के अर्थ का अनर्थ मत करो। हम कुछ और कहना चाह रहे थे। पिता का रोगग्रस्त होना शुभ समाचार नहीं है।

देवी : तो क्या है शुभ समाचार?

अशोक : शुभ समाचार यह है कि महामन्त्री राधागुप्त ने हमें पाटलिपुत्र बुलाया है।

देवी : क्यों?

अशोक : वह चाहता है कि पिता महाराज के पश्चात मगध के सिंहासन पर हमारा अभिषेक हो।

देवी : क्यों? तुम्हारा क्यों?

अशोक : क्योंकि महामन्त्री चाहता है। सेनापति भी चाहता है, मन्त्रिमंडल के दूसरे मन्त्री भी।

देवी : मगध के सिंहासन पर पहला अधिकार तो तुम्हारे अग्रज का है।

अशोक : **(तिरस्कार से)** हमारा अग्रज सुसीम! तुम जानती तो हो उसके बारे में।

देवी : नहीं। मैं कुछ नहीं जानती।

अशोक : वह पिता महाराज का लाडला है। बबुआ। वह राजा बनने योग्य नहीं है। अयोग्य है। अक्षम है।

देवी : कौन कहता है?

अशोक : सब कहते हैं। हम कहते हैं।

देवी : तुम्हारे अतिरिक्त कौन कहता है?

अशोक : महामन्त्री राधागुप्त कहता है। सुसीम कविता करता है। संगीतज्ञ है। वीणा बजाता है। मन्दिर में गाता है। वह राजा बनने योग्य नहीं है।

देवी : और महाराज?

अशोक : महाराज भी जानते हैं। वह जानते हैं सुसीम की अक्षमता और अयोग्यता।

देवी : तुम कैसे जानते हो यह? क्या महाराज ने तुमसे कहा?

अशोक : नहीं, उन्होंने नहीं कहा। लेकिन हम जानते कि महाराज जानते हैं अपने लाडले सुसीम की वास्तविकता।

देवी : हो सकता है यह तुम्हारा भ्रम हो?

अशोक : गान्धार में पश्तूनों को कुचलने के लिए सेनापति ने सुसीम को वहाँ भेजने का परामर्श दिया था। सेनापति ने कहा सुसीम युवराज है। भविष्य में राजसिंहासन पर आसीन होगा। दुर्धर्ष पश्तूनों से युद्ध उसके लिए अमूल्य अनुभव और प्रशिक्षण होगा। किन्तु महाराज ने सेनापति का प्रस्ताव अस्वीकार कर दिया।

देवी : क्यों?

अशोक : पिता महाराज ने कहा—दैत्याकार पश्तून बहुत ही भयंकर जाति के हैं। उनके साथ युद्ध भी बहुत भीषण होगा। युवराज सुसीम मौर्य साम्राज्य का भावी राजा है। उसका जीवन अमूल्य है। किसी संकट में नहीं डाला जा सकता, और उन्होंने सुसीम के स्थान पर मुझे गान्धार जाने का आदेश दिया।

देवी : यह तो अच्छा ही हुआ। पश्तूनों को पराजित करके तुम्हें देशव्यापी यश प्राप्त करने का अवसर मिला।

अशोक : **(व्यंग्य से)** सुसीम देश का भावी राजा है! इसलिए उसका जीवन अमूल्य है। और हमारा जीवन? उसका

कोई मूल्य नहीं। इसलिए संकट में डाला जा सकता है!

देवी : कोई पिता अपनी सन्तान का जीवन संकट में नहीं डाल सकता।

अशोक : यह केवल कहने की बात है।

देवी : उन्होंने तुम्हारी योग्यता का सम्मान किया।

अशोक : वह हमसे घृणा करते हैं।

देवी : कैसी बातें करते हो? कोई पिता अपने पुत्र से घृणा नहीं कर सकता।

अशोक : किन्तु वे करते हैं।

देवी : क्यों?

अशोक : क्योंकि हम कुरूप हैं। हमारे गाल पर यह काला धब्बा है। और सुसीम सुन्दर है। प्रियदर्शी है! इसलिए वह सुसीम को चाहते हैं।

देवी : **(समझाते हुए)** यह तुम्हारा भ्रम है।

अशोक : **(कठोरता से)** तुम हमसे अधिक जानती हो—हमारे पिता को?

देवी : मैं तो केवल न्याय और परम्परा की बात कर रही थी। सदा ही सबसे बड़ा पुत्र सिंहासन का अधिकारी होता है।

अशोक : हम इस पर विवाद नहीं चाहते। केवल तुमको बताना चाहते हैं—हम पाटलिपुत्र जा रहे हैं, और तुम हमारे साथ चल रही हो।

देवी : मैं भी तुम्हारे साथ पाटलिपुत्र जा रही हूँ—यह तुमने कैसे जाना? मैंने तो इसके बारे में कोई निर्णय नहीं लिया अब तक...

अशोक : **(काटते हुए)** हमने निर्णय लिया है, तुम्हारी ओर से। उठो। पाटलिपुत्र चलने की व्यवस्था करो।

देवी : और अगर मैं तुम्हारा निर्णय न मानूँ तो?

अशोक : **(क्रोध के विस्फोट में)** तुमको मानना पड़ेगा **(क्रोध को संयत करते हुए)** हम चाहते हैं कि तुम हमारे साथ चलो।

देवी : मैं नहीं जाऊँगी।

अशोक : **(क्रोध को संयत करके)** देवी! सुनो हमारी बात...

देवी : **(दृढ़ता से)** यह मेरा निर्णय है। मैं नहीं जाऊँगी।

अशोक : हम चाहते हैं कि तुम भी चलो हमारे साथ। तुम हमारी शक्ति हो। तुम्हारा साथ हमारे लिए शुभ है। तुम साथ रहोगी तो विजय हमारी होगी...

देवी : विजय? अपने भाई पर विजय? सुनकर भी जुगुप्सा होती है। **(दृढ़ता से)** मैं नहीं जाऊँगी।

अशोक : **(बुद्ध की मूर्ति के सामने रखी पूजा की थाली क्रोध में धरती पर पटकते हुए)** तो मत चलो। हम अकेले ही जायेंगे पाटलिपुत्र। **(पैर पटकता बाहर जाता है।)**

(देवी पूजा की थाली धरती से उठाती है, फिर जाते हुए अशोक को देखती रह जाती है। सारे मंच से प्रकाश सिमट कर देवी के वेदनामय मुख पर केन्द्रित हो जाता है।)

(अंतराल-अंधकार)

दृश्य-2

पात्र : *राधागुप्त, अशोक, दासी, सैनिक।*

स्थान : *पाटलिपुत्र का राजभवन।*

(मंचाग्र पर प्रकाश पुंज में खड़ा राधागुप्त अशोक की प्रतीक्षा कर रहा है। साथ में खड़े सैनिक के हाथ में एक थाल है, जिसमें अंगवस्त्र और एक राजमुकुट रखा है।)

(अशोक का प्रवेश)

राधागुप्त : (दोनों हाथ जोड़कर, नमन करते हुए) महामंत्री राधागुप्त का नमन स्वीकार करें। पाटलिपुत्र में कुमार अशोक का स्वागत है। **(थाल में से अंग-वस्त्र निकालकर अशोक के कन्धों पर डालता है।)**

अशोक : **(राज मुकुट की ओर इशारा करके)** और यह? राजमुकुट?

राधागुप्त : यह भी कुमार अशोक के लिए है। मैं महाराज से निवेदन करूँगा कि वे स्वयं अपने हाथों से मुकुट पहनाकर तुम्हें उपराजा घोषित करें।

अशोक : महाराज का स्वास्थ्य?

राधागुप्त : बस, कुछ ही दिन के लिए ही हमारे साथ हैं। कभी भी परलोक गमन कर सकते हैं।

अशोक : बोलते हैं?

राधागुप्त : हाँ, कभी-कभी। प्रायः रोगतन्द्रा में पड़े रहते हैं। बहुत जगाने पर उठते हैं। बस हाँ-हूँ कहकर पुनः रोगतन्द्रा में चले जाते हैं।

अशोक : सुसीम?

राधागुप्त : वह कभी भी आ सकता है। सूचना मिली है कि वह गान्धार से चल पड़ा है।

अशोक : महाराज ने उसको भी बुलवाया है?

राधागुप्त : उसी को तो बुलवाया है। महाराज उसको मगध का राजा बनाना चाहते हैं। उन्होंने उसको ही बुलवाने का आदेश दिया था। परन्तु मैंने उसको न बुलाकर तुमको आने की सूचना भेज दी।

अशोक : फिर सुसीम क्यों आ रहा है? उसको किसने बुलाया?

राधागुप्त : किसी ने भी नहीं। वह अपने आप आ रहा है। लगता है उसके गुप्तचर राजप्रासाद में हैं। उन्होंने महाराज की विषम दशा की सूचना उसे दे दी होगी।

अशोक : हमें क्या करना है?

राधागुप्त : सुसीम के आने से पहले मैं चाहता हूँ कि यह राजमुकुट तुम्हारे सिर की शोभा हो।

अशोक : कैसे होगा यह राधागुप्त?

राधागुप्त : मैं महाराज से अनुरोध करूँगा कि तुमको मगध का उपराजा घोषित करें। मगध का सिंहासन और अधिक राजाविहीन रखना उचित नहीं होगा। फिर सेनापति भी मेरे साथ हैं। वह भी कहेगा। महाराज महामन्त्री और सेनापति के परामर्श की अवहेलना नहीं कर सकेंगे। उपराजा बनकर, महाराज के अवसान के बाद, तुम्हें अपने आप राजा बनने का अधिकार प्राप्त हो जायेगा।

अशोक : और सुसीम?

राधागुप्त : हमें यह सब सुसीम के पाटलिपुत्र पहुँचने से पूर्व करना होगा। आओ मेरे साथ। महाराज के कक्ष में चलते हैं। **(वह चलने को उद्यत होता है।)**

अशोक : ठहरो मित्र। महाराज द्वारा उपराजा बनाये जाने पर भी सुसीम हमें राजा स्वीकार नहीं करेगा। वह बड़ा भाई है हमारा। केवल दो वर्ष बड़े होने से परम्परा उसके पक्ष में है। अपने अधिकार के लिए वह लड़ेगा। युद्ध करेगा। चुप नहीं बैठेगा।

राधागुप्त : तुम कहना क्या चाहते हो?

अशोक : जब युद्ध करके ही हमें राजा बनना है तो महाराज की कृपा की क्या आवश्यकता?

राधागुप्त : महाराज के आशीर्वाद का प्रजा में अच्छा सन्देश जायेगा।

अशोक : युद्ध तो फिर भी होगा। सुसीम सरलता से अपना अधिकार नहीं छोड़ेगा। हमें यह राजमुकुट अपने बाहुबल से प्राप्त करना होगा। महाराज की कृपा से नहीं।

राधागुप्त : नहीं। यह नीति-संगत नहीं होगा। प्रजा में विषम सन्देश जायेगा। मैं चाहूँगा कि महाराज स्वयं तुमको मुकुट पहनाकर आशीर्वाद दें। आओ मेरे साथ। **(जाने को बढ़ता है। उसके पीछे-पीछे अशोक और सैनिक जाते हैं।)**

(अंतराल-अंधकार)

दृश्य-3

पात्र : *बिन्दुसार, नन्दिता, अशोक, राधागुप्त, सैनिक।*

स्थान : *राजा बिन्दुसार का शयनकक्ष।*

(महाराज बिन्दुसार बिस्तर पर तकिये के सहारे अधलेटे हुए, अचेत अवस्था में सो रहे हैं। दासी नन्दिता उन पर मोरछल डुला रही है।)

(राधागुप्त और अशोक का प्रवेश)

राधागुप्त : **(हाथ जोड़कर नमन करता है)** महाराज की जय हो। कुमार अशोक आपके दर्शन के लिए उज्जयिनी से आये हैं। **(बिन्दुसार उत्तर नहीं देता है। पुनः पुकारते हुए)** महाराज!! **(अशोक से)** लगता है महाराज गहरी तन्द्रा में हैं। **(दासी से)** कब से तन्द्रा में हैं?

नन्दिता : बहुत देर से। ऐसे ही सो रहे हैं। वैद्यजी ने औषधि खिलाई थी। जब से वैद्यजी गये हैं, तब से ऐसे ही हैं।

राधागुप्त : क्या कभी तन्द्रा से उठे? कोई बात की?

नन्दिता : दो-एक बार चौंक के उठे। मुझसे पूछा—सुसीम आया? मैंने उत्तर दिया नहीं। बस फिर आँख बन्द कर सो गये।

अशोक : सुसीम कभी भी आ सकता है। **(असहाय-सा)** क्या करें? कैसे जगायें महाराज को?

राधागुप्त : **(बिन्दुसार का कन्धा झकझोरते हुए)** महाराज, उठिए।

बिन्दुसार : **(चौंकते हुए)** सुसीम आ गया?

राधागुप्त : उज्जयिनी के शासक, कुमार अशोक आपके दर्शन करना चाहते हैं।

(बिन्दुसार उठना चाहते हैं। दासी सहारा देकर उनको तकियों के सहारे पलँग पर बैठाती है)

बिन्दुसार : **(अशोक से)** तुमको तो मैंने उज्जयिनी से गान्धार जाने का आदेश दिया था? हम जानना चाहते हैं कि तुम क्यों नहीं गये?

राधागुप्त : कुमार अशोक स्वयं रोगग्रस्त हो गये थे। इसलिए आदेश का पालन नहीं कर सके।

बिन्दुसार : **(क्रोध के साथ)** तुम चुप रहो! चुप रहो। अच्छी तरह जानते हैं यह तुम दोनों की मिलीभगत है। रोग से मुक्त होने के पश्चात् तुम उज्जयिनी से गान्धार क्यों नहीं गये? यहाँ क्यों चले आये?

राधागुप्त : आपको देखने। आपकी व्याधि का अशुभ समाचार सुनकर वह यहाँ चले आए।

अशोक : आपकी व्याधि का अशुभ समाचार सुनकर हम आपकी सेवा के लिए आ गये। **(बिन्दुसार के पैर दबाता है)**

बिन्दुसार : **(सायास जोर से बोलते हुए)** नहीं चाहिए तुम्हारी सेवा। जाओ। जाओ यहाँ से। **(अशोक पैर दबाना छोड़कर अलग खड़ा हो जाता है)**

राधागुप्त : मैं महामन्त्री हूँ। राज्य में सुरक्षा और शान्ति सुनिश्चित करना मेरा कर्तव्य है। युवराज सुसीम गान्धार में है...

बिन्दुसार : **(काटते हुए)** तो?

राधागुप्त : राजधानी बिना राजा या युवराज के! यह साम्राज्य के हित में नहीं है।

बिन्दुसार : तो?

राधागुप्त : जब तक आप अस्वस्थ हैं, और कुमार सुसीम गान्धार में हैं, तब तक कुमार अशोक को उपराजा घोषित करना न्यायोचित होगा।

(बिन्दुसार उत्तर नहीं देता। वह विचारमग्न हो जाता है।)

राधागुप्त : महाराज! मैं कुमार अशोक का मित्र हूँ, इसलिए उपराजा बनाने के लिए निवेदन नहीं कर रहा हूँ। राजनीति के सभी आचार्यों का मत है—कभी भी एक दिन के लिए

भी राजसिंहासन रिक्त नहीं रहना चाहिए। मेरे पितामह आचार्य चाणक्य का भी यही मत था।

(बिन्दुसार विचार करने लगता है)

राधागुप्त : मन्त्रिमण्डल के निर्णयों को स्वीकृत या अस्वीकृत करने का अधिकार केवल राजा का होता है, और उनकी अनुपस्थिति में इस अधिकार का प्रयोग केवल उपराजा या युवराज ही कर सकता है। मान लीजिए इस अवधि में लोक-विप्लव हो जाये, कोई अधीनस्थ राजा आक्रमण कर दे, तो कौन निर्णय लेगा संधि-विग्रह का। महाराज, कुमार अशोक को उपराजा बनाने के अतिरिक्त हमारे पास कोई विकल्प नहीं है। **(साथ में लाये सैनिक के थाल से राजमुकुट लेकर बिन्दुसार की ओर बढ़ाते हुए)** लीजिए महाराज, इसे अपने पवित्र हाथों से कुमार अशोक को पहना कर उन्हें आशीर्वादित करें।

अशोक : हमारे पास पितामह, महाराज चन्द्रगुप्त मौर्य की ये खड्ग है। साम्राज्य की सुरक्षा के लिए हम अपने प्राणों की बाजी लगा देंगे।

बिन्दुसार : महाराज चन्द्रगुप्त मौर्य ने अपना खड्ग देश की सुरक्षा के लिए आक्रमणकारी शत्रुओं के विरुद्ध प्रयोग किया था। उनके खड्ग का उपयोग यदि दो भाइयों के बीच, राजसिंहासन के लिए होता है, तो यह खड्ग का अपमान होगा।

राधागुप्त : यह समय वाद-विवाद का नहीं है...। **(अशोक से)** कुमार तुम स्वयं मुकुट धारण करो। **(अशोक हिचकिचाता है)** सोचते क्या हो? मुकुट धारण करो। मैं कहता हूँ।

अशोक : **(सोचते हुए)** हम...हम...

राधागुप्त : **(अशोक को मुकुट पहना कर)** अब तुम मगध-साम्राज्य के उपराजा हो। महाराज, अपने आशीर्वाद का हाथ कुमार के सिर पर रखिए।

(बिन्दुसार का हाथ उठाकर अशोक के सिर पर रखता है, तो वह लुढ़क कर गिर पड़ता है। सब आश्चर्य से

देखते हैं। दासी घबराकर हाथ की नाड़ी देखती है। हृदय पर हाथ रखती है। फिर अचानक चीख़ उठती है)

नन्दिता : हाय! महाराज चले गये। **(फफक कर रोती है)**

(अशोक और राधागुप्त रोती-कलपती दासी नन्दिता को देखते हैं, फिर दोनों मंचाग्र आते हैं। पीछे-पीछे सैनिक भी आता है।)

राधागुप्त : **(सैनिक से)** सेनापति से कहो कि यह महामंत्री राधागुप्त का आदेश है कि राज्य में घोषणा कर दी जाये कि महाराज बिन्दुसार ने कुमार अशोक को मगध का उपराजा घोषित कर दिया है।

सैनिक : जो आज्ञा महामंत्री। **(नमन कर प्रस्थान)**

अशोक : हमने महाराज से निवेदन किया था कि हमें मगध का उपराजा बना दें, किन्तु महाराज तो हमें मगध का राजा बनाकर चले गये।

राधागुप्त : मगधराज अशोक को नमन। **(दोनों हाथ जोड़कर नमन करता है।)**

(अंतराल-अंधकार)

दृश्य-4

पात्र : *राधागुप्त, सैनिक, सभासद 1, सभासद 2।*

स्थान : *मगध का राजदरबार।*

(मंचाग्र पर प्रकाश के वृत्त में महामन्त्री खड़ा है। उसके पीछे एक सैनिक उसकी सुरक्षा में खड़ा है।)

राधागुप्त : मगधराज के सम्मानित सभासदों! यह हृदय विदारक दुख की बेला है। हमारे पिता समान राजा, देवानामूप्रिय बिन्दुसार, हम लोगों को रोता कलपता छोड़कर स्वर्ग को प्रस्थान कर चुके हैं। मगध का सिंहासन रिक्त है। परम्परानुसार रिक्त सिंहासन पर उनके ज्येष्ठ पुत्र और युवराज सुसीम का राज्याभिषेक होना चाहिए। किन्तु ऐसा नहीं हो सका...।

सभासद 1 : **(दर्शकों के बीच से)** क्यों? महाराज सुसीम की जय।

राधागुप्त : मैं भी महाराज सुसीम की जय करना चाहता था। किन्तु यह सम्भव नहीं है। स्वर्गीय महाराज भी यह नहीं चाहते थे। उन्होंने स्वर्ग जाने के पूर्व स्वयं कुमार अशोक को उपराजा बनाया था। स्वयं आशीर्वाद दिया था। स्वयं अपने हाथों कुमार अशोक के सिर पर उपराजा का मुकुट रखा था।

सभासद 2 : **(दर्शकों के बीच से)** यह सत्य नहीं है। कौन है साक्षी?

राधागुप्त : किसने कहा यह सत्य नहीं है? वह सामने आये। मैं हूँ साक्षी इसका। मैं...मैं महामन्त्री राधागुप्त। मैं साक्षी हूँ। जिसे इसकी सत्यता में सन्देह हो, वह सामने आये। वह इन सब सभासदों के सम्मुख अपना सन्देह व्यक्त करे। **(कोई सामने नहीं आता)**

राधागुप्त : मैं एक बार फिर कहता हूँ। जिसे मेरी बात पर सन्देह हो, वह मेरे सामने साहस करके आये। छिपकर न बैठे।

(फिर सब मौन रहते हैं)

राधागुप्त : मैं आचार्य चाणक्य का पौत्र हूँ। मैं कुछ भी करूँगा, या कहूँगा उसके पीछे केवल एक भावना है। मगध साम्राज्य का हित। मैं आप सबको एक बार फिर विश्वास दिलाना चाहता हूँ कि स्वर्गीय देवानामृप्रिय महाराज बिन्दुसार ने स्वयं अपने हाथों से देवलोक जाने के पूर्व, कुमार अशोक को उपराजा नियुक्त किया था। मैं एक बार फिर कहता हूँ, जिसे मेरे कथन पर विश्वास न हो, वह सामने आये और भरी सभा में मुझे, महामन्त्री को असत्यवादी घोषित करे।

(सब चुप रहते हैं)

राधागुप्त : **(कुछ देर प्रतीक्षा करके)** इसका अर्थ है...किसी को आपत्ति नही है। हाँ, तो मैं कह रहा था कि महाराज ने कुमार सुसीम को उत्तराधिकार से वंचित करके, कुमार अशोक को अपना उत्तराधिकारी चुना है। हो सकता है यह परम्परा के विरुद्ध हो। कुछ सभासद कह सकते हैं कि उनको ज्येष्ठ पुत्र को ही उत्तराधिकारी बनाना चाहिए था। हो सकता है उनकी बात उचित हो। किन्तु हम लोग इसमें कुछ नहीं कर सकते। हम लोग स्वर्गीय सम्राट की आज्ञा मानने के लिए विवश हैं। उपराजा को राजा बनना ही पड़ेगा। उनकी अन्तिम इच्छा का पालन करते हुए मन्त्रिमंडल तथा सेनापति ने निर्णय लिया है—कल प्रातःकाल, कुमार अशोक, महाराज अशोक बन कर मगध के राजसिंहासन पर आरूढ़ होंगे। **(हाथ जोड़कर नमस्कार करता है।)**

(अंतराल-अंधकार)

दृश्य-5

पात्र : *देवी, दासी।*

स्थान : *उज्जयिनी के शासक अशोक के निवास का एक कक्ष।*

(दासी दौड़ती हुई प्रवेश करती है। कक्ष में कोई नहीं है। इधर-उधर देखकर, वह बुद्ध की मूर्ति के समक्ष नमन करती है।)

दासी : देवा! हाय यह क्या हो रहा है! देवा तुम्हीं बताओ?

देवी : **(प्रवेश करते हुए)** क्या हो रहा है?

दासी : मत पूछिए स्वामिनी। मत पूछिए। जो हो रहा है, अच्छा नहीं हो रहा है।

देवी : क्या अच्छा नहीं हो रहा है?

दासी : यही मारकाट।

देवी : तुम्हारा पति पाटलिपुत्र से लौट आया? कुशल से है?

दासी : हाँ, कुसल से है। देवताओं की किरपा है। लेकिन पाटलिपुत्र—वहाँ तो कुछ भी ठीक नहीं है।

देवी : वहाँ क्या हुआ?

दासी : पाटलिपुत्र को घेर लिया है—सुसीम की सेना ने। चारों द्वारों पर। कुमार असोक ने उन द्वारों की रच्छा के लिए यवन सैनिक भी लगाये हैं, फिर भी युवराज सुसीम की सेना भारी पड़ रही है।

देवी : दो भाई लड़ रहे हैं राजसिंहासन के लिए। क्या उनमें से कोई अपनी मृत्यु के पश्चात सिंहासन अपने साथ ले जा सकेगा?

दासी : पूरा देस हाल-बेहाल है। हमारे पति का ब्यापार तो एकदम चौपट हो गया है। कहीं कोई उधार पर न

सामान लेता है और न बेचता है। व्यापार तो उधारी पर ही चलता है न।

देवी : व्यापार ही नहीं, कितने जीवन नष्ट हो रहे होंगे। कितने सुहाग उजड़ गये होंगे। कितनी माताओं की गोद सूनी हो गयी होगी। कितने बालक-बालिकाएँ अनाथ हो गयी होंगी। मृत्यु के काले आवरण से आच्छादित जन-जीवन अन्तिम साँसें ले रहा होगा। **(बुद्ध की मूर्ति के सामने नमन करके बैठती हैं)**

दासी : मेरी तो देवताओं से बस इतनी प्रार्थना है—देवा! कुमार असोक को विजयी बनाओ। वह राजा बनकर मगध के सिंहासन पर बिराजें। और हम अपनी स्वामिनी को मगध की महारानी बना देखें। **(हाथ जोड़कर)** देवा! कृपा करो।

देवी : अब तुम जाओ दासी। मैं ध्यान में जा रही हूँ। **(देवी आँखें बन्द करके ध्यान में जाती है।)**

(अंतराल-अंधकार)

दृश्य-6

पात्र : *रूपकार, तिस्स, अशोक।*

स्थान : *राजभवन का एक कक्ष।*

(कक्ष में मेज़ पर एक बड़ा थाल रखा है। उसमें राजा के आभूषण-बाजूबन्द, गले की मालाएँ आदि, अनेक रंगों के उत्तरीय, विभिन्न प्रकार की पगड़ियाँ, कमर पट्टियाँ, तलवारें आदि रखी हैं। कुछ कटोरियों में रंग रखे हैं। पास ही बैठने की दो कुर्सियाँ/चौकियाँ रखी हैं।)

(पर्दा खुलने पर, अशोक की बाँहों में बाजूबन्द बाँधता रूपकार दिखाई पड़ता है।)

रूपकार : **(कलाई के दो बन्ध दिखाते हुए)** महाराज, इसमें माणिक हैं। और इसमें पन्ना। आपको कौन सा...?

अशोक : यह...हरा वाला। पन्ने का।

(रूपकार–अशोक की कलाई में बन्ध बाँधता है। तभी तिस्स का प्रवेश)

तिस्स : नमन अग्रबन्धु।

अशोक : आओ तिस्स आओ। आओ बैठो।

तिस्स : **(बैठते हुए)** मैं राजदरबार से आ रहा हूँ। वहाँ पर आपके राज्याभिषेक की पूरी तैयारी है।

अशोक : अच्छा!

तिस्स : सभा भवन नववधू की तरह से सजाया गया है। रंगबिरंगी पताकाएँ, द्वारों पर तोरण, मंगल कलश, धरती पर चित्रित अल्पना, मृदंग और वीणा का संगीत, चन्दन अगरू की सुगन्ध और वेदपाठियों का साम गायन।

अशोक : सभासद?

तिस्स : सब सभासद समय से पहले ही पहुँच गये हैं—अपने अच्छे से अच्छे परिधान पहनकर। हजारों नागरिक भी हैं सभाभवन के बाहर। स्त्री पुरुष, वृद्ध और बाल। सभी अपने नये राजा की झलक देखने को बेचैन हैं। हाँ, आपको संदेश तो देना ही भूल गया—महामंत्री का।

अशोक : क्या है...?

तिस्स : महामन्त्री ने कहा है कि जब राज्याभिषेक की घड़ी आयेगी, तो शंखों का समवेत स्वर होगा। उस समय आप सभाभवन में राज्याभिषेक के लिए प्रवेश करेंगे। ...अभी समय है।

अशोक : **(बैठते हुए)** तिस्स, बहुत दिनों बाद यह घड़ी आयी है।

तिस्स : अग्रबन्धु, पितामह चन्द्रगुप्त मौर्य की राजउपाधि देवानामूप्रिय थी। आपकी राजउपाधि क्या होगी?

अशोक : हमारे पास पितामह की खड्ग है। उनके समान हमारी भी राजउपाधि देवानामूप्रिय होगी।

तिस्स : राजतिलक के बाद लोक जय-जयकार करेगा—देवानामूप्रिय राजा अशोक की जय।

अशोक : **(सोचते हुए)** आज से चार साल पहले पिता महाराज की मृत्यु के बाद, राजसत्ता हमारे हाथ में आयी। लेकिन राज्याभिषेक नहीं हो सका। इसके पहले कि राज्याभिषेक हो पाता सुसीम ने पाटलिपुत्र पर पश्चिम से आक्रमण कर दिया।

तिस्स : हम जानते हैं।

अशोक : चार वर्ष। चार वर्ष लग गये सुसीम और कलिंगराज को पराजित करने में। चार वर्ष।

(अशोक और तिस्स के वार्तालाप के दौरान, रूपकार कभी अशोक को मालाएँ पहनाता है तरह-तरह के दुपट्टे पहना कर देखता है। बैठे हुए अशोक के पैरों में अलग अलग तरह के जूते पहनाता है। अलग-अलग तरह की पगड़ियाँ अशोक के सिर पर रखकर देखता है।)

तिस्स : आज बहुत ही पुनीत दिवस है। अपने अग्रबन्धु को राजाधिराज देखना मेरा स्वप्न था।

अशोक : यदि देवी भी आज होती, तो कितनी प्रसन्न होती! और बच्चे भी—महिन्द तथा संघमित्ता।

तिस्स : बच्चे तो अब बड़े हो गये होंगे...।

अशोक : **(उदासी से)** हाँ, बड़े हो गये होंगे। माता-पिता का सबसे बड़ा सुख होता है, अपने बच्चों को बड़ा होते हुए देखना। हम इस सुख से वंचित रह गये। कैसे होंगे वे?

तिस्स : सब सकुशल हैं। बच्चे अपने नाना के साथ हैं। आर्या देवी कदाचित संघ की शरण चली गयी हैं। अब वह भिक्षुणी हैं।

अशोक : कोई आश्चर्य नहीं। आरम्भ से ही उसकी बुद्ध में अटूट श्रद्धा थी।

तिस्स : आपको कहाँ मिल गयीं? आपने उनको कैसे ढूँढ़ लिया।

अशोक : **(हँसकर)** हमने नहीं, देवी ने हमको ढूँढ़ लिया।

तिस्स : कैसे?

अशोक : उसने स्वयंवर किया। उसने अपना वर स्वयं चुना। हमने स्वयंवधू नहीं किया।

तिस्स : कैसे? पहले आपने नहीं बताया यह।

अशोक : पहले जब हम गान्धार के शासक थे, तो हमने बड़ी क्रूरता से पश्तूनों के विद्रोह को कुचल दिया था। जब हम वहाँ से उज्जयिनी आये शासक बनकर, तो चार-छह पश्तून प्रतिशोध लेने हमारे पीछे-पीछे उज्जयिनी आये। एक दिन जब हम अकेले घोड़े पर कहीं जा रहे थे, छह पश्तूनों ने हम पर आक्रमण कर दिया।

तिस्स : हे भगवान! फिर क्या हुआ?

अशोक : होना क्या था। हमने उनका सामना किया। दो को मार गिराया। चार भाग गये।

तिस्स : वाह! वाह! आपकी वीरता अद्वितीय है अग्रबन्धु।

अशोक : संयोग से देवी उस समय बौद्ध विहार जा रही थी।

शिविका से उसने यह घटना देखी, और दूसरे दिन मिलने के लिए अपने घर बुलाया।

तिस्स : आप गये?

अशोक : वहाँ उसने हमसे विवाह का प्रस्ताव स्वयं रखा।

तिस्स : वह आपकी वीरता पर मुग्ध हो गयी होंगी।

अशोक : हमने कहा देवी, सोच लो। हम वीर अवश्य हैं, किन्तु कुरूप हैं। हमारे गाल पर यह काला धब्बा है। उसने कहा चन्द्रमा में भी तो धब्बे होते हैं।

तिस्स : तो आपने क्या उत्तर दिया?

अशोक : उसके उत्तर ने हमें निरुत्तर कर दिया। हमें हाँ कहना पड़ा।

(रूपकार, जो पहले रंग की कटोरी से अपनी उँगली की पौर पर रंग लगाकर वार्तालाप के रुकने की प्रतीक्षा कर रहा था, अशोक का ध्यान अपनी ओर आकृष्ट करता है।)

रूपकार : **(अशोक से)** महाराज, बस एक क्षण। **(अशोक के काले तिल पर त्वचा के रंग जैसा रंग लगाने लगता है।)**

अशोक : यह क्या कर रहे हो?

रूपकार : बस, थोड़ा सा रंग लगा रहा हूँ।

अशोक : कहाँ?

रूपकार : इस काले धब्बे पर।

अशोक : क्यों?

रूपकार : इसे थोड़ा सा हल्का कर रहा हूँ।

अशोक : क्यों? क्या अच्छा नहीं लगता?

रूपकार : हाँ।

अशोक : **(रूपकार का हाथ पकड़कर संयत स्वर में)** क्या यह काला धब्बा हमें कुरूप बनाता है? क्या इसके कारण हम कुरूप हैं?

(रूपकार उत्तर नहीं दे पाता)

अशोक : **(रूपकार के पकड़े हुए हाथ को खींचकर, उसे गिराते हुए, क्रोध के विस्फोट से)** हम कुरूप नहीं हैं। **(पैर से रूपकार को मारते हुए)** हम कुरूप नहीं हैं। यह काला

धब्बा हमारी सुन्दरता है। तुम हमें कुरूप समझते हो? हम कुरूप नहीं हैं। हम प्रियदर्शी हैं। देखने में सुन्दर। प्रियदर्शी।

(तभी नेपथ्य से शंखों की ध्वनि)

तिस्स : छोड़िये इसे। अभिषेक की घड़ी आ गयी है। आइये। आइये। देर होगी तो मुहूर्त निकल जायेगा। आइये।

(अशोक और तिस्स का प्रस्थान)

(अंतराल-अंधकार)

दृश्य-7

पात्र : *तिस्स, भिक्खु समुद्र, अशोक।*

स्थान : *राजभवन का एक कक्ष।*

(कक्ष में दो तख्त रखे हैं। एक राजासन है। दूसरा सामान्य आसन।)

(तिस्स एवं भिक्खु समुद्र का प्रवेश)

तिस्स : बैठो भिक्खु। मैं अभी महाराज को तुम्हारे आगमन की सूचना देता हूँ। **(तिस्स का प्रस्थान)**

(भिक्खु ध्यान में बैठ जाता है। थोड़ी देर के पश्चात् तिस्स के साथ अशोक का प्रवेश)

तिस्स : उठो भिक्खु समुद्र। महाराज प्रियदर्शी पधार गये हैं। **(भिक्खु आँख खोलकर देखता है।)**

अशोक : भिक्खु को नमन।

भिक्खु : **(वरद मुद्रा में हाथ उठाकर)** तथागत तुम्हारी रक्षा करे।

अशोक : **(बैठते हुए)** भिक्खु तुम जानते हो, हम मगध के राजा हैं?

भिक्खु : हाँ राजन्।

अशोक : हमारे आदेश से हमारे अनुज कुमार तिस्स ने कुक्कुटाराम विहार के सभी भिक्खुओं को भिक्षा देने के लिए आमंत्रित किया था। यह तुमको ज्ञात है?

भिक्खु : हाँ राजन्।

अशोक : वहाँ से सब श्रमण आये?

भिक्खु : हाँ राजन्।

अशोक : केवल तुम नहीं आये?

भिक्खु : हाँ राजन्।

अशोक : **(संयत स्वर में)** क्यों नहीं आये? हम यह जानना चाहते हैं कि तुम क्यों नहीं आये?

भिक्खु : मैं शुद्ध हाथों से ही भिक्षा ग्रहण करता हूँ।

अशोक : हमारे हाथ अशुद्ध हैं?

भिक्खु : आपके हाथों पर रक्त है।

अशोक : रक्त? कहाँ है रक्त?

भिक्खु : आपको दिखाई नहीं पड़ता राजन्। मैं देख सकता हूँ।

अशोक : **(परिहास में)** अच्छा!! तुम देख सकते हो? लगता है तुम्हें दिव्यदृष्टि प्राप्त है! किसका रक्त है?

भिक्खु : अपने भाई सुसीम की हत्या का।

अशोक : **(कठोरता से)** भिक्खु समुद्र! अपनी सीमा में रहो। राजकाज में खड्ग अनिवार्य है। हाथों में रक्त तो लगेगा ही। हमारे हाथ में खड्ग न हो, तो तुम गिरिकन्दरा में भी आँख बन्द करके शान्ति से नहीं बैठ सकते।

भिक्खु : प्रजा की रक्षा में हाथ में लगा रक्त और सत्ता-लोलुपता में हाथ में लगा भाई का रक्त! **(रुक कर)** दोनों में बहुत अन्तर होता है राजन्।

अशोक : सुसीम अक्षम था। अयोग्य था। विदेशी यवन पश्चिमी सीमाओं पर प्रबल हो रहे हैं। कैसे करता वह उनसे साम्राज्य की रक्षा? इस भूमि के लिए, यहाँ की नदियों-पर्वतों के लिए, यहाँ के जनवासियों के लिए हमें खड्ग उठानी पड़ी।

भिक्खु : राजन्, आप अपनी सत्ता-लोलुपता को मगध की सुरक्षा के आवरण से आच्छादित कर रहे हैं।

तिस्स : **(विचलित होकर)** क्या कह रहे हो तुम? अपनी सीमा पहचानो भिक्खु।

अशोक : **(क्रोध और घृणा से)** अनर्गल प्रलाप!

भिक्खु : मुखाकृति की कालिमा को छिपाने के लिए जैसे आपने प्रियदर्शी नाम धारण किया है, वैसे ही अपनी सत्ता-लोलुपता को साम्राज्य की सुरक्षा का बहाना दे रहे हैं आप।

अशोक : **(तलवार खींचकर, भिक्खु की तरफ बढ़ते हुए)** भिक्खु!!!

(भिक्खु और अशोक के बीच में तिस्स आ जाता है।)

तिस्स : **(बीच-बचाव करते हुए, हाथ जोड़कर)** शान्त महाराज! शान्त! मैं आपके चरणों में विनती करता हूँ। शान्त हो जाइये। आपके हाथों से भिक्खु का वध उचित नहीं। शान्त हो जाइये। **(अशोक तलवार म्यान में रखता है।)**

भिक्खु : मुझे मृत्यु का भय नहीं है। किसी राजा का खड्ग मुझे भयभीत नहीं करता।

अशोक : मृत्यु का भय नहीं होता, तो तुम्हारे हाथ में खड्ग होता। क्लीवों, कापुरुषों की तरह सर घुटाकर भीख माँगकर भोजन न करते होते।

भिक्खु : राजन्, जो खड्ग चलाते हैं, वे सबसे अधिक भयग्रस्त होते हैं। भयातुरता के कारण, वे अपनी सुरक्षा के लिए खड्ग उठा लेते हैं। हम, घुटे सिर के भिक्खुओं को जीवन से मोह नहीं है। इसलिए हम मृत्यु से भयभीत नहीं। हम मृत्यु का सामना कर सकते हैं, उसे गले लगा सकते हैं—निर्भय होकर। बिना खड्ग के।

अशोक : कहना आसान है। किन्तु यह सच नहीं है। अगर हम तुम्हें आग में जलाकर मृत्यु दण्ड दें, तो पहली ही अग्नि की ज्वाला के स्पर्श से उठी तुम्हारी चीत्कार गगनभेदी होगी।

भिक्खु : नहीं राजन्। केवल एक नहीं, एक के बाद अनेक लपटों के स्पर्श के बाद भी मेरी कोई चीत्कार तुम्हें सुनाई नहीं पड़ेगी। मृत्यु का वरण मैं मौन स्वागत से करूँगा।

अशोक : **(हँसकर)** ठीक है। हम देखेंगे तुम्हारा मृत्यु का मौन स्वागत। हम राजा का अपमान करने के अपराध में भिक्खु समुद्र को अग्नि में जलाकर मृत्यु का दण्ड देते हैं।

भिक्खु : राजन्, तथागत तुम्हें सद्बुद्धि दे।

अशोक : तिस्स! हमारी आज्ञा का पालन शीघ्र हो। तुम हमें बताओ कि अग्नि ज्वाला के प्रथम स्पर्श से भिक्खु समुद्र के मुख से गगनभेदी चीत्कार निकली या उसने मृत्यु का मौन स्वागत किया।

(अंतराल-अंधकार)

(कुछ क्षणों पश्चात गगनिका पर आग की लपटें दिखाई पड़ती हैं। मंच पुनः आलोकित होता है, तो अशोक आग की लपटों को देखता हुआ दिखाई पड़ता है। कुछ क्षणों पश्चात तिस्स का प्रवेश।)

तिस्स : महाराज-बन्धु, भिक्खु समुद्र को चिता पर जला दिया गया। आपकी आज्ञा का पालन हो गया।

अशोक : हम जानना चाहते हैं कि आग की लपटों से जलते हुए, वह चीखा, चिल्लाया, या...

तिस्स : वह बिल्कुल चीखा या चिल्लाया नहीं। उसके मुख पर भय का भाव नहीं था। वह अन्त तक वैसा ही शान्त और अनुद्विग्न बना रहा, जैसा वह प्रायः रहता है। चिता पर बैठते ही वह पद्मासन में बैठ गया और कदाचित समाधि में चला गया। जब चिता को आग लगाई गयी, वह ऐसे जल गया, जैसे सूखी लकड़ी जल जाती है।

अशोक : **(कुछ क्षणों का मौन)** समझ में नहीं आता कि कोई कैसे मृत्यु-वरण कर सकता है। जलते हुए उसके मुख से एक भी चीख़ नहीं निकली। कोई कैसे इतनी सहजता से अपने प्राण दे सकता है। **(आकाश की ओर देखते हुए)** भिक्खु समुद्र! हम पराजित हो गये। हम तुमसे पराजित हो गये। **(अपने आपसे)** ऐसा क्या है बुद्ध में, धम्म में, संघ में, जो मानव को मृत्यु पर विजयी बनाता है।

(नेपथ्य में 'बुद्धम् सरनम् गच्छामि, धम्मं सरनम् गच्छामि, संघम् सरनम् गच्छामि' का समवेत घोष सुनाई पड़ता है।)

(अंतराल-अंधकार)

दृश्य-8

पात्र : *उपगुप्त, सागरमते, शब्दकार, राधागुप्त, अशोक सैनिक।*

स्थान : *पाटलिपुत्र का राजभवन।*

(मंच पर बीच में राजा का आसन रखा है। दोनों ओर चार छोटे दीवान रखे हैं। एक पर राधागुप्त, दूसरे पर उपगुप्त सागरमते बैठे हैं। शब्दकार हाथ में एक काली तख्ती लिए खड़ा है, जिस पर सफ़ेद स्याही से लिखा है।)

(सैनिक का प्रवेश)

सैनिक : महाराज पधार रहे हैं।

(अशोक का प्रवेश। स्थविर के अतिरिक्त सब खड़े होकर हाथ जोड़ते हैं। अशोक उपगुप्त के पास जाकर नमस्कार करता है। उपगुप्त आशीर्वाद देता है।)

अशोक : आप लोगों ने देख लिया शिलालेख का प्रारूप?

राधागुप्त : हाँ महाराज।

अशोक : **(बैठते हुए)** हम जानते हैं कि प्रजा में हम चण्डाशोक के नाम से प्रसिद्ध हैं। एक तरह से यह नाम उपयुक्त भी है। हम अपने को जानते हैं। जब हमें क्रोध आता है, तो हम अपने वश में नहीं रह पाते। क्रोध के बाहरी आवरण के भीतर हमारे हृदय में करुणा भी है। सुसीम की हत्या और फिर बौद्ध भिक्खु समुद्र की हत्या!! हम विचलित हो जाते हैं कभी-कभी। फिर उस दिन सुसीम के पुत्र निग्रोध को देखा। वह भिक्खु बन गया है। कितनी शान्ति थी उसके मुख पर। उसने कहा—उसने अपने पिता के हत्यारे को क्षमा कर दिया। कहाँ से

आयी उसमें यह क्षमा; आन्तरिक शान्ति? क्या यह तथागत की कृपा है?

सागरमते : हाँ महाराज।

अशोक : **(पुनः आत्ममन्थन करते हुए)** फिर उसके बाद कलिंग युद्ध। उसकी विभीषिका हमारे अन्तस में आज भी उद्वेलित होती है। मृत्यु का वह भयावह नर्तन; युद्ध क्षेत्र कलिंग सैनिकों के शवों से पटा था। उनके मृत शरीरों से बहते हुए रक्त से धरती की मिट्टी कीचड़ बन गयी थी। उस पर चलने में पैर धरती में धँसते थे, वैसे ही जैसे वर्षाऋतु में। जैसे वहाँ अभी-अभी वर्षा हुई हो—रक्त की वर्षा। शवों से रिसते बहते रक्त से पास की नदी का जल लाल हो गया था। हम अपने आपसे पूछते हैं, क्यों किया हमने यह युद्ध? क्यों किया हमने कलिंग पर आक्रमण?

राधागुप्त : इस प्रश्न का उत्तर भी तो आपको ही देना होगा महाराज। आपने ही कलिंग विजय का निर्णय लिया था।

अशोक : कलिंग ने सुसीम का साथ दिया था। कलिंग राजा ने हम पर पूर्व से आक्रमण कर दिया था, जब पश्चिम से हम पर सुसीम का आक्रमण हो रहा था।

राधागुप्त : तब क्यों क्षोभ करते हैं, कलिंग युद्ध पर?

अशोक : महामन्त्री राधागुप्त! हम मनुष्य भी तो हैं। **(शब्दकार से)** शब्दकार, शिलालेख का आलेख पढ़ो।

शब्दकार : **(पढ़ते हुए)** कलिंग युद्ध में हुई प्रत्येक हत्या, प्रत्येक मृत्यु और प्रत्येक निष्कासन से देवानाम्प्रिय पीड़ा अनुभव करते हैं। उन्होंने यह शिलालेख इसलिए उत्कीर्ण करवाया है, जिससे उनके पुत्र और पौत्र नवीन विजय का संकल्प न करें।

अशोक : ठीक है। हमें तो ठीक लगता है। आपका क्या मत है भन्ते उपगुप्त।

उपगुप्त : ठीक है। यह भी अंकित होना चाहिए कि अगर आपके उत्तराधिकारी नवीन विजय करना चाहें तो धम्मविजय करें।

अशोक : शब्दकार यह भी लिखो--देवानामूप्रिय राजा प्रियदर्शी चाहते हैं कि उनके उत्तराधिकारी धम्मविजय करें। भेरीघोष के स्थान पर धम्मघोष करें।

उपगुप्त : महाराज, यह समुचित है। **(सागरमते लिखता है।)**

राधागुप्त : जनलोक को यह भी तो ज्ञात होना चाहिए कि धर्म क्या है? कितने ही मत-मतान्तर हैं।

सागरमते : धर्म तो एक ही है। तथागत का अभिधर्म--बौद्धधर्म।

राधागुप्त : और वैदिक धर्म? क्या वह धर्म नहीं है। फिर आजीवक हैं, निर्ग्रन्थवादी हैं, जैन हैं, चार्वाकवादी हैं--

सागरमते : महाराज बौद्ध उपासक हैं, तो वह बौद्धधर्म का ही प्रचार करेंगे।

राधागुप्त : राजा पूरी प्रजा का पालक होता है। सब धर्मों का समान रूप से पोषण करता है। वह किसी एक धर्म का प्रचार कैसे कर सकता है?

सागरमते : बुद्ध और धर्म की शरण में जाने के पश्चात महाराज का कर्तव्य है; बौद्ध धर्म का प्रचार। केवल बौद्ध धर्म का।

राधागुप्त : जो राजा अपनी प्रजा में विभेद करे, वह राजपद के योग्य नहीं।

अशोक : महामन्त्री, आप इतने अधीर क्यों हो रहे हैं?

राधागुप्त : किन्तु महाराज...

अशोक : क्या महामन्त्री अपने महाराज को राजधर्म का पाठ पढ़ायेंगे?

राधागुप्त : यदि आवश्यक हुआ तो अवश्य! यह मन्त्रिपरिषद का दायित्व है।

अशोक : इसकी आवश्यकता नहीं पड़ेगी, महामन्त्री। हम राजधर्म से अवगत हैं। शब्दकार आगे लिखो—

(शब्दकार लिखता है।)

अशोक : देवानामूप्रिय राजा प्रियदर्शी ऐसा कहते हैं : संसार में कोई उपहार धर्म-उपहार से बढ़कर नहीं है। कोई दान धर्मदान जैसा नहीं है। कोई मित्र धर्ममित्र जैसा नहीं हैं। कोई भी सम्बन्ध धर्म-सम्बन्ध जैसा नहीं है।

उपगुप्त : **(आशीर्वाद में हाथ उठाकर)** साधु वचन है।

राधागुप्त : किन्तु धर्म क्या है? यह भी तो लिखकर बताइए।

अशोक : आप फिर अधीर हो रहे हैं महामन्त्री! **(शब्दकार से)** शब्दकार लिखो। **(शब्दकार लिखता है)** अनुचरों और कर्मचारियों के प्रति उचित व्यवहार, माता-पिता के प्रति सम्मान, मित्रों, साथियों, सम्बन्धियों के प्रति उदारता, तथा ब्राह्मणों और श्रमणों के प्रति श्रद्धा। यही धर्म है। **(राधागुप्त से)** महामन्त्री?

राधागुप्त : आलेख सर्वथा उचित है। यही तो सब सम्प्रदायों का सार है। प्रजा के लिए राजा का सन्देश अद्‌भुत है। आने वाले राजाओं के लिए अनुकरणीय। **(उपगुप्त खाँसता है।)**

(सागरमते उपगुप्त को देखता है। फिर इशारा समझकर बोलता है।)

सागरमते : महाराज, मैं कुछ कहना चाहता हूँ। यदि आज्ञा हो तो!

अशोक : हाँ हाँ कहो भिक्खु।

सागरमते : महाराज! मैं आपसे पुनः अनुरोध करूँगा...आप बुद्ध की शरण में हैं। अतएव आपका यह कर्तव्य है कि प्रजा को अभिधर्म की शरण में जाने को निर्देशित करें।

अशोक : **(सागरमते की अवहेलना करते हुए)** दूसरा आलेख? शब्दकार!

शब्दाकार : जो आज्ञा। **(तख्ती उठाकर पढ़ते हुए)** देवानाम्‌प्रिय राजा प्रियदर्शी की आज्ञा से यह धर्म-आज्ञा लिखी गयी है। उनके राज्य में न तो किसी जीवित पशु की हत्या की जाये, और न उसकी बलि चढ़ाई जाये। पहले देवानाम्‌प्रिय राजा पियदस्सी की राज-रसोई में हर दिन हजारों पशुओं का वध भोजन के लिए किया जाता था। अब, इस धर्माज्ञा के लिखे जाते समय राज-रसोई में एक भी पशु का वध नहीं किया जाता है।

अशोक : यह तो सत्य नहीं है।

सागरमते : **(उपगुप्त की ओर इशारा करते हुए)** स्थविर का विचार था...

अशोक : स्थविर कभी भी शिलालेख में असत्य लिखने की आज्ञा नहीं दे सकते। ठीक कहा न स्थविर!
(स्थविर उत्तर नहीं देता)

अशोक : राजा प्रजा के पिता समान होता है। जैसे पिता चाहता है कि उसकी सन्तान चरित्रवान और सम्पन्न हो, वैसे ही हम भी अपनी प्रजा का कल्याण और हित चाहते हैं। अगर पिता असत्यभाषी हो, तो उसकी सन्तान कैसे सत्यवादी होगी। नहीं, हम अपनी प्रजा से असत्य नहीं बोल सकते। शब्दकार लिखो–
(शब्दकार लिखता है।)

अशोक : लिखो शब्दकार–पहले देवानाम्प्रिय राजा प्रियदर्शी की राज-रसोई में सहस्रों पशुओं का वध भोजन के लिए किया जाता था। अब इस धर्माज्ञा के लिखे जाते समय प्रत्येक दिन केवल दो मोर और एक हिरन भोजन के लिए वध किये जाते हैं। कालान्तर में इन तीन पशुओं का भी वध राज-रसोई के लिए नहीं किया जायेगा। **(स्थविर से)** भन्ते उपगुप्त, राजा प्रजा के लिए पिता समान होता है। जैसे पिता अपने पुत्र से असत्य नहीं बोलता, हम भी अपनी प्रजा से असत्य नहीं बोल सकते।

उपगुप्त : प्रारूप, समुचित है? **(भन्ते आशीर्वाद में हाथ उठाकर आशीर्वाद देता है।)**

अशोक : भिक्खु सागरमते, आपको क्या कहना है?

सागरमते : समुचित है महाराज।

अशोक : महामन्त्री, मेरी यह धर्म-आज्ञाएँ, नगर के प्रमुख स्थानों पर, देश-विदेश में लगाई जाएँ। **(खड़े होकर)** हम चाहते हैं **(सब खड़े हो जाते हैं)** धर्म का सन्देश जन-जन तक पहुँचे। वे अपना यह जीवन, और मृत्यु के उस पार का भी जीवन सफल बनाएँ। **(मंचाग्र पर आकर)** हमारी आज्ञा पाषाण-शिलाओं पर अंकित की जाये, जिससे समय के साथ वह धूमिल न हों। **(धीरे-धीरे मंच का प्रकाश विलीन हो जाता है। केवल अशोक प्रकाश के**

वृत्त में दिखाई पड़ता है) चटकती धूप, भीषण आँधी, घनघोर वर्षा के साथ सब कुछ मिट जायेगा। व्यतीत हो जायेगा। सब कुछ मिट जायेगा। किन्तु शिलालेखों में अंकित हमारी वाणी कभी व्यतीत नहीं होगी। शताब्दियों के उस पार भी लोग सुनेंगे हमारी वाणी देवानामूप्रिय राजा प्रियदर्शी अशोक की वाणी। हाँ, देवानामूप्रिय राजा प्रियदर्शी वाणी। और लोक करेगा जयजयकार। हमारी जयजयकार।

(चारों ओर नेपथ्य से 'राजा प्रियदर्शी की जय' के नारे सुनाई पड़ते हैं। नारों की आवाज़ धीरे-धीरे बढ़ती जाती है अशोक के मुख पर विजय की मुस्कान। धीरे-धीरे मंच का प्रकाश विलीन होता है, किन्तु अशोक के चारों ओर प्रकाश का घेरा रहता है। वह दोनों हाथ उठाकर नारों को स्वीकार करता है। नारों की आवाज़ के साथ मृदंग की थाप की आवाज़ धीरे-धीरे बढ़ते हुए नारों को डुबा देती है।)

(अंतराल-अंधकार)

दृश्य-9

पात्र : *चक्रपाणि, तिष्यरक्षिता, राधागुप्त।*

स्थान : *वैद्य चक्रपाणि का घर।*

(चक्रपाणि बाहर का द्वार खोलते हैं। वह महामन्त्री राधागुप्त को देखकर नमस्कार करते हैं।)

चक्रपाणि : नमन महामन्त्री। नमन। हमारा सौभाग्य, आप दरिद्र की कुटिया पर पधारे। आइए। बैठिए।

राधागुप्त : बहुत दिनों से आपसे मिलने की इच्छा कर रहा था, वैद्यराज चक्रपाणि।

चक्रपाणि : कोई विशेष प्रयोजन? आप आज्ञा देते; मैं आपकी सेवा में प्रस्तुत हो जाता।

राधागुप्त : आपसे बहुत सी बातें करनी हैं। आपका परामर्श लेना है। आज तो एक विशेष कारण से आया हूँ।

चक्रपाणि : आज्ञा दीजिए।

राधागुप्त : महाराज रोगग्रस्त हैं।

चक्रपाणि : कब से?

राधागुप्त : तीन मास से। उपचार के पश्चात भी रोग पकड़ में नहीं आ रहा है। और वे बहुत दुर्बल हो गये हैं। एकदम क्षीण।

चक्रपाणि : कुक्कुटाराम महाविहार के बौद्ध वैद्य तो उनका उपचार कर रहे होंगे?

राधागुप्त : हाँ, वही तो उपचार कर रहे हैं। ऐसा लगता है रोग उनके वश के बाहर है।

चक्रपाणि : जब तक महाराज बिन्दुसार थे, तब तक इस वैद्य चक्रपाणि को राजभवन पर बुलाया जाता था। लेकिन

महाराज अशोक, नहीं-नहीं महाराज प्रियदर्शी को तो केवल बौद्ध प्रिय है।

राधागुप्त : मैं आपको राजभवन लेने आया हूँ। आप चल कर उनको देखें। उनका उपचार करें।

चक्रपाणि : मैं...मैं कैसे जा सकता हूँ?

राधागुप्त : क्यों नहीं जा सकते? मैं आपसे चलने का अनुरोध कर रहा हूँ। मगध के राजा रोगग्रस्त हैं।

चक्रपाणि : श्रीमन्त महामन्त्री जी, आप जानते हैं कुक्कुट विहार के वैद्यों ने मेरा कितना अपमान किया है। राजकीय संरक्षण ने उनको अहंकारी बना दिया है। वह अन्य हर एक को अपने से हीन समझते हैं।

राधागुप्त : कुक्कुट विहार के वैद्यों को तो बाद में अनुशासित किया जा सकता है। पहले तो महाराज के जीवन का प्रश्न है। पिछली बातों को भूल कर आप राजभवन आइए।

चक्रपाणि : आपने धर्मसंकट में डाल दिया है।

राधागुप्त : इसीलिए वैद्यराज; मैं आपसे स्वयं निवेदन करने आया हूँ।

चक्रपाणि : मैंने राजभवन न जाने की शपथ ली है।

राधागुप्त : अगर महाराज रोगमुक्त नहीं हुए, तो पुनः सिंहासन के लिए भीषण युद्ध होगा, जैसा महाराज बिन्दुसार के देहावसान के बाद हुआ। चार वर्ष तक युद्ध की विनाश लीला चली। मैं नहीं चाहता—हमारी प्रजा पुनः वैसा ही विनाश पुनः भोगे।

चक्रपाणि : शपथ से मैं बँधा हूँ। मेरी विवशता है। हाँ, इससे निकलने का एक मार्ग है।

राधागुप्त : क्या?

चक्रपाणि : मेरी भांजी कुशल वैद्य है। उसने काशी में मेरे पिताश्री से आयुर्वेद में प्रशिक्षण और प्रवीणता प्राप्त की है। वह महाराज का उपचार कर सकती है।

राधागुप्त : एक अनजान वैद्य के हाथों में महाराज का जीवन कैसे सौंप सकता हूँ। अगर कुछ हो गया, तो सारा लांछन मेरे ऊपर आयेगा।

चक्रपाणि : आप मुझ पर विश्वास कर सकते हैं। फिर मैं स्वयं भी तो उससे रोग के निदान और उपचार पर चर्चा करूँगा। सम्राट के उपचार पर बराबर दृष्टि रखूँगा।

राधागुप्त : ठीक है। मैं स्वयं भी महाराज को इन कुक्कुटाराम के वैद्यों के चंगुल से निकालना चाहता हूँ। अगर आप उनका उपचार कर रोगमुक्त कर सकें, तो यह कुक्कट विहार के वैद्यों के अहंकार को चूर्ण करेगा। कहाँ है आपकी भांजी। बुलाइए वैद्य को।

(चक्रपाणि नेपथ्य में जाता है थोड़ी देर बाद चक्रपाणि, तिष्यरक्षिता के साथ आता है।)

तिष्यरक्षिता : महामन्त्री के चरणों में नमन। मैं तिष्यरक्षिता। वैद्य चक्रपाणि की भांजी और शिष्या।

राधागुप्त : और वैद्या भी?

तिष्यरक्षिता : **(हँसकर स्वीकारते हुए)** हाँ, वैद्या भी।

राधागुप्त : **(सोचते हुए)** तिष्यरक्षिता...? यही नाम बताया तुमने।

तिष्यरक्षिता : जी हाँ। तिष्यरक्षिता।

राधागुप्त : तुम्हारा नाम तिष्यरक्षिता है। महाराज के अनुज का नाम है तिष्य। और महाराज का आदेश है कि प्रत्येक तिष्य-तिथि, उनके द्वारा स्थापित शिलालेखों का जनता के बीच धर्ममहामात्र वाचन करें। मौर्य साम्राज्य का तिष्य नक्षत्र से कुछ अधिक ही सम्बन्ध लगता है।

तिष्यरक्षिता : इसमें मेरा दोष नहीं, मेरे पिता का दोष है, जिन्होंने यह नाम रखा।

राधागुप्त : कौन हैं तुम्हारे पिता? क्या नाम है उनका?

तिष्यरक्षिता : मेरे पिता...वे अब नहीं हैं। उनका देहान्त हो गया।

राधागुप्त : कब देहान्त हुआ? क्या नाम था उनका?

चक्रपाणि : उनका नाम है वैद्य चक्रपाणि। मैं हूँ तिष्यरक्षिता का पिता। यह जब चार पाँच साल की बच्ची थी तब ही इसके पिता चल बसे। इसे तो उनकी याद भी नहीं। वाराणसी में अपने नाना–अर्थात् मेरे पिता के घर पली-बढ़ी। उन्हीं से वैद्यक पढ़ी। और अब तो मेरे भी कान काटती है। चरक और सुश्रुत तो इसके कंठ

में निवास करते हैं। अद्भुत है इसकी स्मरण शक्ति। कुछ नहीं भूलती।

राधागुप्त : वैद्या तिष्यरक्षिता, चक्रपाणि तुम्हारी बड़ी प्रशंसा कर रहे हैं। हम उनके प्रशंसक हैं। कल पूर्वाह्न में तुम्हारे राजभवन पहुँचने की व्यवस्था कर दी जायेगी। पहले दिन मैं स्वयं राजभवन में तुम्हारी प्रतीक्षा करूँगा। उसके पश्चात तुम स्वयं राजभवन में उपचार के लिए आ जा सकोगी। कोई सैनिक तुम्हारा आना-जाना बाधित नहीं करेगा। ठीक, अब मैं चलूँगा, वैद्य चक्रपाणि।

चक्रपाणि : रोगी को देखने मेरी भांजी राजभवन जायेगी, किन्तु उपचार और आहार मेरे परामर्श से होगा। आप निश्चित रहें।

(राधागुप्त उठ खड़ा होता है, और चक्रपाणि तथा तिष्यरक्षिता को नमन करता है। बाहर जाता है। तिष्यरक्षिता घर के अन्दर जाती है। राधागुप्त थोड़ी देर बाद लौटकर आता है।)

राधागुप्त : एक बात तो कहना ही भूल गया वैद्य चक्रपाणि। आपकी शत्रुता कुक्कुट विहार के वैद्यों से है। इस शत्रुता की आँच महाराज तक नहीं पहुँचनी चाहिए। **(रुककर, धमकी के स्वर में)** आप नहीं जानते, हम बहुत कुछ जानते हैं वैद्य चक्रपाणि। हम आपको केवल सावधान करना चाहते हैं। **(प्रस्थान)**

(भयभीत सा चक्रपाणि उत्तरीय से अपने माथे का पसीना पोंछता है।)

(अंतराल अंधकार)

दृश्य-10

पात्र : *अशोक, तिष्यरक्षिता।*

स्थान : *अशोक का शयनकक्ष। शय्या के पास मेज पर औषधियाँ तथा चषक सहित मदिरा पात्र रखा है।*

(अशोक अपनी शय्या के पास पड़ी कुर्सी पर बैठा है। अब वह अधेड़ आयु का है। उसके बालों में सफेदी है। (तिष्यरक्षिता का प्रवेश)

अशोक : आइए वैद्या तिष्यरक्षिता। हम आपकी प्रतीक्षा कर रहे थे।

तिष्यरक्षिता : **(हाथ जोड़कर)** महाराज को नमन। आज आप एकदम स्वस्थ लग रहे हैं।

अशोक : वैद्या को देखकर रोगी अपने आप स्वस्थ हो जाता है।

तिष्यरक्षिता : **(हँसकर)** नहीं महाराज। आप वैद्या को देखकर स्वस्थ नहीं हुए हैं। आप वैद्या के उपचार से स्वस्थ हुए हैं। पिछले एक महीने से प्रतिदिन मैं आपकी सेवा में आ रही हूँ। लाइए देखूँ आपकी नाड़ी। **(बैठकर नाड़ी देखती है। अशोक कामुक दृष्टि से उसे निहारता है।)**

अशोक : पिछले एक मास से हर दिन हमारी नाड़ी देख रही हो।

तिष्यरक्षिता : अब आप रोगमुक्त हैं। स्वस्थ हैं । मुझे आज्ञा दीजिए। **(हाथ जोड़कर नमन करती है और मुड़कर द्वार की ओर बढ़ती है।)**

अशोक : ठहरो। **(जाती हुई तिष्यरक्षिता रुक जाती है। और घूमकर अशोक को देखती है।)** वहीं रुक जाओ! खड़ी रहो। मुझे देखने दो। अब मेरी ओर आओ। **(तिष्यरक्षिता चलती हुई अशोक की तरफ़ बढ़ती है।)** रुक जाओ

(तिष्यरक्षिता रुक जाती है।) अब घूमो। घूम कर मेरी ओर पीठ करो।

तिष्यरक्षिता : महाराज!!

अशोक : आज्ञा का पालन करो। बोलो मत।

तिष्यरक्षिता : जैसी आपकी आज्ञा। **(घूमकर खड़ी हो जाती है।)**

अशोक : अब चलो। आगे बढ़ो **(तिष्यरक्षिता चलती है। जैसे ही वह द्वार के निकट पहुँचती है।)** ठहरो। **(तिष्यरक्षिता रुक जाती है।)**

तिष्यरक्षिता : **(घूमकर)** महाराज, आप वैद्या से सैनिक पदचाप करवा रहे हैं?

अशोक : नहीं। तुम्हें जाते हुए देखना हमें अच्छा लगता है।

तिष्यरक्षिता : मेरा जाना महाराज को अच्छा लगता है, तो मैं अब कभी नहीं आऊँगी।

अशोक : तुम नहीं आओगी, तो हम तुम्हारा जाना कैसे देखेंगे? तुमको तो आना ही पड़ेगा।

तिष्यरक्षिता : **(भ्रमित-सी)** मैं समझी नहीं।

अशोक : हम सब समझा देंगे। **(प्याले में शराब उँड़ेलता है फिर घूँट लेकर)** हम तुम पर मुग्ध हैं तिष्यरक्षिता।

तिष्यरक्षिता : **(घूमकर अशोक को देखते हुए)** महाराज! क्या कह रहे हैं आप? मैं आपकी वैद्या हूँ।

अशोक : जानता हूँ वैद्या। तरुणी वैद्या! कमनीय कामिनी, जिसका हर अंग विधाता ने स्वयं अपने हाथों से रचा है।

तिष्यरक्षिता : **(हाथ जोड़कर)** आप रोगमुक्त हैं। राजभवन में मेरा कार्य समाप्त हो गया है। अब मुझे जाने की आज्ञा दीजिए।

अशोक : किसने कहा कि हम रोगमुक्त हैं। हम अभी भी रोगग्रस्त हैं—कामरोग से। कामज्वर से पीड़ित हैं। आओ, हमारी भुजाओं में समा जाओ।

(तिष्यरक्षिता अविचल रहती है।)

अशोक : यह तुम्हारा सौभाग्य है कि तुम्हारा राजा तुम पर मुग्ध है। **(उठकर तिष्यरक्षिता के निकट जाकर)** तुम्हारी कजरारी चितवन, कपोलों की अरुणिम आभा, लाल

होठों की मदिरा—(**तिष्यरक्षिता के चारों ओर घूमते हुए, कामुकता से**) यह मांसल देह, सुन्दर देहयष्टि!! लगता है तुम पुष्प आच्छादित सुकुमार लता वल्लरी हो। हमें सुगन्ध से आप्लावित कर रही हो। तुम वह प्रकाश-पुंज हो, जिससे ये शयनकक्ष जगमगाने लगा है। तुम वह अग्नि स्फुलिंग हो, जिसने हमारे अंग-अंग में आग लगा दी है। (**तिष्यरक्षिता के दोनों हाथ पकड़ते हुए**) विधाता ने हमारे लिए तुम्हें रचा है। हमारे लिए--

तिष्यरक्षिता : (**अशोक के दोनों हाथ झटककर अलग हो जाती है।**) महाराज! यह अनुचित है।

अशोक : ओह, तुम तो नागिन सी फुँफकारती हो। (**सधे हुए धमकी भरे शब्दों में**) मत भूलो हम राजा हैं। (**अचानक क्रोध का विस्फोट**) हम तुम्हारे फन को कुचल सकते हैं।

तिष्यरक्षिता : (**हाथ जोड़कर विनयपूर्वक**) महाराज यह अनुचित है।

अशोक : उचित-अनुचित का ज्ञान तुम दोगी हमें?

तिष्यरक्षिता : (**हाथ जोड़कर**) मैं आपकी वैद्या हूँ। मुझ पर कृपा कीजिए। मुझे जाने की आज्ञा दीजिए। कृपा कीजिए।

अशोक : (**शय्या पर बैठते हुए**) तुम पर कृपा ही कर रहे हैं। हर एक को यह सौभाग्य प्राप्त नहीं होता। यह राजा का शयन कक्ष है। यह राजा की शयन सेज है। राजा स्वयं निमन्त्रित कर रहा है तुम्हें अपनी सेज पर। वह तुम्हें अपनी सेजसंगिनी बनाना चाहता है। इससे बड़ी कृपा राजा और क्या कर सकता है— अपनी रमणीय वैद्या पर। तुम्हारा स्थान तो हमारे अन्तःपुर में है। (**अशोक प्याले में शराब डालता है।**)

तिष्यरक्षिता : मैं इस कृपा के योग्य नहीं हूँ महाराज। मुझे क्षमा करें। जाने की आज्ञा दे दें।

अशोक : कैसे आज्ञा दे दें तुम्हें जाने की? (**शराब का घूँट लेते हुए**) तुम्हारा यह अप्रतिम सौन्दर्य! तुम्हें देखकर लगता है जैसे स्वर्ग की कोई अप्सरा उतर आयी हमारे शयनकक्ष में—मेनका या उर्वशी। पहाड़ी नदी सा उत्तलित तुम्हारा

यौवन! यह हमारी धमनियों में वासना का ज्वार जाग्रत कर रहा है। हम राजा हैं। राजा की इच्छा पालन करना तुम्हारा कर्तव्य है। हम चाहते हैं तुम स्वयं हमसे प्रणय निवेदन करो। स्वयं घुटनों के बल बैठकर अपना सौन्दर्य अपने राजा को अर्पित करो। **(अचानक प्याला धरती पर पटकते हुए वह चीख उठता है।)** हमारी आज्ञा का पालन क्यों नहीं हुआ।

(तिष्यरक्षिता चुप रहती है।)

अशोक : **(तिष्यरक्षिता के निकट जाकर)** तुम्हारा यह मौन राजा की अवज्ञा है। हम चाहते हैं तुम्हारा समर्पण। यह हमारा आदेश है। अब तक तुमने कामाशोक देखा है। हम चंडाशोक भी हैं। हमारा प्रचण्ड क्रोध बहुत भयंकर है। हम तुम्हें मृत्यु दण्ड भी दे सकते हैं। आग में भी जलवा सकते हैं।

(तिष्यरक्षिता अविचल रहती है।)

अशोक : **(दोनों कन्धे पकड़ कर)** तुम पहली स्त्री हो जिसने हमारी इच्छा का अनादर किया। हमारी आज्ञा की अवज्ञा की है। **(झटके से तिष्यरक्षिता की पीठ अपनी तरफ कर लेता है। उसकी गर्दन को दोनों हाथों से सहलाते हुए)** बहुत सुन्दर है तुम्हारी ग्रीवा। मयूरी की ग्रीवा-सी। गर्वोन्नत। हम अन्तिम बार कह रहे हैं—घुटनों के बल बैठकर अपने आपको समर्पित करो अपने राजा के चरणों में।

(तिष्यरक्षिता उत्तर नहीं देती)

अशोक : **(विक्षिप्त सा तिष्यरक्षिता की दोनों हाथों से गर्दन दबाते हुए)** तुम्हारा जीवन और मरण हमारे हाथ है। **(गर्दन छोड़कर, अचानक क्रोध के विस्फोट में)** हमारी आज्ञा का पालन हो।

(चीखते हुए अशोक को खाँसी आ जाती है। खाँसी आते ही वह बेबस सा खाँसता हुआ शय्या पर बैठता है। तिष्यरक्षिता दौड़कर, शय्या के पास रखी दवाई की

बोतल से दवाई निकालकर उसको पिलाती है। और अशोक की पीठ सहलाती है। अशोक की खाँसी रुक जाती है।)

तिष्यरक्षिता : महाराज, जब खाँसी आये, तो यह भेषज आप लें। आपको आराम आयेगा। **(खड़े होकर)** अब मुझे जाने की आज्ञा दी जाये महाराज। **(हाथ जोड़ती है।)**

अशोक : तिष्यरक्षिता रुको। **(तिष्यरक्षिता का हाथ पकड़कर)** हमारी पटरानी असंघमित्ता का देहान्त हो चुका है। उनके स्थान पर हम तुमको मगध की पटरानी बनाना चाहते हैं। तुमको यह स्वीकार है?

(तिष्यरक्षिता कुछ देर वैसी ही स्तब्ध खड़ी रहती है।)

अशोक : **(घुटनों के बल बैठकर)** हम तुमसे विवाह करना चाहते हैं। हम तुमको अपनी पटरानी बनाना चाहते हैं। तुमने उत्तर नहीं दिया?

(तिष्यरक्षिता अशोक को कुछ क्षण देखती है, फिर अपने दोनों हाथ बढ़ाती है। अशोक उनको पकड़कर खड़ा होता है।)

अशोक : क्या है तुम्हारा उत्तर?

तिष्यरक्षिता : **(अशोक की आँखों में देखते हुए, आत्मविश्वास से)** राजाज्ञा का पालन होगा! अगर मेरे हाथ में वरमाला होती, तो आपके गले में डाल देती। **(अपनी दोनों बाँहें अशोक के कन्धों पर रखती है।)**

(अंतराल-अंधकार)

दृश्य-11

पात्र : *सागरमते, कात्यायन, उपगुप्त।*

स्थान : *बौद्ध विहार का एक कक्ष।*

(तख्त पर स्थविर उपगुप्त बैठे हैं। भिक्खु सागरमते तथा भिक्खु कात्यायन उनके सामने भूमि पर बैठे हैं। वे आपस में वार्तालाप कर रहे हैं।)

सागरमते : महाराज को आपने अभिधर्म में दीक्षित किया। फिर भी वह अभिधर्म का उतना सम्मान नहीं करते जितना एक उपासक को करना चाहिए। शिलालेख में महाराज ने लिखवाया है कि ब्राह्मण और श्रमण दोनों का आदर करें। जब बौद्ध उपासक ब्राह्मण का आदर करेगा तो फिर बौद्ध श्रमण को कौन पूछेगा?

कात्यायन : महाराज अशोक हृदय से आजीवक हैं।

उपगुप्त : आजीवक?

कात्यायन : ज्ञात हुआ है कि उन्होंने कलिंग प्रदेश की दो गुफाएँ आजीवकों को दान में दी हैं।

उपगुप्त : वह राजा है। उसमें राजा का अहम हैं। राजा कुछ भी कर सकता है।

सागरमते : राजा अशोक बुद्ध की शरण में हैं। धम्म की शरण में हैं। परन्तु संघ की शरण में नहीं हैं। अगर वह संघ से भी जुड़ जाएँ, तभी उनका अभिधर्म के प्रति समर्पण पूर्ण होगा।

उपगुप्त : **(खुलकर हँसते हुए)** क्या राजा अशोक को काषाय चीवर पहना कर बौद्ध भिक्खु बना देना चाहते हैं आप लोग?

सागरमते : नहीं। हम चाहते हैं कि वह बौद्ध संघ से दूर न रहें। बौद्ध संघ के प्रति उनकी वही भावना हो, जो बुद्ध और धम्म के प्रति है। आप उनसे बौद्धसंघ के संघ-प्रधान का पद स्वीकार करने का आग्रह कर सकते हैं।

उपगुप्त : क्या करेगा यह संघ-प्रधान?

सागरमते : वह सुनिश्चित करेगा कि भिक्खु और भिक्खुणियाँ धम्म-विनय का पालन करते हैं। शील और अनुशासन भंग नहीं करते।

कात्यायन : इस बहाने वह विहार की गतिविधियों की सूचना और समस्याओं से प्रतिदिन अवगत होते रहेंगे।... और प्रतिदिन उनको संघ की समस्याओं को हल करना होगा।

सागरमते : कभी-कभी उनको कुक्कुटाराम विहार में रहने वाले भिक्खु-भिक्खुणिओं की दशा जानने स्वयं वहाँ जाना होगा।

उपगुप्त : आप सबका विचार बहुत उत्तम है। मैं महाराज से बात करूँगा। मुझे विश्वास है कि वह बौद्ध संघ के संघप्रधान का दायित्व स्वीकार कर लेंगे। अगर राजा अशोक के अहं का यही उपचार है, तो यह मुझे स्वीकार है। देवानामृप्रिय राजा प्रियदर्शी संघ-प्रधान!!

(उपगुप्त हाथ जोड़कर नमन करता है। सब उत्तर में उपगुप्त के सम्मुख हाथ जोड़कर नमन करते हैं।)

(अंतराल-अंधकार)

दृश्य-12

पात्र : *सागरमते, तिष्यरक्षिता।*

स्थान : *राजभवन के अन्तःपुर का एक कक्ष।*

(भिक्खु सागरमते एक छोटे दीवान पर आँख बन्द करके बैठा तिष्यरक्षिता की प्रतीक्षा कर रहा है।)

(नन्दिता का प्रवेश।)

नन्दिता : भन्ते।

सागरमते : **(आँखें बन्द किये हुए ही)** महारानी पर तथागत की कृपा हो।

नन्दिता : **(एकदम खिलकर)** भन्ते को मैं महारानी लगती हूँ?

सागरमते : **(आँख खोलकर)** ओह तुम नन्दिता! मैं समझा महारानी।

नन्दिता : क्या मैं महारानी नहीं हो सकती?

सागरमते : क्यों नहीं हो सकतीं? मैंने तुम्हें महारानी से कम कब समझा?

नन्दिता : **(मुस्कुराकर)** भिक्खु का मन चंचल हो रहा है?

सागरमते : अपराधी मैं नहीं।

नन्दिता : तो कौन है अपराधी?

सागरमते : सामने खड़ी है अपराधी।

नन्दिता : उल्टा चोर कोतवाल को डाँटे! मन भिक्खु का चंचल हो, तो अपराध उसका नहीं? किसी और का अपराध है।

सागरमते : अपराधी तो वह है जो भिक्खु का मन चंचल करे। आने दो महारानी को, मैं उनसे कहूँगा।

नन्दिता : क्या कहोगे?

सागरमते : यही कि आपकी दासी का चाल-चलन ठीक नहीं है।

वह भिक्खु का मन चंचल करती है।

नन्दिता : महारानी पूछेंगी—किस भिक्खु का मन चंचल किया?

सागरमते : मैं उत्तर दूँगा—मेरा मन चंचल किया।

नन्दिता : महारानी पूछेंगी—क्यों उसने आपका ही मन चंचल किया? किसी और का क्यों नहीं?

सागरमते : ...क्योंकि...

नन्दिता : उत्तर दो भिक्खु सागरमते। क्यों केवल तुम्हारा मन चंचल किया, औरों का नहीं?

सागरमते : **(अनुत्तरित सा)** क्योंकि—

नन्दिता : **(काटते हुए)** क्योंकि अयोध्या। मैं सब बता दूँगी। कोसीकलाँ...अयोध्या...

सागरमते : **(अचानक घबराकर)** क्या...क्या कह रही हो!

नन्दिता : **(मुदित)** जो सच है।

सागरमते : **(सजग होकर)** कोई आ रहा है तुम जाओ। **(आँख बन्द करके ध्यान में बैठ जाता है)**

(तिष्यरक्षिता का प्रवेश। घबराई सी नन्दिता हाथ जोड़कर महारानी को मौन नमन करती है, और जाती है)

तिष्यरक्षिता : भन्ते! **(हाथ जोड़कर)** नमन!

सागरमते : **(आशीर्वाद में हाथ उठाकर)** तथागत की कृपा हो महारानी पर।

तिष्यरक्षिता : **(बैठते हुए)** मुझे अपनी दासी नन्दिता से ज्ञात हुआ कि आप मुझसे मिलना चाहती हैं?

सागरमते : हम तो सभी से मिलना चाहते हैं। हम भिक्खु हैं न। भिक्षा माँगनी है तो मिलना तो पड़ेगा ही। सबसे मिलना पड़ेगा। आपसे भी।

तिष्यरक्षिता : तो आप भिक्षा माँगने के लिए मुझसे मिलना चाहते थे।

सागरमते : दासी नन्दिता ने कहा मगध की महारानी किसी बौद्ध भिक्खु से मिलना चाहती हैं। मैंने कहा—वह बौद्ध भिक्खु से मिलना चाहती हैं। मैं भी तो भिक्खु हूँ। तो मुझसे क्यों नहीं? नन्दिता ने कहा—हाँ क्यों नहीं। और उसने आपको मेरा नाम बता दिया—भिक्खु सागरमते।

तिष्यरक्षिता : भन्ते, आप नन्दिता को जानते हैं?

सागरमते : जानता हूँ। जान पहचान तो हो ही जाती है। भिक्षा के लिए हम लोग गली-गली द्वार-द्वार बुद्धघोष करते हैं। उसी से जान जाते हैं सबको। बहुतों को। धनिक को, निर्धन को, विद्यार्थी को, आचार्य को, पण्डित को, मूर्ख को। सब को।

तिष्यरक्षिता : कितना जानते हैं नन्दिता को?

सागरमते : जितना सबको। सबको ही जानता हूँ। मेरा नाम है सागरमते। सागर में सब समा जाता है। मेरा परिचय संसार भी सागर सा विशाल है।

तिष्यरक्षिता : कब से जानते हैं?

सागरमते : कब से?

तिष्यरक्षिता : **(कठोरता से)** हाँ कब से?

सागरमते : बहुत दिनों से।

तिष्यरक्षिता : आप कहाँ के हैं?

सागरमते : आप जानती तो हैं। पाटलिपुत्र के कुक्कुट विहार में रहता हूँ। वहीं से आया हूँ।

तिष्यरक्षिता : भिक्खु बनने के पहले कहाँ थे?

सागरमते : हम अब भिक्खु हैं। हमारा पुनर्जन्म हुआ है—भिक्खु बनकर। हम पिछला सब भूल चुके हैं?

तिष्यरक्षिता : मेरे प्रश्न का उत्तर दीजिए। पूर्व जन्म में आप कहाँ रहते थे—अपने माता-पिता के साथ?

(सागरमते चुप रहता है।)

तिष्यरक्षिता : उत्तर दीजिए, अन्यथा—कारागार में जाना पड़ेगा।

सागरमते : कारागार! कारागार क्यों? मैंने क्या किया?

तिष्यरक्षिता : राजप्रासाद में अवैध प्रवेश और चोरी करने के अपराध में।

सागरमते : लेकिन यह तो असत्य है।

तिष्यरक्षिता : मगध की सम्राज्ञी तिष्यरक्षिता को झूठा कहने का साहस किसमें है?

सागरमते : **(हाथ जोड़कर)** सम्राज्ञी, यह अन्याय मत कीजिएगा—एक निरपराध भिक्खु पर।

तिष्यरक्षिता : पूर्वजन्म में कहाँ रहते थे?

सागरमते : मथुरा के पास कोसीकलाँ ग्राम में।

तिष्यरक्षिता : और नन्दिता? वह भी कोसीकलाँ ग्राम से है?

सागरमते : वह भी कोसीकलाँ से है।

तिष्यरक्षिता : आप दोनों में प्रेम सम्बन्ध थे?

(सागरमते उत्तर नहीं देता)

तिष्यरक्षिता : फिर विवाह क्यों नहीं हुआ? **(कठोरता से)** उत्तर दीजिए। विवाह क्यों नहीं हुआ?

सागरमते : कैसे होता विवाह? मैं शूद्र निषाद, और वह वेदों के गायक, विद्वान, पूजित ब्राह्मण।

तिष्यरक्षिता : कैसे प्रेमी थे आप दोनों। भाग क्यों नहीं गये एक साथ?

सागरमते : भाग गये थे। लेकिन पकड़े गये।

तिष्यरक्षिता : कैसे?

सागरमते : हम लोग अयोध्या में रह रहे थे। पता लगाते-लगाते उसके घर वाले हमारे घर पहुँच गये।

तिष्यरक्षिता : कैसे बचे?

सागरमते : मैं उस समय घर से बाहर था। जब अपने घर वापस आ रहा था, तो पड़ोसियों ने बताया कि नन्दिता के घरवाले मेरी घात लगाये बैठे हैं। मैं बस भाग गया। उनके डर के मारे मैंने सिर घुटाया, और संघ की शरण में चला गया।

तिष्यरक्षिता : नन्दिता से मिलते हैं?

सागरमते : पूर्वजन्म का सम्बन्ध है। पूर्वजन्म की स्मृतियाँ हैं।

तिष्यरक्षिता : क्या मैं आप पर विश्वास कर सकती हूँ?

सागरमते : निस्सन्देह। वैसा ही विश्वास जो आप नन्दिता पर करती हैं।

तिष्यरक्षिता : भिक्खु सागरमते, बहुत सोच विचार कर हाँ करना। तुम आग से खेल रहे हो।

सागरमते : बहुत चिन्तन और विचार के बाद मेरी हाँ है। आप जितना नन्दिता पर विश्वास करती हैं, उतना मुझ पर भी कर सकती हैं।

तिष्यरक्षिता : मुझे महाराज के बारे में पूरी सूचना चाहिए। वह कब कब किसी बौद्ध विहार में जाते हैं। महास्थविर मोगलिपुत्त तथा स्थविर उपगुप्त से उनकी क्या बात हुई। बौद्ध संघ ने क्या निर्णय लिए। महाराज ने संघ को कितनी धनराशि भेंट की। मैं जानना चाहती हूँ—सब कुछ। सब कुछ महाराज के बारे में तथा बौद्ध संघ के बारे में।

सागरमते : सम्राज्ञी, आप जैसा कहेंगी मैं वैसा ही करूँगा। अब जाने की आज्ञा चाहता हूँ।

तिष्यरक्षिता : जाने के पहले आपको एक कथा सुनाना चाहती हूँ भिक्खु। **(सागर उत्सुकता से तिष्यरक्षिता को देखता है।)** एक राक्षस था। उसने पूरी पृथ्वी पर उत्पात मचा रखा था। वह मनमानी करता था। जिसे चाहता, उसकी हत्या कर देता, घरों को लूट लेता, स्त्रियों के साथ बलात्कार करता। जो भी उसका सामना करता, वह पराजित हो जाता। देवता सब परेशान थे। वह राक्षस पर तीर चलाते, तो तीर उसके शरीर को भेद नहीं पाते। अगर खड्ग से काटते भी, तो कटा हुआ अंग फिर जुड़ जाता। देवताओं ने गर्दन काटकर अलग कर दी, लेकिन थोड़ी देर में वह फिर जुड़ गयी। ऐसा अजेय और अवध्य था वह राक्षस। एक-एक करके सब देवताओं को उसने बन्दी बना लिया, और फिर इन्द्र के सिंहासन पर भी अधिकार कर लिया।

सागरमते : अच्छा!! कैसे छुटकारा मिला देवताओं को? कैसे इन्द्र को अपना राजपाट वापस मिला?

तिष्यरक्षिता : इन्द्रानी की बुद्धि से।

सागरमते : इन्द्रानी की बुद्धि से। कैसे?

तिष्यरक्षिता : इन्द्रानी ने पता लगाया कि वह राक्षस अपने घर से निकलने के पूर्व अपने प्राण एक तोते में रख आता है। इसलिए युद्ध में देवता उसकी हत्या नहीं कर पाते। गर्दन काटने पर पुनः गर्दन जुड़ जाती है।

सागरमते : तो फिर?

तिष्यरक्षिता : इन्द्रानी ने उस तोते की गर्दन ऐंठ दी, तो वह राक्षस मर गया। कैसी लगी मेरी कहानी?

सागरमते : बहुत अच्छी। बहुत ही अच्छी। मुझे जाने की आज्ञा दी जाये।

तिष्यरक्षिता : जाने के पहले यह भी सुन लीजिए कि मेरे घर में भी एक तोता है; उसका नाम है नन्दिता। अगर आवश्यक हुआ तो इस तोते की गर्दन भी तोड़ी जा सकती है। **(खड़े होकर)** भिक्खु नमन। **(हाथ जोड़कर चली जाती है।)**

(सागरमते भयभीत सा तिष्यरक्षिता को देखता है।)

(अंतराल-अंधकार)

दृश्य-13

पात्र : *कुणाल, तिष्यरक्षिता।*

स्थान : *राजभवन में कुणाल का कक्ष।*

(तिष्यरक्षिता का प्रवेश। कक्ष में कुणाल नहीं है। वह इधर-उधर कुणाल को खोजती दृष्टि से देखती है।)

(कुणाल का प्रवेश)

कुणाल : **(तिष्यरक्षिता को देखकर)** नमन।

तिष्यरक्षिता : जब भी तुम्हारे कक्ष के सामने से जाती थी, तो सदा वीणा का मधुर स्वर सुनाई पड़ता था। आज नहीं सुनाई पड़ा, तो चिन्ता हुई। देखने चली आयी।

कुणाल : वीणा का तार टूट गया है। उसी को लगाने का प्रयत्न कर रहा हूँ, इतनी देर से।

तिष्यरक्षिता : तुम वीणा बहुत सुन्दर बजाते हो। कितने वर्षों से वीणा बजा रहे हो?

कुणाल : याद नहीं। बहुत वर्षों से।

तिष्यरक्षिता : बालपन से?

कुणाल : जी हाँ। बालपन से।

तिष्यरक्षिता : किससे सीखा वीणावादन?

कुणाल : पिता महाराज के राजदरबार में एक कलाकार को वीणा बजाते सुना। पहली बार। किन्तु मुझे लगा जैसे मैं वीणा पहले भी सुन चुका हूँ। सुनता रहा हूँ।

तिष्यरक्षिता : **(रुचि में)** अच्छा!

कुणाल : मुझे वीणा के प्रति विचित्र-सा आकर्षण अनुभव हुआ।

तिष्यरक्षिता : **(रुचि दिखाते हुए)** तो?

कुणाल : मैं दरबार के बाद संगीतज्ञ के घर गया। उनसे अनुरोध

किया कि मैं वीणा को देखना चाहता हूँ। उसने वीणा दिखाई और बताया कैसे बजाई जाती है। मैंने कहा मैं देखूँ। और ऐसे ही इधर-उधर उँगली से तारों को छेड़ा, और...**(आश्चर्यचकित हर्ष से)** मैं वीणा बजाने लगा।

तिष्यरक्षिता : सच?

कुणाल : बिल्कुल सच। मुझे स्वयं अपने पर आश्चर्य हुआ। कैसे बजा लेता हूँ वीणा!

तिष्यरक्षिता : तुम पिछले जन्म में वीणावादक रहे होगे।

कुणाल : हो सकता है। पिछले जन्म की ही यह देन हो।

तिष्यरक्षिता : और तुम्हारी आँखें?

कुणाल : जी?

तिष्यरक्षिता : तुम्हारी आँखें?

कुणाल : मैं समझा नहीं।

तिष्यरक्षिता : क्या यह सुन्दर आँखें भी तुम्हारे पिछले जन्म की देन हैं?

कुणाल : **(संकोच से)** ऐसे ही लोग कहते हैं—कहाँ सुन्दर हैं!

तिष्यरक्षिता : सुन्दर तो हैं। काले भँवरों सी...बहुत आकर्षक हैं तुम्हारी आँखें।

(कुणाल उत्तर नहीं देता)

तिष्यरक्षिता : मैंने सुना है कि तुम्हारे जन्म के पश्चात तुम्हारे पिता सम्राट अशोक ने तुमको देखा तो वह तुम्हारी आँखों पर मुग्ध हो गये। तुम्हारी काली बड़ी-बड़ी आँखों का सौन्दर्य देखकर उनको कुणाल पक्षी की आँखें याद आ गयीं। इसीलिए उन्होंने तुम्हारा नाम भी कुणाल रख दिया।

कुणाल : **(विषय टालने के लिए)** आप खड़ी क्यों हैं? बैठिए।

तिष्यरक्षिता : **(बैठते हुए)** मैं तुम्हें क्या कहूँ। कुणाल या 'चारुनयन'?

कुणाल : आप मुझे कुणाल ही कहिए।

तिष्यरक्षिता : नहीं, मैं तुम्हें चारुनयन कहूँगी। तुम्हारे जैसी सुन्दर आँखों वाला दूसरा पुरुष मैंने आज तक नहीं देखा।

(कुणाल उत्तर नहीं देता।)

तिष्यरक्षिता : वीणा कैसे बजाते हैं? तनिक बजा के दिखाओ?... दिखाओ न।

कुणाल : वीणा का तार टूटा है।

तिष्यरक्षिता : कोई बात नहीं। मैंने आते जाते अनेक बार तुम्हारा वीणा-वादन सुना है। आज तक इतना सुन्दर वीणा वादन पहले कभी नहीं सुना। सुनकर ऐसा लगा मैं इस लोक में नहीं हूँ। संगीत की लहरों पर बहती हुई ऊपर, और ऊपर हवा में उड़ती चली जाती हूँ।

कुणाल : आप बहुत कृपालु हैं। मैं इतना अच्छा नहीं बजाता जितनी प्रशंसा आपने की है। आप दयालु हैं।

तिष्यरक्षिता : **(कुणाल का हाथ पकड़कर)** कुणाल यह बताओ, कि वीणा के तारों की झंकार का जादू वीणा के तारों में है, या तुम्हारी उँगलियों में? **(कुणाल का हाथ पकड़कर उसकी उँगलियों से खेलती है।)**

कुणाल : **(हाथ छुड़ाते हुए)** मैं नहीं जानता जादू कहाँ है। अगर जादू है तो तारों में होगा। **(थोड़ी दूर चला जाता है।)**

तिष्यरक्षिता : मैंने तो सुना है जादू हाथ की उँगलियों में होता है।

कुणाल : **(विभ्रमित)** उँगलियों में?

तिष्यरक्षिता : मैं एक कवि को जानती हूँ। नालन्दा में रहते हैं। बहुत रसिक हैं। वह कहते हैं जादू तो उँगलियों में होता है। **(तख़्त पर बैठते हुए)** वह कहते हैं कि पुरुष अपनी उँगलियों के जादू से स्त्री को भी वीणा के समान झंकृत कर देता है। **(वीणा के तार को झंकृत करती है।)** तुमने तो सुना होगा, स्त्री की लहर पर लहर लेती देह का झंकृत संगीत।

कुणाल : नहीं, मैंने नहीं सुना।

तिष्यरक्षिता : **(कुणाल के निकट जाकर)** नहीं सुना अब तक... **(कुणाल का हाथ अपने हाथ में ले कर उसकी उँगलियों से खेलते हुए)** जादुई हैं तुम्हारी उँगलियाँ। छेड़ो इन उँगलियों से मेरी देह के तार। **(दोनों हाथ कुणाल के कन्धे पर रखते हुए)** सुनो मेरी झंकृत देह का संगीत। **(कुछ क्षण कुणाल और तिष्यरक्षिता एक दूसरे को**

देखते निश्चल खड़े रहते हैं। फिर कुणाल सचेत होकर तिष्यरक्षिता के दोनों हाथ अपने कन्धे से हटाता है।)

कुणाल : **(दोनों हाथ जोड़कर)** आप मेरी माता के स्थान पर हैं। वही स्थान आपको शोभा देगा। **(प्रस्थान)**

(अपमानित और क्रोधित तिष्यरक्षिता अपने स्थान पर जड़ हो जाती है।)

(अंतराल-अंधकार)

दृश्य-14

पात्र : *सागरमते, तिष्यरक्षिता।*

स्थान : *राजभवन का अन्तःपुर।*

(राज आसन पर बैठी तिष्यरक्षिता। पास में खड़ा भिक्खु सागरमते मद्धिम स्वर में उसे भेदभरी सूचना दे रहा है)

सागरमते : महारानी, एक सूचना और देनी है?

तिष्यरक्षिता : क्या?

सागरमते : महाराज ने आदेश दिया है कि अशोकाराम में केवल बौद्ध ही नहीं, सभी श्रमण निवास करेंगे। चाहे वह जैन श्रमण हों या आजीवक, या निर्ग्रंथ या कोई और। सभी श्रमण जब एक साथ रहेंगे, **(कुटिल प्रसन्नता से)** तो एक दिन उनमें घूँसे-लात चलेंगे ही। सर भी फूटेंगे। **(स्वर बदलकर)** महाराज ने अपने प्रिय छोटे भाई तिस्स को भी बुद्ध, धम्म और संघ की शरण का आदेश दिया है।

तिष्यरक्षिता : क्यों?

सागरमते : कदाचित अशोकाराम के श्रमणों पर नियंत्रण रखने के लिए। लेकिन क्या एक व्यक्ति चट्टानें तोड़ती वेगवती नदी का बहाव रोक सकता है। **(अतीव आह्लाद से)** अशोकाराम के साथ थेरवाद को भी वह नदी बहा ले जायेगी। मुझे आज्ञा दी जाये, महारानी।

(रानी हाथ जोड़ती है। सागरमते आशीर्वाद देता है।)

(अंतराल-अंधकार)

दृश्य-15

पात्र : *राधागुप्त, अशोक, सागरमते, तिस्स, सैनिक।*

स्थान : *राजभवन का एक कक्ष।*

(अशोक विचलित क्रोध से इधर-उधर घूम रहा है। सामने सागरमते खड़ा है।)

अशोक : **(सागरमते से)** हम केवल यह जानना चाहते हैं कि अशोकाराम में यह झगड़ा क्या बौद्ध भिक्खुओं के आपसी विवाद से प्रारम्भ हुआ?

राधागुप्त : **(प्रवेश कराते हुए)** मैं उसी के बारे में समाचार लेकर आया हूँ।

अशोक : क्या समाचार है?

राधागुप्त : महाराज अब यह विवाद बौद्ध श्रमणों के बीच नहीं है। यह विवाद बौद्धों और निर्ग्रन्थों के बीच है। उनमें मारपीट की सूचना है। वे विहार के उद्यान में बैठे हैं। दोनों विरोधी दल एक-दूसरे पर आक्षेप कर रहे हैं। दोनों ही अपने भोजन के पात्र बजाकर न्याय माँग रहे हैं। माँग कर रहे हैं राजा प्रियदर्शी स्वयं वहाँ आकर न्याय करें।

अशोक : हमें वहाँ जाना चाहिए?

राधागुप्त : नहीं महाराज। आपको वहाँ नहीं जाना चाहिए।

अशोक : क्यों नहीं?

राधागुप्त : श्रमण बहुत उत्तेजित हैं। क्रोधित हैं। वह कभी भी हिंसा पर उतारू हो सकते हैं।

अशोक : हमारे पास महाराज चन्द्रगुप्त की खड्ग है। बौद्ध धम्म और संघ की शरण में जाने के बाद भी हमने इसका

त्याग नहीं किया है। सब समस्याओं का समाधान है यह। **(तलवार म्यान से निकालता है)**

राधागुप्त : यह भिक्खुओं के बीच का आपसी मामला है। आपको वहाँ नहीं जाना चाहिए।

अशोक : हम अशोकाराम विहार और कुक्कुटाराम विहार के शासक हैं। हम बौद्ध संघ के चयनित संघ-प्रधान हैं।

राधागुप्त : आप क्यों हैं संघ-प्रधान?

अशोक : क्या मन्तव्य है तुम्हारा?

राधागुप्त : आपको संघ-प्रधान नहीं होना चाहिए।

अशोक : महामन्त्री! तो तुम हमें नीति की शिक्षा दे रहे हो?

राधागुप्त : राजा को साम्प्रदायिक विवादों से दूर रहना चाहिए। वह पूर्ण प्रजा का, सब धर्मों के मानने वाले लोगों का राजा होता है। उसे किसी एक सम्प्रदाय से अपनी गाँठ नहीं जोड़नी चाहिए।

अशोक : महामन्त्री, तुम किस अधिकार से हमें नीति की शिक्षा दे रहे हो?

राधागुप्त : उसी अधिकार से, जिस अधिकार से मेरे पितामह आचार्य चाणक्य, आपके पितामह महाराज चन्द्रगुप्त को नीति की शिक्षा देते थे।

(सैनिक की सहायता से लड़खड़ाता घायल तिस्स का प्रवेश। उसकी बायीं बाँह में जख्म है, जिसे वह दायें हाथ से कपड़े से दबाये है। उसके द्वारा पहना बौद्ध भिक्खु का चीवर रक्त से लथपथ है। वह अशोक के सामने गिर पड़ता है।)

अशोक : क्या हुआ! तिस्स?

(राधागुप्त और सागरमते तिस्स को सहारा देकर बैठाते हैं।)

राधागुप्त : पानी लाओ।

अशोक : वैद्य को बुलवाओ।

(सैनिक नेपथ्य में जाता है।)

तिस्स : मैंने श्रमणों को बहुत शान्त करने का प्रयत्न किया। वह नहीं माने। वह राजभवन का घेराव करने चल दिये

हैं। मैंने रोका तो किसी निर्ग्रन्थ ने मुझ पर आक्रमण कर दिया।

अशोक : **(चीखकर)** वैद्य कहाँ है। बुलवाओ उसको।

राधागुप्त : राजवैद्य को बुलाने सैनिक जा चुका है। अश्वारोही को भेजा है।

तिस्स : **(दुर्बल स्वर में)** मैं रथ से यहाँ आ गया। राजभवन का घिराव करने श्रमण चल पड़े हैं। वह कभी भी यहाँ आ सकते हैं। दोनों ही दल नारे लगा रहे हैं–'अन्यायी राजा न्याय दो।'

(अचानक नेपथ्य से नारों की आवाज आती है–'अन्यायी राजा न्याय दो। अन्यायी राजा न्याय दो।')

अशोक : **(म्यान से तलवार निकालकर)** अन्यायी राजा को अब इनको न्याय देना ही पड़ेगा। सेनापति को बुलाओ।

(अंतराल-अंधकार)

दृश्य-16

पात्र : *सागरमते, तिष्यरक्षिता।*

स्थान : *राजभवन के अन्तःपुर का कक्ष।*

(सागरमते बैठा है। तिष्यरक्षिता प्रवेश कर के भिक्षु को हाथ जोड़ती है। सागरमते आशीष में हाथ उठाता है।)

तिष्यरक्षिता : तो महाराज पर पूरी तरह बौद्धधर्म का रंग चढ़ाने के लिए स्थविर की अगली चाल है बौद्ध समवाय?

सागरमते : इसमें देशभर के बौद्ध विहारों के दस हज़ार प्रतिनिधि आयेंगे। देश के ही नहीं विदेशों से भी आयेंगे। इस समवाय में सर्वाधिक महत्वपूर्ण एक नाम होगा—भिक्खुणी देवी।

तिष्यरक्षिता : महाराज की रखैल! उसको क्यों बुलाया?

सागरमते : जैसे आप जानती हैं, कि मेरे प्राण किस मैना में हैं, वैसे ही महास्थविर भी जानते हैं कि महाराज अशोक के प्राण जिस मैना के शरीर में हैं, उसका नाम है—देवी।

तिष्यरक्षिता : भिक्खु सागरमते, अपनी सागर समान विशाल मति में से कोई कुटिल चाल निकालिए। मैं चाहती हूँ कि महाराज अशोक के प्राण जिस मैना में हैं, वह साची में ही सुरक्षित रहे, जैसे आपके प्राण जिस मैना में हैं, वह मेरे संरक्षण में सुरक्षित है।

सागरमते : महारानी! आप निश्चिन्त रहें। चाहे मुझे कुछ भी करना पड़े, भिक्खुणी देवी पाटलिपुत्र नहीं आयेंगी। अब मुझे आज्ञा दी जाये।

तिष्यरक्षिता : **(सन्तुष्ट मुस्कान के साथ)** भन्ते नमन।

(सागरमते आशीष में हाथ उठाकर जाने के लिए बढ़ता है।)

तिष्यरक्षिता : (पुकारते हुए) भन्ते! **(जाते जाते भिक्खु सागरमते रुक जाता है।)** भिक्खु महिन्द तो आ रहा है?

सागरमते : जी हाँ महारानी।

तिष्यरक्षिता : महाराज को उससे बड़ा मोह है। प्रायः वह महिन्द की बात करते हैं। कल्पना करते हैं–वह बड़ा होकर अब कैसा लगता होगा?

सागरमते : मैं क्या कर सकता हूँ इसमें?

तिष्यरक्षिता : बहुत कुछ कर सकते हैं। आपको देखना होगा कि पिता-पुत्र का प्रेम सीमा में ही रहे। कहीं महाराज का बड़ा बेटा मगध के सिंहासन का दावेदार न बन जाये। वह भिक्खु है और भिक्खु ही बना रहे।

सागरमते : ऐसा ही होगा महारानी। **(आशीष में हाथ उठाता है)**

(अंतराल-अंधकार)

दृश्य-17

पात्र : *अशोक, उपगुप्त, महिन्द, सैनिक, नन्दिता।*
स्थान : *राजभवन का एक कक्ष।*

(अशोक और उपगुप्त आपस में वार्तालाप कर रहे हैं।)

अशोक : हम चाहते हैं कि बौद्ध समवाय अद्वितीय हो। जैसा न पहले हुआ हो, और न भविष्य में हो सके।

उपगुप्त : लगभग दस हजार भिक्खु पूरे देश से आयेंगे। विदेशों से भी भिक्खु आयेंगे।

अशोक : व्यवस्था में कोई कमी नहीं होनी चाहिए। आपको धन की चिन्ता नहीं होगी। मगध राजकोष की सम्पूर्ण सम्पत्ति अभिधर्म की सेवा के लिए है।

उपगुप्त : महासम्मेलन के पश्चात जो भिक्खु अभिधर्म के प्रचार के लिए देश-विदेश जायेंगे, उनके नाम भिक्खुओं की समिति ने निश्चित कर दिये हैं।

अशोक : भिक्खु महिन्द को कहाँ भेज रहे हैं?

उपगुप्त : **(सूची देखकर)** यवन देश। अन्तियोकस के राज में।

अशोक : यवन देश तो किसी अनुभवी भिक्खु को भेजा जाना चाहिए था।

उपगुप्त : **(दबी ज़बान से)** समिति के निर्णय को परिवर्तित करने का अधिकार तो मेरे पास नहीं है।

अशोक : तो यह अधिकार हमारे पास है। हम इस सूची को परिवर्तित करते हैं। भिक्खु महिन्द श्रीलंका अभिधर्म का प्रचार करने जायेंगे। किसी भी अन्य भिक्खु को यवन देश भेज दीजिए।

उपगुप्त : राजा की आज्ञा का पालन होगा।

अशोक : साँची विहार से कोई समाचार प्राप्त हुआ? भिक्खुणी देवी आ रही हैं?

उपगुप्त : नहीं, वह नहीं आ सकीं।

अशोक : **(आतुरता से)** नहीं आ सकीं? क्यों नहीं आ सकीं? उनको तो आना था?

उपगुप्त : हाँ, आना तो था। क्यों नहीं आयी, यह सूचना मेरे पास नहीं है।

अशोक : **(झुँझलाकर)** नहीं है, तो प्राप्त कीजिए सूचना। भिक्खुणी देवी स्वस्थ तो हैं न। न हो तो पाटलिपुत्र से वैद्य भेजिए।

उपगुप्त : आप चिन्ता न करें राजन्। आपकी आज्ञा का पालन होगा।

अशोक : और भिक्खु महिन्द?

उपगुप्त : वह आ गये हैं।

अशोक : कहाँ हैं वह इस समय? हम उनसे मिलना चाहेंगे।

उपगुप्त : वह आ गये हैं। वह आपसे मिलने इस समय बाहर बैठे हैं।

अशोक : **(एकदम उठा खड़ा होता है।)** कहाँ है वह?

उपगुप्त : मैं उनको बुलवाता हूँ। **(सैनिक से)** बाहर से भिक्खु महिन्द और भिक्खु सागरमते को सादर लेकर आओ।
(सैनिक राजा को दण्डवत करके बाहर जाता है।)

अशोक : बाहर क्यों बैठा दिया?

उपगुप्त : मैंने सोचा कि पहले महासम्मेलन के संयोजन पर आपसे परामर्श कर लूँ, फिर भिक्खु महिन्द को आपसे मिलवाऊँ। **(महिन्द और सागरमते का प्रवेश)** लीजिए, आ गये भिक्खु महिन्द।
(चावल की डलिया लिए नन्दिता का प्रवेश)

भिक्खु महिन्द : आप पर तथागत की कृपा हो राजन्।
(अशोक मुग्ध दृष्टि से महिन्द को देखता है।)

भिक्खु महिन्द : राजन्, मैं भिक्षा के लिए आया हूँ आपके द्वार पर।

अशोक : कितना बड़ा हो गया है। कितना सुन्दर, कितना सजीला। हम तो पहचान ही नहीं पाते।

महिन्द : भिक्षाम् देहि राजन्।

अशोक : कितने वर्ष बीत गये! पन्द्रह वर्ष बाद देख रहा हूँ तुम्हें। **(दोनों हाथ बढ़ाकर)** आओ, हमारे हृदय से लग जाओ।

(महिन्द अपने स्थान पर खड़ा रहता है, तो अशोक दोनों हाथ फैलाए हुए उसकी तरफ बढ़ता है।)

सागरमते : महाराज, भिक्खु महिन्द अब आपके पुत्र नहीं हैं। वह संघ की शरण में हैं। उनका पुनर्जन्म हुआ है।

अशोक : **(ठिठककर)** तो?

सागरमते : आप उनको हृदय से नहीं लगा सकते।

अशोक : क्यों नहीं?

सागरमते : यह अनुचित है।

अशोक : **(साधिकार)** वह हमारा पुत्र है।

सागरमते : वह आपका पुत्र नहीं है।

अशोक : **(चिढ़कर)** कैसे नहीं है? वह हमारा पुत्र है। इसकी माँ साक्षी है।

सागरमते : वह आपका पुत्र था,—किन्तु अब नहीं है।

अशोक : महिन्द हमारा पुत्र है, और सदा रहेगा।

सागरमते : अब वह भिक्खु है।

अशोक : **(क्रोध से)** तो क्या? वह रहेगा तो हमारा ही पुत्र।

सागरमते : अब वह धर्म का पुत्र है। धर्म ही भिक्खु महिन्द का पिता है।

(अशोक निरुत्तर हो जाता है)

उपगुप्त : भिक्खु महिन्द, भिक्खु बनने के पश्चात पहली बार भिक्षाटन के लिए निकले हैं।

अशोक : तो? हमें क्या करना चाहिए?

उपगुप्त : यह भिक्खु महिन्द की प्रथम भिक्षा है। आप उनकी झोली में पाँच मुट्ठी चावल डाल दीजिए। कहाँ है चावल?

अशोक : नन्दिता।

(नन्दिता चावल की डलिया लेकर अशोक के निकट आती है।)

महिन्द : भिक्षाम् देहि राजन्!

अशोक : **(डलिया से मुट्ठी भर चावल निकालकर)** भिक्खु महिन्द, आपका पाटलिपुत्र में स्वागत है।

(महिन्द अपनी झोली बढ़ाता है। अशोक महिन्द की झोली में पाँच मुट्ठी चावल डालता है, और रो पड़ता है।)

अशोक : **(रुँधे गले से)** भिक्खु महिन्द, आपको प्रथम भिक्षा देकर हम अपने आपको सौभाग्यशाली समझते हैं।

सागरमते : महाराज, अब भिक्खु को दण्डवत करके नमस्कार कीजिए।

(घुटनों के बल बैठकर महिन्द को नमस्कार करता है, और रोता है।)

महिन्द : राजन्, आप पर तथागत की कृपा हो।

(अशोक वैसे ही सर झुकाये घुटनों के बल आँख बन्द किये बैठा रोता रहता है। थोड़ी देर सब उसको देखते हैं, फिर उपगुप्त जाने का इशारा करता है। महिन्द, सागरमते, उपगुप्त तथा नन्दिता चले जाते हैं। केवल घुटनों पर बैठा, गर्दन झुकाये, पराजित सा अशोक बैठा रोता रहता है। करुण संगीत)

(अंतराल-अंधकार)

दृश्य-18

पात्र : *नन्दिता, तिष्यरक्षिता, सैनिक-1, सैनिक-2, अशोक, सागरमते।*

स्थान : *राजभवन का अन्तःपुर।*

(दौड़ती हुई नन्दिता वहाँ प्रवेश करती है।)

नन्दिता : महारानी! महारानी! वह आये हैं।

तिष्यरक्षिता : **(प्रवेश करके)** कौन?

नन्दिता : सैनिक! वह अन्तःपुर में बिना आज्ञा घुस आये हैं।

तिष्यरक्षिता : सैनिक? बिना आज्ञा? कैसे साहस किया उन लोगों ने?

(दो सैनिकों का खुली तलवार लिए प्रवेश)

तिष्यरक्षिता : निकलो यहाँ से। जाओ। कैसे घुस आये अन्तःपुर में बिना आज्ञा?

सैनिक-1 : आज्ञा है, महारानी।

तिष्यरक्षिता : किसकी?

सैनिक-1 : महामन्त्री की।

तिष्यरक्षिता : महामन्त्री की? यह झूठ है।

सैनिक-2 : हमारे पास आज्ञापत्र है। **(आज्ञापत्र दिखाता है।)** इस पर महामन्त्री की मुद्रिका चिन्हित है।

तिष्यरक्षिता : **(सोचते हुए)** महामन्त्री की आज्ञा। महामन्त्री कैसे यह आज्ञा दे सकते हैं? **(सैनिकों से)** होने दो महामन्त्री की आज्ञा। अब यह महारानी का आदेश है। मगध की महारानी का आदेश। निकलो यहाँ से।

सैनिक-2 : आपकी आज्ञा का पालन होगा महारानी। हम अभी निकल जायेंगे, बस वह काम कर लें, जिसके लिए यहाँ आये हैं।

तिष्यरक्षिता : कौन सा काम? यहाँ क्यों आये हो?

सैनिक-2 : नन्दिता को बन्दी बनाने।

नन्दिता : **(एकदम चीख़ उठती है)** नहीं! नहीं! **(दौड़कर महारानी के पीछे छिपती हुए)** महारानी, मुझे बचा लीजिए। मैंने कुछ नहीं किया। कोई अपराध नहीं किया। बचा लीजिए।

सैनिक-1 : **(सैनिक-2 से)** उसे बन्दी बना लो।

(एक सैनिक नन्दिता की तरफ बढ़ता है, तो वह बचने के लिए भागती है। भागते हुए वह दूसरे सैनिक की पकड़ में आ जाती है।)

महारानी : छोड़ दो उसे। मैं आज्ञा देती हूँ। छोड़ दो उसे।

नन्दिता : **(करुण क्रन्दन में)** मैंने कुछ नहीं किया। मैं निर्दोष हूँ।

(सैनिक नन्दिता के दोनों हाथ उसकी पीठ के पीछे बाँध देते हैं।)

सैनिक-1 : ले चलो इसे **(सैनिक नन्दिता को ठेलते हुए चीखती, चिल्लाती, रोती नन्दिता को ले चलते हैं।)**

नन्दिता : **(रोते हुए)** महारानी! बचा लीजिए मुझे। बचा लीजिए।

तिष्यरक्षिता : छोड़ दो उसे। छोड़ दो। मेरी अवज्ञा का तुमको दण्ड मिलेगा। एक एक को दण्ड मिलेगा। मैं किसी को नहीं छोड़ूँगी। किसी को क्षमा नहीं करूँगी। तुम सबको हिसाब देना होगा।

(सैनिक नन्दिता को बन्दी बना कर ले जाते हैं। तिष्यरक्षिता क्रोध में फुँफकारती, मुट्ठियाँ तानती मंच पर एक तरफ़ से दूसरी तरफ़ चक्कर लगाती है।)

तिष्यरक्षिता : **(क्रोध में)** मैं महाराज से कहूँगी। एक-एक को दंड मिलेगा। मिलेगा....। मैं महाराज से कहूँगी...।

(अशोक का प्रवेश)

अशोक : क्या हुआ प्रिये? क्या हुआ?

तिष्यरक्षिता : महाराज!! **(आवेश में)** यह क्या हो रहा है?

अशोक : **(आँख खोलकर)** तिष्यरक्षिता! क्या हुआ! इतने आवेश में क्यों हो?

तिष्यरक्षिता : मैं जानना चाहती हूँ कि महामन्त्री का इतना साहस कैसे हुआ?

अशोक : कैसा साहस! महामन्त्री ने क्या किया?

तिष्यरक्षिता : महामन्त्री ने अन्तःपुर में सैनिक भेजे? वे बिना मेरी आज्ञा के अन्तःपुर में घुस आये।

अशोक : ओह! उन्होंने तुम्हारी आज्ञा नहीं ली? ऐसा तो नहीं होना चाहिए। हम महामन्त्री से पूछेंगे।

तिष्यरक्षिता : वे सैनिक मेरी दासी नन्दिता को बन्दी बनाकर ले गये। मैं जानना चाहती हूँ क्यों? क्यों उन्होंने मेरी दासी को बन्दी बनाया? आप नन्दिता की मुक्ति के आदेश दें।

अशोक : हम कैसे आदेश दे सकते हैं? सम्भव है कि नन्दिता पर कोई गम्भीर आरोप हो। राजद्रोह का अपराध। बिना महामन्त्री का पक्ष जाने नन्दिता को मुक्त करना न्यायोचित नहीं होगा।

तिष्यरक्षिता : ओह! अब मैं क्या करूँ। मैं आपसे अनुरोध करती हूँ। मैं आपके हाथ जोड़ती हूँ, उसे बन्धन से मुक्त करने का आदेश दें।

अशोक : हम विचार करेंगे।

तिष्यरक्षिता : अब सोचिए विचारिए नहीं। मगध की रानी, आपकी प्रिया तिष्यरक्षिता आपसे करबद्ध प्रार्थना करती है-- नन्दिता को मुक्त कर दें। वह अकारण ही कारागार में है।

अशोक : अकारण तो नहीं है वह—कारागार में।

तिष्यरक्षिता : तो आप जानते हैं क्यों वह कारागार में है। आप जानते हैं क्यों महामन्त्री ने उसे बन्दी बनवाया?

अशोक : हाँ, कुछ थोड़ा थोड़ा। कुछ दिन पूर्व महामन्त्री ने बताया था कि नन्दिता दासी के जीवन को संकट है। कोई उसकी हत्या करना चाहता है।

तिष्यरक्षिता : उसके जीवन को संकट है? तो उसकी सुरक्षा की व्यवस्था महामन्त्री को करनी चाहिए थी।

अशोक : कारागार में नन्दिता को केवल इसलिए रखा गया है, जिससे उसके जीवन की रक्षा की जा सके।

तिष्यरक्षिता : आप कहना चाहते हैं कि अन्तःपुर में उसके जीवन को संकट है! किससे? मुझसे?

अशोक : महामन्त्री ने बताया था कि नन्दिता में किसी के प्राण रहते हैं। उसकी हत्या करने के लिए कोई नन्दिता की गर्दन ऐंठना चाहता है।

तिष्यरक्षिता : **(लड़खड़ाकर बैठ जाती है।)** ओह! तो आप सब जानते हैं। **(वह गर्दन झुकाये बैठी रहती है।)**

अशोक : नन्दिता को बन्दी बनाने सैनिक अन्तःपुर गये थे—महामन्त्री को इसके बारे में कुछ भी पता नहीं।

तिष्यरक्षिता : फिर सैनिकों को किसने भेजा?

अशोक : हमने भेजा।

तिष्यरक्षिता : सैनिकों ने झूठ क्यों बोला? क्यों कहा कि महामन्त्री ने...।

अशोक : अगर तुमको पता लग जाता कि नन्दिता को हमारे आदेश से बन्दी बनाया गया है, तो तुम इसकी शिकायत लेकर हमारे पास नहीं आतीं। तुम अदृश्य हो जातीं। भाग जातीं।

तिष्यरक्षिता : कहाँ?

अशोक : अपने देश। कलिंग के किसी गाँव में छिप जातीं। हम लोग तुमको ढूँढ़ नहीं पाते।

(तिष्यरक्षिता उत्तर नहीं देती। अशोक को देखती रहती है।)

अशोक : क्या हमने गलत कहा, कलिंग कन्या?

तिष्यरक्षिता : (बराबरी से) नहीं, आपने ठीक कहा मगध नरेश।

अशोक : वैद्य चक्रपाणि की तुम पुत्री नहीं, भांजी हो। कलिंग में सहस्त्रों लाखों कलिंगवासी कालकवलित हुए। उनमें तुम्हारे माता-पिता भी थे।

तिष्यरक्षिता : **(खड़े होकर आत्मविश्वास के साथ)** और क्या जाना आपने?

अशोक : उनके एक दस महीने की पुत्री थी। उसे पड़ोसियों ने सम्हाला। फिर उस पुत्री के मामा को सूचित किया। वह पाटलिपुत्र में रहते थे। मामा आकर उस बच्ची को पाटलिपुत्र ले गये। वह अपने नाना के यहाँ काशी में बड़ी हुई। सब समझते हैं वह उनकी ही पुत्री है। उसके मामा का नाम नहीं जानना चाहोगी?

तिष्यरक्षिता : मैं जानती हूँ। वैद्य चक्रपाणि।

अशोक : और उनकी भांजी?

तिष्यरक्षिता : तिष्यरक्षिता।

अशोक : **(क्रोध में, ऊँचे स्वर में)** तिष्यरक्षिता नहीं। महारानी तिष्यरक्षिता। मगध की महारानी तिष्यरक्षिता। क्यों वह मगध के राजभवन में आयी? कौन सा षड्यंत्र लेकर वह कलिंग कन्या मगध की महारानी बनी?

(तिष्यरक्षिता उत्तर नहीं देती)

अशोक : तिष्यरक्षिता, हम तुम्हारी भेंट तुम्हारे एक पुराने मित्र से करवाना चाहते हैं। मिलोगी उससे?

(तिष्यरक्षिता उत्तर नहीं देती)

अशोक : बुलाता हूँ उसको। **(नेपथ्य के निकट जाकर ताली बजाता है।)**

(थोड़ी देर बाद सागरमते का प्रवेश)

अशोक : भिक्खु सागरमते को तो आप जानती ही हैं मगध की महारानी तिष्यरक्षिता। यह आपके लिए एक विशेष भेंट लेकर आये हैं। भिक्खु, महारानी को भेंट करने के लिए आप क्या लाये हैं?

सागरमते : यह केशकाँटा।

अशोक : आपको यह केशकाँटा कहाँ मिला, भिक्खु सागरमते?

सागरमते : बोधिवृक्ष में। बोधिवृक्ष के तने में धँसा हुआ।

अशोक : महारानी का केशकाँटा! बोधिवृक्ष में धँसा हुआ? क्या विशेषता है इस केशकाँटे में?

सागर : यह विषलेपित है।

अशोक : किसी ने आपके केशकाँटे को विषलेपित करके बोधिवृक्ष के तने में धँसा दिया और बोधिवृक्ष सूख गया।

(तिष्यरक्षिता चुप रहती है।)

अशोक : किसने यह विषलेपित काँटा बोधिवृक्ष में लगाया?

तिष्यरक्षिता : मैंने।

अशोक : **(क्रोध के विस्फोट से)** क्यों? क्यों बोधिवृक्ष आहत किया? उत्तर दो।

तिष्यरक्षिता : क्योंकि मैं चाहती थी...।

अशोक : क्यों चाहती थीं?

तिष्यरक्षिता : मेरे माता-पिता की तो एक ही मृत्यु हुई। मैं आपको सौ सौ बार मारना चाहती थी।

अशोक : तुमने वह अपराध किया है, जो कभी क्षमा नहीं किया जा सकता। और क्यों करवा दिया कुणाल को अन्धा?

तिष्यरक्षिता : मैं तो उसकी हत्या चाहता थी? राजाधिकारियों ने मेरे साथ धोखा किया। उसे केवल अन्धा करके जंगल में छोड़ दिया।

अशोक : क्यों चाहती थी कुणाल की हत्या? क्या अपराध था उसका?

तिष्यरक्षिता : उसका निर्दोष सौन्दर्य! उसके लावण्य का चुम्बक!

अशोक : एक पति के होते हुए भी?

तिष्यरक्षिता : कैसा पति! गत यौवन, खंडित यौवन–पति!! वृद्ध पति!!

अशोक : दुष्टे, तू जीवित रहने का अधिकार खो चुकी है। भिक्खु सैनिकों को बुलाइये। **(सागरमते जाता है।)** हम सोच रहे हैं कौन सा दण्ड तुझे दिया जाये। तेरे शरीर को कुत्ते नोच नोच कर खायें या तुझे सूली पर बैठा कर मार दिया जाये? या आरी से तेरे शरीर को दो भागों में बराबर चीर दिया जाये? या नगर चौराहे पर तुझे फाँसी पर लटका दिया जाये?

तिष्यरक्षिता : **(व्यंग्य से)** महाराज आप तो बुद्ध और संघ की शरण में जा चुके हैं। आपने शिलालेखों पर पशु हत्या तक का निषेध किया है। आप तो अहिंसाव्रती हैं, फिर ऐसे हिंसक विचार!

अशोक : यह जो तेरा मुख है, उससे जब मर्मान्तक पीड़ा का क्रन्दन निकलेगा, आग की जलती लपटें तुझको जलाएँगी तब...

तिष्यरक्षिता : मुझे मृत्यु का भय नहीं है अशोक। चाहे कितनी बार तुम बुद्ध की शरण में जाओ, तुम्हारे अन्दर का राक्षस जीवित है; जिसने अपने अग्रज सुसीम की हत्या की,

जिसने मेरे माता-पिता की हत्या की, कलिंग की हत्या की...वह अब मगध साम्राज्य की हत्या कर रहा है...

(दो सैनिकों के साथ सागरमते का प्रवेश)

अशोक : बन्दी बना लो इस स्त्री को **(सैनिक तिष्यरक्षिता के दोनों हाथ कमर के पीछे बाँध देते हैं।)**

(न्यायाधीश के स्वर में) कल प्रातःकाल सूर्य की पहली किरण के साथ इस स्त्री को चिता पर जीवित जला दिया जाये। यह हमारी आज्ञा है। **(क्रोध से)** ले जाओ इसे।

तिष्यरक्षिता : कल प्रातःकाल मेरी मृत्यु हो जायेगी। किन्तु अशोक, तुम अपनी एक मृत्यु के पूर्व सौ-सौ बार मरोगे। यह मेरी प्रतिहिंसा है।

अशोक : **(घृणा से)** ले जाओ इसे।

(अंतराल-अंधकार)

दृश्य-19

पात्र : *अशोक, नन्दिता, राधागुप्त, दो सैनिक।*

स्थान : *राजभवन में राजा का व्यक्तिगत कक्ष।*

(एक मेज पर राजा की कंठमालाएं, बाजूबन्द, उत्तरीय, दर्पण आदि रखे हैं। अशोक राजदरबार में जाने के लिए अपने को सज्जित कर रहा है। दासी नन्दिता उसके बाँहों में बाजूवद बाँधती है।)

अशोक : कंठमालाएँ। **(नन्दिता मालाएँ देती है।)**

(नन्दिता उत्तरीय देती है। उसे अशोक कन्धे पर डालता है।)

अशोक : राजमुकुट।

नन्दिता : राजमुकुट नहीं है।

अशोक : नहीं है? क्यों नहीं है?

नन्दिता : अपने स्थान पर नहीं है।

अशोक : कहाँ गया?

नन्दिता : मैंने सबसे पूछा—कोई नहीं जानता। आपका खड्ग भी नहीं मिल रहा है। वह भी अपने स्थान पर नहीं रखा मिला।

अशोक : ऐसा कैसे सम्भव है? किसका साहस हो सकता है मेरी खड्ग और मुकुट को उठाने का! अन्तःपुर अधिकारी से नहीं पूछा?

नन्दिता : पूछा। किन्तु वह भी नहीं जानते कहाँ गया?

अशोक : अन्तःपुर अधिकारी को बुलाओ।

नन्दिता : **(नमन करके)** जो आज्ञा। **(द्वार पर जाती है। नेपथ्य में कहती है)** अन्तःपुर अधिकारी को बुला के लाओ।

(दो सैनिक प्रवेश करते हैं)

सैनिक-1 : आज्ञा नहीं है।

नन्दिता : यह महाराज की आज्ञा है। बुला के लाओ।

सैनिक-2 : आज्ञा नहीं है।

नन्दिता : क्या? महाराज की अवज्ञा कर रहे हो? जानते हो इसका परिणाम? अन्तःपुर अधिकारी को बुलाकर लाओ।

सैनिक-2 : आज्ञा नहीं है।

अशोक : **(क्रोध के विस्फोट से)** तुम्हारा यह साहस!! राजा की आज्ञा का उल्लंघन। तुम्हें जीवित ही चिता में जला दिया जायेगा। जाओ, अन्तःपुर अधिकारी को बुलाकर लाओ।

सैनिक-2 : आज्ञा नहीं है।

अशोक : किसकी आज्ञा नहीं है?

सैनिक-2 : महामन्त्री की।

अशोक : तो महामन्त्री को बुलाकर लाओ।

सैनिक-2 : आज्ञा नहीं है।

अशोक : महामन्त्री को भी बुलाने की आज्ञा नहीं है? तो हम स्वयं महामन्त्री के पास जाकर पूछेंगे। इस आदेश का अर्थ।

(अशोक द्वार से जाने को बढ़ता है, तो दोनों सैनिक अपने भाले अड़ा कर रास्ता रोक देते हैं।)

सैनिक-1 : आज्ञा नहीं है।

अशोक : क्या हम बाहर नहीं जा सकते? क्यों?

सैनिक-1 : आज्ञा नहीं है।

अशोक : आज्ञा नहीं है, आज्ञा नहीं है—यह सुनते-सुनते कान पक गये हैं। क्या तुम्हें यह आदेश दिया गया है, कि अपने राजा की आज्ञा का उल्लंघन करो।

सैनिक-2 : अब आप राजा नहीं हैं।

अशोक : क्या बकते हो?

सैनिक-1 : आप राजपद से हटा दिये गये हैं।

अशोक : किसने हटाया?

सैनिक-2 : मन्त्रिमण्डल ने। सेनापति ने। अब देवानाम्प्रिय कुणाल राजा हैं।

अशोक : कुणाल राजा! लेकिन वह तो बेचारा नेत्रहीन...

सैनिक-1 : इसीलिए उनके पुत्र कुमार सम्प्रति को उपराजा बनाया गया है।

अशोक : और हम?

सैनिक-2 : आप बन्दी हैं।

अशोक : हम बन्दी हैं। **(अपने ऊपर हँसते हुए)** राजा अशोक बन्दी है। **(चारों ओर देखकर)** तो यह बन्दीगृह है। **(नन्दिता से)** तुम तो बन्दी नहीं हो। तुम इस बन्दीगृह में क्या कर रही हो। **(चीखते हुए)** निकलो यहाँ से। **(नन्दिता घबराकर भागती हुई बाहर निकल जाती है। अशोक क्रोध में मुट्ठियाँ तानते हुए शेर की तरह इधर से उधर चक्कर लगाता है। महामन्त्री का प्रवेश)**

अशोक : **(व्यंग्य से)** आइए, आइए महामन्त्री राधागुप्त। पाटलिपुत्र के बन्दीगृह में आपका स्वागत है। आइए। विराजिए।

राधागुप्त : बन्धु अशोक...आप विराजिए...

अशोक : नहीं, नहीं। पहले आप विराजिए।

राधागुप्त : **(हिचकते हुए)** ठीक है। मैं बैठता हूँ। आप भी बैठिए।

अशोक : हम कैसे बैठ सकते हैं महामन्त्री के सामने। हम मगध की प्रजा के एक तुच्छ प्राणी। क्या हमारा साहस जो अपने अन्नदाता के सामने बैठने का साहस करें?

राधागुप्त : मैं आपसे कुछ बात करने आया हूँ...।

अशोक : बात तो बराबर वालों से होती है।

राधागुप्त : मैं अपना नैतिक कर्तव्य समझता हूँ स्पष्टीकरण देना।

अशोक : किस बात का स्पष्टीकरण? यही कि हमें बन्दी क्यों बनाया? हम सुनकर क्या करेंगे?

राधागुप्त : फिर भी...

अशोक : **(कहते हुए)** स्पष्टीकरण सुनकर क्या होगा। क्या आप हमें इस बन्दीगृह से मुक्त कर देंगे? क्या हमें पुनः मगध का राजसिंहासन दे देंगे? नहीं न। फिर स्पष्टीकरण सुनकर क्या होगा?

राधागुप्त : मुझे बहुत खेद है इसके लिए। बहुत विवश होकर मुझे यह करना पड़ा।

अशोक : **(अवज्ञा से)** नहीं चाहिए हमें तुम्हारा यह राजपाट। हम स्वयं इसका त्याग करते हैं। **(गले से मोतियों के हार और हाथों से कंगन निकालकर राधागुप्त पर फेंकता है।)** ले जाओ इन्हें राधागुप्त। मुक्त करो हमें इस मायाजाल से।

(नन्दिता थाल में शराब की बोतल तथा दो प्याले लेकर आती है, और राधागुप्त को देती है। राधागुप्त थाल अपने सामने तख्त पर रखता है। राधागुप्त दोनों प्यालों में शराब डालता है। नन्दिता वहाँ बिखरी पड़ी मोती की मालाए आदि बटोर बाहर ले जाती है।)

राधागुप्त : **(शराब का प्याला उठाकर)** आओ अशोक, अपनी पुरानी मित्रता की स्मृति में एक चषक सुरा हो जाये।

(अशोक कुछ देर देखता है। फिर अचानक आकर राधागुप्त के सामने बैठ जाता है। उसके हाथ से प्याला लेकर एक घूँट में शराब पीता है। फिर प्याला बढ़ाता है। राधागुप्त उसमें शराब डालता है। अशोक उसे भी एक घूँट में पी जाता है। इस तरह कुल चार प्याले शराब के पीता है।)

अशोक : **(खड़े होकर शराब के नशे में)** राधागुप्त तुम मुझे इस बन्दीगृह में बन्द नहीं कर सकते। मैं इस बन्दीगृह से बाहर निकल चुका हूँ। मैं इतिहास में जा चुका हूँ। ऐसे क्या देख रहे हो? नहीं समझे न। मैं इतिहास में जा चुका हूँ।

(कुछ क्षण का मौन। राधागुप्त शराब का एक और प्याला अशोक की तरफ बढ़ाता है। अशोक प्याला लेकर पीता है।)

अशोक : नहीं समझे। मैं समझाता हूँ। मेरे शिलालेख गंगा से कावेरी तक देवानामृपिय राजा पियदस्सी के नाम की दुन्दभी बजा रहे हैं। सिन्धु तक ही नहीं, सिन्धु नदी के उस पार—गान्धार और कुभा नदी तक, और उसके भी आगे, यवनों और पारसीक देशों में भी मेरे शिलालेख घोषणा कर रहे—देवानामृपिय राजा पियदस्सी के नाम

की। पत्थर पर उकेरा मेरा नाम न कभी धुँधला पड़ेगा। न मिटेगा। वर्षों बाद, सहस्रों शताब्दियों के बाद भी, शिलालेख घोषणा करेंगे मगध के राजा अशोक की। उन शिलालेखों से तुम राजा अशोक को मगध सिंहासन से नहीं उतार सकते, महामन्त्री। राजा अशोक इतिहास है। **(अति उत्साह से)** अजर है। अमर है।

(अचानक थककर बैठ जाता है।)

अशोक : **(अति करुणा से)** हम तुम्हारे मित्र थे। तुम्हीं ने अपने मित्र को राजा बनाया, फिर तुम्हीं ने उस मित्र को राजसिंहासन से हटा दिया?

राधागुप्त : न मैंने अपने मित्र को राजा बनाया, न अपने मित्र को राजपद से निष्कासित किया?

अशोक : **(शराब के नशे में)** अर्थात् मैं तुम्हारा मित्र नहीं हूँ। न कभी था।

राधागुप्त : मेरी वचनबद्धता मगध के प्रति थी, मित्र के प्रति नहीं। इसलिए मैंने मित्र को नहीं, एक ऐसे होनहार, कर्मठ दृढ़संकल्प और चतुर को राजा बनाया था, जो गान्धार के बर्बर पश्तूनों से भी लोहा ले सके।

अशोक : **(गर्व से)** वह तो हम हैं।

राधागुप्त : वह तुम थे परन्तु अब तुम वह नहीं हो। कामाशोक से चंडाशोक, और चंडाशोक से धर्माशोक बना अशोक, जब धर्म-प्रचारक बन गया, तो हम लोग चुप नहीं रह सके।

(अशोक स्वयं बोतल से प्याला भरता है।)

राधागुप्त : राजा प्रजा के पिता समान होता है। पिता के लिए सब पुत्र बराबर होते हैं।

अशोक : कहते रहो। **(प्याला मुँह से लगाता है।)**

राधागुप्त : जो राजा धर्म के आधार पर प्रजा में विभेद करे, वह राजा होने योग्य नहीं।

अशोक : हमारे लिए तो सब प्रजा हमारी सन्तान है।

राधागुप्त : ऐसा शिलालेख में लिखा है। केवल शिलालेख में। बढ़ती आयु के साथ तुम्हारे लिए तुम्हारी प्रजा में केवल

धम्म और संघ था। वैदिक, जैन, आजीवक तथा अन्य तो तुम्हें दिखाई ही नहीं पड़ते थे। इसीलिए राज्य का धन दोनों हाथों से धम्म और संघ के प्रचार में लुटाने लगे।

(अशोक बोतल से प्याला भरता है, हाथ में प्याला लिए हुए राधागुप्त को सुनता है।)

राधागुप्त : तुमने राजधन से 84000 स्तूप और विहार बनाने की घोषणा की। देश-विदेश में स्तूप और विहार बनने लगे। राजकोष रिक्त हो गया। पूरे मगधराज में सड़कें और नहरें टूटी पड़ी हैं। किसानों के खेतों में पानी नहीं पहुँचा। अकाल पड़ने लगे। भूखे किसानों ने विद्रोह किये। नगरों को लूटने लगे। और तुम इस सबसे आँख मूँद कर अनजान बने रहे। मैंने तुम्हें राजा बनाया था। किन्तु राजधर्म भूलकर तुम धर्म-पुरोहित बन गये। पुरोहित को शासन का अधिकार नहीं होता। मैं जाता हूँ। **(प्रस्थान)**

अशोक : निकल जाओ। **(शराब का प्याला जाते हुए राधागुप्त पर फेंकता है।)**

(अंतराल-अंधकार)

दृश्य-20

पात्र : *नन्दिता, तिस्स, अशोक, कात्यायन।*

स्थान : *राजभवन में अशोक का निवास कक्ष।*

(दो तख्त। एक अशोक के बैठने के लिए, दूसरा अतिथियों के लिए। अशोक के तख़्त पर रखी तश्तरी में एक फल रखा है अन्य तश्तरी में जल-पात्र तथा एक गिलास (चषक) रखा है।)

(नन्दिता के पीछे-पीछे भिक्खु तिस्स का प्रवेश)

नन्दिता : **(प्रवेश करते हुए)** आइए भन्ते, अन्दर आ जाइए।

तिस्स : **(प्रवेश करके इधर-उधर देखता है)** बन्धु महाराज?

नन्दिता : यहीं कहीं होंगे। कारणवश कहीं चले गये हैं। आते ही होंगे। आप विराजिए।

(तिस्स राजसी आसन के पास रखे आसन पर बैठता है।)

तिस्स : बन्धु महाराज को यहाँ कोई कष्ट तो नहीं?

नन्दिता : कष्ट कैसे होगा? उनकी सुविधा के लिए हर सम्भव साधन हैं यहाँ। हम सब दास-दासियाँ हर घड़ी उनकी सेवा में रहते हैं।

तिस्स : तो वह सुखी हैं?

नन्दिता : कोई बन्दीगृह में जितना सुखी हो सकता है, उतने सुखी हैं महाराज।

तिस्स : क्या करते हैं वह? कैसे कटते हैं उनके दिन रात? क्या कभी तुम लोगों से बात करते हैं? अपने हृदय के भार को हल्का करते हैं।

नन्दिता : वह प्रायः चुप रहते हैं। चिन्ता में कभी-कभी वह पूरे भवन में एक कक्ष से दूसरे कक्ष में व्यग्र से घूमते हैं।

मँडराते हैं। जैसे शेर कठघरे में घूमता है—कुछ वैसे ही। कभी-कभी बात करते हैं।

तिस्स : किससे?

नन्दिता : अपने आपसे। कभी-कभी लगता है कि कक्ष में कोई है जिससे वे बातें कर रहे हैं।

तिस्स : किससे बातें कर सकते हैं? क्या कोई यहाँ आ सकता है?

नन्दिता : हम लोगों को भी यही जिज्ञासा हुई। यहाँ कोई बाहरी व्यक्ति कैसे आ सकता है। इतने कठोर पहरे में? इसलिए हम लोगों ने छिपकर देखा। वहाँ कोई नहीं था। महाराज शून्य से बातें करते हैं। कभी-कभी बात करते-करते उत्तेजित हो जाते हैं। ऊँचे स्वर में गरजने लगते हैं। पहले के समान ही। राजा की तरह।

तिस्स : **(सहानुभूति से)** वह अकेले रहते हैं। एकदम एकाकी। **(स्वर बदलकर)** कहाँ गये होंगे? **(खड़े होकर इधर-उधर देखता है।)**

नन्दिता : आप विराजिए। वह आते ही होंगे। मैं देखती हूँ। **(जाने को उद्यत होती है। अशोक का प्रवेश। वह सिर से शॉल ओढ़े हैं।)**

अशोक : **(आत्मीयता से)** भन्ते तिस्स आये हैं! **(तिस्स उठ खड़ा होता है।)**

नन्दिता : महाराज आ गये। मुझे आज्ञा दीजिए भन्ते। **(नमन करके जाती है।)**

अशोक : **(बैठते हुए तिस्स से बैठिए)** भन्ते, सुना है अब आप कुक्कुटाराम विहार के महास्थविर हैं। बहुत समय बाद आये।

तिस्स : जब आज्ञा मिली, तब आया। आप कहाँ चले गये थे—अचानक?

अशोक : **(तिस्स को चौंकाने के प्रयत्न में)** बाढ़ आयी है! आपको नहीं मालूम। राजभवन के इस कक्ष में भयानक बाढ़ आयी है।

तिस्स : **(इधर-उधर देखकर)** बाढ़? मुझे तो नहीं दिखाई पड़ी बन्धु महाराज। बाढ़ कहाँ है?

अशोक : **(तख्त के पास पड़े पानी को दिखाते हुए)** यह देखो, यहाँ चषक से पानी गिर गया था। उस पानी में यह चींटी फँस गयी। चषक से गिरा जल तो चींटी के लिए बाढ़ ही है न।

तिस्स : सत्य है बन्धु महाराज।

अशोक : कब से यह चींटी इससे निकलने के लिए हाथ-पैर मार रही है। हमने सोचा—कदाचित हम इसे बचा सकें। इसे पानी से निकालने के लिए हम उद्यान में एक सींक ढूँढ़ने गये थे।

तिस्स : मिल गयी सींक?

अशोक : हाँ मिल गयी। **(पानी के पास झुककर देखते हुए)** देखो तिस्स, देखो। चींटी को सामने खड़ी उसकी मृत्यु दिखाई पड़ रही होगी। भय से उसकी साँस फूल रही होगी। हृदय भय से धड़क रहा होगा।

तिस्स : हर प्राणी में जीवित रहने की इच्छा होती है—जिजीविषा।

अशोक : हाँ, ये भी जीवित रहना चाहती है। शायद हम इसे बचा सकें।

(अशोक घुटनों के बल धरती पर बैठकर सींक को पानी में रखता है।)

अशोक : आ जा। आ जा। हे चींटी! यह सींक हमने इसलिए तुम्हारे सामने रखी है, जिससे तुम इस पर चढ़कर पानी में डूबने से बच सको। आ जाओ, आ जाओ चींटी।

तिस्स : चींटी की समझ में नहीं आ रहा कि यह सींक उसकी प्राण रक्षा के लिए है।

अशोक : कलिंग के युद्ध में सहस्रों के प्राण हमने ले लिए, आज इस एक चींटी के प्राण नहीं बचा पा रहे हैं। आ जाओ, आ जाओ चींटी। यह सींक तुम्हारी रक्षा के लिए है।

तिस्स : **(उत्साह से)** बन्धु महाराज, चींटी सींक पर चढ़ गयी।

(प्रसन्नमुख अशोक सींक को धरती से उठाकर देखता है।)

अशोक : **(खड़े होकर, चींटी को देखते हुए)** हे चींटी, तुम जल निमग्न थीं। हमनें तुमको जल-समाधि से बचा लिया। अब तुम्हारा शेष जीवन तुम्हारा है। जिस तरह चाहो जियो। **(सींक एक तरफ फेंक देता है।)**

तिस्स : आपने पुण्य किया, उसके जीवन की रक्षा करके।

अशोक : मर कर वह चींटी के असहाय जीवन से मुक्ति पा जाती।

तिस्स : किन्तु चींटी तो अपने जीवन से प्रसन्न है। वह तो नहीं चाहती चींटी जीवन से मुक्त होना।

अशोक : चींटी अल्पज्ञानी है। वह इस असहाय जीवन को ही सब कुछ समझकर जीवन से चिपके रहना चाहती है। हम सब भी तो जीवन से अन्तिम क्षण तक चिपके रहते हैं।

(तिस्स उत्तर नहीं देता)

अशोक : हम थक गये हैं। क्लान्त श्रान्त–अब हम विश्राम चाहते हैं। **(बैठकर, ऊपर देखते हुए)** कब मिलेगी हमें शान्ति?

(नन्दिता का प्रवेश)

नन्दिता : **(महाराज को नमन करती है)** महाराज की जय। भिक्खु कात्यायन मैसूर से आये हैं।

अशोक : भिक्खु कात्यायन! क्या उनको ज्ञात नहीं है?

नन्दिता : उनको सब कुछ ज्ञात है। वह महामन्त्री की आज्ञा लेकर आपसे मिलने आए हैं।

अशोक : फिर वह क्या चाहते हैं–

नन्दिता : उन्होंने कहा है कि आपको केवल उनका नाम बता दिया जाये...और

अशोक : और?

नन्दिता : आपको आपका वचन स्मरण आ जायेगा।

अशोक : वचन! हाँ, स्मरण आया। मैसूर के एक भिक्खु को हमने वचन दिया था कि वह जब भी पाटलिपुत्र आयेगा, तो हम उसको एक बार अपने हाथों से भिक्षा देंगे। **(तिस्स से)** बताओ तिस्स, हम उसको क्या उत्तर दें? हम अपना वचन कैसे पूरा करें?

तिस्स : मैं भिक्खु को समझा दूँगा। आपको दान देना निषिद्ध है। **(नन्दिता से)** भिक्खु को सादर बुला कर लाओ।

(नन्दिता नमन कर के बाहर जाती है, और भिक्खु के साथ लौटती है)

अशोक : **(खड़े होकर)** भिक्खु को नमन।

(नन्दिता का प्रस्थान)

कात्यायन : आपको कदाचित स्मरण हो।

अशोक : हमको अपना वचन स्मरण है भिक्खु।

कात्यायन : **(झोली फैलाकर)** भिक्षाम देहि राजन्!

(अशोक अपराधी सा खड़ा रहता है)

कात्यायन : भिक्षाम देहि राजन्!

अशोक : भिक्खु कात्यायन! अब हम बन्दी हैं।

कात्यायन : मुझे ज्ञात है। फिर भी आपके पुण्य करों द्वारा भिक्षा।

अशोक : **(विवशता से)** आपको कैसे बताएँ, हमें दान देना निषिद्ध है।

कात्यायन : कोई बात नहीं राजन। आपके दर्शन की इच्छा थी। अब वह पूरी हुई। मुझे जाने की आज्ञा दीजिए।

अशोक : ठहरो भिक्षु। हमें दान में धन देने का निषेध है। भूमि या भवन देने का निषेध है। अन्नदान का भी निषेध है। किन्तु दान में फल देने का तो निषेध नहीं है। **(तश्तरी में रखे फल को उठाकर)** अशोक के पास आज मात्र केवल एक फल है, जिसे वह भिक्षा में दे सकता है। और वह दे रहा है। कृपया इसे भिक्षा में स्वीकार कर अभागे राजा को कृतार्थ करो। **(फल भिक्षु को देता है।)**

कात्यायन : **(फल लेकर)** तथागत की कृपा हो राजन्! **(बाहर जाता है।)**

अशोक : अशोक द्वार पर खड़े एक भिक्खु को भिक्षा भी नहीं दे सका। अशोक का जीवन वृथा गया।

तिस्स : बन्धु महाराज, आपका जीवन व्यर्थ नहीं गया। आपकी करुणा ने दीन-दुखियों तथा दलितों का सन्ताप हरा है। उनके जीवन में नवीन आशा अंकुरित की है।

अशोक : **(उदास स्मित से)** मुझे सान्त्वना दे रहे हो? हमने चौरासी सहस्र स्तूपों का निर्माण करवाया इससे वैदिक जन मुझसे रुष्ट हैं। बौद्धजन इसलिए रुष्ट हैं क्योकि हमने शिलालेखों में श्रमणों के साथ ब्राह्मणों को भी सम्मानित करने के आदेश दिये। और दोनों ने मिलकर

हमको राजसिंहासन से हटा दिया। क्यों किया हमने अभिधर्म का प्रचार?

तिस्स : आप धम्माशोक हैं।

अशोक : नहीं हैं हम धम्माशोक नहीं(**साग्रह**) और नहीं हैं हम चंडाशोक या कामाशोक। (**थके स्वर में**) हम अशोक हैं केवल अशोक, जिसकी माता धर्मा को पिता बिन्दुसार ने निष्कासित करके एकान्तवास दे दिया था। हमारी माँ को अपने पति का जो सम्मान और साहचर्य नहीं मिला था, वह हम आर्या देवी को देना चाहते थे। देवी हमारे जीवन का प्रथम प्रेम थी, और अन्तिम प्रेम भी। हम देवी को ढूँढ़ते रहे हर इस-उस नारी में। लेकिन वह नहीं मिली। (**तिस्स से**) वह क्यों नहीं आयी हमारे साथ पाटलिपुत्र? (**अधीरता से**) बोलो तिस्स, वह क्यों नहीं आयी हमारे साथ?

तिस्स : (**समझ नहीं पाता कि क्या उत्तर दे**) बन्धु महाराज।

अशोक : (**फुसफुसाते हुए तिस्स से**) वह आ गयी तिस्स। (**प्रसन्नता से**) वह आ गयी। (**आवेश में उठकर खड़ा हो जाता है।**)

तिस्स : कौन?

अशोक : हमारी सन्तानों की माता देवी। वह कभी-कभी आती है। हमसे बातें करती है।

तिस्स : आपसे बातें करती है?

अशोक : हाँ। जब हम उसे याद करते हैं, तो आ जाती है।

(मंच के पीछे के एक कोने में, स्तम्भ के निकट, नीले रंग के प्रकाशपुंज में, बौद्ध चीवर पहने देवी दिखाई पड़ती है।)

अशोक : वह देखो। उधर देखो। वहाँ खड़ी है देवी।

तिस्स : वहाँ? मुझे तो दिखाई नहीं पड़ रही।

अशोक : देखो न। वहाँ...नीला प्रकाश नहीं दिखाई पड़ता तुम्हें? वही तो है वहाँ—नीली आभा में नहाई सी।

तिस्स : कहाँ है नीला प्रकाश? वहाँ तो कुछ भी नहीं है।

अशोक : (**देवी के निकट जाकर**) हम जानते थे तुम आओगी। जब भी हम तुमको याद करते हैं, तुम आ जाती हो।

देवी, हम बहुत अकेले हो गये हैं। बहुत याद आते हैं वह दिन, जब महिन्द और संघमित्ता मेरे कन्धे पर चढ़ जाते थे और घोषित करते थे—हम सबसे बड़े। **(स्मृति से आह्लादित होकर)** हमें घोड़ा बनाकर हमारी पीठ पर बैठ जाते थे और हर्ष से किलकारी मारते थे। और तुम, चुपचाप हम लोगों को कौतुक से देखती हुई...तुम्हारे होठों पर सन्तोष और तृप्ति की स्मित। तुम्हारे बिना हम अधूरे हैं। तुम क्यों नहीं आयीं हमारे साथ पाटलिपुत्र?

(देवी उत्तर नहीं देती। मुस्कुराती है।)

अशोक : तुम्हारे बिना मेरे जीवन का एक-एक पल यातना है। क्यों नहीं आयीं तुम हमारे साथ?

देवी : क्यों आती तुम्हारे साथ?

अशोक : क्योंकि तुम्हारा साथ हमें हमारे जीवन को अर्थ देता था।

देवी : तुम्हारे जीवन को अर्थ देने के लिए स्त्रियों की भीड़ थी...।

अशोक : उन सब में हम तुम्हें ही ढूँढ़ते रहे। तुमसे दूर जाकर भी दूर नहीं जा सके। **(दयनीयता से)** तुम क्यों नहीं आयीं हमारे साथ?

देवी : तुम क्यों चले गये मुझे छोड़कर?

अशोक : जाना पड़ा। हम विवश थे। जीवन हमें चुनौती दे रहा था।

देवी : देवी और पाटलिपुत्र के बीच में तुमने चुना पाटलिपुत्र।

अशोक : हम विवश थे...

देवी : और देवी को छोड़कर चले गये।

अशोक : समझने का प्रयास करो। पुरुष के जीवन में ऐसे विरले क्षण भाग्य से आते हैं, जब वह अपने बाहुबल से अपनी विजय पताका फहरा सके। मान, सम्मान, यश, प्रभुता, सत्ता अपनी मुट्ठी में कर सके। **(अपनी मुट्ठी बाँधता है।)**

देवी : अपनी मुट्ठी खोलो।

अशोक : क्या?

देवी : अपनी मुट्ठी खोलो अशोक।

(अशोक अपनी मुट्ठी खोलता है)

देवी : कहाँ है मान, सम्मान, यश, प्रभुता, सत्ता? तुम्हारे तो हाथ खाली हैं।

(अशोक अपने हाथ देखता है)

(देवी से नीला प्रकाश लुप्त हो जाता है। साथ ही देवी पास रखे खम्भे के पीछे अन्तर्धान हो जाती है।)

अशोक : देवी! देवी! मत जाओ। बस थोड़ी देर और रुको। देवी मत जाओ। **(निराशा से)** तिस्स वह चली गयी। हमारी तो सुनती ही नहीं। जब चाहती है, आ जाती है। जब चाहती है, चली जाती है।

तिस्स : **(सान्त्वना देते हुए)** वह फिर आयेगी। वह आपसे बँधी है। वह फिर आयेगी।

अशोक : पता नहीं कब आयेगी। **(अपनी हथेली खोलकर देखते हुए)** वह पूछती थी कि कहाँ है मान, सम्मान, यश, प्रभुत्व, सत्ता। बताओ तिस्स, हम उसे क्या उत्तर देते? ये खाली हाथ...।

तिस्स : महाराज धैर्य रखिए।

अशोक : **(अपने आप से प्रश्न)** क्यों चुना हमने पाटलिपुत्र? **(सोचते हुए)** पिता द्वारा निष्कासित माता के पुत्र को लोग देखकर भी नहीं देखते थे। जैसे हम होकर भी नहीं थे। जैसे हम पारदर्शी थे। वे लोग हमें देखकर भी नहीं देख पाते थे। वे लोग—राजपुरुष, सामन्त, श्रेष्ठि...और अनुचर भी। हमारे अन्तस में चीत्कार उठती थी—**(तीव्र स्वर में)** देखो! आँख रहकर भी न देख पाने वाले अन्धो--देखो। हमें देखो--हम हैं। और धीरे-धीरे हमारे मन-मस्तिष्क में एक आकांक्षा पत्थर सी दृढ़ होती गयी। **(प्रतिहिंसा में)** इन अन्धी आँखों में एक दिन उंगली डालकर दिखाएँगे इनको--देखो हम हैं। हम पारदर्शी नहीं हैं। **(रुककर, सोचते हुए)** हम कुरूप थे। इसलिए भी लोग हमारी अवहेलना करते थे। क्या ये हमारा दोष था कि हम कुरूप जन्मे? उत्तर दो तिस्स। इसमें हमारा क्या दोष?

तिस्स : नहीं महाराज, आपका कोई दोष नहीं।

अशोक : हम और सुसीम समवयस्क थे। साथ-साथ खेलने

जाते थे। हम दोनों को एक-साथ देखकर प्रायः लोग कहते—सुसीम कितना सुन्दर है। हमें लगता, वे लोग कह रहे हैं—अशोक कितना कुरूप है? हमारी कुरूपता का उपहास कर रहे हैं। हमें चिढ़ा रहे है। हम सुसीम की सुन्दरता से घृणा करने लगे। सुसीम से घृणा करने लगे। **(विक्षिप्त सा)** सुसीम...सुसीम...बस हमारी मात्र एक अभिलाषा थी--सुसीम का पराभव। इसीलिए हम देवी को छोड़कर पाटलिपुत्र आये। किन्तु यहाँ भी हम पराजित हो गये। **(उदास मुस्कान से)** जीवन से पराजित हो गये।

तिस्स : नहीं महाराज, आप पराजित नहीं हुए। आपने पूरे विश्व पर धम्मविजय प्राप्त की है।

(पार्श्व में करुण संगीत)

अशोक : **(आसन पर बैठते हुए)** हमारे ध्यान का समय हो गया।

पता ही नहीं चला—
कब, सन्ध्या की लालिमा फैली,
और कब, धीरे धीरे—
अंधियारा छा गया,
और, लौटने की वेला भी—
आ पहुँची। **(आँख बन्द करके ध्यान में निमग्न हो जाता है)**

(सैनिक-1 तथा सैनिक-2 का प्रवेश। दोनों सैनिक नमन करते हैं)

सैनिक-1 : महाराज की जय। महाराज यात्रा के लिए रथ आ गये हैं।

अशोक : यात्रा के लिए रथ! कौन जा रहा है यात्रा पर?

सैनिक-2 : महाराज आप जा रहे हैं। आपकी यात्रा के लिए रथ आये हैं।

सैनिक-1 : सारा प्रबंध समुचित है। आपको यात्र में किसी प्रकार की असुविधा नहीं होगी।

अशोक : ठहरो एक क्षण। ठहरो। **(व्यंग्य से)** यात्रा पर हम जा रहे हैं, किन्तु हमें पता नहीं है कि हम यात्रा पर जा रहे हैं। तो आप लोग कृपया यह भी बता दीजिए कि हम कहाँ जा रहे हैं?

(सैनिक चुप रहते हैं)

अशोक : आप लोगों को यह पता है कि हम यात्रा पर जा रहें हैं, किन्तु कहाँ जा रहे हैं—यह पता नहीं?

नंदिता : (प्रवेश करते हुए) महाराज आप तीर्थ-यात्रा पर जा रहे हैं—बोधि-वृक्ष का दर्शन करने बोधि-गया।

अशोक : ओह! तो दासी नन्दिता जानती है—हम कहाँ जा रहे हैं। केवल हम नहीं जानते! सब ज्ञानियों के बीच हम ही अकेले अज्ञानी हैं।

तिस्स : तीर्थयात्रा पर आपकी सुविधा और सेवा के लिए दासी नन्दिता भी आपके साथ जाएगी।

अशोक : **(व्यंग्य से)** तो भंते, आपको भी ज्ञात है कि हम तीर्थ-यात्रा पर जा रहें हैं? सबको ज्ञात है हमारी तीर्थ-यात्रा के बारे में, सिवाय हमारे, जिसको यात्रा पर जाना है। जब आप सब इतना जानते हैं तब यह भी जानते होंगे कि हमारे तीर्थ-यात्रा पर जाने का निर्णय किसने लिया?

तिस्स : मन्त्रिमण्डल ने।

अशोक : तब हम यह भी जानना चाहेंगे कि हमें तीर्थयात्रा पर भेजने के पीछे मन्त्रिमण्डल का उद्देश्य क्या है? मन्त्रिमण्डल हमें पाटलिपुत्र से क्यों हटाना चाहता है?

तिस्स : बताता हूँ अग्रबन्धु। सैनिको तुम जाओ। **(सैनिक जाते हैं।)** तुम भी जाओ नन्दिता। सुनिश्चित करो कि महाराज के साथ यात्रा में ले जाने वाली समस्त सामग्री रथ में रख दी गयी है। **(नन्दिता नमन करके जाती है।)**

अशोक : हमें पाटलिपुत्र से हटाने के षड्यन्त्र में आप भी सम्मिलित हैं भंते?

तिस्स : अग्रबन्धु, यह पूरी योजना महामन्त्री राधागुप्त की है।

अशोक : **(वितृष्णा से)** राधागुप्त! हमें राजपद से हटा कर भी उसे सन्तोष नहीं मिला?

तिस्स : महामन्त्री आपके मित्र हैं। आपके शुभकामी। वह नहीं चाहते कि आपका शेष जीवन कारागार में व्यतीत हो। इसीलिए यह तीर्थ-यात्रा का आयोजन है।

अशोक : तीर्थयात्रा से लौटकर तो पुनः कारागार में ही आना पड़ेगा।

(राधागुप्त का प्रवेश)

राधागुप्त : नहीं राजन्। आप कारागार में वापिस नहीं लौटेंगे।

अशोक : कहाँ जायेंगे वापिस लौटकर? क्या यात्रा के दौरान हमारा वध कर दिया जायेगा?

राधागुप्त : नहीं महाराज। हम लोग आपके दीर्घ जीवन की कामना करते हैं। आप शतायु हों।

अशोक : तो कहाँ जायेंगे सम्बोधि का दर्शन करके?

राधागुप्त : आप सम्बोधि का दर्शन करने नहीं जायेंगे। यह तो मात्र बहाना है आपको कारागार से निकालने का।

अशोक : **(आश्चर्य से)** क्या कह रहे हो?

राधागुप्त : हाँ राजन्। पूरा प्रबन्ध हो गया है। आप पाटलिपुत्र से तीर्थ-यात्रा के बहाने निकलेंगे। किन्तु सम्बोधि न जाकर आप मौर्य साम्राज्य की सीमा के बाहर चले जायेंगे। पर्वतों में। वहाँ स्थित हिम-विहार में आपके अवस्थान का प्रबन्ध हो गया है।

अशोक : मौर्य साम्राज्य के बाहर? क्या मौर्य सेना अब इतनी अक्षम और निष्क्रिय है—उसका एक बन्दी भाग जाये और उसे पता भी न लगे!

राधागुप्त : सेनापति की सहमति है इसमें। मैं तो आपको कारागार से मुक्त करवाना चाहता था, किन्तु मन्त्रि-परिषद में आपके अनेक शत्रु हैं। वे अड़ गये। इसलिए तीर्थ-यात्रा का बहाना बनाना पड़ा। **(आश्वस्त करते हुए)** आप निश्चिन्त रहें। सेनापति की इसमें पूरी सहमति है। सेना की एक टुकड़ी आपको साम्राज्य की सीमा तक पहुँचाने आपके साथ जायेगी। भंते तिस्स भी आपके साथ होंगे। और दासी नन्दिता भी।

(अशोक उत्तर नहीं देता)

राधागुप्त : क्या सोच रहे हैं आप? आपको ले जाने के लिए रथ बाहर खड़े हैं। सुरक्षा के लिए सैनिक टुकड़ी भी है। आपके वस्त्रादि भी रख दिये गये हैं। बस चलिये। तुरन्त चलिये। हम लोग समय नहीं गँवा सकते।

अशोक : **(राधागुप्त के निकट जाकर, शान्त, किन्तु दृढ़ शब्दों में)** हम तीर्थ यात्रा पर नहीं जा रहे हैं। **(जा कर आसन पर बैठ जाता है।)**

राधागुप्त : **(आहत)** क्या? क्या कह रहें है आप? नहीं जा सकते!!! सब प्रबन्ध हो गया है। **(अधिकार से)** आपको जाना पड़ेगा। भंते तिस्स, समझाओ। समझाओ इनको। राजन् आपको कोई कष्ट नहीं होगा। हिमालय की पुष्पित घाटियों में आप स्वतन्त्र होंगे—इस कारागार से दूर। चलिये महाराज चलिये। विलम्ब मत कीजिए। हिम-विहार के सब बौद्धभिक्षु आपके आगमन और स्वागत हेतु प्रतीक्षारत हैं।

अशोक : **(दृढ़ता से)** राधागुप्त, हम नहीं जा रहे हैं।

तिस्स : अग्रबन्धु, मैं हाथ जोड़कर आपसे विनती करता हूँ, निकलिए इस कारागार से। **(घुटनों के बल बैठ कर हाथ जोड़ते हुए)** चलिये महाराज।

अशोक : नहीं तिस्स। हम नहीं जा सकते।

तिस्स : अपने लिए नहीं हम सबके लिए चलिए महाराज, चलिए।

नन्दिता : **(घुटनों के बल बैठकर, हाथ जोड़ते हुए)** चलिए महाराज! हम पर कृपा कीजिए चलिए।

राधागुप्त : **(अचानक क्रोध के विस्फोट से)** तो मत जाओ। रहो इसी कारागार में। अशोक, मैं तुम्हारा बालमित्र हूँ। पहली बार—जीवन में पहली बार मैं मौर्यराज के विरुद्ध खड़ा हुआ हूँ। किसके लिए? तुम्हारे लिए। अपने मित्र के लिए। अब मैं नहीं कहूँगा तुमसे यहाँ से जाने को। रहो यहीं कारागार में। **(विवश क्रोध में अपनी मुट्ठी बाँधता है।)**

(अशोक उत्तर नहीं देता। कुछ क्षणों का नीरव मौन। अशोक राधागुप्त के निकट जाता है उसके कन्धे पर हाथ रखता है)

अशोक : **(सान्त्वना देते हुए)** राधागुप्त, हमें विचार करने दो। **अशोक ध्यान-मुद्रा में बैठता है। धीरे-धीरे मंच पर प्रकाश**

मन्द होते हुए समाप्त हो जाता है, सिवाय अशोक के चारों ओर एक प्रकाश-वृत्त के।)

अशोक : राधागुप्त, हमने मध्याह्न के उद्दाम प्रकांड सूर्य को धीरे-धीरे सन्ध्या में ढलते देखा है। अब हमें रात्रि की कालिमा की प्रतीक्षा है। हम जानते हैं जीवन और मृत्यु का अन्तःसम्बन्ध, जय में अन्तर्निहित पराजय और सुख-दुख की जुगलबन्दी। माया के आवरण में छिपे जीवन के सत्य का हमने साक्षात्कार किया है। अब हम तथागत की शरण में हैं। हम कारागार में भी मुक्त हैं। हम नहीं जा रहे हैं।

(आँख बन्द करके ध्यान में जाता है।)

(बहुत धीरे-धीरे प्रकाश-वृत्त छोटा होते हुए अशोक की ध्यानमग्न मुखाकृति पर केन्द्रित होता है। साथ ही बुद्ध-घोष की ध्वनि धीरे-धीरे बढ़ती है। राधागुप्त, नन्दिता और तिस्स नमन करके जाते हैं। गगनिका पर बुद्ध की छवि प्रकट होती है। गगनिका के निकट बुद्ध-घोष करते हुए भिक्षुओं का दल मंच पर एक तरफ से दूसरी तरफ जाता हुआ दिखाई पड़ता है। बुद्ध-घोष की ध्वनि बढ़ते हुए पूरे प्रेक्षागृह को भर देती है।)

(इति)

□□